여러분의 합격을 응원하는
해커스공무원의 특별 혜택

FREE 공무원 세법 **동영상강의**

해커스공무원(gosi.Hackers.com) 접속 후 로그인 ▶ 상단의 [무료강좌] 클릭 ▶ [교재 무료특강] 클릭

해커스공무원 온라인 단과강의 **20% 할인쿠폰**

9D2A67DDC3F3E4GR

해커스공무원(gosi.Hackers.com) 접속 후 로그인 ▶ 상단의 [나의 강의실] 클릭 ▶
좌측의 [쿠폰등록] 클릭 ▶ 위 쿠폰번호 입력 후 이용

* 쿠폰 이용 기한: 2024년 12월 31일까지(등록 후 7일간 사용 가능)
* ID당 1회에 한해 등록 가능

해커스 회독증강 콘텐츠 **5만원 할인쿠폰**

5D55B9BB62F82NMZ

해커스공무원(gosi.Hackers.com) 접속 후 로그인 ▶ 상단의 [나의 강의실] 클릭 ▶
좌측의 [쿠폰등록] 클릭 ▶ 위 쿠폰번호 입력 후 이용

* 쿠폰 이용 기한: 2024년 12월 31일까지(등록 후 7일간 사용 가능)
* ID당 1회에 한해 등록 가능(특별 할인상품 적용 불가)
* 월간 학습지 회독증강 행정학/행정법총론 개별상품은 할인쿠폰 할인대상에서 제외

합격예측 모의고사 응시권 + 해설강의 수강권

9B832D88AD5392TC

해커스공무원(gosi.Hackers.com) 접속 후 로그인 ▶ 상단의 [나의 강의실] 클릭 ▶
좌측의 [쿠폰등록] 클릭 ▶ 위 쿠폰번호 입력 후 이용

* 쿠폰 이용 기한: 2024년 12월 31일까지(ID당 1회에 한해 등록 가능)

쿠폰 이용 관련 문의 **1588-4055**

단기 합격을 위한
해커스 커리큘럼

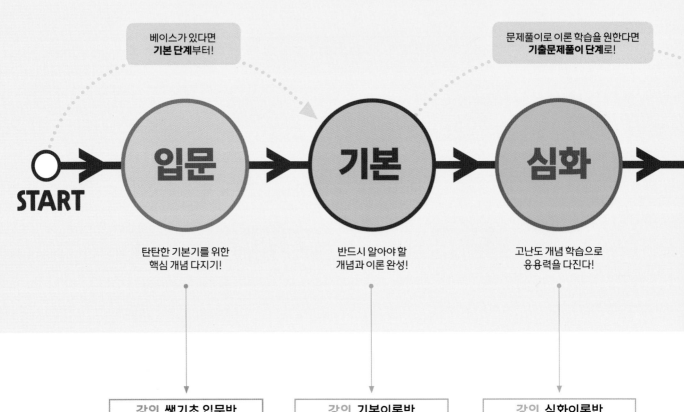

베이스가 있다면 **기본 단계부터!**

문제풀이로 이론 학습을 원한다면 **기출문제풀이 단계로!**

START

입문
탄탄한 기본기를 위한 핵심 개념 다지기!

기본
반드시 알아야 할 개념과 이론 완성!

심화
고난도 개념 학습으로 응용력을 다진다!

강의 쌩기초 입문반
이해하기 쉬운 개념 설명과 풍부한 연습문제 풀이로 부담 없이 기초를 다질 수 있는 강의

강의 기본이론반
반드시 알아야 할 기본 개념과 문제풀이 전략을 학습하여 핵심 개념 정리를 완성하는 강의

강의 심화이론반
심화이론과 중·상 난이도의 문제를 함께 학습하여 고득점을 위한 발판을 마련하는 강의

단계별 교재 확인 및
수강신청은 여기서!
gosi.Hackers.com

* 커리큘럼은 과목별·선생님별로 상이할 수 있으며, 자세한 내용은 해커스공무원 사이트에서 확인하세요.

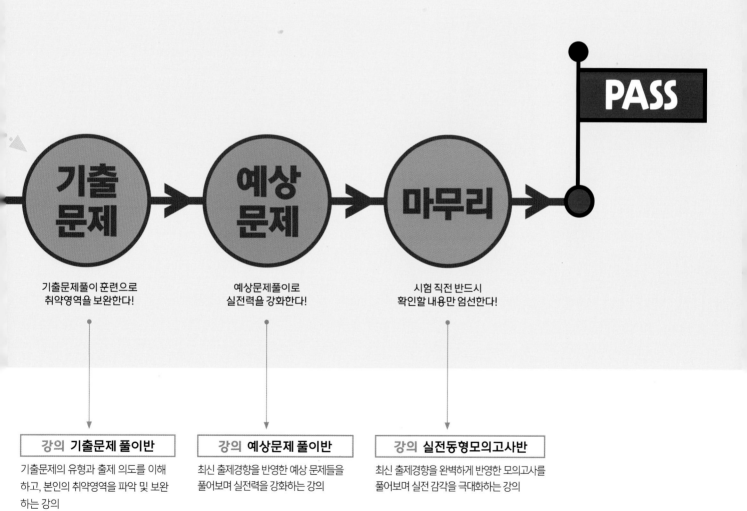

PASS

기출 문제

기출문제풀이 훈련으로
취약영역을 보완한다!

예상 문제

예상문제풀이로
실전력을 강화한다!

마무리

시험 직전 반드시
확인할 내용만 엄선한다!

강의 기출문제 풀이반

기출문제의 유형과 출제 의도를 이해
하고, 본인의 취약영역을 파악 및 보완
하는 강의

강의 예상문제 풀이반

최신 출제경향을 반영한 예상 문제들을
풀어보며 실전력을 강화하는 강의

강의 실전동형모의고사반

최신 출제경향을 완벽하게 반영한 모의고사를
풀어보며 실전 감각을 극대화하는 강의

강의 봉투모의고사반

시험 직전에 실제 시험과 동일한 형태의
모의고사를 풀어보며 실전력을 완성하는 강의

해커스공무원

김영서 세법

기본서 | 2권

김영서

약력

제47회 세무사 시험 합격
현 | 해커스공무원 세법, 지방세법 강의
현 | 다윤세무회계사무소 대표세무사
현 | 우리경영아카데미 강의
전 | 나무경영아카데미 강의
전 | 남부행정고시학원 강의
전 | 한국행정고시학원 강의

저서

해커스공무원 김영서 세법 기본서
해커스공무원 김영서 세법 단원별 기출문제집
일차원 세법, 세경북스
세법 핵심 기출문제집, 세경북스

공무원 시험 합격을 위한 필수 기본서!

공무원 공부, 어떻게 시작해야 할까?

『해커스공무원 김영서 세법 기본서』는 수험생 여러분들의 소중한 하루하루가 낭비되지 않도록 올바른 수험생활의 길을 제시하고자 노력하였으며 다음과 같은 특징을 가지고 있습니다.

첫째, 세법의 핵심을 쉽고 정확하게 이해할 수 있도록 구성하였습니다.

기본서를 회독하는 과정에서 기본 개념부터 심화 이론까지 자연스럽게 이해할 수 있도록 세법의 핵심 내용만을 짜임새 있게 구성하였습니다. 이를 통해 단순히 기본서를 '이론 학습'의 목적으로만 학습하는 것이 아니라, 수험생활 전반에 걸쳐 본인의 학습 수준에 맞게 사용할 수 있습니다.

둘째, 최신 출제 경향과 개정 법령을 빠짐없이 반영하였습니다.

공무원 세법 기출문제를 철저히 분석하여 최신 출제 경향을 반영하였으며, 재출제 가능성이 높은 기출문제를 선별하여 수록하였습니다. 또한 정확한 세법 내용을 학습할 수 있도록 이론 전반에 최신 개정 법령을 꼼꼼히 반영하였습니다.

셋째, 다양한 학습장치를 통해 수험생 여러분들의 입체적인 학습을 지원합니다.

커리큘럼과 학습 정도에 맞추어 세법 이론을 공부할 수 있도록 '심화'와 '참고', '사례로 이해 UP' 등의 다양한 학습장치를 교재 곳곳에 배치하였습니다.

더불어, 공무원 시험 전문 사이트 해커스공무원(gosi.Hackers.com)에서 교재 학습 중 궁금한 점을 나누고 다양한 무료 학습 자료를 함께 이용하여 학습 효과를 극대화할 수 있습니다. 부디 『해커스공무원 김영서 세법 기본서』와 함께 공무원 세법 시험 고득점을 달성하고 합격을 향해 한걸음 더 나아가시기를 바랍니다.

『해커스공무원 김영서 세법 기본서』가 공무원 합격을 꿈꾸는 모든 수험생 여러분에게 훌륭한 길잡이가 되기를 바랍니다.

김영서, 해커스 공무원시험연구소

목차

1권

이 책의 구성   6

I 국세기본법

01 조세총론	10
02 총칙	15
03 국세부과와 세법적용	34
04 납세의무의 성립·확정·소멸	44
05 납세의무의 확장	58
06 국세와 일반채권의 관계	71
07 과세	78
08 국세환급금과 국세환급가산금	96
09 심사와 심판(조세불복제도)	106
10 납세자의 권리	126
11 보칙	153

II 국세징수법

01 총칙	166
02 보칙	169
03 신고납부, 납부고지 등	182
04 강제징수	200

III 부가가치세법

01 부가가치세	248
02 부가가치세법 총칙	250
03 과세거래	268
04 영세율과 면세	297
05 세금계산서와 영수증	319
06 과세표준	337
07 차가감납부세액	356
08 겸영사업자의 세액계산	377
09 납세절차	384
10 간이과세	405

2권

IV 법인세법

01 총설 432
02 법인세의 계산구조 450
03 익금과 익금불산입 465
04 손금과 손금불산입 489
05 손익의 귀속시기 507
06 자산의 취득가액 및 자산·부채의 평가 520
07 기업업무추진비와 기부금 536
08 감가상각비와 지급이자 손금불산입 547
09 충당금과 준비금 574
10 부당행위계산의 부인 590
11 과세표준의 계산 599
12 산출세액의 계산 606
13 법인세 납세절차 616
14 기타 법인세 632

V 소득세법

01 총설 678
02 이자·배당소득 693
03 사업소득 710
04 근로소득·연금소득·기타소득 731
05 소득금액계산의 특례 767
06 종합소득과세표준의 계산 781
07 종합소득세액의 계산 791
08 퇴직소득세 812
09 양도소득세 817
10 소득세 신고·납부 및 비거주자의 신고·납부 854
11 금융투자소득 870

VI 상속세 및 증여세법

01 상속세 882
02 증여세 897
03 재산의 평가 922
04 상속세 및 증여세 납세절차 927

IV

법인세법

01 총설

02 법인세의 계산구조

03 익금과 익금불산입

04 손금과 손금불산입

05 손익의 귀속시기

06 자산의 취득가액 및
   자산·부채의 평가

07 기업업무추진비와
   기부금

08 감가상각비와 지급이자
   손금불산입

09 충당금과 준비금

10 부당행위계산의 부인

11 과세표준의 계산

12 산출세액의 계산

13 법인세 납세절차

14 기타 법인세

01 총설

1 법인세 과세소득과 납세의무자

1. 법인세의 개념

(1) 법인세는 법인이 얻은 소득에 대하여 그 법인에게 부과되는 조세이다. 법인이 얻은 소득을 과세대상으로 한다는 점에서 소득세에 해당하나, 세법에서는 개인이 얻은 소득에 대한 개인소득세를 소득세로, 법인이 얻은 소득에 대한 법인소득세를 법인세로 구별하고 있다.

(2) 법인세는 포괄주의와 순자산증가설에 따라 발생하는 소득에 대하여 과세하고 있다.

(3) 법인세의 과세소득에는 각 사업연도 소득, 토지 등 양도소득, 청산소득, 미환류소득이 있다.

2. 소득에 따른 법인세

(1) 각 사업연도 소득에 대한 법인세

① 각 사업연도 소득에 대한 법인세란 계속기업이 활동을 통하여 법인이 각 사업연도의 소득에 대하여 법인세를 부과하는 것을 말한다. 법인세 세율은 과세표준 2억 원 이하 9%, 2억 원 초과 200억 원 이하 19%, 200억 원 초과 3,000억 원 이하 21%, 3,000억 원 초과 24%로 하고 있다.

②「법인세법」은 순자산증가설과 포괄주의를 따르고 있다. 따라서 일부 항목을 제외하고 순자산을 증가시키는 모든 거래에 대하여 법인세가 부과된다.

③ 각 사업연도 소득에 대한 법인세는 각 사업연도 종료일이 속하는 달의 말일부터 3개월 이내에 신고 · 납부한다.

(2) 토지 등 양도소득에 대한 법인세❶

① 토지 등 양도소득은 법인의 부동산투기방지를 위하여 법에서 정한 조합원입주권, 분양권, 주택 및 별장과 비사업용토지를 양도함으로써 발생하는 소득을 말한다. 토지 등 양도소득에 대한 법인세는 각 사업연도 소득에 대한 법인세에 추가하여 이중으로 과세하는 소득이다.

② 각 사업연도 소득에 대한 법인세와 함께 신고 · 납부한다.

❶ 토지 등 양도소득에 대한 법인세 세율
1. **주택 · 별장:** 20%(미등기 40%)
2. **비사업용토지:** 10%(미등기 40%)
3. **조합원입주권 · 분양권:** 20%

(3) 미환류소득에 대한 법인세[투자 · 상생협력 촉진을 위한 과세특례를 적용하여 계산한 법인세(「조세특례제한법」)]

① 법인이 기업소득을 임금증가 · 투자 등에 일정금액을 사용하지 않은 경우 그 미달하게 사용한 금액을 미환류소득으로 보아 법인세를 과세한다.

② 미환류소득의 세율은 20%로 법인세에 추가로 과세되며 각 사업연도 소득에 대한 법인세와 함께 신고 · 납부한다.

(4) 청산소득에 대한 법인세

① 청산소득이란 법인이 해산으로 인하여 청산할 때 발생하는 소득으로 그 소득을 과세대상으로 하여 청산할 때 과세하는 법인세를 말한다.

② 청산소득의 세율은 각 사업연도 소득에 대한 법인세와 동일하며 잔여재산 가액확정일이 속하는 달의 말일부터 3개월 이내에 신고 · 납부한다.

3. 법인세 납세의무자

(1) 내국법인과 외국법인

① 내국법인: 내국법인이란 국내에 본점이나 주사무소 또는 사업의 실질적 관리 장소를 둔 법인을 말하며, 내국법인은 국내외 원천소득에 대하여 각 사업연도의 소득에 대한 법인세 납세의무를 진다(무제한 납세의무).

② 외국법인

　㉠ 외국법인이란 외국에 본점 또는 주사무소를 둔 법인(국내에 사업의 실질적 관리장소가 소재하지 않은 경우만 해당)으로서 다음 중 어느 하나의 기준에 해당하는 법인을 말한다.

　　ⓐ 설립된 국가의 법에 따라 법인격이 부여된 단체

　　ⓑ 구성원이 유한책임사원으로만 구성된 단체

　　ⓒ 그 밖에 해당 외국단체와 동종 또는 유사한 국내의 단체가 「상법」 등 국내의 법률에 따른 법인인 경우의 그 외국단체

　㉡ 외국법인은 일정한 국내원천소득에 대하여 각 사업연도의 소득에 대한 법인세 납세의무를 진다(제한 납세의무).

(2) 영리법인과 비영리법인

① 영리를 목적으로 설립한 법인을 영리법인이라 하며 학술 · 종교 · 자선 · 기타 영리 아닌 사업을 목적으로 설립한 법인을 비영리법인이라 한다.

② 영리법인은 소득발생의 원천에 상관없이 모든 소득에 대하여 법인세 납세 의무를 지고 비영리법인은 열거된 수익사업에 대하여만 법인세 납세의무를 진다.

③ 비영리법인도 영리사업을 할 수 있으나 그 사업에서 발생한 이익을 구성원에게 분배할 수 없다.

🏛 기출 OX

「민법」 제32조에 따라 설립된 법인으로서 국내에 주사무소를 둔 법인은 비영리 내국법인에 해당한다. (○)　　16. 9급

4. 납세의무자의 구분에 따른 납세의무

구분		각 사업연도 소득	토지 등 양도소득	청산소득 · 미환류소득
내국법인	영리법인	국내외 모든소득	과세 ○	과세 ○
	비영리법인	국내외 수익사업소득		과세 ×
외국법인	영리법인	국내원천소득		과세 ×
	비영리법인	국내원천 수익사업소득		
국가 · 지방자치단체 · 지방자치단체조합		비과세 법인(과세하지 않음)		

(1) 국가와 지방자치단체 · 지방자치단체조합은 비과세법인으로 보아 법인세를 과세하지 않는다.

(2) 외국의 정부 · 지방자치단체는 비영리외국법인으로 보아 과세한다.

(3) 「국세기본법」에 따라 법인으로 보는 법인 아닌 단체는 비영리내국법인으로 본다.

(4) 연결법인은 각 연결사업연도 소득에 대한 법인세(연결법인의 토지 등 양도소득에 대한 법인세와 미환류소득에 대한 법인세를 포함)를 연대하여 납부할 의무가 있다.

2 신탁소득에 대한 법인세과세

1. 납세의무자

(1) 수익자

신탁재산에 귀속되는 소득에 대해서는 그 신탁의 이익을 받을 수익자가 그 신탁재산을 가진 것으로 보고 「법인세법」을 적용한다.

(2) 수탁자(법인과세 신탁재산)

위 (1)에도 불구하고 다음의 어느 하나에 해당하는 신탁으로서 일정요건❶을 모두 충족하는 신탁(투자신탁은 제외)의 경우에는 신탁재산에 귀속되는 소득에 대하여 신탁계약에 따라 그 신탁의 수탁자[내국법인 또는 「소득세법」에 따른 거주자(이하 '거주자'라 함)인 경우에 한정함]가 법인세를 납부할 수 있다. 이 경우 신탁재산별로 각각을 하나의 내국법인으로 본다.

① 「신탁법」에 따른 목적신탁

② 「신탁법」에 따른 수익증권발행신탁

③ 「신탁법」에 따른 유한책임신탁

④ 그 밖에 ①부터 ③까지의 규정에 따른 신탁과 유사한 신탁으로서 대통령령으로 정하는 신탁

(3) 위탁자

위 (1) 및 (2)에도 불구하고 수익자가 특별히 정하여지지 아니하거나 존재하지 아니하는 신탁 또는 위탁자가 신탁재산을 실질적으로 통제하는 등 다음 중 어느 하나의 요건을 충족하는 신탁의 경우에는 신탁재산에 귀속되는 소득에 대하여 그 신탁의 위탁자가 법인세를 납부할 의무가 있다.

① 위탁자가 신탁재산을 실질적으로 통제 또는 지배할 것
② 신탁재산 원본의 이익에 대한 수익자와 수익의 이익에 대한 수익자를 다음과 같이 구분하여 설정하였을 것

  ㉠ 신탁재산 원본의 이익에 대한 수익자: 위탁자
  ㉡ 수익의 이익에 대한 수익자: 위탁자의 지배주주 등의 배우자 또는 생계를 같이 하는 직계존비속(배우자의 직계존비속을 포함함)

2. 과세방식

(1) 수익자과세

납세의무자를 수익자로 한다.

(2) 수탁자과세(법인과세 신탁재산)

① 신탁재산을 법인으로 보아 수탁자가 납세의무를 진다.
② 수익자에게 신탁이익을 배분하는 경우에는 수익자에게 과세한다(개인은 배당소득으로 법인은 익금으로 과세함).

(3) 위탁자과세

위탁자를 납세의무자로 한다.

3. 법인과세 신탁재산의 설립 및 해산

(1) 설립일

신탁이 설정된 날을 설립일로 한다.

(2) 해산

신탁이 종료된 날을 해산하는 날로 한다.

(3) 사업연도 및 납세지

① 법인과세 수탁자는 법인과세 신탁재산에 대한 사업연도를 따로 정하여 법인 설립신고 또는 사업자등록과 함께 납세지 관할세무서장에게 사업연도를 신고하여야 한다(사업연도 기간은 1년을 초과하지 못함).
② 납세지는 법인과세 수탁자의 납세지로 한다.

4. 법인과세 신탁재산에 대한 소득공제

(1) 법인과세 신탁재산이 수익자에게 배당한 경우에는 그 금액을 해당 배당을 결의한 잉여금 처분의 대상이 되는 사업연도의 소득금액에서 공제한다(공제액이 소득금액을 초과하는 경우 그 초과액은 없는 것으로 함).

(2) 배당을 받은 법인과세 신탁재산의 수익자에 대하여 「법인세법」 또는 「조세특례제한법」에 따라 그 배당에 대한 소득세 또는 법인세가 비과세되는 경우에는 법인과세 신탁재산에 대한 소득공제를 적용하지 않는다.

(3) 법인과세 신탁재산에 대한 소득공제를 적용받으려는 법인과세 신탁재산의 수탁자는 소득공제 신청을 하여야 한다.

5. 법인과세 신탁재산의 수탁자가 변경된 경우

수탁자의 변경에 따라 법인과세 신탁재산의 수탁자가 그 법인과세 신탁재산에 대한 자산과 부채를 변경되는 수탁자에게 이전하는 경우 그 자산과 부채의 이전가액을 수탁자 변경일 현재의 장부가액으로 보아 이전에 따른 손익은 없는 것으로 한다.

6. 공동수탁자가 있는 법인과세 신탁재산에 대한 적용

(1) 납세의무

하나의 법인과세 신탁재산에 둘 이상의 수탁자가 있는 경우에는 수탁자 중 신탁사무를 주로 처리하는 수탁자(대표수탁자)로 신고한 자가 법인과세 신탁재산에 귀속되는 소득에 대하여 법인세를 납부하여야 한다.

(2) 연대납부

대표수탁자 외의 수탁자는 법인과세 신탁재산에 관계 있는 법인세에 대하여 연대하여 납부할 의무가 있다.

7. 신고 및 납부

(1) 법인과세 신탁재산에 대해서는 성실신고확인서 제출 및 중간예납 의무를 적용하지 않는다.

(2) 법인과세 신탁재산이 원천징수 대상 이자소득의 금액(금융보험업을 하는 법인의 수입금액을 포함) 및 집합투자기구로부터의 이익 중 투자신탁의 이익의 금액을 지급받고 법인과세 신탁재산의 수탁자가 「법인세법 시행령」으로 정하는 금융회사 등에 해당하는 경우에는 원천징수를 하지 않는다.

(3) 법인과세 신탁재산에 속한 원천징수대상채권 등을 매도하는 경우 법인과세 수탁자를 원천징수의무자로 본다.

8. 수익자의 제2차 납세의무

재산의 처분 등에 따라 법인과세 수탁자가 법인과세 신탁재산의 재산으로 그 법인과세 신탁재산에 부과되거나 그 법인과세 신탁재산이 납부할 법인세 및 강제징수비를 충당하여도 부족한 경우에는 그 신탁의 수익자(「신탁법」에 따라 신탁이 종료되어 신탁재산이 귀속되는 자를 포함)는 분배받은 재산가액 및 이익을 한도로 그 부족한 금액에 대하여 제2차 납세의무를 진다.

9. 구분경리

법인과세 수탁자는 법인과세 신탁재산별로 신탁재산에 귀속되는 소득을 각각 다른 회계로 구분하여 기록하여야 한다.

3 법인의 사업연도와 납세지

1. 사업연도

(1) 일반적인 경우

사업연도란 법인의 과세소득을 계산하는 일정한 기간을 말한다. 이러한 사업연도는 1년을 초과하지 못하도록 되어 있다.

① 원칙: 법령이나 법인의 정관 등에서 정하는 1회계기간으로 한다. 다만, 그 기간은 1년을 초과할 수 없다.

② 예외

  ㉠ 법령이나 정관에 규정이 없는 경우: 법인설립신고 시❶(국내사업장이 있는 외국법인은 국내사업장 설치신고 시) 또는 사업자등록과 함께 납세지 관할세무서장에게 사업연도를 신고하여야 한다.

  ㉡ ㉠의 신고도 없는 경우: 매년 1월 1일부터 12월 31일까지를 사업연도로 한다.

⊞ 심화 | 외국법인

1. **국내사업장이 있는 외국법인**: 외국법인이 국내사업장을 가지게 되었을 때에는 그날부터 2개월 이내에 납세지 관할세무서장에게 국내사업장설치신고를 하여야 한다.
2. **국내사업장이 없는 외국법인**: 국내사업장이 없는 외국법인으로 부동산소득 또는 양도소득이 있는 법인은 따로 사업연도를 정하여 그 소득이 최초로 발생하게 된 날부터 1개월 이내에 납세지 관할세무서장에게 신고하여야 한다.

---

(2) 최초사업연도

① **개시일**: 신설법인의 최초사업연도는 다음의 최초사업연도의 개시일부터 그 사업연도 종료일까지로 한다.

  ㉠ **내국법인**: 설립등기일

  ㉡ **외국법인**: 국내사업장을 가지게 된 날(국내사업장이 없는 경우에는 부동산소득 또는 부동산 양도소득이 최초로 발생한 날)

> **참고**
>
> **최초사업연도 개시일**
> 법인으로 보는 법인 아닌 단체의 최초사업연도 개시일은 다음과 같다.
> 1. 법령에 의하여 설립된 단체에 있어서 당해 법령에 설립일이 정하여진 경우에는 그 설립일
> 2. 설립에 관하여 주무관청의 허가 또는 인가를 요하는 단체와 법령에 의하여 주무관청에 등록한 단체의 경우에는 그 허가일 · 인가일 또는 등록일
> 3. 공익을 목적으로 출연된 기본재산이 있는 재단으로서 등기되지 아니한 단체에 있어서는 그 기본재산의 출연을 받은 날
> 4. 「국세기본법」의 규정에 의하여 납세지 관할세무서장의 승인을 얻은 단체의 경우에는 그 승인일

② **개시일 전에 손익이 발생한 경우**: 최초사업연도 개시 전에 손익이 발생한 경우 조세포탈의 우려가 없는 때에는 최초사업연도의 기간이 1년을 초과하지 아니하는 범위 내에서 이를 해당 법인의 최초사업연도의 손익에 산입할 수 있다. 이 경우 최초사업연도의 개시일은 해당 법인에 귀속시킨 손익이 최초로 발생한 날로 한다.

(3) 사업연도변경

① 사업연도를 변경하려는 법인은 그 법인의 직전사업연도 종료일부터 3개월 이내에 납세지 관할세무서장에게 신고하여야 하며, 기한 내에 신고를 하지 않은 경우에는 그 법인의 사업연도는 변경되지 않은 것으로 본다.

② 법령에 따라 사업연도가 정하여지는 법인의 경우 관련 법령의 개정에 따라 사업연도가 변경된 경우에는 변경신고를 하지 아니한 경우에도 그 법령의 개정 내용과 같이 사업연도가 변경된 것으로 본다.

③ 사업연도가 변경된 경우에는 종전의 사업연도 개시일부터 변경된 사업연도 개시일 전날까지의 기간을 1사업연도로 한다. 다만, 그 기간이 1개월 미만인 경우에는 변경된 사업연도에 그 기간을 포함한다.

④ 신설법인의 경우에는 최초사업연도가 경과하기 전에는 사업연도를 변경할 수 없다.

⑤ 사업연도 변경신고서를 직전사업연도 종료일 이전에 제출한 경우에도 적법한 변경신고로 본다.

(4) 사업연도의제

사업연도의제란 사업연도 중 해산 또는 합병 등 사유가 발생하는 경우에 해당 법인의 정관 등의 규정에 상관없이 다음에 따라 사업연도를 구분하는 것을 말한다.

① 해산 · 청산 · 사업계속의 경우

　㉠ 내국법인의 해산(합병 · 분할 또는 분할합병에 따른 해산은 제외): 다음의 기간을 각각 1사업연도로 본다.

　　ⓐ 그 사업연도 개시일로부터 해산등기일(파산으로 인하여 해산하는 경우에는 파산등기일을 말하며, 법인으로 보는 단체의 경우에는 해산일을 말함)까지

　　ⓑ 해산등기일 다음날부터 그 사업연도 종료일까지

　㉡ 청산 중에 있는 내국법인의 잔여재산가액이 사업연도 중에 확정된 경우: 그 사업연도 개시일부터 잔여재산의 가액이 확정된 날까지의 기간을 1사업연도로 본다.

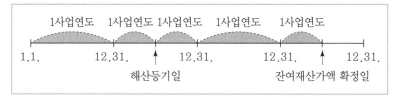

　㉢ 청산 중에 있는 내국법인이 「상법」의 규정에 따라 사업을 계속하는 경우: 다음의 기간을 각각 1사업연도로 본다.

　　ⓐ 그 사업연도 개시일부터 계속등기일(계속등기를 하지 아니한 경우에는 사실상의 사업계속일)까지

ⓑ 계속등기일 다음날부터 그 사업연도 종료일까지

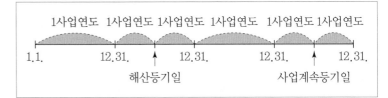

② 합병이나 분할(분할합병을 포함)에 따라 해산하는 경우: 내국법인이 사업연도 중에 합병이나 분할(분할합병을 포함)에 따라 해산하는 경우에는 그 사업연도 개시일부터 합병등기일 또는 분할등기일까지의 기간을 그 해산한 법인의 1사업연도로 본다.

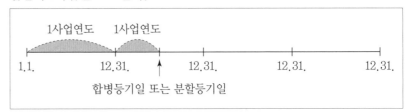

③ 연결납세방식을 적용받는 경우: 내국법인이 사업연도 중에 연결납세방식을 적용받는 경우에는 그 사업연도 개시일부터 연결사업연도 개시일의 전날까지의 기간을 1사업연도로 한다.

④ 외국법인의 사업연도 의제

ⓐ 국내사업장이 있는 외국법인이 사업연도 중에 그 국내사업장을 가지지 아니하게 된 경우에는 그 사업연도 개시일부터 그 사업장을 가지지 아니하게 된 날까지의 기간을 그 법인의 1사업연도로 본다. 다만, 국내에 다른 사업장을 계속하여 가지고 있는 경우에는 예외로 한다.

ⓑ 국내사업장이 없는 외국법인이 부동산소득 또는 부동산 양도소득이 발생하지 아니하게 되어 납세지 관할세무서장에게 이를 신고한 경우는 사업연도 개시일부터 그 신고일까지의 기간을 1사업연도로 본다.

⑤ 법인이 조직을 변경한 경우❶: 「상법」 기타 법령의 규정에 의하여 그 조직을 변경한 경우에도 조직변경 전의 법인해산등기 또는 조직변경 후의 법인설립등기에 관계없이 해당 법인의 사업연도는 조직변경 전 사업연도가 계속되는 것으로 한다.

⑥ 설립무효 또는 설립취소의 판결을 받은 경우: 법인이 사업연도 중에 설립무효 또는 설립취소의 판결을 받은 경우에는 해당 사업연도 개시일부터 확정판결일까지를 1사업연도로 본다.

📖 기출 OX

내국법인이 사업연도 중에 연결납세방식을 적용받는 경우에는 그 사업연도 개시일부터 연결사업연도 개시일의 전날까지의 기간을 1사업연도로 본다. (○) 13. 7급

❶ 법인의 조직변경 경우

법인의 조직변경은 법률상의 조직을 변경하는 것으로 합명회사가 합자회사로, 유한회사가 주식회사로 변경되는 것을 말한다. 이렇게 변경되더라도 법인세의 납세의무가 변경되는 것은 아니므로 사업연도는 그대로 계속되는 것으로 한다.

2. 납세지

(1) 개념

납세지란 납세의무자가 납세의무를 이행하고 과세권자가 부과징수를 행하는 기준이 되는 장소이다. 따라서 법인세는 납세지를 관할하는 세무서장 또는 지방국세청장이 과세한다.

(2) 내국법인

① 원칙: 그 법인의 등기부에 따른 본점이나 주사무소의 소재지(국내에 본점 또는 주사무소가 있지 않는 경우에는 사업을 실질적으로 관리하는 장소의 소재지)를 납세지로 한다.

② 법인으로 보는 법인 아닌 단체

　㉠ 단체의 사업장소재지를 납세지로 하되, 주된 소득이 부동산임대소득인 단체의 경우에는 그 부동산소재지를 납세지로 한다. 다만, 둘 이상의 사업장 또는 부동산을 가지고 있는 단체의 경우에는 주된 사업장 또는 주된 부동산소재지❶로 한다.

　㉡ 사업장이 없는 단체의 경우는 단체의 정관 등에 기재된 주사무소의 소재지로 한다. 다만, 정관 등에 주사무소에 관한 규정이 없는 경우에는 그 대표자 또는 관리인의 주소지로 한다.

(3) 외국법인

① 원칙: 국내사업장❷의 소재지를 납세지로 한다.

② 국내사업장이 없는 외국법인

　㉠ 국내사업장이 없는 외국법인으로서 부동산소득 또는 부동산 양도소득이 있는 경우에는 각각 그 자산의 소재지를 납세지로 한다.

　㉡ 둘 이상의 자산이 있는 외국법인에 대하여는 국내원천소득이 발생하는 장소 중 해당 외국법인이 납세지로 신고하는 장소를 납세지로 한다. 이 경우 신고는 2 이상의 국내원천소득이 발생한 날로부터 1월 이내에 납세지 관할세무서장에게 하여야 한다.

(4) 원천징수한 법인세의 납세지

개인 또는 법인이 법인에게 소득을 지급할 때 원천징수하는 법인세의 납세지는 원천징수의무자(소득의 지급자)의 소재지로 한다.

① 원천징수의무자가 개인인 경우

　㉠ 거주자: 그 거주자의 주된 사업장의 소재지로 한다. 다만, 주된 사업장 외의 사업장에서 원천징수를 하는 경우에는 그 사업장의 소재지로 하며 사업장이 없는 경우에는 그 거주자의 주소지 또는 거소지를 사업장으로 한다.

---

❶ 주된 사업장·주된 부동산소재지

주된 사업장 또는 주된 부동산의 소재지란 직전사업연도의 사업수입금액이 가장 많은 사업장 또는 부동산소재지를 말한다.

❷ 국내사업장

1. 둘 이상의 국내사업장이 있는 경우에는 주된 사업장의 소재지로 한다. 여기서 주된 사업장이란 직전사업연도의 사업수입금액이 가장 많은 사업장의 소재지를 말한다. 다만, 주된 사업장 소재지의 판정은 최초로 납세지를 정하는 경우에만 적용한다.

2. 건설업 등을 영위하는 외국법인의 국내사업장이 영해에 소재하는 이유 등으로 국내사업장을 납세지로 하는 것이 곤란한 경우에는 국내의 등기부상 소재지를 납세지로 한다. 다만, 등기부상 소재지가 없으면 국내에서 그 사업에 관한 업무를 총괄하는 장소를 납세지로 한다.

ⓛ 비거주자: 그 비거주자의 주된 국내사업장의 소재지로 한다. 다만, 주된 국내사업장 외의 국내사업장에서 원천징수를 하는 경우에는 그 국내사업장의 소재지로 하며 국내사업장이 없는 경우에는 그 비거주자의 거류지 또는 체류지를 사업장으로 한다.

　② 원천징수의무자가 법인인 경우

　　　㉠ 원칙: 그 법인의 본점·주사무소 또는 국내에 본점이나 주사무소가 소재하지 아니하는 경우 사업의 실질적 관리장소의 소재지로 한다.

　　　㉡ 예외

　　　　ⓐ 그 법인의 지점·영업소 기타사업장이 독립채산제에 의하여 독자적으로 회계사무를 처리하는 경우는 그 사업장 소재지로 한다(그 사업장이 국외에 있는 경우는 제외).

　　　　ⓑ 다만, 법인이 지점·영업소 기타 사업장에서 지급하는 소득에 대한 원천징수세액을 본점 등에서 전자계산조직 등에 의하여 일괄 계산하는 경우로서 본점 소재지 관할세무서장에게 신고한 경우와 「부가가치세법」에 따라 사업자단위로 관할세무서장에게 등록한 경우에는 해당 법인의 본점 또는 주사무소를 해당 소득에 대한 법인세 원천징수세액의 납세지로 할 수 있다.

> **⊞ 심화 | 합병 또는 분할로 인하여 소멸한 법인의 납세지**
>
> 피합병법인 등❶의 각 사업연도의 소득(합병 또는 분할에 따른 양도손익을 포함)에 대한 법인세 납세지는 납세지의 변경신고를 함으로써 합병법인 등❷의 납세지(분할의 경우에는 승계한 자산가액이 가장 많은 법인의 납세지)를 피합병법인 등의 납세지로 할 수 있다.

(5) 납세지 지정

　① 지정사유: 납세지로 적당하지 아니하다고 인정되는 다음의 사유가 있을 때에는 관할지방국세청장(새로이 지정될 납세지가 관할을 달리하는 때에는 국세청장)이 그 납세지를 지정할 수 있다.

　　　㉠ 내국법인의 본점 등의 소재지가 등기된 주소와 동일하지 아니한 경우

　　　㉡ 내국법인의 본점 등의 소재지가 자산 또는 사업장과 분리되어 있어 조세포탈의 우려가 있다고 인정되는 경우

　　　㉢ 2 이상의 국내사업장을 가지고 있는 외국법인의 경우로서 주된 사업장의 소재지를 판정할 수 없는 경우

　　　㉣ 국내사업장이 없는 외국법인으로서 부동산소득 또는 양도소득이 있는 외국법인이 2 이상의 자산이 있는 경우에 별도의 납세지 신고를 하지 아니한 경우

---

❶ 피합병법인 등

피합병법인·분할법인 또는 소멸한 분할합병의 상대방법인을 말한다.

❷ 합병법인 등

합병법인·분할신설법인 또는 분할합병의 상대방법인을 말한다.

② **지정통지:** 납세지를 지정한 때에는 해당 사업연도 종료일로부터 45일 이내에 지정통지를 하여야 하며, 이 기한 내에 통지하지 아니한 경우에는 종전의 납세지를 납세지로 한다.

(6) 납세지의 변경

① **변경신고**

㉠ 납세지가 변경된 경우에는 그 변경된 날로부터 15일 이내에 변경 후의 납세지 관할세무서장에게 변경신고를 하여야 한다. 이 경우 변경된 법인이 「부가가치세법」에 따라 그 변경된 사실을 신고한 경우에는 납세지변경신고를 한 것으로 본다.

㉡ 변경신고를 하지 아니한 경우에는 종전의 납세지를 그 법인의 납세지로 하며, 법정기일이 지난 후 변경신고를 하더라도 신고한 날부터 변경된 본점 등을 납세지로 한다.

② **변경통보:** 납세지변경신고를 받은 세무서장은 그 신고받은 내용을 변경 전의 납세지 관할세무서장에게 통보하여야 한다.

③ **외국법인:** 외국법인이 납세지를 국내에 가지지 아니하게 된 경우에도 그 사실을 납세지 관할세무서장에게 신고하여야 한다.

⌐ 참고 ─────────────────────────────

1. **과세소득에 대한 학설**

① **소득원천설:** 일정한 원천에서 경상적·계속적으로 발생하는 것만을 과세소득으로 파악하고, 일시적·우발적으로 발생하는 것은 과세소득에서 제외한다는 것이다. 따라서 소득은 원천별로 발생하고 그 종류와 범위를 법에 열거하지 않는 것은 과세하지 않는 열거주의를 말하고 있다.

② **순자산증가설:** 계속적·경상적으로 발생하는 소득뿐만 아니라 일시적·우발적으로 발생하는 소득이라도 순자산을 증가시키는 소득은 모두 과세소득으로 보는 것이다. 소득발생의 원천에 구분 없이 열거하지 않더라도 순자산증가액은 원칙적으로 모두 과세되는 것이다(포괄주의).

2. **우리나라 법인세:** 순자산증가설과 포괄주의를 채택하고 있다. 따라서 순자산을 증가시키는 것은 모두 과세하고 법에 열거되지 않은 소득이라도 순자산을 증가시키면 과세소득에 포함된다. 다만, 비영리법인의 경우는 소득원천설과 열거주의에 따라 법에 열거된 수익사업에 대하여만 과세하고 있다.

기출문제

01 신탁계약에 적용되는 소득세와 법인세 납세의무에 대한 설명으로 옳지 않은 것은?

2021년 7급

① 법인과세 신탁재산이 수익자에게 배당한 경우(수익자에 대하여 배당에 대한 소득세 또는 법인세가 비과세되는 경우임)에는 그 금액을 해당 배당을 결의한 잉여금 처분의 대상이 되는 사업연도의 소득금액에서 공제한다.

② 수익자가 특별히 정하여지지 아니한 신탁의 경우에는 신탁재산에 귀속되는 소득에 대하여 그 신탁의 위탁자가 법인세를 납부할 의무가 있다.

③ 「신탁법」에 따른 수익증권발행신탁으로서 수익자가 둘 이상이고, 위탁자가 신탁재산을 실질적으로 지배·통제하지 않는 신탁(「자본시장과 금융투자업에 관한 법률」에 따른 투자신탁 제외)의 경우에는 신탁재산에 귀속되는 소득에 대하여 신탁계약에 따라 그 신탁의 수탁자(내국법인 또는 거주자인 경우에 한정함)가 법인세를 납부할 수 있다.

④ 신탁재산에 귀속되는 소득은 수익자에게 귀속되는 것으로 보고 수익자를 소득세 납세의무자로 한다. 다만 위탁자가 신탁재산을 실질적으로 통제하는 경우에는 신탁재산에 귀속되는 소득은 위탁자에게 귀속되는 것으로 보고 위탁자를 소득세 납세의무자로 한다.

02 「법인세법」상 사업연도에 대한 설명으로 옳지 않은 것은?

2018년 7급

① 법령이나 정관 등에 사업연도에 관한 규정이 없는 내국법인은 따로 사업연도를 정하여 법인 설립신고 또는 사업자등록과 함께 납세지 관할세무서장에게 사업연도를 신고하여야 한다.

② 사업연도를 변경하려는 법인은 그 법인의 직전사업연도 종료일부터 6개월 이내에 납세지 관할세무서장에게 신고하여야 한다.

③ 내국법인이 사업연도 중에 파산으로 인하여 해산한 경우에는 그 사업연도 개시일부터 파산등기일까지의 기간과 파산등기일 다음날부터 그 사업연도 종료일까지의 기간을 각각 1사업연도로 본다.

④ 청산 중에 있는 내국법인의 잔여재산의 가액이 사업연도 중에 확정된 경우에는 그 사업연도 개시일부터 잔여재산의 가액이 확정된 날까지의 기간을 1사업연도로 본다.

03 「법인세법」상 사업연도에 대한 설명으로 옳지 않은 것은? 2018년 9급

① 법령이나 정관 등에 사업연도에 관한 규정이 없는 내국법인은 따로 사업
연도를 정하여 「법인세법」에 따른 법인 설립신고 또는 사업자등록과 함께
납세지 관할세무서장에게 사업연도를 신고하여야 한다.
② 내국법인이 사업연도 중에 합병에 따라 해산한 경우에는 그 사업연도 개
시일부터 합병등기일 전날까지의 기간을 그 해산한 법인의 1사업연도로
본다.
③ 내국법인이 사업연도 중에 연결납세방식을 적용받는 경우에는 그 사업연도
개시일부터 연결사업연도 개시일의 전날까지의 기간을 1사업연도로 본다.
④ 국내사업장이 있는 외국법인이 사업연도 중에 그 국내사업장을 가지지 아
니하게 된 경우(단, 국내에 다른 사업장을 계속하여 가지고 있는 경우는
제외)에는 그 사업연도 개시일부터 그 사업장을 가지지 아니하게 된 날까
지의 기간을 그 법인의 1사업연도로 본다.

03
내국법인이 사업연도 중에 합병으로 해산
하는 경우에는 사업연도 개시일부터 합병
등기일까지를 1사업연도로 본다.

04 「법인세법」상 법인 및 과세소득에 대한 설명으로 옳지 않은 것은? 2016년 9급

① 외국의 정부는 비영리외국법인에 해당한다.
② 신탁재산에 귀속되는 소득에 대해서는 그 신탁의 위탁자가 그 신탁재산
을 가진 것으로 보고 「법인세법」을 적용한다.
③ 「민법」 제32조에 따라 설립된 법인으로서 국내에 주사무소를 둔 법인은
비영리내국법인에 해당한다.
④ 비영리내국법인이 신주인수권의 양도로 생기는 수입에 대하여는 법인세
를 부과한다.

04
신탁재산에 귀속되는 소득에 대해서는 그
신탁의 이익을 받을 수익자가 그 신탁재
산을 가진 것으로 보고 「법인세법」을 적용
한다.

05 「법인세법」상 납세의무에 대한 설명으로 옳은 것은? 2015년 9급

① 신탁재산에 귀속되는 소득에 대해서는 그 신탁의 이익을 받을 수익자가 그 신탁재산을 가진 것으로 보고 「법인세법」을 적용한다.

② 연결납세방식을 적용받는 연결법인의 경우에는 각 연결법인의 토지 등 양도소득과 미환류소득에 대한 법인세를 연대하여 납부할 의무가 없다.

③ 「법인세법」 제25조 제1항 제1호에 따른 중소기업이 등기된 비사업용 토지를 양도한 경우에는 토지 등 양도소득에 대한 법인세를 납부할 의무가 없다.

④ 외국법인과 「소득세법」에 따른 비거주자를 제외하고 내국법인 및 「소득세법」에 따른 거주자는 「법인세법」에 따라 원천징수하는 법인세를 납부할 의무가 있다.

05
✔ 오답체크
② 연결법인은 각 연결사업연도의 소득에 대한 법인세(연결법인의 토지 등 양도소득과 미환류소득에 대한 법인세를 포함)를 연대하여 납부할 의무가 있다.
③ 중소기업이 비사업용 토지를 양도하는 경우에는 토지 등 양도소득에 대한 법인세 규정은 적용한다.
④ 내국법인 및 외국법인과 「소득세법」에 따른 거주자 및 비거주자는 「법인세법」에 따라 원천징수하는 법인세를 납부할 의무가 있다.

06 「법인세법」상 납세지에 대한 설명으로 옳은 것은? 2014년 9급

① 내국법인의 본점 등의 소재지가 등기된 주소와 동일하지 아니한 경우 관할 지방국세청장이나 국세청장은 그 법인의 납세지를 지정할 수 있다.

② 납세지가 변경된 법인이 「부가가치세법」의 규정에 의하여 그 변경된 사실을 신고한 경우에도 「법인세법」의 규정에 의한 변경신고를 하여야 한다.

③ 「법인세법」에 대한 원천징수의무자가 거주자인 경우 원천징수한 법인세의 납세지는 사업장의 유무에 상관없이 당해 거주자의 주소지 또는 거소지로 한다.

④ 법인으로 보는 단체의 납세지는 관할지방국세청장이 지정하는 장소로 한다.

06
✔ 오답체크
② 납세지가 변경된 법인이 「부가가치세법」의 규정에 의하여 그 변경된 사실을 신고한 경우에는 「법인세법」의 규정에 의한 변경신고를 한 것으로 본다.
③ 「법인세법」에 대한 원천징수의무자가 거주자인 경우 원천징수한 법인세의 납세지는 거주자의 주된 사업장의 소재지로 하되 사업장이 없는 경우에 당해 거주자의 주소지 또는 거소지로 한다.
④ 법인으로 보는 단체의 주된 사업장의 소재지(부동산임대소득이 주된 소득인 경우에는 주된 부동산소재지)로 한다. 다만, 사업장이 없는 경우에는 주사무소의 소재지로 한다.

정답 05 ① 06 ①

07 「법인세법」상 납세의무자에 대한 설명으로 옳지 않은 것은?

① 영리내국법인은 각 사업연도 소득(국내외 원천소득), 청산소득, 토지 등 양도소득, 미환류소득에 대한 법인세 납세의무가 있다.

② 비영리내국법인은 국내원천소득 중 일정한 수익사업에서 발생한 소득과 청산소득에 대한 법인세 납세의무가 있다.

③ 영리외국법인은 각 사업연도 소득(국내원천소득), 토지 등 양도소득에 대한 법인세 납세의무가 있다.

④ 국가 및 지방자치단체에 대하여는 법인세를 부과하지 않는다.

07
비영리내국법인은 청산소득에 대한 납세의무가 없다.

08 「법인세법」상 사업연도에 대한 설명으로 옳지 않은 것은?

① 사업연도는 법령이나 법인의 정관 등에서 정하는 1회계기간으로 한다. 다만, 그 기간은 1년을 초과하지 못한다.

② 국내사업장이 없는 외국법인으로서 부동산 운영으로 인하여 발생한 소득 또는 국내 자산의 양도소득이 있는 법인은 따로 사업연도를 정하여 그 소득이 최초로 발생하게 된 날부터 3개월 이내에 납세지 관할세무서장에게 사업연도를 신고하여야 한다.

③ 사업연도를 변경하려는 법인은 그 법인의 직전사업연도 종료일부터 3개월 이내에 법령으로 정하는 바에 따라 납세지 관할세무서장에게 이를 신고하여야 한다.

④ 내국법인이 사업연도 중에 연결납세방식을 적용받는 경우에는 그 사업연도 개시일부터 연결사업연도 개시일의 전날까지의 기간을 1사업연도로 본다.

08
국내사업장이 없는 외국법인으로서 부동산 운영으로 인하여 발생한 소득 또는 국내 자산의 양도소득이 있는 법인은 따로 사업연도를 정하여 그 소득이 최초로 발생하게 된 날부터 1개월 이내에 납세지 관할세무서장에게 사업연도를 신고하여야 한다.

09 「법인세법」상 사업연도에 대한 설명으로 옳지 않은 것은? 2011년 9급

① 사업연도의 변경 시 종전 사업연도의 개시일부터 변경된 사업연도의 개시일 전일까지의 기간에 대하여는 이를 1사업연도로 하되, 그 기간이 1월 미만인 경우에는 변경된 사업연도에 이를 포함한다.

② 사업연도를 변경하고자 하는 법인이 신고기한이 경과한 후에 변경신고를 한 경우에는 변경신고가 없는 것으로 본다.

③ 내국법인(법인으로 보는 법인 아닌 단체를 제외함)의 최초사업연도 개시일은 설립등기일로 한다.

④ 최초사업연도의 개시일 전에 생긴 손익을 사실상 그 법인에 귀속시킨 것이 있는 경우 조세포탈의 우려가 없을 때에는 최초사업연도의 기간이 1년을 초과하지 않는 범위 내에서 이를 당해 법인의 최초사업연도의 손익에 산입할 수 있다. 이 경우 최초사업연도의 개시일은 당해 법인에 귀속시킨 손익이 최초로 발생한 날로 본다.

09
변경신고기한을 경과하여 신고하면 그 사업연도에는 변경되지 않으나 그 다음 사업연도부터는 변경된 효력이 발생한다.

10 다음 「법인세법」과 관련된 내용 중 옳지 않은 것으로만 묶어진 것은? 2008년 9급

ㄱ. 내국법인은 국내에 본점·주사무소 또는 사업의 실질적 관리장소가 있는 법인이다.

ㄴ. 법인세의 사업연도는 원칙적으로 1년을 초과할 수 없다.

ㄷ. 법인세 과세표준의 신고는 각 사업연도 종료일로부터 3개월 이내에 하여야 한다.

ㄹ. 영리목적 유무에 불구하고 모든 내국법인은 청산소득에 대하여 법인세 납세의무가 있다.

ㅁ. 비영리내국법인도 법령이 정한 수익사업에 대하여는 각 사업연도 소득에 대한 법인세 납세의무가 있다.

ㅂ. 법인이 법령이 정하는 비사업용 토지를 양도한 경우에는 각 사업연도 소득에 대한 법인세에 추가하여 토지 등 양도소득에 대한 법인세를 납부하여야 한다.

① ㄱ, ㄷ, ㄹ　　　　　　② ㄴ, ㄷ, ㅁ
③ ㄷ, ㄹ, ㅁ　　　　　　④ ㄷ, ㄹ

10
옳지 않은 것은 ㄷ, ㄹ이다.
ㄷ. 법인세 과세표준 신고는 각 사업연도 종료일이 속하는 달의 말일부터 3월 이내에 하여야 한다.
ㄹ. 청산소득에 대하여는 영리법인 중 내국법인만이 납세의무를 진다.

정답 09 ② 10 ④

11 「법인세법」상 납세의무 및 과세소득의 범위에 대한 설명으로 옳지 않은 것은? 2007년 9급

① 내국법인 중 국가 및 지방자치단체에 대하여는 법인세를 부과하지 않는다.
② 외국법인의 청산소득에 대해서는 법인세를 부과하지 않는다.
③ 외국법인은 「법인세법」에 의하여 원천징수하는 법인세를 납부할 의무가 있다.
④ 비영리내국법인의 청산소득에 대해서는 법인세를 부과한다.

11
「법인세법」상 청산소득에 대하여는 내국 영리법인만이 납세의무를 진다.

12 법인세 납세의무의 범위에 대한 설명으로 옳지 않은 것은? 2007년 9급

① 영리내국법인은 국외원천소득에 대하여 각 사업연도의 소득에 대한 법인세 납세의무를 지는 반면, 영리외국법인은 국외원천소득에 대하여 각 사업연도의 소득에 대한 법인세 납세의무를 지지 아니한다.
② 영리내국법인은 청산소득에 대한 법인세의 납세의무를 지는 반면, 비영리내국법인은 청산소득에 대한 법인세의 납세의무를 지지 아니한다.
③ 내국법인은 물론 외국법인도 토지 등 양도소득에 대한 법인세의 납세의무를 진다.
④ 우리나라의 국가 또는 지방자치단체와 외국의 정부 또는 지방자치단체는 비과세법인이다.

12
외국법인 중 외국의 정부·지방자치단체는 비영리외국법인에 해당한다.

13 「법인세법」상 납세의무자와 과세소득의 범위에 대한 설명으로 옳지 않은 것은? 2023년 9급

① 비영리내국법인은 청산소득에 대한 법인세를 납부할 의무가 없다.
② 영리외국법인은 청산소득에 대한 법인세를 납부할 의무가 있다.
③ 비영리외국법인은 각 사업연도의 국내원천소득(수익사업에서 생기는 소득으로 한정한다)에 대한 법인세를 납부할 의무가 있다.
④ 내국법인 중 국가와 지방자치단체(지방자치단체조합을 포함한다)는 그 소득에 대한 법인세를 납부할 의무가 없다.

13
영리외국법인은 청산소득에 대한 법인세를 납부할 의무가 없다.

계산구조	비고
결 산 서 상 당 기 순 이 익	→ 회계상 소득
(+) 익 금 산 입 및 손 금 불 산 입	
(−) 손 금 산 입 및 익 금 불 산 입	
차 가 감 소 득 금 액	세무조정으로 차이조정
(+) 기 부 금 한 도 초 과 액	
(−) 기부금한도초과이월액의손금산입	
각 사 업 연 도 소 득 금 액	→ 세법상 소득
각 사 업 연 도 소 득 금 액	→ 15년(2020년 이후분) 이내 발생한 세법상 이월결손금
(−) 이 월 결 손 금	
(−) 비 과 세 소 득	
(−) 소 득 공 제	
과 세 표 준	
과 세 표 준	2억 원 이하분: 10%
(×) 세 율	2억 원 초과 200억 원 이하분: 20%
	→ 200억 원 초과 3,000억 원 이하분: 22%
산 출 세 액	3,000억 원 초과분: 25%
산 출 세 액	
(−) 감 면 · 공 제 세 액	→ 「법인세법」·「조세특례제한법」상 감면·공제세액
(+) 가 산 세	
(+) 감 면 분 추 가 납 부 세 액	→ 미사용준비금에 대한 이자상당액 등
총 부 담 세 액	
(−) 기 납 부 세 액	→ 중간예납세액·원천징수세액·수시부과세액
차 감 납 부 할 세 액	

1 세무조정

1. 개념

(1) 「법인세법」상 각 사업연도 소득 금액을 계산하기 위하여, 기업회계상 당기순이익을 기초로 하여 「법인세법」상 각 사업연도 소득 금액과의 차이를 조정하는 것을 세무조정이라 한다.

(2) 각 사업연도의 소득은 익금총액에서 손금총액을 공제하여 계산하는 방법(직접법)이 있으나, 「법인세법」에서는 당기순이익을 기초로 세법과의 차이를 조정하는 방법(간접법)으로 각 사업연도 소득 금액을 계산하고 있다. 손금총액이 익금총액을 초과하는 경우에는 그 초과하는 금액을 각 사업연도의 결손금(세무상 결손금)이라 한다.

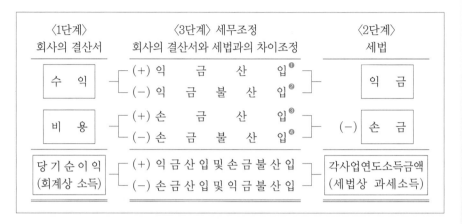

2. 유형

(1) 결산조정과 신고조정

① 결산조정

ⓐ 결산조정이란 회사가 결산서에 계상된 경우에만 세법에서도 손금으로 인정하며, 회사가 결산서에 계상하지 않은 경우에는 세무조정으로 손금에 산입할 수 없다.

ⓑ 결산조정에는 충당금·준비금이나 감가상각비와 같은 주로 내부적인 계산항목들에 대하여 법인이 임의적으로 선택할 수 있게 하고 있다. 그 항목의 손금산입 여부는 법인의 선택이므로 그 의사표시를 결산서에 계상하는 때 손금으로 보고 있다.

② 신고조정: 결산조정 외의 사항이 모두 신고조정에 해당하며, 외부거래에 대하여 반드시 익금 또는 손금에 해당되는 강제되는 사항들이다. 법인이 이러한 사항을 과소·과대신고한 경우 세무조정을 통하여 수정한다.

ⓐ 강제신고조정: 세법과 회계와의 차이를 반드시 조정하여야 하는 것으로, 결산조정사항과 임의신고조정사항을 제외한 나머지를 말한다.

ⓑ 임의신고조정: 임의신고조정사항은 원칙적으로 결산조정사항에 해당한다. 다만, 기업회계기준에서 인정되지 않고 있는 항목들에 대하여는 외부감사를 받는 법인이 결산서에 계상할 수가 없는 문제가 발생한다. 이러한 문제를 해결하기 위하여 결산서에 계상하지 않더라도 신고조정으로 손금산입할 수 있는 임의신고조정을 허용하고 있다.

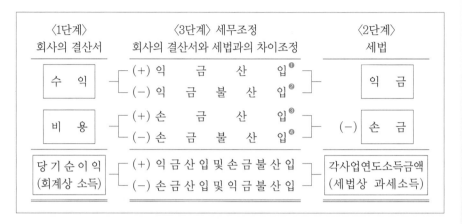

❶ 익금산입
결산서상 수익으로 계상되어 있지 않지만 세법상 익금인 것을 말한다.

❷ 익금불산입
결산서상 수익으로 계상되어 있지만 세법상 익금이 아닌 것을 말한다.

❸ 손금산입
결산서상 비용으로 계상되어 있지 않지만 세법상 손금인 것을 말한다.

❹ 손금불산입
결산서상 비용으로 계상되어 있지만 세법상은 손금이 아닌 것을 말한다.

(2) 손익귀속시기와 경정청구 가능 여부

① **결산조정사항**: 회사의 선택에 따라 귀속시기가 결정되므로 법인이 임의적으로 귀속시기를 결정할 수 있다. 따라서 당기에 결산서에 반영하지 않은 경우 경정청구를 통한 손금산입을 할 수 없다.

② **신고조정사항**: 법인이 임의적으로 귀속시기를 결정할 수 없고 세법상 규정된 사업연도에 귀속된다. 따라서 신고조정사항을 당기에 손금으로 산입하지 못한 경우에는 경정청구를 통하여 손금으로 인정받을 수 있다.

(3) 결산조정사항

결산조정사항	비고
감가상각비	① 한국채택국제회계기준 적용법인의 유형자산과 내용연수 비한정 무형자산에 대한 감가상각비는 임의신고조정이 가능하다. ② 2016년 1월 1일 이후 취득한 업무용 승용차의 감가상각비는 강제신고조정 대상에 해당한다. ③ 세액감면을 받는 사업연도는 감가상각의제로 강제신고조정에 해당한다.
대손충당금 · 퇴직급여충당금	퇴직연금충당금은 강제신고조정사항이다.
일시상각충당금 · 압축기장충당금	결산서에 반영하지 않은 경우에도 신고조정이 가능하다.
「조세특례제한법」에 따른 연구 · 인력개발준비금	이익처분에 따른 신고조정도 가능하다.
「법인세법」에 따른 준비금	다음은 이익처분에 의한 신고조정도 가능하다. ① 회계감사대상 비영리법인의 고유목적사업준비금 ② 한국채택 국제회계기준 적용 법인의 비상위험준비금
대손금	소멸시효완성 등 일정한 대손금은 신고조정사항이다.
자산의 평가차손	① 천재 · 지변, 화재, 법령에 의한 수용, 채굴예정량의 채진에 따른 폐광으로 인한 유형자산의 평가차손 ② 파손 · 부패로 인한 재고자산의 평가차손 ③ 주식 등을 발행한 법인이 파산한 경우 등 법에서 정하는 일정한 주식의 평가차손(1,000원 제외) ④ 시설개체 · 기술낙후로 인한 생산설비의 폐기손실(1,000원 제외)

> **참고**
>
> **임의신고조정항목**
>
> | 구분 | 이익처분 여부 |
> |---|---|
> | 일시상각충당금(비상각자산은 압축기장충당금) | × |
> | 회계감사대상 비영리법인의 고유목적사업준비금 | ○ |
> | 한국채택 국제회계기준적용 법인의 비상위험준비금 | ○ |
> | 보험업법에 따른 보험회사의 해약환급금준비금 | ○ |
> | 한국채택 국제회계기준적용 법인의 유형자산과 내용연수 비한정 무형자산의 감가상각비 손금산입 특례 | × |

2 소득처분

1. 개념

(1) 소득처분이란 결산서상의 당기순이익과 세법상의 각 사업연도 소득 금액의 차이인 세무조정금액의 귀속을 결정하는 것을 말한다.

(2) 세무조정금액이 사외로 유출된 경우에는 사외유출로 처분하고 사외로 유출되지 않은 경우에는 유보 또는 기타로 처분한다.

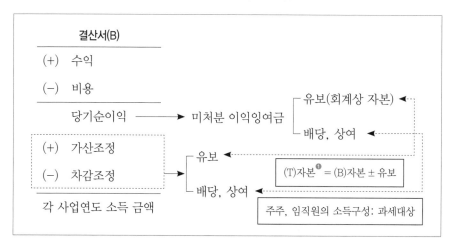

2. 유형

(1) 사외유출[2]

사외유출이란 익금산입 · 손금불산입한 금액이 법인 외부로 유출되어 그 소득의 귀속자에게 소득세를 징수하기 위하여 하는 소득처분[3]이다.

① 귀속자가 분명한 경우

귀속자	소득처분	귀속자에 대한 과세	해당 법인의 원천징수의무
주주(출자임원 · 출자직원 제외)	배당	배당소득으로 소득세 과세	○
임원 또는 직원	상여	근로소득으로 소득세 과세	○
법인, 개인사업자 또는 국가 · 지방자치단체	기타사외유출	각 사업연도 소득 또는 사업 소득에 포함되어 추가적인 과세 없음	×
그 외의 자	기타소득	기타소득으로 소득세 과세	○

㉠ 귀속자가 출자임원 · 출자직원의 경우 상여로 처분한다.

㉡ 법인주주의 경우 기타사외유출로 처분한다.

㉢ 주주 또는 임직원이 개인사업자인 경우 기타사외유출로 처분한다.

---

❶
청산소득 = 잔여재산가액 − (T)자기자본

❷ 사외유출

사외유출은 세무조정에서 가산조정만 대상이 되므로 손금산입 또는 익금불산입은 사외유출의 소득처분이 될 수 없다.

❸ 소득처분

귀속자가 법인이나 개인사업자인 경우로 외국법인 또는 비거주자에 해당하는 경우 국내사업장의 소득을 구성하면 기타사외유출로하고 국외사업장의 소득을 구성하면 배당 또는 기타소득으로 처분한다.

기출 OX

세무조정으로 증가된 소득의 귀속자가 국가 · 지방자치단체인 경우 기타사외유출로 소득처분하고 그 귀속자에 대하여 소득세를 과세하지 않는다. (○) 14. 7급

② 귀속자가 불분명한 경우

ㄱ 원칙: 사외유출된 것이 분명하지만 그 귀속자가 불분명한 경우에는 해당 법인의 대표자에게 귀속된 것으로 보아 상여로 처분한다.

ㄴ 예외: 내국법인이 「국세기본법」상 수정신고기한 내에 매출누락·가공경비 등 부당하게 사외유출된 금액을 회수하고 익금산입하여 신고하는 경우에는 유보로 처분할 수 있다. 다만, 경정이 있을 것을 알고 하는 경우는 제외한다.

> ⊞ 심화 ㅣ
>
> 다음 어느 하나에 해당하는 경우는 경정이 있을 것을 알고 있는 경우로 본다.
> 1. 세무조사의 통지를 받은 경우
> 2. 세무조사가 착수된 것을 알게 된 경우
> 3. 세무공무원이 과세자료의 수집 또는 민원 등을 처리하기 위하여 현지출장이나 확인업무에 착수한 경우
> 4. 납세지 관할세무서장으로부터 과세자료 해명 통지를 받은 경우
> 5. 수사기관의 수사 또는 재판 과정에서 사외유출 사실이 확인된 경우
> 6. 그 밖에 위 규정에 따른 사항과 유사한 경우로서 경정이 있을 것을 미리 안 것으로 인정되는 경우

③ 무조건 기타사외유출로 처분하는 경우: 다음의 경우는 귀속자에 상관없이 기타사외유출로 처분한다. 그 취지는 실제 귀속을 정확히 밝히기 어려운 점 등을 감안한 정책목적이다.

ㄱ 임대보증금의 간주익금

ㄴ 기업업무추진비의 손금불산입액(증빙누락분은 대표자 상여로 처분한다)

ㄷ 기부금 한도초과액

ㄹ 손금불산입한 채권자 불분명 사채이자 및 비실명 채권·증권이자에 대한 원천징수 상당액

ㅁ 업무무관자산 등에 대한 지급이자의 손금불산입액

ㅂ 사외유출된 금액의 귀속이 불분명하거나 추계로 과세표준을 결정·경정할 때 대표자에 대한 상여로 처분한 경우 해당 법인이 그 처분금액에 대한 소득세 등을 대납하고 이를 손비로 계상하거나 그 대표자와의 특수관계가 소멸될 때까지 회수하지 않음에 따라 익금에 산입한 금액

ㅅ 불균등자본거래로 인한 부당행위계산의 부인규정에 따라 익금에 산입한 금액으로서 귀속자에게 「상속세 및 증여세법」에 따라 증여세가 과세되는 금액

ㅇ 외국법인의 국내사업장의 각 사업연도 소득에 대한 법인세의 과세표준을 신고하거나 결정·경정할 때 익금에 산입한 금액이 그 외국법인 등에 귀속되는 소득

④ **추계결정의 경우**: 장부나 증빙이 불비되어 과세관청이 소득금액을 추정하여 계산하는 것을 추계라고 한다.

 ㉠ 추계에 의하여 결정된 과세표준과 결산서상 법인세비용차감전순이익과의 차액은 대표에 대한 상여로 처분한다. 다만, 천재지변 등으로 부득이하게 장부나 그 밖의 증명서류가 멸실되어 추계결정하는 경우에는 기타사외유출로 소득처분한다.

 ㉡ 외국법인에 대한 과세표준을 추계결정 또는 추계경정하는 경우에 결정된 과세표준과 당기순이익과의 차액도 기타사외유출로 처분한다.

(2) 유보(△유보)

① 유보란 익금산입·손금불산입 또는 손금산입·익금불산입의 세무조정 효과가 사외로 유출되지 않고 사내에 남아 있는 것으로 결산서상의 자산·부채와 세무상 자산·부채의 차이를 유보(△유보)로 세무조정하는 것을 말한다. 자산·부채의 차이는 결국 자본의 차이를 조정하는 것을 의미한다.

② 자산·부채의 차이는 영구적 차이가 아닌 일시적 차이로 차후에 그 차이가 조정되며 당기에 유보(△유보)로 한 소득처분은 반대의 세무조정으로 상계되어 그 효과가 없어진다(추인).

③ 이러한 유보(△유보)처분은 차후에 소멸할 때까지 관리를 하여야 하는데, 그 관리를 위하여 작성하는 표를 자본금과 적립금조정명세서(을)표❶라고 한다.

(3) 기타

① 익금산입·손금불산입으로 세무조정한 금액 중 사외로 유출된 것도 아니고 유보도 아닌 것과 손금산입·익금불산입으로 세무조정한 금액 중 △유보도 아닌 것을 기타로 처분하며 이러한 처분에 대하여는 사후 관리를 하지 않는다.

② 이러한 경우는 사외유출도 없기 때문에 귀속자에 대한 납세의무도 없으며 결산서상의 자산·부채와의 차이도 없으므로 관리가 필요하지 않다.

❶ **자본금과 적립금조정명세서(갑)표**
기업회계상 자본금액에 유보를 조정하여 세법상 자본금액을 관리하는 표를 자본금과 적립금조정명세서(갑)표라고 한다.

| 사 업
연 도 | · · ·
~
· · · | 소득금액조정합계표 | | | | 법 인 명 | | |
| | | | | | | 사업자등록번호 | | |

익금산입 및 손금불산입				손금산입 및 익금불산입			
①과 목	②금 액	③소득처분		④과 목	⑤금 액	⑥소득처분	
		처분	코드			처분	코드
합계				합계			

210mm × 297mm[백상지 80g/㎡ 또는 중질지 80g/㎡]

사 업 연 도	． ． ． ～ ． ． ．	**법인세 과세표준 및 세액조정계산서**	법 인 명	
			사업자등록번호	

① 각 사 업 연 도 소 득 계 산	⑩ 결 산 서 상 당 기 순 손 익	01		⑬⑬ 감 면 분 추 가 납 부 세 액	29	
	소득조정 금　액　⑩ 익 금 산 입	02		⑬⑭ 차 감 납 부 할 세 액 (⑫⑥-⑫⑦+⑬⑧)	30	
	⑩ 손 금 산 입	03		⑬⑤ 등 기 자 산	31	
	⑩ 차 가 감 소 득 금 액 (⑩+⑩-⑩)	04	양도 차익			
	⑩ 기 부 금 한 도 초 과 액	05		⑬⑥ 미 등 기 자 산	32	
	⑩ 기부금한도초과이월액 손금산입	54	⑤ 토 지 등 양 도 소 득 에 대 한 법 인 세	⑬⑦ 비 과 세 소 득	33	
	⑩ 각 사 업 연 도 소 득 금 액 (⑩+⑩-⑩)	06		⑬⑧ 과 세 표 준 (⑬⑤+⑬⑥-⑬⑦)	34	
② 과 세 표 준 계 산	⑩ 각 사 업 연 도 소 득 금 액 (⑩=⑩)			⑬⑨ 세 율	35	
	⑩ 이 월 결 손 금	07		⑭⑩ 산 출 세 액	36	
	⑪ 비 과 세 소 득	08		⑭⑪ 감 면 세 액	37	
	⑪ 소 득 공 제	09		⑭⑫ 차 감 세 액 (⑭⑩-⑭⑪)	38	
	⑫ 과 세 표 준 (⑩-⑩-⑩-⑪)	10		⑭⑬ 공 제 세 액	39	
	⑮ 선 박 표 준 이 익	55		⑭⑭ 동업기업 법인세 배분액 (가산세 제외)	58	
③ 산 출 세 액 계 산	⑬ 과 세 표 준 (⑫+⑮)	56		⑭⑤ 가 산 세 액 (동업기업 배분액 포함)	40	
	⑭ 세 율	11		⑭⑥ 가 감 계(⑭⑫-⑭⑬+⑭⑭+⑭⑤)	41	
	⑮ 산 출 세 액	12	기 납 부 세 액	⑭⑦ 수 시 부 과 세 액	42	
	⑯ 지 점 유 보 소 득 (「법인세법」 제96조)	13		⑭⑧ ( ) 세 액	43	
	⑰ 세 율	14		⑭⑨ 계 (⑭⑦+⑭⑧)	44	
	⑱ 산 출 세 액	15		⑮⑩ 차감납부할세액(⑭⑥-⑭⑨)	45	
	⑲ 합 계(⑮+⑱)	16	⑥ 미 환 류 소 득 법 인 세	⑯⑪ 과 세 대 상 미 환 류 소 득	59	
④ 납 부 할 세 액 계 산	⑳ 산 출 세 액(⑫=⑲)			⑯⑫ 세 율	60	
	㉑ 최 저 한 세 적 용 대 상 공 제 감 면 세 액	17		⑯⑬ 산 출 세 액	61	
	㉒ 차 감 세 액	18		⑯⑭ 가 산 세 액	62	
	㉓ 최 저 한 세 적 용 제 외 공 제 감 면 세 액	19		⑯⑤ 이 자 상 당 액	63	
	㉔ 가 산 세 액	20		⑯⑥ 납 부 할 세 액(⑯⑬+⑯⑭+⑯⑤)	64	
	㉕ 가 감 계(㉒-㉓+㉔)	21	⑦ 세 액 계	⑮⑪ 차 감 납 부 할 세 액 계 (⑬⑭+⑮⑩+⑯⑥)	46	
	기 한 내 납 부 세 액　㉖ 중 간 예 납 세 액	22		⑮⑫ 사 실 과 다 른 회 계 처 리 경 정 세 액 공 제	57	
	㉗ 수 시 부 과 세 액	23		⑮⑬ 분 납 세 액 계 산 범 위 액 (⑮⑪-⑫⑭-⑬⑦-⑮⑤-⑮⑫+⑬⑩)	47	
	㉘ 원 천 납 부 세 액	24		분납할 세 액　⑮⑭ 현 금 납 부	48	
	㉙ 간접투자회사등의 외 국 납 부 세 액	25		⑮⑤ 물 납	49	
	㉚ 소 계 (㉖+㉗+㉘+㉙)	26		⑮⑥ 계 (⑮⑭+⑮⑤)	50	
	㉛ 신 고 납 부 전 가 산 세 액	27		차 감 납 부 세 액　⑮⑦ 현 금 납 부	51	
	㉜ 합 계(㉚+㉛)	28		⑮⑧ 물 납	52	
				⑮⑨ 계 (⑮⑦+⑮⑧) (⑮⑨=(⑮⑪-⑮⑫-⑮⑥))	53	

210mm × 297mm[백상지 80g/㎡ 또는 중질지 80g/㎡]

사 업 연 도	· · · ~ · · ·	자본금과 적립금조정명세서(을)	법인명	

※ 관리 번호	☐☐ – ☐☐	사업자등록번호	☐☐☐ – ☐☐ – ☐☐☐☐☐

※ 표시란은 기입하지 마십시오.

세무조정유보소득 계산

①과목 또는 사항	②기초잔액	당 기 중 증 감		⑤기말잔액 (익기초현재)	비고
		③감 소	④증 가		
합 계					

22226-84011일
99.4.1 개정승인

210mm × 297mm
(신문용지 54g/m²(재활용품))

사 업 연 도	. . ~ . .	자본금과 적립금조정명세서(갑)	법 인 명	
			사업자등록번호	

Ⅰ. 자본금과 적립금 계산서

①과목 또는 사항		코드	②기초잔액	당 기 중 증 감		⑤기 말 잔 액	비 고
				③감 소	④증 가		
자본금 및 잉여금 등의 계산	1.자 본 금	01					
	2.자 본 잉 여 금	02					
	3.자 본 조 정	15					
	4.기타포괄손익누계액	18					
	5.이 익 잉 여 금	14					
		17					
	6.계	20					
7.자본금과 적립금명세서(을) 계		21					
손익 미계상 법인세 등	8.법 인 세	22					
	9.지 방 소 득 세	23					
	10. 계 (8+9)	30					
11.차 가 감 계(6+7-10)		31					

Ⅱ. 이월결손금 계산서

1. 이월결손금 발생 및 증감내역

⑥ 사업 연도	이월결손금			⑩ 소급 공제	⑪ 차감계	감 소 내 역				잔 액		
	발 생 액					⑫ 기공제액	⑬ 당기 공제액	⑭ 보전	⑮ 계	⑯ 기한 내	⑰ 기한 경과	⑱ 계
	⑦ 계	⑧일반 결손금	⑨배 분 한도초과 결손금 (⑨=㉕)									
계												

2. 법인세 신고 사업연도의 결손금에 동업기업으로부터 배분한도를 초과하여 배분받은 결손금(배분한도 초과결손금)이 포함되어 있는 경우 사업연도별 이월결손금 구분내역

⑲ 법인세 신 고 사업연도	⑳ 동업기업 과세연도 종 료 일	㉑ 손금산입한 배분한도 초 과 결 손 금	㉒ 법인세 신고 사업연도 결 손 금	배분한도 초과결손금이 포함된 이월결손금 사업연도별 구분			
				㉓ 합 계 (㉓=㉕+㉖)	배분한도 초과결손금 해당액		㉖법인세 신고 사업연도 발생 이월결손금 해당액 (⑧일반결손금으로 계상) (㉑≧㉒의 경우는 "0", ㉑<㉒의 경우는 ㉒-㉑)
					㉔ 이월결손금 발생 사업연도	㉕이월결손금 (㉕=⑨) ㉑과 ㉒ 중 작은 것에 상당하는 금액	

Ⅲ. 회계기준 변경에 따른 자본금과 적립금 기초잔액 수정

㉗과목 또는 사항	㉘ 코드	㉙전기말 잔액	기초잔액 수정		㉜수정후 기초잔액 (㉙+㉚-㉛)	㉝비 고
			㉚증가	㉛감소		

210mm × 297mm[일반용지 70g/㎡(재활용품)]

01 다음은 제조업을 영위하는 영리내국법인 ㈜한국의 세무조정 관련 자료이다. 법인세법령상 각 사업연도의 소득금액을 계산하면? (단, 주어진 자료에서 제시되지 않은 사항은 고려하지 않는다) 　　　2022년 9급

- 포괄손익계산서상 당기순이익은 1억 원이다.
- 보유 중인 토지에 대한 평가이익(법률의 규정에 따른 평가이익은 아님) 1천만 원을 수익으로 계상하였다.
- 소액주주인 임원이 사용하고 있는 사택의 유지비 1천만 원을 비용으로 계상하였다.
- 포괄손익계산서상 복리후생비에는 우리사주조합의 운영비가 5백만 원 계상되어 있다.
- 상근이 아닌 임원에게 지급한 보수 1백만 원을 비용으로 계상하였다(부당행위계산의 부인에는 해당하지 않음).

① 9천만 원　　　　　　② 9천 1백만 원
③ 1억 원　　　　　　　④ 1억 1백만 원

02 법인세법령상 소득처분에 대한 설명으로 옳지 않은 것은? 　　　2021년 9급

① 익금에 산입한 금액이 사외에 유출된 것이 분명한 경우에 귀속자가 사업을 영위하는 거주자이면 기타사외유출로 처분한다(다만, 그 분여된 이익이 거주자의 사업소득을 구성하는 경우에 한함).
② 채권자가 불분명한 사채의 이자에 대한 원천징수세액은 기타사외유출로 처분한다.
③ 익금에 산입한 금액에 대한 소득처분은 비영리외국법인에 대해서는 적용되지 않는다.
④ 외국법인의 국내사업장의 각 사업연도의 소득에 대한 법인세의 과세표준을 신고하거나 결정 또는 경정함에 있어서 익금에 산입한 금액이 그 외국법인 등에 귀속되는 소득은 기타사외유출로 처분한다.

01
1억 원(당기순이익) − 1천만 원(토지 평가이익)* = 9천만 원
▶ 토지의 평가이익은 법률에 따른 평가이익이 아니므로 익금으로 인정되지 않는다.

02
소득처분은 비영리외국법인에게도 적용된다.

03 법인세법령상 내국법인의 소득처분에 대한 설명으로 옳지 않은 것은?

2018년 7급

① 대표자가 2명 이상인 법인에서 익금에 산입한 금액이 사외에 유출되고 귀속이 불분명한 경우에는 사실상의 대표자에게 귀속된 것으로 본다.

② 익금에 산입한 금액이 사외에 유출되지 아니한 경우에는 사내유보로 처분한다.

③ 세무조사가 착수된 것을 알게 된 경우로 경정이 있을 것을 미리 알고 법인이 「국세기본법」 제45조의 수정신고 기한 내에 매출누락 등 부당하게 사외유출된 금액을 익금에 산입하여 신고하는 경우의 소득처분은 사내유보로 한다.

④ 사외유출된 금액의 귀속자가 불분명하여 대표자에게 귀속된 것으로 보아 대표자에 대한 상여로 처분한 경우 해당 법인이 그 처분에 따른 소득세를 대납하고 이를 손비로 계상함에 따라 익금에 산입한 금액은 기타사외유출로 처분한다.

03

매출누락, 가공경비 등의 경우로 사외유출된 금액을 「국세기본법」의 수정신고기한 내에 해당 금액을 익금에 산입하여 신고하는 경우에는 익금산입 유보로 소득처분한다. 다만, 경정이 있을 것을 미리 알고 수정신고한 경우에는 대표자에 대한 상여로 소득처분한다.

04 「법인세법」상 소득처분에 대한 설명으로 옳지 않은 것은?

2014년 9급

① 외국법인의 국내사업장의 각 사업연도 소득에 대한 법인세의 과세표준을 신고하거나 결정 또는 경정함에 있어서 익금에 산입한 금액이 그 외국법인 등에 귀속되는 소득은 기타사외유출로 소득처분한다.

② 익금에 산입할 금액이 사외에 유출된 것이 분명한 경우에 그 귀속자가 사업을 영위하는 개인의 경우에는 상여로 처분한다.

③ 법인세를 납부할 의무가 있는 비영리내국법인과 비영리외국법인에 대하여도 소득처분에 관한 규정을 적용한다.

④ 익금에 산입한 금액의 귀속자가 임원 또는 직원인 경우에는 그 귀속자에 대한 상여로 처분한다.

04

익금에 산입할 금액이 사외에 유출된 것이 분명한 경우에 그 귀속자가 사업을 영위하는 개인의 경우에는 기타사외유출로 처분한다.

05 「법인세법」상 소득처분에 관한 설명으로 옳지 않은 것은? 2014년 7급

① 사외유출이란 손금산입 · 익금불산입한 금액에 대한 소득처분으로 그 금액이 법인 외부로 유출된 것이 명백한 경우 유출된 소득의 귀속자에 대하여 관련되는 소득세를 징수하기 위하여 행한다.

② 세무조정으로 증가된 소득의 귀속자가 국가 · 지방자치단체인 경우 기타사외유출로 소득처분하고 그 귀속자에 대하여 소득세를 과세하지 않는다.

③ 당기에 유보로 소득처분된 세무조정사항이 발생하게 되면 당기 이후 추인될 때까지 이를 자본금과적립금조정명세서(을)에서 사후관리하여야 한다.

④ 손금산입 · 익금불산입으로 세무조정한 금액 중 △유보가 아닌 것은 기타로 소득처분하며 별도로 사후관리하지 아니한다.

05
사외유출이란 익금산입 · 손금불산입한 금액에 대한 것으로 가산조정의 경우만 해당한다.

06 「법인세법」상 소득처분에 대한 설명으로 옳은 것은? 2012년 7급

① 배당, 상여 및 기타사외유출로 소득처분을 하는 경우 당해 소득처분을 하는 법인에게는 원천징수의무가 있다.

② 업무무관자산에 대한 지급이자의 손금불산입액은 기타사외유출로 소득처분한다.

③ 채권자가 불분명한 사채이자에 대한 원천징수세액 상당액은 상여로 소득처분한다.

④ 익금산입한 금액의 귀속자가 법인의 출자임원인 경우에는 그 귀속자에 대한 배당으로 소득처분한다.

06
✓ 오답체크
① 기타사외유출은 원천징수의무가 없다.
③ 채권자가 불분명한 사채이자에 대한 원천징수세액 상당액은 기타사외유출로 소득처분한다.
④ 익금산입한 금액의 귀속자가 법인의 출자임원인 경우에는 그 귀속자에 대한 상여로 소득처분한다.

07 「법인세법」상 소득처분의 유형 중 사외유출이란 익금산입하거나 손금불산입한 금액이 기업 외부의 자에게 귀속된 것으로 인정하는 처분이다. 이러한 사외유출 중 그 귀속자에게 「소득세법」상의 근로소득에 대한 소득세가 과세되는 것은? 2010년 9급

① 기타인건비   ② 인건비
③ 기타사외유출   ④ 상여

07
상여로 소득처분을 하게 되면 상대방의 근로소득을 구성하게 된다.

08 다음 중 결산조정과 신고조정에 관한 설명으로 옳지 않은 것은? 2010년 9급

① 파손·부패로 인한 재고자산 평가차손의 손금산입은 결산조정사항이다.
② 일시상각충당금은 본래 결산조정사항이나, 신고조정도 허용된다.
③ 「상법」에 따른 소멸시효가 완성된 외상매출금 및 미수금의 손금산입은 결산조정사항이다.
④ 대손충당금의 손금산입은 결산조정사항이다.

08
「상법」에 따른 소멸시효가 완성된 외상매출금 및 미수금의 손금산입은 신고조정사항이다.

09 「법인세법」상 법인의 세무조정시 소득처분 유형이 다른 것은? 2008년 9급

① 기업업무추진비 한도초과액
② 법인이 법령의 규정에 의한 특수관계인인 개인으로부터 시가에 미달하게 매입한 유가증권의 시가와 매입가액과의 차액
③ 채권자불분명 사채이자 중 원천징수세액에 상당하는 금액
④ 추계결정 이외의 경우로서 임대보증금에 대한 간주익금의 익금산입액

09
법인이 법령의 규정에 의한 특수관계인인 개인으로부터 시가에 미달하게 매입한 유가증권의 시가와 매입가액과의 차액에 대해서는 유보로 소득처분한다.

✓ 오답체크

①, ③, ④ 기타사외유출로 소득처분한다.

10 「법인세법」상 소득처분에 관한 설명으로 옳은 것은? 2007년 9급

① 임대보증금 등의 간주익금은 귀속자를 묻지 않고 반드시 유보로 처분하여야 한다.

② 사외로 유출된 금액의 귀속이 불분명하여 대표자에게 상여로 처분한 후, 이에 대한 소득세를 당해 법인이 대납하고 이를 당해 법인의 손비로 계상한 경우에는 이를 손금불산입하고 기타사외유출로 처분한다.

③ 일반기부금 한도초과액을 손금불산입액의 기타로 처분한다.

④ 손금불산입한 채권자가 불분명한 사채의 이자에 대한 원천징수세액 상당액은 상여로 처분한다.

10

✓ 오답체크

① 임대보증금 등의 간주익금은 기타사외유출로 처분하여야 한다.

③ 일반기부금 한도초과액의 손금불산입액은 기타사외유출로 처분한다.

④ 손금불산입한 채권자가 불분명한 사채의 이자에 대한 원천징수세액 상당액은 기타사외유출로 처분한다.

11 「법인세법」상 소득처분에 관한 설명으로 옳은 것은? 2007년 9급

① 사외유출된 금액의 귀속이 불분명하여 대표자에 대한 상여로 처분한 경우 당해 법인이 그 처분에 따른 소득세 등을 대납하고 이를 손비로 계상함에 따라 익금에 산입한 금액에 대하여는 기타사외유출로 소득처분한다.

② 익금산입한 금액의 귀속자가 법인의 임원인 경우에는 그 귀속자에 대한 배당으로 처분한다.

③ 귀속자가 법인이거나 사업을 영위하는 개인인 경우(다만, 각 사업연도 소득이나 사업소득을 구성하는 경우)에는 그 귀속자에 대한 상여로 처분한다.

④ 배당이나 상여로 소득처분한 경우에는 법인의 원천징수의무가 있으나, 기타소득으로 소득처분한 경우에는 법인의 원천징수의무가 없다.

11

✓ 오답체크

② 익금산입한 금액의 귀속자가 법인의 임원인 경우에는 그 귀속자에 대한 상여로 처분한다.

③ 귀속자가 법인이거나 사업을 영위하는 개인인 경우(각 사업연도 소득이나 사업소득을 구성하는 경우)에는 그 귀속자에 대한 기타사외유출로 처분한다.

④ 배당·상여 및 기타소득으로 소득처분한 경우에는 법인의 원천징수의무가 있다.

03 익금과 익금불산입

1 익금

1 개념

익금이란 법인의 순자산을 증가시키는 거래로 인하여 발생하는 수익의 금액을 말한다. 다만, 자본 또는 출자의 납입 및 익금불산입항목은 제외한다.

2 범위

다음의 익금의 범위는 예시하고 있는 것이므로 열거되지 않은 것이라도 순자산을 증가시키는 것은 익금에 해당한다.

1. 사업수입금액

(1) 사업수입금액이란 기업의 주된 활동에서 발생하는 매출액을 말한다. 기업회계와 동일하게 매출액에서의 매출에누리 · 매출환입 · 매출할인은 세법에서도 차감한다.

(2) 매출할인금액은 상대방과의 약정에 의한 지급기일(그 지급기일이 정하여져 있지 아니한 경우에는 지급한 날)이 속하는 사업연도의 매출액에서 차감한다.

2. 자산의 양도금액

사업수입금액에 해당되지 않는 자산의 양도금액을 말한다. 즉, 재고자산 외의 자산의 양도금액을 말하는데, 자산의 양도금액이 익금에 해당하는 것과 대응하여 그 양도한 자산의 양도 당시의 장부가액은 손금으로 인정된다.

사례로 이해 UP

총액법

자산을 양도했을 때 기업회계에서는 순액법에 따라 계산하지만 「법인세법」은 총액법으로 계산한다. 하지만 기업회계나 「법인세법」 모두 손익에 차이는 없으므로 세무조정은 발생하지 않는다. 장부가액이 10억인 토지를 15억에 처분한 경우 순액법으로 계산하면 5억을 처분이익으로 하고 총액법으로 계산하면 장부가액인 10억 원만큼은 손금으로, 15억 원은 익금으로 계산한다. 총액법도 손금과 익금을 상계하면 5억 원의 이익이 발생하므로 세무조정은 하지 않는다.

---

3. 자기주식의 양도금액

(1) 기업회계에서는 자기주식을 취득하면 자본의 차감계정으로 처리한다. 그리고 자기주식을 처분하거나 소각한 경우에는 자본거래로 보아 회계처리를 한다.

(2) 하지만 「법인세법」에서는 자기주식을 취득하면 일반적인 유가증권(자산)과 동일하게 취급하므로, 자기주식을 처분하여 발생하는 처분손익은 익금 또는 손금으로 처리한다.

(3) 주식을 소각하는 것은 「법인세법」도 자본거래에 해당하므로 자기주식소각이익이나 자기주식소각손실은 익금불산입 또는 손금불산입으로 한다.

4. 자산의 임대료

자산의 임대료가 사업성이 없는 경우의 임대료를 말한다. 따라서 임대를 주업으로 하는 경우는 사업수입금액에 해당한다. 즉, 일시적인 임대료수익을 말한다.

5. 자산의 평가이익

(1) 자산의 평가이익은 대부분 익금불산입 항목에 해당한다. 평가이익은 실제로 실현된 손익이 아니므로 「법인세법」에서는 인정되지 않는다.

(2) 다만, 「보험업법」이나 그 밖에 법률에 따른 유형자산·무형자산의 평가이익은 익금으로 인정한다.

6. 자산수증이익과 채무면제이익

(1) 자산을 무상으로 받으면서 생기는 이익을 자산수증이익이라 하고 채무를 면제받으면서 생기는 이익을 채무면제이익이라고 한다.

(2) 자산수증이익과 채무면제이익(채무의 출자전환시 채무면제이익을 포함)은 모두 법인의 순자산을 증가시키므로 익금에 해당한다. 다만, 그 중 이월결손금을 보전하는 데 충당한 금액은 익금불산입한다.

(3) 이월결손금 중에서 자산수증이익과 채무면제이익에 사용된 금액은 소멸하게 되므로 이후 과세표준을 계산할 때 다시 공제할 수 없다.

⊞ 심화 | 자산수증이익 또는 채무면제이익에 충당할 수 있는 이월결손금

1. 발생연도의 제한이 없는 세법상 결손금(합병 및 분할로 승계받은 결손금은 제외)으로서 결손금 발생 후의 각 사업연도의 과세표준계산을 할 때 공제되지 않고 당기로 이월된 결손금
2. 「채무자 회생 및 파산에 관한 법률」에 의한 회생계획인가의 결정을 받은 법인의 결손금으로서 법원이 확인한 것
3. 「기업구조조정 촉진법」에 의한 기업개선계획 이행을 위한 약정이 체결된 법인으로서 채권금융기관협의회가 의결한 결손금

---

7. 손금에 산입한 금액 중 환입된 금액

지출 당시 손금으로 인정받았던 금액이 다시 환입되는 경우는 익금에 해당한다. 그러나 지출 당시 손금으로 인정받지 못하였던 금액이 환입된다면 익금에 해당하지 않는다. 즉, 지출 당시 비용이라면 환입 당시에도 익금, 지출 당시 손금으로 인정받지 못하였다면 다시 환급받을 때도 익금으로 보지 않겠다는 것이다. 지출 당시 비용 인정 여부에 따라 달라지는 것이다.

> **사례로 이해 UP**
>
> 재산세는 지출 당시에는 손금에 해당한다. 손금에 해당하는 재산세를 환급받게 되면 익금에 산입한다. 다만, 법인세는 지출 당시에 손금에 해당하지 않으므로 환입되더라도 익금에 산입하지 않는다.

8. 불균등자본거래로 인하여 특수관계인으로부터 분여받은 이익

부당행위계산의 부인에 해당하는 자본거래로 인하여 주주인 법인이 특수관계인으로부터 이익을 분여받은 경우 그 이익은 익금에 해당한다.

9. 정당한 사유 없이 회수하지 않은 가지급금 등의 금액

가지급금 및 그 이자로 다음의 경우에 해당하는 금액은 익금에 해당한다. 다만, 채권·채무에 대한 쟁송으로 회수가 불가능한 경우 등 기획재정부령으로 정하는 정당한 사유가 있는 경우는 제외한다.

(1) 특수관계가 소멸할 때까지 회수하지 않은 가지급금 등

(2) 특수관계가 소멸되지 않은 경우로 가지급금의 이자를 이자발생일이 속하는 사업연도 종료일부터 1년이 되는 날까지 회수하지 않은 경우 그 이자

> **참고**
>
> **기획재정부령으로 정하는 정당한 사유**
> 1. 채권·채무에 대한 쟁송으로 회수가 불가능한 경우
> 2. 특수관계인이 회수할 채권에 상당하는 재산을 담보로 제공하였거나 특수관계인의 소유재산에 대한 강제집행으로 채권을 확보하고 있는 경우
> 3. 해당 채권과 상계할 수 있는 채무를 보유하고 있는 경우

10. 의제배당

별도로 후술한다.

11. 간접외국납부세액

외국납부세액공제를 적용받는 내국법인이 외국자회사로부터 수입배당금을 받는 경우 외국에서 납부한 법인세액 중 수입배당금에 해당하는 부분은 익금으로 본다. 다만, 수입배당금 익금불산입의 적용 대상이 되는 수입배당금액에 대한 외국법인세액은 제외한다.

12. 동업기업으로부터 배분받은 소득금액(『조세특례제한법』)

동업기업의 동업자군별 배분대상 소득금액은 각 과세연도의 종료일에 해당 동업자군에 속하는 동업자들에게 동업자간의 손익배분비율에 따라 배분한다. 이에 따라 법인이 배분받은 소득금액은 익금으로 배분받은 결손금은 손금에 산입한다.

13. 특수관계인인 개인으로부터 저가매입한 유가증권의 시가와 매입가액과의 차액

(1) 일반적인 자산의 저가매입은 그대로 인정하며 세무조정을 하지 않는다. 저가로 매입한 법인은 추후에 그 차액에 대하여 감가상각 또는 처분 시에 과세되기 때문이다.

(2) 다만, 특수관계인인 개인으로부터 저가로 유가증권(주식·채권 등)을 매입하는 경우 시가와 매입가액의 차액에 대하여는 익금(유보)으로 보며 취득가액에 산입한다.

14. 임대보증금 등의 간주익금

(1) 개념

부동산을 임대하고 받는 임대료의 경우는 익금에 해당하나, 임대보증금이나 전세금의 경우는 부채에 해당하고 익금에 해당하지 않는다. 따라서 임대보증금이나 전세금의 경우는 수입이 포착이 안 될 뿐 아니라 임대료를 받는 경우와 과세형평에 어긋나게 된다. 이러한 문제를 해결하기 위해 임대보증금 등에 대하여 정기예금이자 상당액을 임대료로 간주하여 익금에 산입하도록 하고 있다.

(2) 추계의 경우

장부나 기타 증빙이 없는 경우 소득금액을 추정하여 계산하게 되는데 이것을 추계라고 한다. 추계의 경우는 부동산임대업을 하고 있는 모든 법인을 포함한다. 또한 주택과 그 부수토지를 포함하여 다음과 같이 계산한다.

$$\text{임대보증금 등 수입금액} = \text{임대보증금 등의 적수} \times \frac{1}{365} \times \text{정기예금이자율}$$

① 임대보증금의 적수는 임대보증금 등의 매일의 잔액의 합계액을 말한다. 임대보증금 등의 적수 계산은 임대보증금을 받은 시기에 상관없이 임대개시일부터 계산한다.

② 정기예금이자율은 금융회사 등의 정기예금이자율을 고려하여 기획재정부령으로 정하는 이자율을 말한다.

(3) 추계 외의 경우(장부 등을 작성하여 소득금액을 계산한 경우)

차입금 과다법인[1]으로서 부동산임대업을 주업[2]으로 하는 영리내국법인의 경우에 간주임대료를 계산한다. 다음에 따라 계산한 금액은 익금산입하고 기타사외유출로 소득처분한다.

$$\text{간주익금} = \left(\begin{array}{c} \text{보증금 등의} \\ \text{적수} \end{array} - \begin{array}{c} \text{임대용부동산의} \\ \text{건설비상당액} \\ \text{적수} \end{array} \right) \times \frac{1}{365} \times \begin{array}{c} \text{정기예금} \\ \text{이자율} \end{array} - \text{금융수익}$$

① 보증금 등: 부동산 또는 부동산에 관한 권리를 대여하고 받은 보증금 등을 대상으로 한다. 다만, 주택과 그 주택의 부수되는 토지로서 일정면적 이내의 토지는 제외한다.

> 주택부수토지 면적 Max(ⓐ, ⓑ)
> ⓐ 건물이 정착된 면적 × 5배(도시지역 밖의 토지는 10배)
> ⓑ 주택의 연면적

② 임대용부동산의 건설비 상당액: 토지를 제외한 건축물의 취득가액에 자본적 지출을 가산한 금액을 말한다. 평가차액이나 감가상각누계액은 가감하지 않는다.

③ 적수계산: 임대보증금 등의 매일의 잔액의 합계액을 말한다. 임대보증금 등의 적수계산은 임대보증금을 받은 시기에 상관없이 임대개시일부터 계산한다.

④ 금융수익: 임대사업 부분에서 발생한 수입이자와 할인료 · 배당금 · 신주인수권처분이익 및 유가증권처분이익(유가증권처분 손실금액이 있으면 유가증권처분이익에서 차감 후 금액으로 하고 차감액이 음수인 경우 0으로 봄)의 합계액을 말한다.

15. 기타 항목

순자산가액을 증가시키는 거래로 익금불산입항목을 제외하고는 익금에 해당한다.

예 이자수익과 배당금수익, 공사부담금 · 국고보조금 · 보험차익, 손해배상으로 받은 보상금 등

❶
차입금적수가 자기자본적수의 2배를 초과해야 한다.

❷
해당 법인의 사업연도 종료일 현재의 자산총액 중 임대사업에 사용된 자산가액이 50% 이상인 법인을 말하며, 이때 자산가액의 계산은 「소득세법」에 의한 기준시가에 의한다.

2 | 익금불산입

다음의 경우는 순자산을 증가시키는 거래일지라도 익금으로 보지 않는다.

구분	익금불산입항목
자본거래	① 주식발행액면초과액(출자전환시 채무면제 이익 제외) ② 주식의 포괄적 교환차익 · 주식의 포괄적 이전차익 ③ 감자차익 ④ 합병차익, 분할차익(합병매수차익 및 분할매수차익 부분 제외) ⑤ 자산수증이익 · 채무면제이익 중 이월결손금 보전에 충당한 금액 ⑥ 출자전환시 채무면제이익 중 결손금 보전에 충당할 금액 ⑦ 자본준비금을 감액하여 받는 배당
이중과세	① 이전 사업연도에 과세된 소득 ② 법인세 또는 법인지방소득세 소득분의 환급액 ③ 일반적인 수입배당금액 익금불산입액 ④ 지주회사가 자회사로부터 받은 수입배당금액 익금불산입액
기타	① 국세 또는 지방세의 과오납금의 환급금에 대한 이자 ② 부가가치세 매출세액 ③ 자산의 평가이익(일부 제외) ④ 연결모법인이 연결자법인으로부터 지급받는 법인세

1. 주식발행액면초과액

(1) 주식발행시 액면을 초과하는 금액(무액면주식의 경우에는 발행가액 중 자본금으로 계상한 금액을 초과하는 금액)을 주식발행액면초과액이라고 한다. 이러한 금액은 실질적으로 주주의 출자에 해당하므로 익금에 해당하지 않는다.

(2) 채무의 출자전환으로 주식을 발행하는 경우 발행가액이 시가(시가가 액면가액에 미달하는 경우에는 액면가액)를 초과하여 발행된 금액은 익금항목인 채무면제이익으로 보며, 시가가 액면가액을 초과하는 금액을 주식발행액면초과액으로 본다.

2. 주식의 포괄적 교환차익

주식의 포괄적 교환은 설립된 완전모회사가 다른 회사의 주주로부터 발행주식총수를 이전받고 그 대가로 완전모회사의 주식을 배정하는 것을 말한다. 포괄적 교환차익은 완전자회사의 주주가 불입한 부분이므로 익금으로 보지 않는다.

3. 주식의 포괄적 이전차익

주식의 포괄적 이전은 새롭게 설립되는 완전모회사가 다른 회사의 주주로부터 발행주식총수를 이전받고 그 대가로 완전모회사의 주식을 배정하는 것이다. 포괄적 이전차익은 완전자회사의 주주가 불입한 부분이므로 익금으로 보지 않는다.

4. 감자차익

자본금 감소의 경우 그 감소액이 주식소각, 주금의 반환에 소요된 금액과 결손보전에 충당된 금액을 초과하는 경우 그 초과금액을 말한다. 주주에게 반환되지 않은 자본에 해당하므로 주주의 불입자본으로 보아 익금에 해당하지 않는다.

5. 합병차익과 분할차익

(1) 합병차익은 합병법인이 피합병법인으로부터 승계한 순자산가액이 피합병법인의 주주 등에게 지급한 합병대가를 초과하는 경우 그 초과액을 말한다.

(2) 분할차익은 분할의 경우에 분할신설법인 또는 분할합병의 상대방법인이 분할법인 또는 소멸한 분할합병의 상대방법인으로부터 승계한 순자산가액이 분할법인의 주주 등에게 지급한 분할대가를 초과하는 경우 그 초과액을 말한다. 이러한 합병차익과 분할차익은 자본거래로 보아 익금에 해당하지 않는다.

6. 자산수증이익과 채무면제이익 중 이월결손금 보전에 충당한 금액

자산수증이익[1]과 채무면제이익(채무의 출자전환시 채무면제이익을 포함) 중 이월결손금을 보전하는 데 충당한 금액은 익금으로 보지 않는다. 여기서 이월결손금(세무상 결손금)의 발생시점에는 제한이 없다. 자산수증이익·채무면제이익으로 충당된 이월결손금은 각 사업연도의 과세표준을 계산할 때 공제된 것으로 본다.

❶ 자산수증이익

이월결손금을 보전할 수 있는 자산수증이익의 범위에서 국고보조금은 제외한다. 다만, 국고보조금을 2010.1.1. 전에 개시한 사업연도에서 발생한 결손금 보전에 충당한 경우에는 익금불산입한다.

7. 채무의 출자전환으로 발생한 채무면제이익 중 결손금 보전에 충당할 금액

다음에 해당하는 법인의 경우 출자전환시 채무면제이익 중 이월결손금의 보전에 충당되지 않은 금액은 해당 사업연도에 익금불산입하고 이후의 사업연도의 각 사업연도에 발생한 결손금의 보전에 충당할 수 있다. 결손금의 보전에 충당하기 전에 사업을 폐지하거나 해산한 경우에는 그 사유가 발생한 사업연도에 결손보전에 충당하지 않은 금액 전액을 익금에 산입한다.

(1) 「채무자 회생 및 파산에 관한 법률」에 따라 채무를 출자로 전환하는 내용이 포함된 회생계획인가의 결정을 받은 법인

(2) 「기업구조조정 촉진법」에 따라 채무를 출자로 전환하는 내용이 포함된 기업개선계획의 이행을 위한 약정을 체결한 부실징후기업

(3) 해당 법인에 대하여 채권을 보유하고 있는 금융기관과 채무를 출자로 전환하는 내용이 포함된 경영정상화계획의 이행을 위한 협약을 체결한 법인

(4) 「기업 활력 제고를 위한 특별법」에 따라 사업재편계획을 승인받은 법인이 채무를 출자전환하는 법인

8. 자본준비금을 감액하여 받는 배당

회사는 주주총회에 따라 자본준비금을 감액할 수 있는데 자본준비금을 감액하여 받는 배당금(내국법인이 보유한 주식의 장부가액을 한도로 함)은 자본의 환급에 해당하여 익금불산입으로 처리한다. 다만, 의제배당에 해당하여 과세되는 자본준비금의 감액으로 인한 배당은 익금에 산입한다.

9. 각 사업연도 소득으로 이미 과세된소득

각 사업연도의 소득으로 이미 과세된 소득(「법인세법」과 다른 법률에 따라 비과세되거나 면제되는 소득을 포함)은 익금으로 보지 않는다.

10. 법인세 또는 법인지방소득세 소득분의 환급액

법인세나 법인지방소득세는 지출 당시 손금으로 인정받지 못한 금액이므로 환급 시에도 익금에 해당하지 않는다.

11. 자산의 평가이익

자산의 평가이익은 원칙적으로 익금으로 보지 않는다. 기업회계에서 계상된 자산평가이익·재평가이익잉여금 등은 거의 대부분 세법에서는 인정되지 않는다.

ⓐ 상장법인이 발행한 주식
ⓑ 특수관계[1] 없는 비상장법인이 발행한 주식
ⓒ 중소기업창업투자회사·신기술사업금융업자가 보유하는 주식 중 창업자·신기술 사업자가 발행한 것

12. 부가가치세의 매출세액

부가가치세 매출세액은 예수금으로 해당 법인이 납부하여야 할 부가가치세이므로 익금에 해당하지 않는다.

13. 국세 또는 지방세의 과오납금의 환급금에 대한 이자

과오납금에 대한 환급금에 추가로 받는 이자는 익금에 산입하지 않는다. 환급금에 대한 이자(이하 '환급가산금'이라 함)는 환급금에 대한 보상으로 익금에 산입하지 않는다.

14. 연결모법인이 연결자법인으로부터 지급받는 법인세

연결법인에 대한 법인세는 연결모법인이 납부하여야 한다. 따라서 연결자회사로부터 받은 법인세 상당액은 연결모법인이 납부해야 하는 법인세이므로 익금에 산입하지 않는다.

❶ 특수관계

특수관계를 판단할 때 주식을 발행한 법인의 발행주식총수 또는 출자총액의 5% 이하를 소유하고 그 취득가액이 10억 원 이하인 주주에 해당하는 법인은 소액주주로 보아 특수관계 있는지를 판단한다.

3 수입배당금 익금불산입

1 개념

법인단계에서 법인세가 과세된 배당소득에 대하여 귀속자에게 다시 소득세 또는 법인세가 과세되기 때문에 이중과세의 문제가 발생한다. 이러한 이중과세문제를 해결하기 위하여 수입배당금의 일정금액을 익금불산입한다.

2 내국법인이 다른 내국법인으로부터 받은 수입배당금의 익금불산입

1. 익금불산입액

내국법인이 다른 내국법인으로부터 받은 수입배당금 중 다음의 금액을 익금불산입한다. 다만, 고유목적사업준비금을 손금에 산입하는 비영리내국법인이 받은 수입배당금은 익금불산입하지 아니한다.[2]

익금불산입액 = 익금불산입대상액 − 차입금이자 차감액

$$= \left(\text{수입배당금액} - \text{지급이자} \times \frac{\text{세법상 주식적수}}{\text{회계상 자산적수}} \right) \times \text{익금불산입률}$$

▶ 세법상 주식적수를 계산할 때 국가 및 지방자치단체로부터 현물출자받은 주식은 제외한다.

❷

비영리법인은 수입배당금의 100% 금액을 고유목적사업준비금으로 설정하여 손금에 산입할 수 있다. 수입배당금을 손금에 산입한 비영리법인은 이중과세의 문제가 발생하지 않으므로 수입배당금 익금불산입의 이중과세조정을 하지 않는다.

2. 익금불산입률

피출자법인에 대한 출자비율	익금불산입률
50% 이상	100%
20% 이상 50% 미만	80%
20% 미만	30%

(1) 주권상장법인이란 증권시장(유가증권시장 또는 코스닥시장)에 상장된 주권을 발행한 법인을 말한다.

(2) 출자비율은 출자받은 내국법인의 배당기준일 현재 3개월 이상 계속하여 보유하고 있는 주식 등을 기준으로 계산한다. 이 경우 보유주식 등의 수를 계산함에 있어서 동일 종목의 주식 등의 일부를 양도한 경우에는 먼저 취득한 주식 등을 먼저 양도한 것으로 본다.

3. 차입금이자 차감액

배당을 지급받은 법인이 차입금이자가 있는 경우 다음의 금액을 익금불산입대상액에서 차감한다. 여기서 차입금이자란 지급이자손금불산입규정에 따라 손금불산입된 지급이자, 현재가치할인차금상각비, 연지급수입이자 등을 제외한 금액을 말한다.

> 차입익금불산입차감액
>
> $$= 차입금이자 \times \frac{주식의장부가액\ 적수}{기말\ 재무상태표상의\ 자산총액적수} \times 익금불산입률$$

4. 수입배당금 익금불산입 적용 배제대상

다음의 경우는 수입배당금에 대한 익금불산입규정을 적용하지 않는다.

(1) 배당기준일 전 3개월 이내에 취득한 주식 등을 보유함으로써 발생하는 수입배당금액

(2) **다음의 법인으로부터 받는 수입배당금액**

　① 유동화전문회사 등 「법인세법」상 소득공제를 받는 법인

　② 동업기업과세특례를 적용받는 법인

　③ 법인의 공장 및 본사를 수도권 밖으로 이전하는 경우 법인세 감면받는 법인

　④ 제주첨단과학기술단지 입주기업에 대한 법인세 감면받는 법인

　⑤ 제주투자진흥지구 또는 제주자유무역지역 입주기업에 대한 법인세 감면받는 법인

　⑥ 지급한 배당에 대하여 법인과세 신탁재산에 대한 소득공제를 적용받는 법인 과세신탁재산으로부터 받은 수입배당금

3 해외자회사 수입배당금익금불산입

1. 대상

(1) 내국법인(투자회사, 투자목적회사, 투자유한회사, 투자합자회사 등 간접투자회사 등은 제외)이 해당 법인이 출자한 외국자회사로부터 받은 이익의 배당금 또는 잉여금의 분배금과 의제배당금액(이하 수입배당금액)의 95%에 해당하는 금액은 각 사업연도의 소득금액을 계산할 때 익금에 산입하지 아니한다.

(2) 외국자회사란 내국법인이 직접 의결권 있는 발행주식총수 또는 출자총액의 10%(해외자원개발사업을 하는 외국법인의 경우에는 5%) 이상을 배당기준일 현재 6개월 이상 계속하여 보유하고 있는 외국법인을 말한다.

2. 적용제외

(1) 「국제조세조정에 관한 법률」에 따라 특정외국법인의 유보소득에 대하여 내국법인이 배당받은 것으로 보는 배당간주금액 및 해당 유보소득이 실제 배당된 경우의 수입배당금액은 수입배당금익금불산입을 적용하지 않는다.

(2) 다음 중 어느 하나에 해당하는 경우에는 수입배당금익금불산입 규정에도 불구하고 익금에 해당된다.

① 자본 및 부채의 성격을 동시에 갖고 있는 혼합금융상품으로서 내국법인이 지급받는 수입배당금액

② 국제조세조정에 관한 법률에 따라 특정외국법인의 유보소득에 대하여 내국법인이 배당받은 것으로 보는 배당간주 규정이 적용되는 특정외국법인 중 실제부담세액이 실제발생소득의 15% 이하인 특정외국법인의 해당 사업연도에 대한 이익잉여금 처분액 중 이익의 배당금·잉여금의 분배금과 의제배당금액

4 외국법인의 자본준비금 감액 배당 익금불산입

내국법인이 해당 법인이 출자한 외국법인(외국자회사는 제외)으로부터 자본준비금을 감액하여 받는 배당으로서 익금에 산입되지 아니하는 배당에 준하는 성격의 수입배당금액을 받는 경우 그 금액의 95%에 해당하는 금액을 익금에 산입하지 아니한다.

1 개념

의제배당은 실제 배당은 아니지만 회사의 이익을 주주에게 분여한 것으로 보는 경우에는 배당으로 의제하여 그 귀속자에게 배당소득으로 과세하는 것을 말한다.

> 의제배당유형
> • 감자 · 퇴사 · 탈퇴, 해산, 합병, 분할로 인한 의제배당
> • 잉여금의 자본 전입으로 인한 의제배당

2 감자 · 퇴사 · 탈퇴, 해산, 합병, 분할로 인한 의제배당

1. 의제배당액의 계산

주식의 취득가액을 초과하여 받는 재산가액만큼 배당금수익으로 보아 의제배당으로 과세한다.

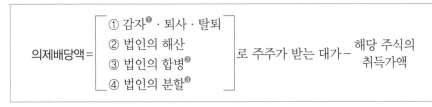

의제배당액 = [① 감자❶ · 퇴사 · 탈퇴 / ② 법인의 해산 / ③ 법인의 합병❷ / ④ 법인의 분할❸] 로 주주가 받는 대가 − 해당 주식의 취득가액

(1) 감자시 의제배당

주식을 소각할 때 소각되는 주주가 받는 대가가 소각되는 주식의 취득가액을 초과하는 경우 초과하는 금액을 의제배당으로 본다.

(2) 해산시 의제배당

해산한 법인의 주주 등(법인으로 보는 단체의 구성원을 포함)인 내국법인이 법인의 해산으로 인한 잔여재산의 분배로서 취득하는 금전과 그 밖의 재산의 가액이 그 주식 등을 취득하기 위하여 사용한 금액을 초과하는 금액은 의제배당에 해당한다.

(3) 합병시 의제배당

피합병법인의 주주 등인 내국법인이 취득하는 합병대가가 그 피합병법인의 주식 등을 취득하기 위하여 사용한 금액을 초과하는 금액은 의제배당에 해당한다. 여기서 합병대가는 합병법인으로부터 합병으로 인하여 취득하는 합병법인(합병등기일 현재 합병법인의 발행주식총수 또는 출자총액을 소유하고 있는 내국법인을 포함)의 주식 등의 가액과 금전 또는 그 밖의 재산가액의 합계액을 말한다.

---

❶ 감자

주식의 소각 또는 자본의 감소를 말한다.

❷ 합병대가

합병법인 또는 합병법인의 모회사의 주식 등 가액과 금전 그 밖의 재산가액의 합계액을 말한다.

❸ 분할대가

분할신설법인 또는 분할합병의 상대방 법인으로부터 취득하는 주식의 가액과 금전 그 밖의 재산가액의 합계액을 말한다.

🏛 기출 OX

주식의 소각으로 인하여 주주가 취득하는 금전과 그 밖의 재산가액의 합계액이 주주가 해당 주식을 취득하기 위하여 사용한 금액을 초과하는 경우 그 초과금액을 의제배당금액으로 한다. (○) 14. 7급

(4) 분할시 의제배당

분할법인 또는 소멸한 분할합병의 상대방 법인의 주주인 내국법인이 취득하는 분할대가가 그 분할법인 또는 소멸한 분할합병의 상대방 법인의 주식(분할법인이 존속하는 경우에는 소각 등에 의하여 감소된 주식만 해당)을 취득하기 위하여 사용한 금액을 초과하는 금액은 의제배당에 해당한다. 여기서 분할대가는 분할신설법인 또는 분할합병의 상대방 법인으로부터 분할로 인하여 취득하는 분할신설법인 또는 분할합병의 상대방 법인(분할등기일 현재 분할합병의 상대방 법인의 발행주식총수 또는 출자총액을 소유하고 있는 내국법인을 포함)의 주식의 가액과 금전 또는 그 밖의 재산가액의 합계액을 말한다.

2. 주주가 받는 대가의 평가

(1) 원칙 – 시가

주주가 받는 재산가액(토지 · 건물 · 주식 등)은 시가로 평가한다.

(2) 적격합병 · 적격분할 요건을 갖춘 경우

① 대가를 주식으로만 받은 경우: 종전주식의 장부가액으로 평가한다.

② 주식과 합병교부금을 받은 경우: 주식의 시가와 종전주식의 장부가액 중에서 작은 금액으로 한다.
   ▶ Min(시가, 종전주식의 장부가액)

3. 주식의 취득가액

(1) 원칙[1]

> 세법상 취득가액 = 회계상 취득가액 ± 주식 관련 유보

(2) 단기소각주식특례

감자로 인한 의제배당액 계산시 감자 전 2년 이내에 취득한 무상주 중 수령시 의제배당으로 과세되지 않은 무상주(단기소각주식)의 경우 그 주식을 먼저 소각한 것으로 보며 이 경우 그 단기주식소각주식의 취득가액은 '0'으로 한다.

사례로 이해 UP

감자시 의제배당 계산

- 2023.1.1. 주식 100주 취득(취득가액 주당 1,000원)
- 2023.5.1. 무상주(주식발행초과금 자본전입) 100주 취득가액 0
- 2023.7.1. 감자 100주 대가 50,000원

1. 일반적인 경우
50,000원 - 100주 × 500원* = 0(의제배당 과세되는 금액 없음)

$$* \frac{100주 \times 1,000}{100주 + 100주} = 500$$

❶ 주식의 취득가액 원칙

주식의 취득가액은 실제로 소요된 금액으로 평균법으로 계산한다.

(3) 귀속시기

구분	귀속시기
감자 · 퇴사 · 탈퇴	주식의 소각 · 자본감소 결의일, 퇴사 · 탈퇴일
해산	잔여재산가액확정일
합병	합병등기일
분할	분할등기일

3 잉여금의 자본 전입으로 인한 의제배당

1. 개념

법인이 잉여금을 자본에 전입하는 경우에 자본금이 증가한 금액만큼 기존주주들에게 무상으로 주식을 교부하게 된다. 이 경우 기업회계에서는 주주지분의 재분류로 보아 배당수익으로 인식하지 않는다. 그러나 「법인세법」에서는 자본에 전입한 잉여금의 재원에 따라 배당으로 본다.

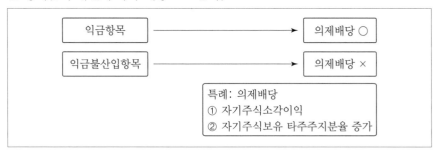

↑ 자본전입 대상

2. 의제배당판단

잉여금의 자본전입으로 인하여 주주가 받는 주식배당이나 무상주를 의제배당으로 보아 과세하고 있다. 다만, 법인세가 과세되지 않았던 자본잉여금을 재원으로 자본전입한 경우에는 의제배당으로 보지 않는다. 익금불산입된 자본잉여금의 자본전입은 결국 주주의 납입자본에 해당하기 때문이다.

(1) 자본잉여금의 자본 전입

① **익금에 해당하는 자본잉여금**: 법인세가 과세되었던 소득에 포함된 자본잉여금(자기주식처분이익 · 1% 토지재평가적립금❶ 등)을 자본전입하여 교부하는 무상주는 의제배당에 해당한다.

---

❶ 재평가적립금

1. 토지
① 원칙: 1%의 재평가세율을 적용하며 해당 재평가적립금은 익금에 해당한다.
② 예외: 1983.12.31. 이전에 취득한 토지는 3%의 재평가세율이 적용되며 익금에 해당하지 않는다.
2. 건물 · 기계 등: 3%의 재평가세율을 적용하며 해당 재평가적립금은 익금에 해당하지 않는다.

② 익금에 해당하지 않는 자본잉여금: 법인세가 과세되지 않은 자본잉여금을 자본전입하여 교부하는 무상주는 의제배당에 해당하지 않는다. 다만, 다음의 경우는 예외적으로 의제배당으로 보아 과세한다.

　ⓐ 자기주식소각이익: 자기주식소각이익은 익금불산입에 해당한다. 따라서 자기주식소각이익을 자본전입하여 교부하는 무상주는 의제배당에 해당하지 않는다. 다만, 다음의 경우는 자기주식소각이익을 재원으로 무상주를 교부하더라도 의제배당으로 보아 과세한다.

　　ⓐ 자기주식소각 당시 자기주식의 시가가 자기주식의 취득가액을 초과하는 경우

　　ⓑ 자기주식소각일로부터 2년 이내에 자기주식소각이익을 자본전입하는 경우

　ⓛ 법인이 자기주식을 보유한 상태에서 익금불산입 잉여금의 자본전입**❶**: 법인이 자기주식을 보유한 상태에서 익금불산입에 해당하는 잉여금(주식발행초과금 · 감자차익 등)을 자본전입함에 따라 그 법인 외의 주주가 본래 지분비율을 초과하여 배정받은 무상주에 대하여 의제배당으로 과세한다.

(2) 이익잉여금의 자본금 전입

이익잉여금(법정적립금 · 임의적립금 · 미처분이익잉여금)은 대부분이 당기순이익을 재원으로 하고 있으므로 모두 과세되었다고 볼 수 있다. 따라서 이익잉여금의 자본금 전입시는 모두 의제배당으로 보고 있다.

3. 의제배당금액

주주가 받는 의제배당에 해당하는 금액은 다음과 같이 평가하며 투자회사 등이 받는 주식 배당의 경우에는 영(0)으로 한다.**❷**

(1) 무상증자

주주가 받은 주식 수 × 액면가액

(2) 주식배당

주주가 받은 주식 수 × 발행금액

4. 귀속시기

잉여금의 자본전입으로 인한 의제배당은 주주총회에서 잉여금의 자본 전입을 결의한 날에 배당받은 것으로 한다. 따라서 자본전입결의일이 속하는 사업연도의 익금에 해당한다.

❶

「상법」에 따라 자기주식을 보유한 법인은 무상주를 배정받을 수 없고 자기주식에 해당하는 지분비율만큼 다른 주주에게 재배정하거나 무상주를 발행하지 않을 수 있다.

❷

무액면주식은 의제배당일 그 주식을 발행하는 법인의 자본금에 전입한 금액을 신규발행 주식수로 나누어 계산한 금액을 주식수에 곱하여 의제배당금액을 계산한다.

잉여금구분에 따른 의제배당 판단

자본전입 잉여금	의제배당 판단		
주식발행초과금	✕ (채무의 출자전환시 채무면제이익은 의제배당에 해당한다)		
주식의 포괄적 교환차익 · 이전차익	✕		
감자차익	✕		
	자기주식 소각이익	소각일로 2년 내	의제배당 ○
		소각 당시 시가 > 취득가	
자기주식처분이익	○		
재평가적립금	1% 재평가세(토지)	○	
	3% 재평가세(건물)	✕	
이익잉여금	○		

01 「법인세법」상 내국법인의 익금의 계산에 대한 설명으로 옳은 것만을 모두 고르면?

2022년 9급

> ㄱ. 손금에 산입하지 아니한 법인세를 환급받은 금액은 익금에 산입한다.
> ㄴ. 자본감소의 경우로서 그 감소액이 주식의 소각, 주금의 반환에 든 금액과 결손의 보전에 충당한 금액을 초과한 경우의 그 초과금액은 익금에 산입하지 않는다.
> ㄷ. 외국자회사로부터 받는 수입배당금액(수입배당금 익금불산입의 적용대상에 해당하지 않음)이 포함되어 있는 경우 그 외국자회사의 소득에 대하여 부과된 외국법인세액 중 그 수입배당금액에 대응하는 것으로서 세액공제의 대상이 되는 금액은 익금으로 본다.
> ㄹ. 채무의 면제로 인한 부채의 감소액 중 대통령령이 정하는 이월결손금을 보전하는 데에 충당한 금액은 익금에 산입하지 않는다.

① ㄱ, ㄴ
③ ㄷ, ㄹ
② ㄱ, ㄷ
④ ㄴ, ㄷ, ㄹ

01
옳은 것은 ㄴ, ㄷ, ㄹ이다.

✔ 오답체크

ㄱ. 손금에 산입하지 아니한 법인세를 환급받은 금액은 익금불산입에 해당된다.

02 「법인세법」상 영리내국법인 ㈜대한이 제10기(2023. 1. 1.~12. 31.) 사업연도에 수령한 수입배당금(「법인세법」에 따라 익금불산입이 배제되는 수입배당금은 아님) 중 익금불산입액은? (단, ㈜대한은 제10기 사업연도에 지출한 차입금의 이자는 없으며, 보유 중인 주식은 모두 배당기준일 현재 1년 이상 보유한 것이다)

2021년 7급

배당지급법인	지분비율	수입배당금액	비고
㈜A	30%	3,000,000원	비상장내국법인
㈜B	10%	5,000,000원	상장내국법인
㈜C	50%	4,000,000원	비상장내국법인

① 6,400,000원
③ 8,000,000원
② 7,000,000원
④ 8,500,000원

02
• ㈜A 3,000,000원 × 50%
  =1,500,000원
• ㈜B 5,000,000원 × 30%
  =1,500,000원
• ㈜C 4,000,000원 × 100%
  =4,000,000원

03 「법인세법」상 익금불산입 항목에 대한 설명으로 옳지 않은 것은? 2021년 9급

① 주식의 포괄적 교환차익과 주식의 포괄적 이전차익은 내국법인의 각 사업연도 소득금액을 계산할 때 익금에 산입하지 아니한다.

② 자본감소의 경우로서 그 감소액이 주식의 소각, 주금의 반환에 든 금액과 결손의 보전에 충당한 금액을 초과한 경우의 그 초과금액은 내국법인의 각 사업연도 소득금액을 계산할 때 익금에 산입하지 아니한다.

③ 채무의 출자전환으로 액면금액 이상의 주식 등을 발행하는 경우에는 그 주식 등의 시가를 초과하여 발행된 금액은 내국법인의 각 사업연도 소득금액을 계산할 때 익금에 산입하지 아니한다.

④ 부가가치세의 매출세액은 내국법인의 각 사업연도의 소득금액을 계산할 때 익금에 산입하지 아니한다.

03
채무의 출자전환으로 액면금액 이상의 주식 등을 발행하는 경우에는 그 주식 등의 시가를 초과하여 발행된 금액은 채무면제이익에 해당하므로 익금에 해당된다.

04 「법인세법」상 익금의 계산에 대한 설명으로 옳지 않은 것은? 2020년 7급

① 손금에 산입하지 아니한 법인세 또는 법인지방소득세를 환급받았거나 환급받을 금액을 다른 세액에 충당한 금액은 내국법인의 각 사업연도의 소득금액을 계산할 때 익금에 산입하지 아니한다.

② 지방세의 과오납금의 환급금에 대한 이자는 내국법인의 각 사업연도의 소득금액을 계산할 때 익금에 산입하지 아니한다.

③ 주식의 소각으로 인하여 주주인 내국법인이 취득하는 금전과 그 밖의 재산가액의 합계액이 해당 주식을 취득하기 위하여 사용한 금액을 초과하는 금액은 다른 법인의 주주인 내국법인의 각 사업연도의 소득금액을 계산할 때 그 다른 법인으로부터 이익을 배당받았거나 잉여금을 분배받은 금액으로 본다.

④ 각 사업연도의 소득으로 이미 과세된 소득(「법인세법」과 다른 법률에 따라 비과세되거나 면제되는 소득은 제외)은 내국법인의 각 사업연도의 소득금액을 계산할 때 익금에 산입하지 아니한다.

04
각 사업연도의 소득으로 이미 과세된 소득(「법인세법」과 다른 법률에 따라 비과세되거나 면제되는 소득은 포함)은 내국법인의 각 사업연도의 소득금액을 계산할 때 익금에 산입하지 아니한다.

정답 03 ③ 04 ④

05 「법인세법」상 주식발행액면초과액에 대한 설명으로 옳은 것은? 2018년 7급

① 기존 주주에게 공모절차를 거쳐 액면주식을 발행한 경우 그 액면금액을 초과하여 발행된 금액은 익금에 산입한다.

② 기존 주주에게 공모절차를 거쳐 무액면주식을 발행한 경우 발행가액 중 자본금으로 계상한 금액을 초과하는 금액은 익금에 산입한다.

③ 채무의 출자전환으로 액면금액 5,000원인 주식을 시가 10,000원으로 발행하는 경우 그 주식의 액면금액을 초과하여 발행된 금액은 익금에 산입하지 아니한다.

④ 채무의 출자전환으로 액면금액 5,000원이며 시가 10,000원인 주식을 20,000원으로 발행하는 경우 그 주식의 시가를 초과하여 발행된 금액은 익금에 산입하지 아니한다.

05

✔ 오답체크

① 기존주주에게 공모절차를 거쳐 액면주식을 발행한 경우 그 액면금액을 초과하여 발행된 금액은 익금에 산입하지 않는다.

② 기존 주주에게 공모절차를 거쳐 무액면주식을 발행한 경우 발행가액 중 자본금으로 계상한 금액을 초과하는 금액은 익금에 산입하지 않는다.

④ 채무의 출자전환으로 액면가액 5,000원이며 시가 10,000원인 주식을 20,000원으로 발행하는 경우 그 주식의 시가를 초과하여 발행된 금액은 채무면제이익에 해당하므로 익금에 산입한다.

06 「법인세법」상 영리내국법인인 ㈜F는 제8기 사업연도(2023년 1월 1일~12월 31일) 중 특수관계인인 개인 甲으로부터 상장법인 ㈜G주식 1,000주(시가 1,000만 원)를 500만 원에 매입하였다. 이에 대한 「법인세법」상 처리로 옳지 않은 것은? 2016년 9급

① ㈜F가 매입한 ㈜G주식 1,000주의 취득가액은 500만 원으로 보지 아니한다.

② ㈜F는 매입가액과 시가와의 차액인 500만 원을 익금산입(유보)한다.

③ ㈜F는 甲에게 500만 원을 배당한 것으로 소득처분한다.

④ 만약 ㈜G주식이 아니라 건물을 500만 원에 매입하였다면 ㈜F는 세무조정을 할 필요가 없다.

06

법인이 특수관계인인 개인으로부터 유가증권을 저가로 양수한 경우이므로 매입가액과 시가와의 차액인 500만 원을 익금산입(유보)으로 세무조정을 한다.

07 「법인세법」상 의제배당에 대한 설명으로 옳지 않은 것은? 2016년 7급

① 자기출자지분을 소각하여 생긴 이익으로서 소각 당시 시가가 취득가액을 초과하지 않고 소각일부터 2년이 지난 후 자본에 전입하는 금액은 의제배당에 해당되지 않는다.

② 분할법인의 주주가 분할신설법인으로부터 분할로 인하여 취득하는 분할대가가 그 분할법인의 주식을 취득하기 위하여 사용한 금액을 초과하는 금액은 배당으로 의제된다.

③ 해산한 법인의 주주 등(법인으로 보는 단체의 구성원을 제외)이 그 법인의 해산으로 인한 잔여재산의 분배로서 취득하는 금전과 그 밖의 재산의 가액이 그 주식을 취득하기 위하여 사용한 금액을 초과하는 금액은 배당으로 의제된다.

④ 피합병법인의 주주가 합병법인으로부터 그 합병으로 인하여 취득하는 합병법인의 합병대가가 그 피합병법인의 주식 등을 취득하기 위하여 사용한 금액을 초과하는 금액은 배당으로 의제된다.

07
해산한 법인의 주주 등(법인으로 보는 단체의 구성원 포함)이 그 법인의 해산으로 인한 잔여재산의 분배로서 취득하는 금전과 그 밖의 재산의 가액이 그 주식을 취득하기 위하여 사용한 금액을 초과하는 금액은 배당으로 의제된다.

08 「법인세법」상 의제배당에 해당하지 않은 것은? 2014년 9급

① 주식의 소각으로 인하여 주주 등이 취득하는 금전과 그 밖의 재산가액의 합계액이 주주 등이 해당 주식 등을 취득하기 위하여 사용한 금액을 초과하는 금액

② 분할법인의 주주가 분할신설법인 또는 분할합병의 상대방 법인으로부터 분할로 인하여 취득하는 분할대가가 그 분할법인 또는 소멸한 분할법인의 상대방 법인의 주식(분할법인이 존속하는 경우에는 소각 등에 의하여 감소한 주식만 해당한다)을 취득하기 위하여 사용한 금액을 초과하는 금액

③ 합병법인의 주주 등이 피합병법인으로부터 그 합병으로 인하여 취득하는 합병대가가 그 합병법인의 주식 등을 취득하기 위하여 사용한 금액을 초과하는 금액

④ 해산한 법인의 주주 등이 그 법인의 해산으로 인한 잔여재산의 분배로서 취득하는 금전과 그 밖의 재산의 가액이 그 주식 등을 취득하기 위하여 사용한 금액을 초과하는 금액

08
피합병법인의 주주 등이 합병법인으로부터 그 합병으로 인하여 취득하는 합병대가가 그 피합병법인의 주식 등을 취득하기 위하여 사용한 금액을 초과하는 금액이 의제배당에 해당한다.

정답 07 ③ 08 ③

484 해커스공무원 학원·인강 gosi.Hackers.com

09 「법인세법」상 의제배당에 관한 설명으로 옳지 않은 것은? 2014년 7급

① 의제배당이란 법인의 잉여금 중 사내에 유보되어 있는 이익이 일정한 사유로 주주나 출자자에게 귀속되는 경우 이를 실질적으로 현금배당과 유사한 경제적 이익으로 보아 과세하는 제도이다.

② 주식의 소각으로 인하여 주주가 취득하는 금전과 그 밖의 재산가액의 합계액이 주주가 해당 주식을 취득하기 위하여 사용한 금액을 초과하는 경우 그 초과금액을 의제배당금액으로 한다.

③ 감자절차에 따라 주식을 주주로부터 반납받아 소각함으로써 발생한 일반적 감자차익은 자본에 전입하더라도 의제배당에 해당하지 않는다.

④ 자기주식을 소각하여 생긴 이익은 소각 당시 시가가 취득가액을 초과하지 아니하는 경우라면 소각 후 2년 내에 자본에 전입하더라도 의제배당에 해당하지 않는다.

10 「법인세법」상 익금의 계산에 관한 설명으로 옳지 않은 것은? 2013년 9급

① 특수관계인인 개인으로부터 유가증권을 시가보다 낮은 가액으로 매입하는 경우 시가와 그 매입가액의 차액에 상당하는 금액은 익금으로 본다.

② 법인이 자기주식 또는 자기출자지분을 보유한 상태에서 자본전입을 함에 따라 그 법인 외의 법인주주의 지분비율이 증가한 경우 증가한 지분비율에 상당하는 주식 등의 가액은 법인주주의 익금에 산입하지 아니한다.

③ 부가가치세의 매출세액은 내국법인의 각 사업연도의 소득금액을 계산할 때 익금에 산입하지 아니한다.

④ 국세 또는 지방세의 과오납금의 환급금에 대한 이자는 각 사업연도의 소득금액을 계산할 때 익금에 산입하지 아니한다.

11 「법인세법」상 익금에 대한 설명으로 옳지 않은 것은?

① 채무의 출자전환으로 주식을 발행한 경우 그 주식의 시가를 초과하여 발행된 금액은 익금에 산입한다.

② 자본 또는 출자의 납입 금액은 익금에 산입하지 아니한다.

③ 법인이 특수관계인인 개인으로부터 유가증권을 시가보다 낮은 가액으로 매입하는 경우 시가와 그 매입가액의 차액에 상당하는 금액은 익금에 산입하지 아니한다.

④ 무상으로 받은 자산의 가액과 채무의 면제 또는 소멸로 인한 부채의 감소액 중 법령이 정하는 이월결손금의 보전에 충당한 금액은 익금에 산입하지 아니한다.

11
법인이 특수관계인인 개인으로부터 유가증권을 시가보다 낮은 가액으로 매입하는 경우 시가와 그 매입가액의 차액에 상당하는 금액은 익금에 산입한다.

12 2023년 3월 10일 A법인이 잉여금을 자본전입함에 따라 이 회사의 주주인 B법인은 무상주를 교부받았다. 자본전입의 재원이 다음과 같을 때, 교부받은 무상주의 가액이 B법인의 익금에 해당하지 않는 것은? (단, 잉여금의 자본전입에 따른 B법인의 지분비율 변동은 없음)

ㄱ. 2022년 9월 1일 자기주식을 처분하여 발생한 이익
ㄴ. 2021년 3월 15일 발생한 상법에 따른 이익준비금
ㄷ. 자산재평가법에 따른 건물 재평가적립금
ㄹ. 2021년 5월 1일 발생한 자기주식소각이익(소각 당시 시가가 취득가액을 초과하지 아니함)

① ㄱ ② ㄴ
③ ㄷ ④ ㄹ

12
해당하지 않는 것은 ㄷ이다.
건물 재평가적립금(3%)은 익금불산입항목에 해당하므로 의제배당에 해당하지 않는다.

13 「법인세법」상 내국법인의 각 사업연도의 소득금액계산에 있어서 익금불산입 항목에 해당되지 않는 것은?

2009년 9급

① 주식의 포괄적 이전차익
② 자기주식소각이익
③ 무상으로 받은 자산의 가액 중 법령이 정하는 이월결손금의 보전에 충당된 금액
④ 채무의 출자전환으로 주식을 발행하는 경우 당해 주식의 시가를 초과하여 발행된 금액

14 「법인세법」상 익금으로 보지 않는 항목으로 묶인 것은?

2007년 9급

ㄱ. 자산 임대료(자산의 일시적 임대수익)
ㄴ. 「보험업법」에 의한 유형 · 무형자산 평가차익
ㄷ. 토지의 양도금액
ㄹ. 주식의 포괄적 교환차익
ㅁ. 감자차익
ㅂ. 부가가치세 매출세액
ㅅ. 각 사업연도 소득으로 이미 과세된 소득
ㅇ. 자기주식 양도금액

① ㄱ, ㄴ, ㄷ, ㄹ   ② ㄴ, ㄷ, ㄹ, ㅁ
③ ㄹ, ㅁ, ㅂ, ㅅ   ④ ㅁ, ㅂ, ㅅ, ㅇ

13
채무의 출자전환으로 주식을 발행하는 경우 당해 주식의 시가를 초과하여 발행된 금액은 익금에 해당한다.

14
익금에 해당하지 않는 것은 ㄹ, ㅁ, ㅂ, ㅅ이다.

☑ 오답체크

ㄱ. 자산 임대료, ㄴ. 「보험업법」에 따른 유형 · 무형자산의 평가차익, ㅇ. 자기주식 양도금액은 익금에 해당한다.

15 「법인세법」상의 익금에 대한 설명으로 옳은 것은?　　　　　2007년 9급

① 자기주식처분이익은 익금에 산입하지 아니한다.
② 특수관계인으로부터 분여받은 자본거래이익은 익금항목에 해당한다.
③ 국세 또는 지방세의 과오납금의 환급금에 대한 이자는 익금항목에 해당한다.
④ 추계에 의하여 소득금액을 계산하는 경우에는 부동산임대업을 주업으로 하는 영리내국법인에 한하여 임대보증금 등에 대한 간주익금 규정이 적용된다.

15

✓ 오답체크

① 자기주식처분이익은 「법인세법」상 익금에 해당한다.
③ 국세 또는 지방세의 과오납금의 환급금에 대한 이자는 익금에 해당하지 않는다.
④ 추계에 의하여 소득금액을 계산하는 경우에는 모든 부동산임대법인에 대하여 간주임대료를 적용한다.

16 「법인세법」상 익금에 산입되지 아니하는 것은?　　　　　2007년 9급

① 손금에 산입한 금액 중 환입된 금액
② 국세의 과오납금의 환급금에 대한 이자
③ 채무의 면제로 인하여 생기는 부채의 감소액
④ 자산의 양도금액

16

국세의 과오납금의 환급금에 대한 이자는 「법인세법」상 익금불산입 항목에 해당한다.

17 「법인세법」상 과세표준과 그 계산에 대한 설명으로 옳지 않은 것은?

2023년 9급

① 내국법인의 이월결손금은 각 사업연도의 개시일 전 발생한 각 사업연도의 결손금으로서 그 후의 각 사업연도의 과세표준을 계산할 때 공제되지 아니한 금액으로 한다.
② 특수관계인 개인으로부터 유가증권을 시가보다 낮은 가액으로 매입하는 경우 시가와 그 매입가액의 차액에 상당하는 금액은 익금으로 본다.
③ 익금은 자본 또는 출자의 납입을 제외하고 해당 법인의 순자산을 증가시키는 모든 거래로 인하여 발생하는 이익 또는 수입의 금액으로 한다.
④ 결산을 확정할 때 잉여금의 처분을 손비로 계상한 금액은 내국법인의 각 사업연도의 소득금액을 계산할 때 손금에 산입하지 아니한다.

17

익금은 자본 또는 출자의 납입 및 익금불산입 항목을 제외하고 해당 법인의 순자산을 증가시키는 거래로 인하여 발생하는 이익 또는 수입의 금액으로 한다.

정답 15 ② 16 ② 17 ③

04 손금과 손금불산입

1 손금

1. 개념

(1) 손금이란 해당 법인의 순자산을 감소시키는 거래로 발생하는 손비(손실 또는 비용)의 금액을 말하며, 자본 또는 지분의 환급, 잉여금의 처분 및 손금불산입항목은 제외한다.

(2) 손비는 「법인세법」 및 다른 법률에서 달리 규정하고 있는 것을 제외하고는 그 법인의 사업과 관련하여 발생하거나 지출된 손실 또는 비용으로서 일반적으로 인정되는 통상적인 것이거나 수익과 직접 관련된 것으로 한다.

(3) 따라서 순자산을 감소시키더라도 업무와 무관한 비용 등은 손금으로 인정되지 않는다.

> ➕ **심화** | **비용배분원칙**
>
> 손금항목에 해당하더라도 지출 즉시 모두 손금으로 인정되는 것은 아니다. 지출성격에 따라 손금으로 인정되는 시기에는 차이가 발생할 수 있다.
> 1. **즉시비용**: 지출되는 시점에 즉시 손금으로 인정되는 항목(광고비 · 본사인건비 · 판관비 등)
> 2. **미래비용**: 지출되는 시점에 자산(미래 비용)으로 계상하고 추후에 감가상각이나 처분을 통하여 손금으로 인정되는 항목(공장의 감가상각비 · 건설공사본부의 직원인건비 등)

2. 손금범위

(1) 판매한 상품 또는 제품에 대한 원료의 매입가액(매입에누리금액 · 매입환출 및 매입할인금액은 제외❶)과 그 부대비용

(2) 판매한 상품 또는 제품의 보관료 · 포장비 · 운반비 · 판매장려금 및 판매수당 등 판매와 관련된 부대비용(판매장려금 및 판매수당의 경우 사전약정 없이 지급하는 경우를 포함)

(3) 양도한 자산의 양도 당시의 세무상 장부가액

(4) 인건비

(5) 유형자산의 수선비

(6) 유형 · 무형자산의 감가상각비

(7) 특수관계인으로부터 자산 양수를 하면서 기업회계기준에 따라 장부에 계상한 유형자산 가액이 시가에 미달하는 경우 실제 취득가액(실제 취득가액이 시가를 초과하는 경우에는 시가)과 장부에 계상한 가액과의 차액에 대한 감가상각비 상당액

❶
부가가치세 공제대상에 해당하는 의제매입세액도 매입가액에서 제외한다.

(8) 자산의 임차료

(9) 차입금이자

(10) 회수할 수 없는 부가가치세매출세액 미수금(「부가가치세법」에 따라 대손세액 공제를 받지 않은 것만 해당)

(11) 자산의 평가차손

(12) 세금과 공과(외국자회사 수입배당금 익금불산입과 외국납부세액공제를 적용하지 않는 경우의 외국납부세액을 포함함)

(13) 영업자가 조직한 단체로서 법인이거나 주무관청에 등록된 조합 또는 협회에 지급한 회비

(14) 광산업의 탐광비

(15) 보건복지가족부장관이 정하는 무료진료권 또는 새마을진료권에 따라 행한 무료진료의 가액

(16) 생활용품 및 식품의 제조업 · 도매업 또는 소매업을 영위하는 내국법인이 해당 사업에서 발생한 잉여식품 등을 「식품 등 기부 활성화에 관한 법률」에 따른 제공자 또는 제공자가 지정하는 자에게 무상으로 기증하는 경우 그 기증한 잉여식품 등의 장부가액(이 경우 그 금액은 기부금에 포함하지 않음)

(17) 업무와 관련 있는 해외시찰 · 훈련비

(18) 다음의 어느 하나에 해당하는 운영비 또는 수당

① 「초 · 중등교육법」에 설치된 근로청소년을 위한 특별학급 또는 산업체부설 중 · 고등학교의 운영비

② 「산업교육진흥 및 산학연협력촉진에 관한 법률」의 규정에 따라 교육기관이 당해 법인과의 계약에 의하여 채용을 조건으로 설치 · 운영하는 직업교육훈련과정 · 학과 등의 운영비

③ 「직업교육훈련 촉진법」의 규정에 따른 현장실습에 참여하는 학생들에게 지급하는 수당

④ 「고등교육법」의 규정에 따른 현장실습수업에 참여하는 학생들에게 지급하는 수당

(19) 「근로복지기본법」에 따른 우리사주조합에 출연하는 자사주의 장부가액 또는 금품

(20) 장식 · 환경미화 등의 목적으로 사무실 · 복도 등 여러 사람이 볼 수 있는 공간에 상시 비치하는 미술품의 취득가액을 그 취득한 날이 속하는 사업연도의 손비로 계상한 경우에는 그 취득가액(취득가액이 거래단위별로 1,000만 원 이하인 것에 한함)

(21) 광고선전 목적으로 기증한 물품의 구입비용. 다만, 특정인에게 기증한 물품(개당 3만 원 이하의 물품은 제외)의 경우에는 연간 5만 원 이내의 금액에 한정한다. 5만 원을 초과하는 경우에는 전액을 기업업무추진비로 보아 한도계산을 한다.

(22) 임직원이 다음의 어느 하나에 해당하는 주식매수선택권 또는 주식기준보상을 행사하거나 지급받는 경우 해당 주식매수선택권 또는 주식기준보상(이하 '주식매수선택권 등'이라 함)을 부여하거나 지급한 법인에 그 행사 또는 지급비용으로서 보전하는 금액

    ① 「금융지주회사법」에 따른 금융지주회사로부터 부여받거나 지급받은 주식매수선택권❶ 등

    ② 해외 모법인으로부터 부여받거나 지급받은 주식매수선택권 등

(23) 법인이 임원·직원의 행위 등으로 인하여 타인에게 손해를 끼침으로써 손해배상금을 지출한 경우에는 업무와 관련된 것이고 임원·직원의 고의·중과실로 인한 것이 아니면 그 손해배상금을 손금에 산입한다.

(24) 「상법」, 「벤처기업육성에 관한 특별조치법」, 「소재·부품전문기업 등의 육성에 관한 특별조치법」에 따른 주식매수선택권, 「근로복지기본법」에 따른 우리사주매수선택권 또는 금전을 부여받거나 지급받은 자에 대한 다음 각 항목의 금액. 다만, 해당 법인의 발행주식총수의 10%의 범위에서 부여하거나 지급한 경우로 한정한다.

    ① 주식매수선택권을 부여받은 경우로서 약정된 주식매수시기에 약정된 주식의 매수가액과 시가의 차액을 금전 또는 해당 법인의 주식으로 지급하는 경우 해당 금액

    ② 주식매수선택권을 부여받은 경우로서 약정된 주식매수시기에 주식매수선택권 행사에 따라 주식을 시가보다 낮게 발행하는 경우 그 주식의 실제 매수가액과 시가와의 차액

    ③ 주식기준보상으로 금전을 지급하는 경우 해당 금액

(25) 동업기업으로부터 배분받은 결손금

(26) 내국법인(중소기업 및 중견기업에 한정함)이 발행주식총수 또는 출자지분의 100%를 직접 또는 간접 출자한 해외현지법인에 파견된 임원 또는 직원의 인건비(해당 내국법인이 지급한 인건비가 해당 내국법인 및 해외출자법인이 지급한 인건비 합계의 50% 미만인 경우로 한정함)를 포함한다.

(27) 다음 중 어느 하나에 해당하는 사내근로복지기금에 출연하는 금품

    ① 해당 내국법인이 설립한 사내근로복지기금

    ② 해당 내국법인이 설립한 공동근로복지기금

    ③ 협력중소기업이 설립한 사내근로복지기금

    ④ 협력중소기업간에 공동으로 설립한 공동근로복지기금

(28) 그 밖의 손비로서 그 법인에 귀속되었거나 귀속될 금액

❶ 주식매수선택권
주식매수선택권은 「상법」에 따라 주권상장법인이 해당 법인의 임직원 외에 관계법인의 임직원에게 부여되는 경우에 한정한다.

3. 손금불산입항목

❶ 주식할인발행자금

주식할인발행차금은 주식을 액면가액에 미달하는 가액으로 발행하는 경우 액면에 미달하는 금액과 신주발행비의 합계액을 말한다.

자본거래	① 잉여금의 처분을 손비로 계상한 금액 ② 주식할인발행차금❶ ③ 감자차손
세금과 공과금	④ 법인세 등 일정한 세금 ⑤ 의무불이행으로 납부하였거나 납부할 세액 ⑥ 벌금 · 과료 · 과태료, 가산금 및 강제징수비
자산평가손실	⑦ 자산의 평가손실은 손금에 산입하지 않는다. 다음의 경우는 제외한다. 　㉠ 재고자산, 유가증권 등, 화폐성 외화자산 · 부채 등의 일정한 평가손실 　㉡ 특수한 경우에 인정되는 자산의 평가손실
지급이자	⑧ 지급이자손금불산입 　㉠ 채권자 불분명 사채이자 　㉡ 비실명 채권 · 증권이자 　㉢ 건설자금이자 　㉣ 업무무관자산 등에 대한 지급이자
기타	⑨ 대손금 　㉠ 채무보증 구상채권 　㉡ 특수관계인에게 해당 법인의 업무와 관련없이 지급한 가지급금 ⑩ 감가상각비 한도초과액 ⑪ 기부금한도초과액과 비지정기부금 ⑫ 적격증빙서류 미수취 기업업무추진비, 기업업무추진비 한도초과액 ⑬ 다음 중 과다 · 부당 경비 　인건비, 복리후생비, 여비 및 교육 · 훈련비, 공동경비 등 ⑭ 업무무관비용 ⑮ 징벌적 목적의 손해배상금 ⑯ 연결모법인이 연결자법인에게 지급하는 법인세

2 인건비

업무와 관련된 비용으로 순자산의 감소시키는 지출이므로 과다보수 또는 업무무관 등의 경우를 제외하고는 손금으로 인정된다.

1. 급여

임원이나 직원의 급여는 모두 손금으로 인정되나 다음의 경우는 손금불산입한다.

(1) 법인이 지배주주 및 그와 특수관계에 있는 임원 또는 직원에게 정당한 사유 없이 동일 직위에 있는 지배주주 등 외의 임원 또는 직원에게 지급하는 금액을 초과하여 보수를 지급한 경우 그 초과금액은 손금에 산입하지 않는다.

> **⊞ 심화 | 임원과 지배주주 개념**
>
> 1. **임원:** 임원은 다음에 해당하는 직무에 종사하는 자를 말한다. 임원이 아닌 자로 고용관계나 근로관계 또는 그 밖의 유사한 법률관계에 따라 근로를 제공하는 사람은 직원에 해당한다.
>   ① 법인의 회장·사장·부사장·이사장·대표이사·전무이사·상무이사 등 이사회의 구성원 전원과 청산인
>   ② 합명회사·합자회사 및 유한회사의 업무집행사원 또는 이사
>   ③ 유한책임회사의 업무집행자
>   ④ 감사
>   ⑤ 그 밖에 위에 준하는 직무에 종사하는 자
> 2. **지배주주:** 법인의 발행주식총수 또는 출자총액의 1% 이상의 주식을 소유한 주주 등으로서 그와 특수관계인의 소유 주식 또는 출자지분의 합계가 해당 법인의 주주 등 중 가장 많은 경우의 해당 주주 등을 말한다.

(2) 비상근임원에게 지급하는 보수 중 부당행위계산에 해당하는 경우는 손금에 산입하지 않는다.❶

(3) 「노동조합 및 노동관계조정법」을 위반하여 노조전임자에게 지급하는 급여는 업무무관으로 보아 손금에 산입하지 않는다.

(4) 합명회사·합자회사의 노무출자사원에게 지급하는 보수는 이익처분에 의한 상여로 보아 손금에 산입하지 않는다.❷

2. 상여금

(1) 일반적인 상여금

① 직원에 대한 일반적인 상여금의 경우는 전액 손금으로 인정된다. 임원에 대한 상여금도 손금에 해당하지만 정관·주주총회·사원총회 또는 이사회의 결의에 의하여 결정된 급여지급기준을 초과하는 금액은 손금불산입한다.

② 직원은 한도 초과 여부에 상관없이 전액 손금으로 인정된다. 그러나 임원은 한도 내에서 인정되며 한도 규정이 없는 경우는 상여금 전액을 손금으로 인정하지 않는다.

(2) 이익처분에 의한 상여금

법인이 임원이나 직원에게 지급하는 이익처분에 의한 상여금은 손금으로 인정되지 않는다.

3. 퇴직급여

(1) 개념

① 법인이 임원 또는 직원에게 지급하는 퇴직급여는 임원 또는 직원이 현실적으로 퇴직하는 경우에 지급하는 것에 대하여는 손금으로 산입한다.

② 현실적으로 퇴직하지 않은 임원 또는 직원에게 지급한 퇴직급여는 현실적으로 퇴직할 때까지 이를 업무와 무관한 가지급금❸으로 본다.

---

❶
비상근임원에게 지급하는 보수도 손금에 해당한다. 다만, 부당행위계산의 부인에 해당하는 경우는 손금불산입한다.

❷
금전출자사원·현물출자사원 그리고 신용출자사원에게 지급하는 급여는 손금에 해당한다.

🔖 기출 OX

01 합명회사 또는 합자회사의 노무출자사원에게 지급하는 보수는 손금에 산입하지 아니한다. (○)   12. 9급

02 임원에 대한 상여금의 지급이 정관·주주총회 또는 이사회에서 결정된 급여지급 규정을 초과하여 지급하는 경우에는 그 초과금액은 손금에 산입하지 아니한다. (○)   12. 9급

❸
세법에서 가지급금은 대여금을 의미하고 가수금은 차입금을 의미한다.

현실적인 퇴직	① 직원이 임원으로 취임한 경우 ② 상근임원이 비상근임원으로 된 경우 ③ 임원 또는 직원이 그 법인의 조직변경·합병·분할 또는 사업양도에 따라 퇴직한 때 ④ 퇴직급여를 중간정산(종전에 퇴직급여를 중간정산하여 지급한 적이 있는 경우에는 직전 중간정산 대상기간이 종료한 다음 날부터 기산하여 퇴직급여를 중간정산한 것을 말함)하여 지급한 때 ⑤ 정관 또는 정관에서 위임된 퇴직급여지급규정에 따라 장기 요양 등 기획재정부령으로 정하는 사유로 그 때까지의 퇴직급여를 중간정산(종전에 퇴직급여를 중간정산하여 지급한 적이 있는 경우에는 직전 중간정산 대상기간이 종료한 다음 날부터 기산하여 퇴직급여를 중간정산한 것을 말함)하여 임원에게 지급한 때
비현실적인 퇴직	① 임원이 연임된 경우 ② 법인의 대주주 변동으로 인하여 계산의 편의, 기타 사유로 전직원에게 퇴직급여를 지급한 경우 ③ 외국법인의 국내지점 종업원이 본점(본국)으로 전출하는 경우 ④ 정부투자기관 등이 민영화됨에 따라 전종업원의 사표를 일단 수리한 후 다시 채용한 경우 ⑤ 「근로자퇴직급여 보장법」에 따라 퇴직급여를 중간정산하기로 하였으나 이를 실제로 지급하지 않은 경우

(2) 임원 퇴직급여의 한도

직원에 대한 퇴직급여는 한도 초과 여부에 상관없이 손금으로 인정되지만 임원의 경우는 다음의 금액을 초과하는 경우 손금으로 인정하지 않는다.

구분	한도액
정관 또는 위임규정에 퇴직급여(퇴직위로금 등 포함)로 지급할 금액이 정하여진 경우	그 정관에 정하여진 금액
그 외의 경우	퇴직 직전 1년간 총급여 × 1/10 × 근속연수

① **총급여:** 퇴직직전 1년간 총급여액에 포함되는 금액은 봉급·급료·수당·임금 등의 급여액과 법인의 주주총회·사원총회 등 결의에 따라 받는 상여를 포함한다. 단, 「소득세법」상 비과세되는 근로소득과 손금불산입되는 인건비, 인정상여금액, 퇴직으로 받는 소득으로 퇴직소득에 속하지 아니하는 소득, 종업원·법인의 임원·공무원 또는 대학의 교직원이 지급받는 직무발명보상금은 제외한다.[●]

② **근속연수**

ㄱ 근속연수는 역년에 따라 계산하되 1년 미만의 기간은 월수로 계산하고 1개월 미만은 산입하지 않는다(1개월 미만 절사).

●
내국법인이 해산에 의하여 퇴직하는 임원 또는 직원에게 지급하는 해산수당 또는 퇴직위로금 등의 최종사업연도의 손금으로 한다.

ⓛ 직원이 임원으로 된 때에 퇴직금을 지급하지 아니한 경우 직원으로 근무한 기간을 근속연수에 합산할 수 있다.

4. 복리후생비

법인이 그 임원·직원을 위하여 지출한 다음의 복리후생비는 손금에 산입한다.

(1) 법에 따른 건강보험료·노인장기요양보험료·고용보험료의 사용자 부담분❶

(2) 직장체육비와 직장문화비·직장회식비, 우리사주조합의 운영비, 「영유아보육법」에 의하여 설치된 직장보육시설의 운영비

(3) 기타 임원·직원에게 사회통념상 타당하다고 인정되는 범위 안에서 지급한 경조사비 등 위와 유사한 비용

(4) 파견근로자를 위하여 지출한 복리후생비

❶ 사용자 부담분

사용자부담 국민연금부담금은 공과금으로 손금으로 인정된다.

3 세금과 공과

1. 조세

(1) 개념

법인의 순자산을 감소시키므로 업무와 관련된 경우에는 손금❷으로 인정된다. 다만, 다음의 몇 가지 조세는 손금불산입한다.

❷ 손금

인지세, 재산세, 종합부동산세, 자동차세, 주민세 등은 손금으로 인정된다.

(2) 손금불산입되는 조세

① 법인세 등: 법인세(외국자회사 수입배당금 익금불산입 또는 외국납부세액 공제를 적용하는 경우의 외국납부세액을 포함함) 및 이와 관련된 법인지방소득세·농어촌특별세의 경우는 손금으로 인정되지 않는다.

② 부가가치세의 매입세액: 부가가치세의 매입세액은 부가가치세 선급금으로 손금에 해당하지 않는다. 다만, 매출세액에서 차감되지 않거나 환급받지 못한 금액에 대하여는 손금으로 인정되는데 의무불이행 등의 경우로 공제받지 못하는 매입세액은 손금으로 인정되지 않는다.

심화 | 부가가치세 매입세액

구분		「법인세법」
공제되는 매입세액	일반적인 매입세액(선급금)	손금불산입
공제되지 않는 매입세액	① 불공제 매입세액(일반적인 경우) ㉠ 비영업용 개별소비세 과세대상 자동차의 구입과 임차 및 유지에 관한 매입세액 ㉡ 부가가치세 면세사업 관련 매입세액 ㉢ 영수증을 발급받은 거래분의 매입세액 ㉣ 토지 관련 매입세액 ㉤ 기업업무추진비와 관련 지출에 대한 매입세액 ㉥ 간주임대료에 대한 매입세액	손금산입 (자산의 취득원가나 자본적 지출 해당분은 우선 자산으로 계상한 후 추후 손금으로 인정)
	② 해당 법인의 귀책사유로 인한 불공제 매입세액 ㉠ 사업자등록 전 매입세액 ㉡ 사업과 관련 없는 매입세액 ㉢ 매입세금계산서 미수취·부실기재 ㉣ 매입처별 세금계산서합계표 미제출·부실기재	손금불산입 (자산으로 계상할 수 없음)

2. 반출하였으나 판매하지 아니한 제품에 대한 개별소비세·주세의 미납액

반출하였으나 판매하지 아니한 제품에 대한 개별소비세·주세는 해당 물품의 판매 시 구매자로부터 회수하게 되는 선급금이므로 손금에 산입하지 않는다. 다만, 제품가격에 그 세액을 가산한 경우에는 예외로 한다.

3. 공과금

공과금(폐기물처리부담금·교통유발부담금 등)은 손금에 산입하는 것이지만 다음의 경우에는 손금에 산입하지 않는다.

(1) 법령에 따라 의무적으로 납부하는 것이 아닌 것

> **예** 임의출연금

(2) 법령에 따른 의무의 불이행 또는 금지·제한 등의 위반에 대한 제재로서 부과되는 것

> **예** 폐수배출부담금

4. 벌금·과료·과태료 및 강제징수비

벌금·과료(통고처분에 따른 벌금 또는 과료 상당액 포함)·과태료(과료와 과태금 포함) 및 강제징수비는 손금에 산입하지 않는다. 이러한 벌금 등을 손금으로 인정하면 징벌의 효과가 감소하기 때문이다.

손금불산입항목	손금항목
① 법인의 임원 또는 직원이 「관세법」을 위반하고 지급한 벌과금	① 사계약상의 의무불이행으로 인한 지체상금(정부와의 납품계약으로 인한 지체상금을 포함하며 구상권 행사가 가능한 지체상금은 제외)
② 업무와 관련하여 발생한 교통사고 벌과금	② 보세구역에 보관되어 있는 수출용원자재가 「관세법」에 따른 보관기간 경과로 국고귀속이 확정된 자산의 가액
③ 산업재해보상보험료의 가산금	③ 철도화차사용료 미납액에 대한 연체이자
④ 금융기관이 한국은행에 납부하는 과태료	④ 산재보상보험료의 연체금
⑤ 「국민건강보험법」에 따라 징수하는 연체금	⑤ 국유지 사용료의 납부지연으로 인한 연체료
⑥ 외국의 법률에 따라 국외에서 납부하는 벌금	⑥ 전기요금의 납부지연으로 인한 연체가산금

5. 조합비와 협회비

(1) 영업자가 조직한 단체로서 법인이거나 주무관청에 등록한 조합 또는 협회에 지급한 회비는 손금에 해당한다.

(2) 회비란 조합 또는 협회가 법령 또는 정관이 정하는 바에 따라 정상적인 회비 징수방식에 의해 경상경비 충당 등을 목적으로 조합원 또는 회원에게 부과하는 것을 말한다.

6. 징벌적 목적의 손해배상금

(1) 내국법인이 지급한 손해배상금 중 실제 발생한 손해를 초과하여 지급하는 금액은 손금에 산입하지 않는다.

(2) 다만, 실제 발생한 손해액이 불분명한 경우는 손해배상금의 2/3를 손금불산입 대상 손해배상금으로 한다.❶

4 과다경비와 업무무관비용

1. 업무용 승용차 관련비용

(1) 개념

법인이 고가의 차량으로 과도한 손금의 혜택을 받고, 법인 명의차량을 임직원의 가족이 사용하면서 손금처리를 하였다. 차량과 관련하여 과도한 비용과 업무와 무관한 비용에 대한 제재를 하고자 그 기준을 법으로 규정하였다.

(2) 업무용 승용차 범위

「개별소비세법」의 과세대상 승용자동차가 그 대상이 된다. 다만, 다음에 해당하는 승용자동차는 제외한다.

① 운수업 · 자동차판매업 · 자동차임대업 · 운전학원업 · 기계경비업 또는 시설대여업에서 사업상 수익을 얻기 위해 직접 사용하는 승용자동차

❶ 손해배상금 관련 법령

「개인정보 보호법」, 「신용정보의 이용 및 보호에 관한 법률」, 「하도급거래 공정화에 관한 법률」, 「파견근로자보호 등에 관한 법률」, 「제조물 책임법」, 「정보통신망 이용촉진 및 정보보호 등에 관한 법률」, 「대리점거래의 공정화에 관한 법률」, 「공익신고자 보호법」, 「가맹사업거래의 공정화에 관한 법률」 또는 외국의 법령에 따라 손해액을 초과하여 지급하는 손해배상금이다.

② 한국표준사업분류표 중 장례식장 및 장의 관련 서비스업을 영위하는 법인이 소유하거나 임차한 운구용 승용차

③ 연구개발목적의 승용자동차(임시운행허가를 받은 자율주행자동차)

> **참고**
>
> **개별소비세 과세대상 자동차**
> 1. 승용자동차 및 전기승용자동차(모두 정원 8인 이하의 자동차로 한정하되, 배기량이 1,000cc 이하의 것으로 길이가 3.6m 이하이고 폭이 1.6m 이하인 경차는 제외)
> 2. 이륜자동차(내연기관을 원동기로 하는 것은 총배기량이 125cc를 초과하는 것, 내연기관 외의 것을 원동기로 하는 것은 정격출력이 1kw를 초과하는 것으로 한정)
> 3. 캠핑용자동차(캠핑용 트레일러를 포함)

(3) 관련비용

감가상각비 · 유류비 · 수선비 · 자동차세 · 통행료 · 금융리스부채에 대한 이자비용 등 업무용 승용차 취득 · 유지 관련된 모든 비용을 말한다.

(4) 업무미사용금액

내국법인이 업무용 승용차를 취득하거나 임차하여 해당 사업연도에 손금에 산입하거나 지출한 업무용 승용차 관련비용 중 다음의 업무사용금액에 해당하지 않는 금액은 손금에 산입하지 않는다. 업무미사용금액으로 손금불산입한 금액은 귀속자에 따라 배당 · 상여 등으로 소득처분한다.

① 업무전용 자동차보험에 가입한 경우

$$업무사용금액 = 업무용 \ 승용차 \ 관련비용 \times 업무사용비율$$

㉠ 업무사용비율 – 운행기록 등을 작성 · 비치한 경우

$$업무사용비율 = \frac{업무용 \ 사용거리^{❶}}{총주행거리}$$

> **❶ 업무용 사용거리**
> 업무용 사용거리는 제조 · 판매시설 등 해당 법인의 사업장 방문, 거래처 · 대리점 방문, 회의 참석, 판촉활동, 출 · 퇴근 등 직무와 관련된 거리를 말한다.

㉡ 업무사용비율 – 운행기록 등을 작성 · 비치하지 않은 경우
  ⓐ 해당 사업연도 업무용 승용차 관련비용이 1,500만 원 이하: 100% (전액 손금으로 인정)
  ⓑ 해당 사업연도 업무용 승용차 관련비용이 1,500만 원 초과:
  $$\frac{1,500만 \ 원^{❷}}{업무용 \ 승용차 \ 관련비용}$$

② 업무전용 자동차보험에 가입하지 않은 경우: 업무용 승용차 관련비용을 모두 손금불산입으로 처리한다. 즉, 업무사용비율은 없는 것으로 한다.

> **❷**
> 1. 해당 사업연도가 1년 미만인 경우
> $$1,500만 \ 원 \times \frac{해당 \ 사업연도 \ 월수}{12}$$
>
> 2. 사업연도 중 일부 기간 동안 보유하거나 임차한 경우
> $$1,500만 \ 원 \times \frac{보유기간 \cdot 임차기간월수}{12}$$
> 이 경우 월수는 역에 따라 계산하되, 1개월 미만의 일수는 1개월로 한다.

(5) 업무용 승용차 감가상각비

① 감가상각방법: 2016년 1월 1일 이후 취득하는 경우 정액법으로 내용연수 5년을 적용한다(강제상각).

② 감가상각비 한도: 업무사용금액 중 감가상각비는 800만 원[1] 한도로 손금에 산입한다.

심화 | 업무용 승용차 임차료 중 감가상각비

1. 「여신전문금융업법」에 따라 등록한 시설대여업자로부터 임차한 승용차(리스차량)는
   임차료 − (보험료 + 자동차세 + 수선유지비[2]) = 감가상각비
2. 1.외 시설대여업자외 임차한 승용차(렌트차량)는 임차료의 70% 금액을 감가상각비로 한다.

---

③ 감가상각비 한도초과액 이월 손금산입: 한도초과액은 이월하여 다음 사업연도부터 해당 업무사용금액 중 감가상각비가 800만 원에 미달하는 경우 그 미달하는 금액을 한도로 하여 손금산입한다. 임차한 경우도 동일하게 800만 원에 미달하는 경우 손금산입한다.

ㄱ 업무용 승용차 감가상각비 × 업무사용비율(한도초과 유보)

ㄴ 업무용 승용차별 임차료 중 감가상각비 상당액 × 업무사용비율(한도초과 기타사외유출)

(6) 업무용 승용차 처분손실

① 처분손실 한도: 업무용 승용차를 처분하여 발생하는 손실이 업무용 승용차별로 800만 원[3]을 초과하는 금액은 해당 사업연도에 손금불산입으로 한다(소득처분은 기타사외유출로 함).

② 처분손실 한도초과액 이월손금산입

ㄱ 한도초과액은 해당 사업연도의 다음 사업연도부터 800만 원씩 균등하게 손금산입한다(소득처분은 기타로 함).

ㄴ 이월 누적잔액이 800만 원 미만이 되는 날이 속하는 사업연도에 잔액을 전액손금산입한다.

---

[1]

1. 해당 사업연도가 1년 미만인 경우

$$800만\ 원 \times \frac{해당\ 사업연도\ 월수}{12}$$

2. 사업연도 중 일부 기간 동안 보유하거나 임차한 경우

$$800만\ 원 \times \frac{보유기간\ 또는\ 임차기간월수}{12}$$

이 경우 월수는 역에 따라 계산하되, 1개월 미만의 일수는 1개월로 한다.

[2] 수선유지비

수선유지비를 별도로 구분하기 어려운 경우에는 임차료(보험료와 자동차세를 차감한 금액)의 7%를 수선유지비로 할 수 있다.

[3]

해당 사업연도가 1년 미만인 경우이다.

$$800만\ 원 \times \frac{해당\ 사업연도\ 월수}{12}$$

❶ 특정법인

1. 부동산임대업이 주된 사업으로 하거나 다음의 금액 합계가 기업회계기준에 따라 계산한 매출액의 50% 이상일 것
   ① 부동산 또는 부동산상의 권리 대여로 발생하는 소득
   ② 「소득세법」에 따른 이자소득과 배당소득
   ③ 해당 사업연도의 상시근로자 수가 5명 미만일 것(계약기간 1년 미만, 단기근로자, 해당 법인의 최대주주 및 그와 친족관계인 근로자는 제외함)
2. 해당 사업연도 종료일 현재 내국법인의 지배주주 등이 보유한 주식 등의 합계가 해당 내국법인의 발행주식총수 또는 출자총액의 50%를 초과할 것

❷ 지배주주

지배주주는 법인의 발행주식총수의 1% 이상의 주식을 소유한 주주(국가 또는 지방자치단체를 제외한다)로서 그와 특수관계 있는 자와의 소유주식 합계가 해당 법인의 주주 중 가장 많은 경우의 해당 주주를 말한다.

❸

공동행사비는 참석인원수에 비례하여, 공동구매비 등은 참석인원비율, 무형자산의 공동사용료는 해당사업연도의 기업회계기준에 따른 자본의 총합계액 비율을 선택할 수 있다. 또한 공동국내광고비의 경우에는 국내매출액비율, 국외광고비는 수출액비율에 따라 할 수 있다.

❹ 소액주주

소액주주는 발행주식총수의 1%에 미달하는 주식을 소유한 주주 등(해당 법인의 지배주주 등의 특수관계인은 제외한다)을 말한다.

> ⊞ **심화** | 특정법인❶에 대한 업무용 승용차 관련비용 손금산입 한도
>
> 1. 감가상각비 400만 원까지만 인정
> 2. 업무용 승용차 처분손실을 400만 원까지만 인정
> 3. 운행기록을 작성하지 않은 경우 500만 원까지 인정

2. 과다경비 및 업무무관비용 등의 손금불산입

(1) 여비 등의 손금불산입

법인이 임원 또는 직원이 아닌 지배주주❷ 등(특수관계인 포함)에게 지급한 여비 또는 교육훈련비는 손금에 산입하지 않는다.

(2) 공동경비의 손금불산입

내국법인이 사업 등을 공동으로 운영하거나 경영하면서 다음의 기준을 초과하여 분담하는 손비금액은 손금에 산입하지 않는다.

① 출자에 따라 공동사업의 경우: 출자총액 중 해당 법인이 출자한 금액의 출자비율에 따라 분담한다.

② 비출자 공동사업의 경우

⊙ 공동사업자간 특수관계인 경우: 전기 또는 당기의 매출액 비율과 전기 또는 당기의 총자산가액 비율 중 법인이 선택하는 비율❸(만약 선택하지 않은 경우에는 직전사업연도의 매출액 총액을 선택한 것으로 보며, 선택한 사업연도부터 연속하여 5개 사업연도 동안 적용하여야 함. 총자산가액 계산 시 공동사업자간 지분을 직접 보유하는 경우 그 주식가액은 제외함)

ⓛ 공동사업자간 특수관계가 없는 경우: 비출자공동사업자 사이의 약정에 따른 분담비율. 다만, 해당 비율이 없는 경우 ⊙의 비율을 따른다.

(3) 업무무관비용의 손금불산입

① 업무무관비용: 다음의 비용은 손금에 산입하지 않는다.

⊙ 업무무관자산을 취득·관리함으로써 생기는 비용·유지비·수선비 및 이와 관련되는 비용

ⓛ 해당 법인이 직접 사용하지 않고 다른 사람(주주 등이 아닌 임원과 소액주주❹ 등인 임원 및 직원은 제외)이 주로 사용하고 있는 장소·건축물·물건 등의 유지비·관리비·사용료와 이와 관련되는 지출금

ⓒ 해당 법인의 주주 등(소액주주 등 제외) 또는 출연자인 임원 또는 그 친족이 사용하고 있는 사택의 유지비·관리비·사용료와 이와 관련되는 지출금

ⓔ 업무무관자산을 취득하기 위하여 지출한 자금의 차입과 관련되는 비용

ⓜ 뇌물에 해당하는 금전 및 금전 외의 자산과 경제적 이익의 합계액

ⓗ 「노동조합 및 노동관계조정법」을 위반하여 노동조합의 전임에게 지급하는 급여

② 업무무관자산의 범위

    ㉠ 업무에 직접 사용하지 않는 부동산. 다만, 유예기간이 경과하기 전까지의 기간 중에 있는 부동산은 제외한다.

    ㉡ 유예기간 중에 업무에 직접 사용하지 않고 양도하는 부동산. 다만, 부동산매매업을 주업으로 영위하는 법인의 경우는 제외한다.

    ㉢ 서화 · 골동품. 다만, 장식 · 환경미화 등의 목적으로 사무실 · 복도 등의 여러 사람이 볼 수 있는 공간에 상시 비치하는 것을 제외한다.

    ㉣ 업무에 직접 사용하지 않는 자동차 · 선박 및 항공기

    ㉤ 기타 위와 유사한 자산으로 해당 법인의 업무에 직접 사용하지 않는 자산

③ 업무무관자산을 취득 · 관리함으로써 생기는 비용

    ㉠ 취득: 업무무관자산을 취득함으로써 생기는 비용이라도 그 자산의 취득가액을 구성하는 취득세 등은 취득부대비용으로 자산원가를 구성한다.

    ㉡ 보유: 업무무관자산에 대한 감가상각비, 유지비, 수선비 및 재산세 등은 손금불산입한다.

    ㉢ 처분: 양도가액을 익금, 그 자산의 장부가액을 손금에 산입한다.

⌐ 참고

손금에 대한 일반원칙

1. **비용배분의 원칙**: 법인에게 귀속되는 모든 비용은 일반적으로 공정 · 타당하다고 인정되는 기업회계기준에 준거하여 판매비와 관리비 · 제조원가 · 자산취득가액 등으로 명확히 구분하여 경리하여야 한다.
2. **손금의 증명서류**: 법인은 모든 거래에 대하여 증명서류를 작성하여 과세표준신고기한이 지난 날부터 5년간 보관하여야 한다. 법인이 비용을 지출하는 경우 신용카드매출전표 · 직불카드 · 현금영수증 · 세금계산서 또는 계산서 등을 받아 보관하여야 한다.

영수증 수취 금액		적격증명서류 미수취에 따른 제재
일반	건당 3만 원 초과	적격증명서류 관련 가산세 부과(사실이 확인되면 손금 인정)
기업업무추진비	건당 3만 원 초과	전액 손금불산입(적격증명서류 관련 가산세는 부과하지 않음)
	건당 경조금 20만 원 초과	

01 법인세법령상 업무용 승용차 관련비용의 손금불산입에 대한 설명으로 옳지 않은 것은? (단, 부동산임대업을 주된 사업으로 하는 등 법령으로 정하는 요건에 해당하는 내국법인은 아니며, 사업연도가 1년 미만이거나 사업연도 중 일부 기간 동안 보유하거나 임차한 경우에도 해당하지 않는다)

2021년 7급

① 업무용 승용차는 정액법을 상각방법으로 하고 내용연수를 5년으로 하여 계산한 금액을 감가상각비로 하여 손금에 산입하여야 한다.

② 내국법인이 업무용 승용차를 취득하거나 임차함에 따라 해당 사업연도에 발생하는 감가상각비, 임차료, 유류비 등 업무용 승용차 관련비용 중 업무사용금액에 해당하지 아니하는 금액은 해당 사업연도의 소득금액을 계산할 때 손금에 산입하지 아니한다.

③ 업무사용금액 중 업무용 승용차별 감가상각비가 해당 사업연도에 800만 원을 초과하는 경우 그 초과하는 금액은 해당 사업연도의 손금에 산입하지 아니하고 이월하여 손금에 산입한다.

④ 업무용 승용차를 처분하여 발생하는 손실로서 업무용 승용차별로 800만 원을 초과하는 금액은 해당 사업연도에 손금에 산입하지 않고 유보로 소득처분한다.

02 법인세법령상 내국법인의 각 사업연도의 소득금액을 계산할 때 인건비의 손금산입에 대한 설명으로 옳지 않은 것은? (단, 임원 및 지배주주 등은 법령상 정의를 충족한다)

2019년 9급

① 법인이 임원이 아닌 직원에게 지급한 상여금 중 주주총회의 결의에 의해 결정된 급여지급기준에 따른 금액을 초과하여 지급한 경우 그 초과금액은 이를 손금에 산입한다.

② 법인이 지배주주 등인 임원에게 정당한 사유 없이 동일직위에 있는 지배주주 등 외의 임원에게 지급하는 금액을 초과하여 보수를 지급한 경우 그 초과금액은 이를 손금에 산입하지 아니한다.

③ 합명회사 또는 합자회사의 노무출자사원에게 지급하는 보수는 이익처분에 의한 상여로 보아 이를 손금에 산입하지 아니한다.

④ 법인이 정관 또는 정관에서 위임된 퇴직급여지급규정이 없는 경우 현실적으로 퇴직한 임원에게 지급한 퇴직급여는 그 전액을 손금에 산입하지 아니한다.

01
업무용 승용차의 처분손실로 인한금액이 800만 원을 초과하는 경우에는 손금불산입 기타사외유출로 세무조정한다.

02
임원에 대한 퇴직급여는 법인의 정관 또는 정관에서 위임된 퇴직급여지급규정에 따른다. 다만, 정관 등의 규정이 없는 경우에는 다음 산식에 따라 계산한 금액까지 손금으로 인정된다.

퇴직 전 1년간 총급여 × 1/10 × 근속연수

정답 01 ④ 02 ④

03 다음은 제조업을 영위하는 내국법인 ㈜A의 17기 사업연도(2023.1.1.~2023. 12.31.)의 업무용 승용차 관련 내용이다. ㈜A가 17기 사업연도의 법인세를 2024년 3월 8일에 신고하는 경우 업무용 승용차 관련비용 중 손금불산입금액은?

2018년 7급

- 2022년 12월 10일 대표이사 업무용 승용차(배기량 3천cc, 5인승)를 100,000,000원에 구입함
- 해당 업무용 승용차 관련비용으로 손금산입하거나 지출한 항목은 아래와 같음
  - 업무전용 자동차보험료: 1,000,000원
  - 유류비: 20,000,000원
  - 자동차세: 1,500,000원
  - 감가상각비: 20,000,000원
- 차량운행기록부 내역 중 업무사용비율은 90%로 확인됨
- 그 외 업무용 승용차는 없고, 해당 업무용 승용차는 취득 이후 업무전용 자동차보험에 가입되어 있으며 위 비용 이외에 업무용 승용차 관련비용은 없음

① 4,250,000원   ② 10,000,000원
③ 14,250,000원   ④ 28,250,000원

04 「법인세법」상 손금에 대한 설명으로 옳지 않은 것은? (다툼이 있는 경우 판례에 의함)

2015년 7급

① 법인이 사업과 관련하여 지출한 비용이 「법인세법」상 손금으로 인정되기 위해서는, 「법인세법」과 다른 법률에서 달리 정하고 있지 않는 한, 그 지출이 사업과 관련된 것만으로는 부족하고 그 외에 비용지출이 일반적으로 인정되는 통상적인 것이거나 수익과 직접 관련된 것이어야 한다.

② 위법소득을 얻기 위하여 지출한 비용이나 지출 자체에 위법성이 있는 비용도 그 지출의 손금산입이 사회질서에 심히 반하는 등 특별한 사정이 존재하지 않는 한 손금으로 산입할 수 있다.

③ 손금의 요건으로서 '일반적으로 인정되는 통상적인 비용'이라 함은 납세의무자와 같은 종류의 사업을 영위하는 다른 법인도 동일한 상황 아래에서는 지출하였을 것으로 인정되는 비용을 말한다.

④ 법령에서 달리 정하지 않는 한, 제품판매와 관련한 판매장려금 및 판매수당 등 판매와 관련한 부대비용이 손금으로 인정되기 위해서는 사전약정하에 비용지출이 이루어져야 한다.

03
1. 업무외 사용금액:
(1,000,000+20,000,000+1,500,000 +20,000,000) × (1 − 90%)
=4,250,000(손금불산입)
2. 감가상각비 800만 원 초과:
20,000,000 × 90%−8,000,000
=10,000,000(손금불산입)
3. 손금불산입 합계액:
10,000,000+4,250,000
=14,250,000

04
제품판매와 관련한 판매장려금 및 판매수당 등 판매와 관련한 부대비용은 사전약정에 상관없이 손금으로 인정된다.

05 「법인세법」상 인건비의 손금산입에 대한 설명으로 옳지 않은 것은?

2012년 9급

① 합명회사 또는 합자회사의 노무출자사원에게 지급하는 보수는 손금에 산입하지 아니한다.

② 비상근임원에게 건전한 사회통념 및 상거래 관행에 따라 지급하는 보수는 손금에 산입하지 아니한다.

③ 임원에 대한 상여금의 지급이 정관·주주총회 또는 이사회에서 결정된 급여지급 규정을 초과하여 지급하는 경우에는 그 초과금액은 손금에 산입하지 아니한다.

④ 법인의 해산에 의하여 퇴직하는 임원 또는 직원에게 지급하는 해산수당은 최종사업연도의 손금으로 한다.

05
비상근임원에게 건전한 사회통념 및 상거래 관행에 따라 지급하는 보수는 손금에 산입한다.

06 「법인세법」상 손금에 대한 설명으로 옳지 않은 것은?

2011년 9급

① 손금은 자본 또는 출자의 환급, 잉여금의 처분 및 「법인세법」에서 규정하는 것을 제외하고 당해 법인의 순자산을 감소시키는 거래로 인하여 발생하는 손비의 금액으로 한다.

② 손비는 「법인세법」과 다른 법률에 달리 정하고 있는 것을 제외하고도 그 법인의 사업과 관련하여 발생하거나 지출된 손실 또는 비용으로서 일반적으로 용인되는 통상적인 것이거나 수익과 직접 관련되는 것으로 한다.

③ 장식·환경미화 등의 목적으로 사무실·복도 등 여러 사람이 볼 수 있는 공간에 상시 비치하는 미술품의 취득가액을 그 취득한 날이 속하는 사업연도 손금으로 계상한 경우에는 그 취득가액(취득가액이 거래단위별로 1천만 원 이하인 것에 한한다)을 손금으로 한다.

④ 건물의 양도가액에서 공제할 취득가액에 포함되는 자본적 지출은 법인이 소유하는 유형자산의 원상을 회복하거나 능률유지를 위하여 지출한 비용이다.

06
유형자산의 원상을 회복하거나 능률유지를 위하여 지출한 비용은 수익적 지출에 해당한다.

07 「법인세법」상 영리내국법인의 익금과 손금에 대한 설명으로 옳지 않은 것은?

2010년 9급

① 법인이 그 임원 또는 직원에게 이익처분에 의하여 지급하는 상여금은 손금에 해당된다.
② 특수관계인이 아닌 개인으로부터 유가증권을 시가에 미달하는 가액으로 매입하는 경우 시가과 당해 매입가액의 차액에 상당하는 금액은 익금에 해당하지 않는다.
③ 법인의 감자에 있어서 주주의 소유주식의 비율에 의하지 아니하고 일부 주주의 주식을 소각하는 자본거래로 인하여 법인이 특수관계인인 다른 주주에게 이익을 분여한 경우 그 분여받은 이익은 익금에 해당한다.
④ 비영업용 승용차의 유지에 관한 부가가치세 매입세액(자본적 지출은 제외)은 손금에 산입한다.

07
법인이 그 임원 또는 직원에게 이익처분에 의하여 지급하는 상여금은 손금에 해당하지 않는다.

08 비상장법인인 ㈜한국은 2023년 사업연도 중에 퇴직한 상무이사 홍길동에 대한 인건비로 다음의 금액을 지출하였다. 이 경우 한도초과로 손금불산입 되는 총 금액은?

2008년 9급

> (1) 일반급여: 50,000,000원(퇴직 전 1년간의 총급여액으로, 손금불산입 되는 금액은 없음)
> (2) 상여금: 30,000,000원(지급규정이 없음)
> (3) 퇴직급여: 50,000,000원(지급규정이 없음)
> (4) 근속연수: 4년 6개월 20일

① 30,000,000원   ② 52,500,000원
③ 57,500,000원   ④ 80,000,000원

08
1. 임원상여금 손금불산입: 30,000,000원
2. 임원퇴직금 한도초과액 손금불산입: 27,500,000원
   • 임원퇴직금 지급액: 50,000,000원
   • 「법인세법」상 한도액:
     50,000,000 × 1/10 × 54/12
     = 22,500,000원
   • 임원퇴직금 한도초과액:
     27,500,000원
3. 손금불산입액 합계(1. + 2.)
   = 57,500,000원

09 「부가가치세법」상 매입세액공제 불공제 사유 중 「법인세법」상 손금에 산입할 수 없는 것은?

2007년 9급

① 면세사업관련 매입세액
② 세금계산서를 미수취한 경우
③ 임차인이 부담한 간주임대료
④ 기업업무추진비 관련 매입세액
⑤ 비영업용 승용차 관련 매입세액(개별소비세 과세대상 자동차)

09
세금계산서의 미수취매입세액은 「법인세법」상 손금으로 인정되지 아니한다.

10 다음은 법인세법령상 내국법인 (주)B의 제6기(2023.1.1.~2023.12.31.) 손익계산서에 손비로 계상한 항목이다. 해당 항목 중 제6기 각 사업연도의 소득금액을 계산할 때 손금불산입할 합계액은?

2022년 7급

> - 법인 소유 차량에 대해 부과된 과태료: 1,500,000원
> - 본사 건물에 대한 재산세: 5,500,000원(재산세에 대한 납부지연가산세 1,000,000원이 포함된 금액임)
> - 판매하지 아니한 제품에 대한 반출필의 주세의 미납액(제품가격에 해당 세액이 가산되지 않음): 5,500,000원
> - 「국민건강보험법」에 따라 사용자로서 부담한 보험료: 2,500,000원
> - 「제조물 책임법」 제3조 제2항에 따라 지급한 손해배상금(실제 발생한 손해액이 분명하지 않음): 4,500,000원

① 9,500,000원
② 11,000,000원
③ 12,500,000원
④ 13,500,000원

10
손금불산입금액은 다음과 같다.
1. 과태료: 1,500,000원
2. 납부지연가산세: 1,000,000원
3. 주세미납액: 5,500,000원
4. 손해배당금(실제 발생한 손해액이 분명하지 않은 경우): 4,500,000 × 2/3 = 3,000,000원(1/3은 손금에 해당된다)
5. 합계: 11,000,000원

11 법인세법령상 손금의 범위와 자산·부채의 평가에 대한 설명으로 옳지 않은 것은?

2023년 9급

① 장식의 목적으로 사무실 등 여러 사람이 볼 수 있는 공간에 항상 전시하는 미술품의 취득가액을 그 취득한 날이 속하는 사업연도의 손비로 계상한 경우, 그 취득가액이 거래단위별로 2천만 원이라면 전액 손비의 범위에 포함된다.
② 판매한 제품에 대한 원료의 매입가액(기업회계기준에 따른 매입에누리금액 및 매입할인금액을 제외한다)과 그 부대비용은 손비의 범위에 포함된다.
③ 유형자산으로서 화재로 파손되거나 멸실된 것은 대통령령으로 정하는 방법에 따라 그 장부가액을 감액할 수 있다.
④ 재고자산으로서 파손·부패 등의 사유로 정상가격으로 판매할 수 없는 것은 대통령령으로 정하는 방법에 따라 그 장부가액을 감액할 수 있다.

11
장식의 목적으로 사무실 등 여러 사람이 볼 수 있는 공간에 항상 전시하는 미술품의 취득가액을 그 취득한 날이 속하는 사업연도의 손비로 계상한 경우, 그 취득가액이 거래단위별로 1천만 원 이하인 경우 전액 손비의 범위에 포함된다.

정답 10 ② 11 ①

05 손익의 귀속시기

1 개념

1. 손익의 발생에 따라 익금과 손금이 결정되고 그 손익에 대한 법인세가 결정된다. 손익의 귀속시기에 따라 해당 사업연도의 법인세가 영향을 받을 수 있다. 따라서 일정한 원칙에 따라 특정 사업연도에 귀속시킬 필요가 있다.

2. 기업회계기준에서는 발생주의에 따라 손익을 귀속시키지만 세법에서는 권리의무확정주의에 따라 손익을 인식한다. 여기서 권리는 익금을 받을 권리가 확정된 시점, 의무는 손금을 지급할 의무가 확정된 시점을 말한다.

> **참고**
>
> **기업회계기준과 관행의 적용**
>
> 내국법인의 각 사업연도의 소득금액을 계산할 때 그 법인이 익금과 손금의 귀속사업연도와 자산·부채의 취득 및 평가에 관하여 일반적으로 공정·타당하다고 인정되는 기업회계기준을 적용하거나 관행을 계속 적용하여 온 경우에는 「법인세법」 및 「조세특례제한법」에서 달리 규정하고 있는 경우를 제외하고는 그 기업회계의 기준 또는 관행에 따른다.

2 거래형태별 손익의 귀속시기

1. 자산의 판매손익 등의 귀속사업연도

(1) 일반적인 판매의 경우

자산의 판매손익 등의 귀속사업연도는 다음의 날이 속하는 사업연도에 귀속한다.

구분	귀속시기
상품(부동산 제외)·제품 또는 그 밖의 생산품의 판매	상품 등을 인도한 날
매출할인	상대방과의 약정에 의한 지급기일(그 지급기일이 정하여 있지 아니한 경우에는 지급한 날)이 속하는 사업연도의 매출액에서 차감한다.
상품 등 외(부동산 포함)의 자산의 양도	대금을 청산한 날(대금 청산 전에 소유권이전등기일·등록일과 자산의 인도일 또는 그 자산의 사용수익일이 있는 경우는 그 중 빠른 날로 함)
상품 등의 시용판매	상대방이 구입의사를 표시한 날(다만, 일정기간 내에 반송하거나 거절의 의사를 표시하지 아니하면 특약 등에 의하여 그 판매가 확정되는 경우에는 그 기간의 만료일로 함)
자산의 위탁매매	수탁자가 그 위탁자산을 매매한 날

보통거래방식의 유가증권매매	증권시장에서 증권시장업무 규정에 따라 보통거래 방식으로 한 유가증권의 매매의 경우는 매매계약을 체결한 날의 손익으로 한다.

> **➕ 심화 | 인도일 적용 사례**
>
> 다음의 경우에는 다음의 규정된 날을 '상품 등의 인도일'로 한다.
> 1. **납품계약 또는 수탁가공계약에 따라 물품을 납품하거나 가공하는 경우:** 해당 물품을 계약상 인도하여야 할 장소에 보관한 날. 다만, 계약에 따라 검사를 거쳐 인수·인도가 확정되는 물품은 해당 검사가 완료된 날로 한다.
> 2. **물품을 수출하는 경우:** 수출물품을 계약상 인도하여야 할 장소에 보관한 날. 다만, 계약상 명시가 없는 한 선적을 완료한 날을 말한다.
> 3. **상품권을 발행하는 경우:** 상품권의 교환으로 제품 등을 인도한 날로 한다.

(2) 장기할부에 대한 특례

① **장기할부조건:** 장기할부조건이란 자산의 판매 또는 양도(국외거래에 있어서는 소유권이전조건부 약정에 따른 자산의 임대를 포함함)로서 다음의 요건을 모두 갖춘 것을 말한다.

　㉠ 대가를 2회 이상 분할하여 수입할 것

　㉡ 해당 목적물의 인도일의 다음 날부터 최종 할부금의 지급기일까지 기간이 1년 이상일 것

② **장기할부특례**

구분		일반할부	장기할부
기업회계	인도기준	인도기준 (일반기업회계기준은 중소기업의 경우 회수기일도래기준 가능)
	명목가액	현재가치
법인세	인도기준	인도기준
	명목가액	명목가액

　㉠ **원칙:** 인도기준에 따라 인도일(재고자산 외의 자산은 대금청산일·소유권이전등기일·인도일·사용수익일 중 가장 빠른 날)이 속하는 사업연도를 귀속시기로 한다.

　㉡ **특례**

　　ⓐ **채권의 현재가치 평가:** 장기할부판매에 따른 채권의 경우 기업회계기준이 정하는 바에 따라 현재가치로 평가하여 현재가치 할인 차금을 계상한 경우(결산조정) 현재가치 할인 차금 상당액은 해당 채권의 회수기간 동안 기업회계기준이 정하는 바에 따라 환입하였거나 환입할 금액을 각 사업연도의 익금에 산입한다.

ⓑ 회수기일도래기준

㉮ 일반적인 경우: 법인이 장기할부조건으로 자산을 판매 또는 양도한 경우로서 판매·양도한 자산의 인도일(상품 등 외의 자산은 소유권 이전등기·등록일, 인도일, 사용수익일 중 빠른 날)이 속하는 사업연도의 결산을 확정할 때 해당 사업연도에 회수하였거나 회수할 금액과 이에 대응하는 비용을 각각 수익과 비용으로 계상한 경우에는 장기할부조건에 따라 각 사업연도에 회수하였거나 회수할 금액과 이에 대응하는 비용을 각각 해당 사업연도의 익금과 손금에 산입한다.

📖 기출 OX

법인이 법령의 규정에 의한 장기할부조건으로 자산을 판매함으로써 발생한 채권에 대하여 기업회계기준에 따라 현재가치할인차금을 계상한 경우 당해 현재가치할인차금 상당액은 채권의 회수기간동안 기업회계기준에 따라 환입하였거나 환입한 금액을 각 사업연도의 익금에 산입한다. (○)   08. 9급

사례로 이해 UP 📈

회수기일도래기준

회수하였거나 회수할 금액❶은 회수기일이 도래한 금액을 의미한다. 따라서 실제로 회수한 금액을 의미하는 것이 아니라 받기로 약정된 금액을 말한다.

사례 1: 약정된 금액 100만 원, 실제 회수된 금액 120만 원
⇨ 약정된 금액을 의미하므로 초과 회수된 20만 원은 선수금으로 보아 익금에 해당하지 않는다.

사례 2: 약정된 금액 100만 원, 실제 회수된 금액 50만 원
⇨ 약정된 금액을 의미하므로 실제 회수된 금액이 약정된 금액에 미달할지라도 약정된 금액인 100만 원을 익금으로 한다.

---

❶ 인도하기 전에 회수한 금액

인도일 이전에 회수하였거나 회수할 금액은 인도일에 회수한 것으로 본다.

㉯ 중소기업의 경우: 중소기업의 경우 그 장기할부조건에 따라 각 사업연도에 회수하였거나 회수할 금액과 이에 대응하는 비용을 각각 해당 사업연도의 익금과 손금에 산입할 수 있다(신고조정 가능).

🔖 **참고**

K-IFRS 적용 중소기업

국제회계기준도입에 따라 상장된 중소기업의 경우 장기할부판매의 손익을 인도기준으로 인식하여야 한다(결산서에 회수기일도래기준이 적용할 수 없는 경우). 이러한 경우 신고조정을 통해서 회수기일도래기준을 적용하여 익금과 손금에 산입할 수 있다.

㉰ 폐업의 경우: 장기할부기간 중에 법인이 폐업하는 경우는 그 폐업일 현재 익금에 산입하지 않은 금액과 이에 대응하는 비용을 폐업일이 속하는 사업연도의 익금과 손금에 각각 산입한다.

🔖 **참고**

단기할부	인도한 날(상품 등 외의 자산은 대금청산일·소유권이전등기일·인도일·사용수익일 중 빠른 날)
장기할부	① 원칙: 인도한 날(상품 등 외의 자산은 대금청산일·소유권이전등기일·인도일·사용수익일 중 빠른 날) ② 특례(계상하는 경우) 　㉠ 현재가치할인차금 인정 　㉡ 회수기일도래기준 인정(중소기업은 신고조정 가능)

2. 용역제공 등에 의한 손익의 귀속사업연도

구분	단기(1년 미만)	장기(1년 이상)
회계	진행기준(일반기업회계기준은 중소기업의 경우 인도기준으로 할 수 있음)	진행기준
법인세	진행기준	진행기준

(1) 귀속시기 구분

건설 등(건설·제조 기타 용역으로서 도급공사 및 예약매출을 포함)의 용역제공으로 인한 익금과 손금의 귀속시기는 다음과 같다.

① 원칙(진행기준): 건설 등의 제공으로 인한 익금과 손금은 그 목적물의 건설 등의 착수일이 속하는 사업연도부터 그 목적물의 인도일이 속하는 사업연도까지 그 목적물의 건설 등을 완료한 정도에 따라 수익과 비용을 각각 해당 사업연도의 익금과 손금에 산입한다.

② 특례(인도기준)

  ㉠ 중소기업인 법인이 수행하는 계약기간 1년 미만의 건설 등의 경우에는 그 목적물의 인도일(용역제공의 경우에는 용역제공을 완료한 날)이 속하는 사업연도의 익금과 손금에 산입할 수 있다(결산조정 및 신고조정으로 인도기준 선택 가능).

  ㉡ 기업회계기준에 따라 그 목적물의 인도일이 속하는 사업연도의 수익과 비용을 계상한 경우에는 그 목적물의 인도일이 속하는 사업연도의 익금과 손금에 산입할 수 있다(예약매출의 경우 한국채택국제회계기준에 따라 계상하는 경우 인정함).

> **참고**
>
> **기업회계기준에 따라 그 목적물의 인도일이 속하는 사업연도의 수익과 비용을 계상한 경우의 의미**
> 한국채택국제회계기준 적용대상인 법인이 예약매출(분양공사) 손익을 인도기준에 따라 계상한 경우를 의미한다. 한국채택국제회계기준과 세법과의 차이를 조정하기 위하여 결산조정을 인정하고 있다.

③ 진행기준을 적용할 수 없는 경우

  작업진행률을 계산할 수 없다고 인정되는 경우로서 법인이 기록·보관한 장부가 없거나 장부의 내용이 충분하지 않아 해당 사업연도 종료일까지 실제로 사용된 총공사비누적액 또는 작업시간 등을 확인할 수 없는 경우에는 그 목적물의 인도일(용역제공의 경우는 완료한 날)이 속하는 사업연도의 익금과 손금에 산입한다.

(2) 계산^❶

① 익금과 손금

> ㉠ 익금 = 계약금액 × 작업진행률 − 직전사업연도 말까지 익금에 산입한 금액
>
> ㉡ 손금 = 해당 사업연도에 발생된 총비용

② 작업진행률: 다음과 같이 원가진행률을 원칙으로 하되, 기업회계를 수용하여 투입량기준 또는 산출량기준에 의한 진행률도 인정한다.

$$작업진행률 = \frac{해당\ 사업연도\ 말까지\ 발생한\ 총공사비누적액}{총공사비예정비}$$

참고 ────

손금에 대한 일반원칙

구분	귀속시기
단기 건설 등(1년 미만)	① 원칙: 진행기준 ② 특례: 인도기준 　㉠ 중소기업 결산조정 · 신고조정 가능 　㉡ 기업회계기준에 따라 계상시 인도기준
장기 건설 등(1년 이상)	① 원칙: 진행기준 ② 특례: 기업회계기준에 따라 계상시 인도기준

3. 이자소득 및 배당소득의 귀속사업연도

(1) 수입이자

① 「소득세법」에 따른 수입시기에 해당하는 날로 한다. 다만, 결산을 확정할 때 이미 경과한 기간에 대응하는 이자 등(법인세가 원천징수되는 이자 등은 제외)을 해당 사업연도의 수익으로 계상한 경우에는 그 계상한 사업연도의 익금으로 한다.

② 금융보험업을 영위하는 법인의 경우에는 실제로 수입된 날이 속하는 사업연도의 익금으로 하되, 선수입이자 등을 제외한다.

(2) 지급이자

법인이 지급하는 이자 등은 「소득세법」에 따른 수입시기에 해당하는 날로 한다. 다만, 결산을 확정할 때 이미 경과한 기간에 대응하는 이자 등(원천징수되는 이자 등을 포함)을 해당 사업연도의 손비로 계상한 경우에는 그 계상한 사업연도의 손금으로 한다(기간경과분을 손비로 계상하는 경우 차입일로부터 이자지급일이 1년을 초과하는 특수관계인과의 거래에 따른 이자는 손금에 해당하지 않음).

---

❶ **공사계약의 해약으로 차액이 발생하는 경우**

작업진행률에 의한 익금 또는 손금이 공사계약의 해약으로 인하여 확정된 금액과 차액이 발생된 경우에는 그 차액을 해약일이 속하는 사업연도의 익금 또는 손금에 산입한다.

🏛 **기출 OX**

법인세가 원천징수되지 않는 이자수익으로 결산 확정시에 기간경과분을 수익으로 계상한 경우에는 익금으로 인정한다.
(○)　　　　　　　　　　12. 7급

(3) 배당금수익

법인이 수입하는 배당금은 「소득세법」에 따른 배당소득의 수입시기가 속하는 사업연도로 한다.

4. 임대료 등 기타 손익의 귀속사업연도

(1) 임대손익

① 단기임대: 임대료 지급기간이 1년 이하인 단기임대는 다음의 날이 속하는 사업연도로 한다. 다만, 이미 경과한 기간에 대응하는 임대료상당액과 이에 대응하는 비용을 당해 사업연도의 수익과 손비로 계상한 경우에는 이를 당해 사업연도의 익금과 손금으로 인정한다.

   ⊙ 계약 등에 따라 임대료의 지급일이 정해진 경우: 그 지급일

   ⓒ 계약 등에 따라 임대료의 지급일이 정해지지 않은 경우: 그 지급을 받은 날

② 장기임대: 임대료 지급기간이 1년을 초과하는 장기임대는 이미 경과한 기간에 대응하는 임대료상당액과 비용을 각각 당해 사업연도의 익금과 손금으로 한다.

(2) 사채할인발행차금●

법인이 사채를 발행한 경우 사채할인발행차금은 기업회계기준에 의한 사채할인발행차금의 상각방법에 따라 손금에 산입한다.

(3) 금전등록기를 사용하는 경우

소매업 등 영수증을 교부할 수 있는 업종을 영위하는 법인이 금전등록기를 설치·사용하는 경우에는 그 금액이 실제로 수입된 사업연도로 할 수 있다.

(4) 금융보험업의 보험료 등

① 금융보험업(보험업법에 따른 보험회사는 제외함)을 영위하는 법인이 수입하는 보험료·부금·보증료 또는 수수료의 귀속사업연도는 그 보험료 등이 실제로 수입된 날이 속하는 사업연도로 한다. 다만, 선수입보험료 등은 제외한다.

② 결산을 확정함에 있어서 이미 경과한 기간에 대응하는 보험료상당액 등을 해당 사업연도의 수익으로 계상한 경우에는 그 계상한 사업연도의 익금으로 한다.

③ 투자매매업자 또는 투자중개업자가 정형화된 거래방식으로 증권을 매매하는 경우에는 그 수수료의 귀속사업연도를 매매계약이 체결된 날이 속하는 사업연도로 한다.

(5) 투자회사의 기간경과분 소득

투자회사 등이 결산을 확정할 때 증권 등의 투자와 관련된 수익 중 이미 경과한 기간에 대응하는 이자 및 할인액과 배당소득을 해당 사업연도의 수익으로 계상한 경우에는 그 계상한 사업연도의 익금으로 한다.

(6) 개발비

개발비로 계상하였으나 해당 제품의 판매 또는 사용이 가능한 시점이 도래하기 전에 개발을 취소한 경우에는 다음의 요건을 모두 충족하는 날이 속하는 사업연도의 손금으로 한다.

① 해당 개발로부터 상업적인 생산 또는 사용을 위한 해당 재료 · 장치 · 제품 · 공정 · 시스템 또는 용역을 개선한 결과를 식별할 수 없을 것

② 해당 개발비를 전액 손비로 계상하였을 것

(7) 차액정산형 파생상품

계약의 목적물을 인도하지 아니하고 목적물의 가액변동에 따른 차액을 금전으로 정산하는 파생상품의 거래로 인한 손익은 그 거래에서 정하는 대금결제일이 속하는 사업연도의 익금과 손금으로 한다.

(8) 보험회사의 손익

「보험업법」에 따른 보험회사가 보험계약과 관련하여 수입하거나 지급하는 이자 및 할인액, 보험료등, 보험금 및 보험과 관련된 사업비로서 책임준비금 산출에 반영되는 항목은 보험감독회계기준에 따라 수익 또는 손비로 계상한 사업연도의 익금 또는 손금으로 한다.

(9) 기타손익

「법인세법」에서 별도로 규정한 것 외의 익금과 손금의 귀속사업연도는 그 익금과 손금이 확정된 날이 속하는 사업연도로 한다.

01 법인세법령상 내국법인의 손익귀속시기에 대한 설명으로 옳은 것만을 모두 고르면?

2021년 7급

> ㄱ. 중소기업인 ㈜A가 장기할부조건으로 자산을 판매한 경우에는 그 장기할부조건에 따라 각 사업연도에 회수하였거나 회수할 금액을 해당 사업연도의 익금에 산입할 수 있다.
>
> ㄴ. 중소기업인 ㈜B가 장기할부조건 등에 의하여 자산을 양도함으로써 발생한 채권에 대하여 기업회계기준이 정하는 바에 따라 현재가치로 평가하여 현재가치할인차금을 계상한 경우 해당 현재가치할인차금상당액은 해당 채권의 회수기간 동안 기업회계기준이 정하는 바에 따라 환입하였거나 환입할 금액을 각 사업연도의 익금에 산입한다.
>
> ㄷ. 중소기업인 ㈜C가 수행하는 계약기간이 1년 미만인 건설 등의 제공으로 인한 익금은 그 목적물의 인도일이 속하는 사업연도의 익금에 산입할 수 있다.
>
> ㄹ. 제조업을 경영하는 ㈜D가 결산을 확정할 때 이미 경과한 기간에 대응하는 이자(「법인세법」에 따라 원천징수되는 이자를 포함)를 해당 사업연도의 수익으로 계상한 경우에는 그 계상한 사업연도의 익금으로 한다.

① ㄱ, ㄹ
② ㄴ, ㄷ
③ ㄱ, ㄴ, ㄷ
④ ㄱ, ㄴ, ㄷ, ㄹ

01

옳은 것은 ㄱ, ㄴ, ㄷ이다.

✔ 오답체크

ㄹ. 기간경과분 이자 중 원천징수가 되는 이자소득에 대하여 이자수익을 계상한 경우에는 익금불산입에 해당된다.

정답 01 ③

02 법인세법령상 손익의 귀속시기에 대한 설명으로 옳지 않은 것은? 2021년 9급

① 상품등 외의 자산의 양도로 인한 익금의 귀속사업연도는 그 대금을 청산한 날이 속하는 사업연도로 하되, 대금을 청산하기 전에 소유권 등의 이전등기(등록을 포함)를 하거나 당해 자산을 인도하거나 상대방이 당해 자산을 사용수익하는 경우에는 그 이전등기일(등록일을 포함)·인도일 또는 사용수익일 중 빠른 날이 속하는 사업연도로 한다.

② 임대료 지급기간이 1년을 초과하는 경우 이미 경과한 기간에 대응하는 임대료 상당액과 비용은 실제 지급일이 속하는 사업연도의 익금과 손금으로 한다.

③ 중소기업인 법인이 수행하는 계약기간이 1년 미만인 건설·제조 기타 용역(도급공사 및 예약매출을 포함)의 제공으로 인한 익금과 손금은 그 목적물의 인도일이 속하는 사업연도의 익금과 손금에 산입할 수 있다.

④ 법인이 수입하는 배당금은 「소득세법 시행령」에 따른 수입시기에 해당하는 날이 속하는 사업연도의 익금에 산입하되, 「법인세법 시행령」상 금융회사 등이 금융채무등불이행자의 신용회복 지원과 채권의 공동추심을 위하여 공동으로 출자하여 설립한 「자산유동화에 관한 법률」에 따른 유동화전문회사로부터 수입하는 배당금은 실제로 지급받은 날이 속하는 사업연도의 익금에 산입한다.

02
장기임대의 경우에는 기간경과분에 대한 임대료 상당액과 이에 대응하는 비용을 익금과 손금으로 한다.

03 「법인세법」상 영리내국법인 ㈜A는 제10기 사업연도(2023년 1월 1일～12월 31일) 7월 1일에 다음과 같은 조건으로 제품을 할부판매하였다. ㈜A가 할부판매 거래에 대해 선택지와 같이 회계처리하였다고 가정할 경우 세무조정이 필요한 것은? (단, ㈜A는 중소기업에 해당하지 아니하며, 회계처리의 기업회계기준 위배여부와 대응하는 매출원가는 고려하지 아니함) 2016년 9급

(1) 총 할부매출채권: 40백만 원
(2) 대금회수 조건: 매월 25일에 2백만 원씩 20개월간 회수
(3) 제10기 중 현금회수액: 14백만 원(2024년 1월분 선수금액이 포함되어 있음)
(4) 총 할부매출채권의 기업회계기준에 의한 현재가치: 36백만 원

① (차) 장기매출채권 40백만 원　　(대) 매출 40백만 원

② (차) 장기매출채권 40백만 원　　(대) 매출 36백만 원
　　　　　　　　　　　　　　　　　　　현재가치할인차금 4백만 원

③ (차) 현금 14백만 원　　(대) 매출 14백만 원

④ (차) 현금 14백만 원　　(대) 매출 12백만 원
　　　　　　　　　　　　　　선수금 2백만 원

03
장기할부거래이므로 명목가액, 인도기준이 인정되며 현재가치를 계상하거나 회수기일 도래기준으로 계상한 경우도 인정된다.
③은 회수하기로 약정된 금액이 아닌 선수금도 수익으로 계상하였으므로 세무조정이 필요하다.

04 「법인세법」상 손익의 귀속시기에 관한 설명으로 옳지 않은 것은? 2014년 7급

① 건설 · 제조 기타 용역의 제공으로 인한 익금과 손금은 그 목적물의 인도일이 속하는 사업연도의 익금과 손금에 산입하는 것을 원칙으로 한다.
② 상품 등의 시용판매의 경우 상대방이 그 상품 등에 대한 구입 의사를 표시한 날(구입의 의사표시 기간에 대한 특약은 없음)을 익금 및 손금의 귀속사업연도로 한다.
③ 장기할부조건이라 함은 자산의 판매 또는 양도로서 판매금액 또는 수입금액을 월부 · 연부 기타의 지불방법에 따라 2회 이상으로 분할하여 수입하는 것 중 당해 목적물의 인도일의 다음날부터 최종 할부금의 지급기일까지의 기간이 1년 이상인 것을 말한다.
④ 투자회사 등이 결산을 확정할 때 증권 등의 투자와 관련된 수익 중 이미 경과한 기간에 대응하는 이자 및 할인액과 배당소득을 해당 사업연도의 수익으로 계상한 경우에는 그 계상한 사업연도의 익금으로 한다.

05 「법인세법」상 손익의 귀속사업연도에 대한 설명으로 옳은 것은? 2015년 9급

① 잉여금 처분에 따른 배당소득의 귀속사업연도는 잉여금을 처분한 법인의 결산확정일이 속하는 사업연도로 한다.
② 영수증을 작성 · 교부할 수 있는 업종을 영위하는 법인이 금전등록기를 설치 · 사용하는 경우에는 그 수입하는 물품대금과 용역대가의 귀속사업연도는 그 금액이 실제로 수입된 사업연도로 하여야 한다.
③ 투자회사 등이 결산을 확정할 때 증권 등의 투자와 관련된 수익 중 이미 경과한 기간에 대응하는 이자 및 할인액과 배당소득을 해당 사업연도의 수익으로 계상한 경우에는 그 계상한 사업연도의 익금으로 한다.
④ 개발비로 계상하였으나 해당 제품의 판매 또는 사용이 가능한 시점이 도래하기 전에 개발을 취소하고 해당 개발비를 전액 손금으로 계상하였다면 그 날이 속하는 사업연도의 손금에 산입한다.

04

건설 · 제조 기타 용역의 제공으로 인한 익금과 손금은 장단기를 불문하고 인도기준이 아닌 진행기준을 사용하는 것이 원칙이다.

05

✔ 오답체크

① 잉여금 처분에 따른 배당소득의 귀속사업연도는 당해 법인의 잉여금처분결의일이 속하는 사업연도로 한다.
② 금전등록기의 설치 · 사용에 관한 규정을 적용받는 업종을 영위하는 법인이 금전등록기를 설치 · 사용하는 경우 그 수입하는 물품대금과 용역대가의 귀속사업연도는 그 금액이 실제로 수입된 사업연도로 할 수 있다.
④ 법인이 개발비로 계상하였으나 해당 제품의 판매 또는 사용이 가능한 시점이 도래하기 이전에 개발을 취소한 사업연도에 다음의 요건을 모두 충족하는 경우에는 그 충족하는 날이 속하는 사업연도의 손금에 산입한다.

> 1. 해당 개발로부터 상업적인 생산 또는 사용을 위한 해당 재료 · 장치 · 제품 · 공정 · 시스템 또는 용역을 개선한 결과를 식별할 수 없을 것
> 2. 해당 개발비를 전액 손금으로 계상하였을 것

06 「법인세법」상 손익의 귀속사업연도에 관한 설명으로 옳은 것은? 2013년 9급

① 부동산 양도시 대금을 청산하기 전에 소유권의 이전등기를 하는 경우 대금으로 청산한 날이 속하는 사업연도로 한다.

② 상품(부동산 제외)·제품 또는 기타의 생산품을 판매하는 경우 그 상품 등의 대금을 청산한 날이 속하는 사업연도로 한다.

③ 자산의 위탁매매의 경우 위탁자가 그 위탁자산을 인도한 날이 속하는 사업연도로 한다.

④ 자산의 임대료 지급기간이 1년을 초과하는 경우 이미 경과한 기간에 대응하는 임대료 상당액은 이를 당해 사업연도의 익금으로 한다.

06

✓ 오답체크

① 상품 등 외의 자산을 양도하는 경우는 그 대금을 청산한 날이 속하는 사업연도로 하되, 대금을 청산하기 전에 소유권 등의 이전등기·등록을 하거나 당해 자산을 인도하거나 상대방이 당해 자산을 사용·수익하는 경우에는 그 이전등기·등록일·인도일 또는 사용수익일 중 빠른 날로 한다.

② 상품(부동산 제외)·제품 또는 기타의 생산품을 판매하는 경우 그 상품 등을 인도한 날이 속하는 사업연도로 한다.

③ 자산의 위탁매매의 경우 수탁자가 그 위탁자산을 인도한 날이 속하는 사업연도로 한다.

07 「법인세법」상 손익의 귀속시기에 대한 설명으로 옳지 않은 것은? 2013년 7급

① 법인이 장기할부기간 중에 폐업한 경우에는 그 폐업일 현재 익금에 산입하지 아니한 금액과 이에 대응하는 비용을 폐업일이 속하는 사업연도의 익금과 손금에 각각 산입한다.

② 중소기업인 법인이 수행하는 계약기간이 1년 미만인 건설 등의 제공으로 인한 익금과 손금은 그 목적물의 인도일이 속하는 사업연도에 산입할 수 있다.

③ 수탁가공계약에 따라 검사를 거쳐 인수 및 인도가 확정되는 물품의 경우에는 당해 물품을 계약상 인도하여야 할 장소에 보관한 날을 익금과 손금의 귀속사업연도로 한다.

④ 상품 등 외의 자산의 양도인 경우에는 그 대금을 청산하기 전에 소유권 등의 이전등기를 하거나 당해 자산을 인도하거나 상대방이 당해 자산을 사용수익하는 경우에는 그 이전등기일, 인도일 또는 사용수익일 중 빠른 날로 한다.

07

납품계약 또는 수탁가공계약에 의해 물품을 납품하거나 가공하는 경우에는 당해 물품을 계약상 인도하여야 할 장소에 보관한 날을 익금과 손금의 귀속사업연도로 한다. 다만, 계약에 따라 검사를 거쳐 인수 및 인도가 확정되는 물품의 경우에는 당해 검사가 완료된 날로 한다.

08 「법인세법」상 거래형태별 권리의무확정주의에 의한 손익의 귀속시기에 대한 설명으로 옳지 않은 것은?

2012년 7급

① 「자본시장과 금융투자에 관한 법률」 제9조 제13항에 따른 증권시장에서 같은 법 제393조 제1항에 따른 증권시장 업무규정에 따라 보통거래방식으로 한 유가증권의 매매의 경우에는 인도일로 한다.

② 법인세가 원천징수되지 않는 이자수익으로 결산 확정시에 기간경과분을 수익으로 계상한 경우에는 익금으로 인정한다.

③ 사채할인발행차금은 기업회계기준에 의한 사채할인발행차금의 상각방법에 따라 손금에 산입해야 한다.

④ 물품을 수출하는 경우에는 수출물품을 계약상 인도하여야 할 장소에 보관한 날에 익금으로 확정된다.

08
「자본시장과 금융투자에 관한 법률」 제9조 제13항에 따른 증권시장에서 같은 법 제393조 제1항에 따른 증권시장 업무 규정에 따라 보통거래방식으로 한 유가증권의 매매의 경우에는 매매계약체결일로 한다.

09 다음은 ㈜갑의 제5기(2023년 1월 1일~12월 31일)에 발생한 할부판매와 관련된 자료이다. 회사는 결산상 회수기일도래기준을 적용하여 수익을 인식하고 있다. 아래의 자료 이외에 고려해야 할 다른 사항이 없다고 가정할 때, ㈜갑이 제5기에 익금으로 인식할 금액은? (단, 회사는 제5기에 익금을 최대한 적게 인식하는 방향으로 결정하였다고 가정한다)

2012년 7급

구분	총판매대금	인도일	제5기 대금회수액	계약서상의 대금회수조건
A 제품	120,000,000원	2023년 3월 30일	30,000,000원	인도 후 매 6개월마다 30,000,000원씩 회수
B 제품	60,000,000원	2023년 6월 30일	40,000,000원	인도 후 매 3개월마다 20,000,000원씩 회수

① 30,000,000원

② 70,000,000원

③ 90,000,000원

④ 180,000,000원

09
· A제품은 장기할부에 해당하므로 회수기일도래기준을 적용한 30,000,000원으로 한다.
· B제품은 일반할부에 해당하므로 인도기준을 적용한 60,000,000원으로 한다.

10 「법인세법」상 손익의 귀속시기에 대한 설명으로 옳지 <u>않은</u> 것은? 2008년 9급

① 법인이 법령의 규정에 의한 장기할부조건으로 자산을 판매함으로써 발생한 채권에 대하여 기업회계기준에 따라 현재가치할인차금을 계상한 경우 당해 현재가치할인차금 상당액은 채권의 회수기간동안 기업회계기준에 따라 환입하였거나 환입한 금액을 각 사업연도의 익금에 산입한다.

② 법인이 매출할인을 하는 경우 그 매출할인 금액은 상대방과의 약정에 의한 지급기일(지급기일이 정하여 있지 아니한 경우에는 지급한 날)이 속하는 사업연도의 매출액에서 차감한다.

③ 자산의 임대로 인한 임대료 지급기간이 1년을 초과하는 경우 이미 경과한 기간에 대응하는 임대료 상당액과 비용은 이를 각각 당해 사업연도의 익금과 손금으로 한다.

④ 법인이 사채를 할인발행한 경우에 발생한 사채할인발행차금은 당해 사채를 발행한 날이 속하는 사업연도의 손금에 산입한다.

11 「법인세법」상 손익의 귀속사업연도에 대한 설명으로 옳지 <u>않은</u> 것은? (단, 특수관계인과의 거래 아님) 2007년 9급

① 내국법인의 각사업연도의 익금과 손금의 귀속사업연도의 그 익금과 손금이 확정된 날이 속하는 사업연도로 한다.

② 자산의 위탁매매시 익금 및 손금의 귀속사업연도는 수탁자가 그 위탁자산을 매매한 날이 속하는 사업연도로 한다.

③ 법인이 결산을 확정함에 있어서 이미 경과한 기간에 대응하는 이자를 당해 사업연도의 손금으로 계상하였다 하더라도 실제로 지급한 날이 속하는 사업연도의 손금에 산입된다.

④ 건설의 계약기간이 1년 미만인 경우로서 그 목적물의 건설 착수일이 속하는 사업연도의 결산을 확정함에 있어서 작업진행률을 기준으로 하여 수익과 비용을 계상한 경우에는 작업진행률을 기준으로 하여 계산한 수익과 비용을 각각 해당 사업연도의 익금과 손금에 산입한다.

10
법인이 사채를 할인발행한 경우에 발생한 사채할인발행차금은 당해 사채를 발행한 날이 속하는 사업연도의 손금에 산입하는 것이 아니라 기업회계기준에 의한 사채할인발행차금의 상각방법에 따라 이를 손금에 산입한다.

11
결산을 확정함에 있어서 이미 경과한 기간에 대응하는 이자 및 할인액을 당해 사업연도의 손금으로 계상한 경우에는 그 계상한 사업연도의 손금에 산입된다.

06 자산의 취득가액 및 자산·부채의 평가

1 자산의 취득가액

1. 일반적인 경우의 취득가액

자산의 세법상 취득가액은 다음의 금액으로 한다.

구분	취득가액
타인으로부터 매입한 자산	① 매입가액에 취득세(농어촌특별세와 지방교육세를 포함)·등록면허세·그 밖의 부대비용을 더한 금액으로 한다.❶ ② 다만, 단기금융자산 등❷의 경우에는 매입가액으로 한다.
자기가 제조·생산 또는 건설하거나 기타 이에 준하는 방법으로 취득한 자산	제작원가에 부대비용을 더한 금액으로 한다(원재료비, 노무비, 운임, 하역비, 보험료 등).
합병·분할 또는 현물출자에 따라 합병법인·분할신설법인이 취득한 자산	① 적격합병 또는 적격분할의 경우: 피합병법인 또는 분할법인의 장부가액 ② 그 밖의 경우: 해당 자산의 시가
합병·분할 또는 현물출자에 따라 취득한 주식 또는 출자지분	① 합병·인적분할: 종전의 장부가액에 합병·분할로 인한 의제배당금액을 가산하고 불균등자본거래로 분여받은 이익을 가산한다(합병대가 또는 분할대가 중 주식 외의 금전이나 그 밖의 재산가액은 차감). ② 물적분할 　㉠ 적격물적분할: 물적분할한 순자산의 시가 　㉡ ㉠ 외의 물적분할: 물적분할한 순자산의 시가 ③ 현물출자 　㉠ 출자법인이 현물출자로 인하여 피출자법인을 새로 설립하면서 그 대가로 주식만을 취득하는 현물출자의 경우: 현물출자한 순자산의 시가 　㉡ 위 외의 현물출자의 경우: 주식의 시가
채무의 출자전환으로 취득한 주식	주식의 취득 당시 시가로 한다. 다만, 요건❸을 갖춘 경우로 채무의 출자전환하여 취득하는 주식은 출자전환된 채권의 장부가액으로 한다. 다만, 보증채무대위변제로 인한 구상채권과 특수관계인에 대한 업무무관가지급금을 출자전환한 경우에는 시가로 한다.
「상속세 및 증여세법」상 과세가액불산입대상인 공익법인이 특수관계인 외의 자로부터 기부받은 일반기부금에 해당하는 자산(금전 외 자산)	기부 당시의 장부가액으로 한다. 그 후에 과세요인이 발생하여 증여세 전액이 부과되는 경우에는 기부 당시의 시가로 한다.

❶
토지와 그 토지에 정착된 건축물을 함께 취득하여 토지가액과 건축물가액의 구분이 불분명한 경우 부당행위계산의 부인여부 판단 시 적용하는 시가에 비례하여 안분한다.

❷ 단기금융자산 등
단기금융자산 등이란 기업회계기준에 따라 단기매매항목으로 분류된 금융자산 및 파생상품을 말한다. 단기금융자산 등의 부대비용은 매입가액에 더하지 않고 손금으로 처리한다.

❸
회생계획인가의 결정을 받은 법인, 기업개선계획의 이행을 위한 약정을 체결한 부실징후기업, 「기업활력제고를 위한 특별법」에 따라 사업재편계획을 승인받은 법인이 채무를 출자전환하는 법인

자산 취득 시 매입한 채권	유형자산의 취득과 관련하여 불가피하게 취득하는 국·공채의 경우는 매입가액으로 한다(명목금액). 다만, 국·공채의 매입가액과 현재가치와의 차이를 유형자산의 취득가액으로 계상하면 이를 인정한다.
온실가스배출권	정부로부터 무상으로 할당받은 배출권의 취득가액은 영(0)원으로 한다.
내국법인이 외국자회사를 인수하여 승계취득한 주식의 취득가액	내국법인이 외국자회사를 인수하여 승계취득한 주식 등의 경우에는 다음에 따른 요건을 모두 충족하는 수입배당금액을 차감한 금액을 주식의 취득가액으로 한다. ① 내국법인이 최초로 외국자회사의 의결권 있는 발행주식총수 또는 출자총액의 10% 이상을 보유하게 된 날의 직전일 기준 이익잉여금을 재원으로 한 수입배당금액일 것 ② 외국자회사 수입배당금익금불산입의 규정에 따라 익금에 산입되지 아니한 수입배당금액일 것
위 외의 방법으로 취득하는 경우	교환 또는 증여 등으로 취득한 자산의 경우에는 취득 당시의 시가로 평가한다.

2. 특수한 경우의 취득가액

(1) 자산의 저가매입과 고가매입

① 저가매입

  ㉠ 특수관계인인 개인으로부터 유가증권을 저가로 매입하는 경우 매입가액과 시가와의 차이는 취득가액에 포함한다.

  ㉡ 일반적인 저가매입의 경우 시가와 매입가액과의 차이는 취득가액에 포함하지 않는다.

② 고가매입

  ㉠ 특수관계인으로부터 고가매입한 경우의 그 시가 초과액은 부당행위계산의 부인 규정에 따라 취득가액에 포함하지 않는다.

  ㉡ 특수관계인이 아닌 자로부터 고가매입한 경우 정상가액(시가의 130%)을 초과하는 금액은 취득가액에 포함하지 않는다(정상가액을 초과하는 금액은 의제기부금에 해당).

(2) 자산의 취득관련 이자비용

① 건설자금이자: 일반적인 자산(재고자산·투자부동산)을 취득하기 위한 차입금의 이자는 비용으로 처리된다. 다만, 사업용 유형·무형자산의 건설자금이자는 취득가액에 포함된다.

> 참고

기업회계에 따른 건설자금이자
1. 국제회계기준에 따라 적격자산을 의도된 용도로 사용할 수 있거나 판매 가능한 상태에 이르게 하는 데 상당한 기간이 필요한 자산(재고자산·투자부동산·유형자산·무형자산)의 취득과 관련된 금융비용은 취득원가에 포함된다.
2. 취득원가에 포함되는 이자는 특정차입금이자와 일반차입금이자 모두 포함된다.

② **연지급수입의 지급이자**: 연지급수입이자는 해당 원재료 등의 취득가액에 포함된다. 다만, 연지급수입에 따른 이자를 취득가액과 구분하여 결산서에 지급이자로 비용 계상한 금액은 취득가액에 포함하지 않는다.

> 참고

연지급수입이자
원자재 등을 수입하는 경우에 발생하는 이자는 신용제공자에 따라 다음과 같이 구분한다. 이러한 이자를 연지급수입이자라고 하며 기업회계에서는 이자비용으로 처리하고 있다.
1. D/A 이자: 인수도방식에 따른 이자
2. Shipper's Usance 이자: 공급자 신용제공방식에 따른 이자
3. Banker's Usance 이자: 은행신용제공방식에 따른 이자

(3) 현재가치에 따른 평가

① 세법에서는 장기할부거래로 취득하는 자산은 명목가액으로 평가하는 것을 원칙으로 한다. 다만, 자산을 장기할부조건 등으로 취득하는 경우 발생한 채무를 기업회계기준에 따라 현재가치로 평가하여 계상한 현재가치할인차금은 취득가액에 포함하지 않는다.

② 장기할부거래로 취득하는 자산을 기업회계에 따라 현재가치로 평가하면 「법인세법」도 현재가치를 인정한다는 것이다.

③ 장기할부조건으로 취득한 경우 현재가치할인차금의 계상은 선택사항에 해당한다. 하지만 현재가치할인차금을 계상하면 기업회계에 따른 유효이자율법에 따라 상각하여야 하며 그 상각액은 손금으로 인정된다.❶

⊞ **심화 | 현재가치할인차금 상각액(이자비용)의 세법상 처분**
1. 수입배당금익금불산입에서 차감하는 지급이자 제외한다.
2. 지급이자손금불산입 대상에서 제외한다.
3. 이자비용에 대하여 원천징수도 하지 않으며, 지급명세서도 제출하지 않는다.

> 참고

채권·채무재조정에 따른 조정
1. 기업회계기준에 의한 채권의 재조정에 따라 채권의 장부가액과 현재가치의 차액을 대손금으로 계상한 경우에는 손금에 산입하며, 손금에 산입한 금액은 기업회계기준에 따라 익금에 산입한다.
2. 채권·채무재조정으로 채무자에게 발생하는 채무조정이익은 익금에 해당하지 않는다.

🗄 기출 OX

자산을 법령의 규정에 의한 장기할부조건 등으로 취득하는 경우 발생한 채무를 기업회계기준에 따라 현재가치로 평가하여 계상하는 현재가치 할인 차금은 이를 취득가액에 포함하지 않는다. (○)

08. 9급

❶
장기금전대차거래의 현재가치평가는 「법인세법」에서 인정되지 않는다.

(4) 「부가가치세법」에 따른 의제매입세액공제를 받은 경우

「부가가치세법」에 따라 면세사업자로부터 농산물 등을 매입할 때 실제로 부담한 매입세액이 없음에도 불구하고 의제매입세액공제를 받는 경우에는 해당 금액을 부가가치세 선급금으로 보아 원재료의 취득가액에서 제외한다.

(5) 취득가액의 변동

① 「보험업법」이나 그 밖의 법률에 따른 유형·무형자산의 평가증 또는 법에 따른 재고자산·유가증권·화폐성외화자산·부채의 평가가 있는 경우에는 그 평가액을 취득가액으로 한다.

② 유형자산에 자본적 지출이 있는 경우에는 그 자본적 지출액을 가산한 금액을 취득가액으로 한다.

③ 합병 또는 분할합병으로 인하여 특수관계인으로부터 분여받은 불균등자본 거래이익이 있는 경우에는 그 이익을 가산한 금액을 취득가액으로 한다.

2 자산·부채의 평가

1. 원칙

자산과 부채의 평가이익이나 평가손실은 인정하지 않는다. 법인이 보유하는 자산과 부채를 평가한 경우에는 그 자산과 부채의 장부가액은 그 평가하기 전의 가액으로 한다.

2. 예외

다음의 경우는 평가이익이나 평가손실을 인정한다.

(1) 「보험업법」이나 그 밖의 법률에 따른 유형·무형자산의 평가이익

(2) 재고자산(저가법 적용), 유가증권 등, 화폐성 외화자산 또는 부채의 평가이익과 평가손실❶(금융회사 등이 보유하는 통화선도·통화스왑·환변동보험 및 금융회사 등 외의 법인의 화폐성 외화자산 또는 부채의 환위험을 회피하기 위하여 보유하는 통화선도 등을 포함)

3. 자산의 감액

다음 중 어느 하나에 해당되는 사유가 발생하여 해당 자산을 감액할 때 그 사유가 발생한 사업연도에 평가손실을 결산서에 손비로 계상한 경우에 한하여 손금으로 인정된다(유형자산의 경우에는 파손되거나 멸실이 된 사업연도를 포함).

(1) 재고자산의 파손·부패 등의 사유로 정상가격으로 판매할 수 없는 것은 사업연도 종료일 현재의 처분 가능한 시가로 평가할 수 있다.

(2) 유형자산으로 천재지변·화재·법령에 따른 수용 등·채굴예정량의 채진으로 인한 폐광 등의 사유로 파손 또는 멸실된 것은 사업연도 종료일 현재의 시가로 평가할 수 있다.

❶ 화폐성 외화자산 또는 부채 등을 사업연도 종료일 현재의 매매기준율 등으로 평가하는 방법을 신고한 경우에 인정된다.

(3) 다음에 해당하는 주식 등으로서 그 발행법인이 부도가 발생한 경우 또는 「채무자 회생 및 파산에 관한 법률」에 따라 회생계획인가의 결정을 받았거나, 「기업구조조정 촉진법」에 따른 부실징후기업이 된 경우의 해당 주식 등으로 사업연도 종료일 현재의 시가로 평가할 수 있다. 다만, 주식 등의 발행법인별로 보유주식총액을 시가로 평가한 가액이 1,000원 이하인 경우는 1,000원으로 한다.

① 주권상장법인이 발행한 주식 등

② 중소기업창업투자회사 또는 신기술사업금융업자가 보유하는 주식 등 중 각각 창업자 또는 신기술사업자가 발행한 것

③ 특수관계인❶이 아닌 비상장법인이 발행한 주식 등

(4) 주식 등을 발행한 법인이 파산한 경우의 해당 주식 등은 사업연도 종료일 현재의 시가로 평가한다. 다만, 시가로 평가한 가액이 1,000원 이하인 경우에는 1,000원으로 한다.

3 재고자산의 평가

1. 재고자산의 범위

(1) 재고자산은 다음의 자산을 말한다.

① 제품 및 상품(부동산매매업자가 매매를 목적으로 소유하는 부동산을 포함하며, 유가증권을 제외)

② 반제품 및 재공품

③ 원재료

④ 저장품

(2) 재고자산은 위 4가지 종류별 · 영업의 종목별 · 영업장별로 각각 다른 방법에 따라 평가할 수 있다. 이 경우 수익과 비용을 영업의 종류별 · 영업의 종목별 · 영업장별로 각각 구분하여 기장하고 종목별 · 영업장별로 제조원가보고서와 포괄손익계산서를 작성하여야 한다.

2. 재고자산의 평가방법

(1) 원가법과 저가법 중 법인이 선택하여 납세지 관할세무서장에게 신고한 방법에 따른다. 따라서 저가법을 선택하지 않으면 시가가 하락하더라도 원가로 평가하여야 한다.

구분	적용
원가법	개별법 · 선입선출법 · 후입선출법 · 총평균법 · 이동평균법 · 매출가격환원법❷에 의하여 산출한 취득가액을 자산의 평가액으로 하는 방법이다.
저가법	원가법에 의한 평가액과 기업회계기준에 따른 시가 중 낮은 가액을 평가액으로 하는 방법이다.

❶ 특수관계인

소액주주는 발행주식총수 또는 출자총액의 1%에 미달하는 주식 또는 출자지분을 소유한 주주 등을 말하며 이러한 소액주주는 특수관계인에서 제외한다. 다만, 주식의 부도 등으로 주식의 평가손실을 판단할 때 법인이 보유하고 있는 비상장법인 주식의 발행주식총수 또는 출자총액의 5% 이하를 소유하고 그 취득가액이 10억 원 이하인 주주 등에 해당하는 법인은 특수관계인에 해당하지 않는 것으로 한다.

❷ 매출가격환원법

매출가격환원법에 의하여 재고자산을 평가하는 경우 해당 사업연도 종료일 현재 판매예정차손이 발생되는 경우에는 판매예정가액을 취득가액으로 한다.

(2) 다만, 재고자산의 파손·부패 등의 사유로 정상가격으로 판매할 수 없는 경우에는 원가법으로 신고한 경우에도 사업연도 종료일 현재 처분 가능한 시가로 감액할 수 있다. 이 경우 감액사유가 발생한 사업연도에 손금으로 계상한 경우에 한하여 손금으로 인정한다.

3. 평가방법의 신고 및 변경

(1) 평가방법의 신고기한

법인은 재고자산의 평가방법을 다음의 기한 내에 신고하여야 한다. 신고할 때 재고자산 등 평가방법신고(변경신고)서를 납세지 관할세무서장에게 제출하여야 하며, 저가법으로 신고하는 경우에는 시가와 비교되는 원가법을 함께 신고하여야 한다.

① 신설법인: 설립일이 속하는 사업연도의 법인세과세표준 신고기한(사업연도 종료일이 속하는 달의 말일로부터 3개월 이내)

② 새로 수익사업을 개시한 비영리법인: 수익사업개시일이 속하는 사업연도의 법인세과세표준 신고기한

(2) 최초신고기한이 지난 후 신고한 경우

① 신고일이 속하는 사업연도까지는 무신고로 보아 무신고시 평가방법을 적용하고 그 후의 사업연도부터 신고한 방법에 따른다.

② 재고자산의 평가방법을 신고하지 않아 무신고시의 평가방법을 적용하는 법인이 그 평가방법을 변경하고자 하는 경우 변경할 평가방법을 적용하고자 하는 사업연도의 종료일 이전 3개월이 되는 날까지 변경신고하여야 한다.

(3) 평가방법의 변경신고

① 변경신고기한: 재고자산의 평가방법을 신고한 법인이 그 평가방법을 변경하고자 하는 경우 변경할 평가방법을 적용하고자 하는 사업연도의 종료일 이전 3개월이 되는 날까지 평가방법변경신고를 하여야 한다. 이러한 신고는 승인을 요하지 않으며 신고로 충분하다.

② 변경신고기한이 지난 후 신고한 경우

㉠ 변경신고일이 속하는 사업연도까지는 임의변경시 평가방법을 적용하고 그 후 사업연도부터 법인이 변경신고한 평가방법을 적용한다.

㉡ 여기서 임의변경이란 법인이 신고한 평가방법 외의 방법으로 평가한 경우 또는 평가방법의 변경신고기한 내에 변경신고를 하지 아니하고 그 방법을 변경한 경우를 말한다.❶

기출 OX

01 신설법인이 법령의 규정에 의한 신고기한 내에 재고자산의 평가방법을 신고하지 아니한 경우에는 납세지 관할세무서장이 선입선출법(매매를 목적으로 소유하는 부동산의 경우에는 개별법으로 한다)에 의하여 재고자산을 평가한다. (○) 09. 7급

02 내국법인이 재고자산의 평가방법을 신고하지 아니하여 「법인세법 시행령」 제74조 제4항에 따른 평가방법을 적용받는 경우에 그 평가방법을 변경하려면 변경할 평가방법을 적용하려는 사업연도의 종료일 전 3개월이 되는 날까지 변경신고를 하여야 한다. (○) 19. 7급

03 재고자산의 평가방법을 신고한 법인으로서 그 평가방법을 변경하고자 하는 법인은 변경할 평가방법을 적용하고자 하는 사업연도의 종료일 이전 3월이 되는 날까지 법령이 정하는 재고자산 등 평가방법 변경신고서를 납세지 관할세무서장에게 제출하여야 한다. (○) 09. 7급

❶
신고한 평가방법으로 평가하였으나 기장 또는 계산상 착오로 인하여 신고한 평가금액과 차이가 있는 경우에는 임의변경으로 보지 않는다. 따라서 신고한 평가방법의 금액과의 차이만 세무조정을 한다.

(4) 무신고 또는 임의변경시 평가방법

구분	평가방법
무신고시	선입선출법(부동산은 개별법)❶
임의변경시	Max(①, ②) ① 무신고시 평가액 ② 당초 신고한 방법에 의한 평가액

4. 한국채택국제회계기준 적용에 따른 내국법인에 대한 재고자산평가차익 익금불산입

(1) 개요

한국채택국제회계기준은 후입선출법을 인정하지 않기 때문에 후입선출법을 적용하여 오던 법인의 경우는 평가방법을 변경하여 적용하여야 한다. 내국법인이 국제회계기준을 최초로 적용하는 사업연도에 재고자산 평가방법을 후입선출법에서 다른 방법으로 변경신고하는 경우에 기말재고자산의 평가액이 증가하여 일시적으로 세부담이 증가하는 문제가 발생한다. 이러한 문제를 해결하기 위하여 재고자산 평가차익에 대한 과세이연제도를 도입하였다.

(2) 평가차익에 대한 익금불산입

다음의 금액을 익금에 산입하지 않을 수 있다.

재고자산평가차익 = (① - ②)
① 한국채택 국제회계기준을 최초로 적용하는 사업연도의 기초재고자산 평가액
② 한국채택 국제회계기준을 최초로 적용하기 직전사업연도의 기말재고자산 평가액

(3) 평가차익에 대한 익금산입(익금불산입 후속관리)

① 내국법인이 익금불산입한 금액은 한국채택 국제회계기준을 최초로 적용하는 사업연도의 다음 사업연도 개시일부터 5년이 되는 날이 속하는 사업연도까지 다음에 따라 계산한 균등액을 익금에 산입한다.

$$익금산입액 = 재고자산평가차익 \times \frac{해당 \; 사업연도의 \; 월수}{60개월}$$

② 법인이 해산하게 되는 경우 재고자산평가차익 중 익금산입하고 남은 금액을 해산등기일이 속하는 사업연도에 모두 익금산입한다.

4 유가증권의 평가

1. 유가증권의 범위

유가증권이란 다음의 자산을 말한다.

(1) 주식(출자지분 포함)

(2) 채권

(3) 「간접투자자산 운용업법」에 의한 유가증권

2. 유가증권의 평가방법

(1) 일반법인

다음의 방법 중 평가방법(원가법)을 선택하여 관할세무서장에게 신고한 방법에 따른다.

구분	평가방법(원가법)
주식	총평균법 · 이동평균법
채권	개별법 · 총평균법 · 이동평균법

(2) 특수한 법인

① 「자본시장과 금융투자업에 관한 법률」에 따른 투자회사 · 투자목적회사 · 투자유한회사 및 투자합자회사가 보유한 집합투자재산은 시가법에 따라 평가한다.

② 「보험업법」에 따른 보험회사의 특별계정에 귀속하는 자산은 원가법과 시가법 중 해당 보험회사가 과세표준신고와 함께 납세지 관할세무서장에게 신고한 방법에 따라 평가하되, 그 방법을 이후 사업연도에도 계속 적용하여야 한다.

3. 평가방법의 신고 및 변경

재고자산의 규정을 준용한다.

5 외화자산·부채의 평가

1. 외화자산·부채의 평가손익

(1) 은행 등 특정회사[1]

다음의 방법 중 선택한 방법을 그 후의 사업연도에도 계속 적용하여야 한다.

구분	평가
화폐성 외화자산·부채	사업연도 종료일 현재의 매매기준율 또는 재정된 매매기준율로 평가한다(강제평가).
통화선도· 통화스왑· 환변동보험	다음 중 어느 하나의 방법 중 관할세무서장에게 신고한 방법에 따라 평가한다. 다만, 최초로 ②의 방법을 신고하여 적용하기 이전에는 ①의 방법을 적용한다. ① 계약의 내용 중 외화자산·부채를 계약 체결일의 매매기준율 등으로 평가하는 방법(평가하지 않는 방법) ② 계약의 내용 중 외화자산·부채를 사업연도 종료일 현재의 매매기준율 등으로 평가하는 방법(평가하는 방법)

(2) 일반법인

구분	평가
화폐성[2] 외화자산·부채	다음 중 어느 하나의 방법 중 관할세무서장에게 신고한 방법에 따라 평가한다. 다만, 최초로 ②의 방법을 신고하여 적용하기 이전에는 ①의 방법을 적용한다.
환위험 회피용 통화선도· 통화스왑· 환변동보험	① 계약의 내용 중 외화자산·부채를 취득일 또는 발생일(통화선도·통화스왑·환변동보험의 경우는 계약체결일) 현재의 매매기준율 또는 재정된 매매기준율로 평가하는 방법(평가하지 않는 방법) ② 계약의 내용 중 외화자산·부채를 사업연도 종료일 현재의 매매기준율 또는 재정된 매매기준율로 평가하는 방법(평가하는 방법)

⊞ 심화 | 화폐성항목과 비화폐성항목

1. **화폐성항목**: 현금·예금·매출채권·대여금·미수금·매입채무·미지급금·차입금·사채 등
2. **비화폐성항목**: 재고자산·선급금·선수금·유형자산·무형자산·선급비용·선수수익 등

---

(3) 평가방법 적용

(1)과 (2)의 ①(평가하지 않는 방법) 또는 ②(평가하는 방법)의 방법 중 관할세무서장에게 신고한 방법을 적용하되, 최초로 ②의 방법을 신고하여 적용하기 이전까지는 ①의 방법을 적용하여야 하며, ②의 방법을 신고하여 적용한 경우에는 그 후의 사업연도에도 계속 적용하여야 한다. 다만, 일반회사의 경우 신고한 평가방법을 적용한 사업연도부터 5개 사업연도가 지난 후에는 다른 방법으로 신고할 수 있다.

---

❶ 은행 등 특정회사

은행 등 특정회사는 「은행법」에 의한 금융기관, 한국산업은행, 중소기업은행, 한국수출입은행, 장기신용은행, 농업협동조합중앙회, 수산업협동조합중앙회를 말한다.

❷

보험회사의 책임준비금은 제외한다.

2. 외화자산·부채의 상환

외화채권·채무의 상환손익은 실현된 손익으로 해당 사업연도의 익금 또는 손금에 산입한다.

 참고

가상자산의 평가

가상자산의 평가방법은 선입선출법에 따라 평가하여야 한다.

01 법인세법령상 내국법인의 각 사업연도의 소득금액을 계산할 때 세무조정이 필요 없는 경우는?

2019년 9급

① 재고자산 평가방법을 원가법으로 신고한 법인이 재고자산의 시가하락(파손·부패 등의 사유로 인한 것이 아님)으로 재고자산평가손실을 계상한 경우
② 국세의 과오납금의 환급금에 대한 이자를 영업외수익으로 계상한 경우
③ 기업회계기준에 따른 화폐성 외화자산이 아닌 외화선급금을 사업연도 종료일 현재의 매매기준율에 의해 평가하고, 그 평가손익을 영업외손익으로 계상한 경우
④ 법인이 사채를 발행한 경우로서 법령에 따라 계산된 사채할인발행차금을 기업회계기준에 의한 상각방법에 따라 이를 손금에 산입한 경우

02 법인세법령상 내국법인의 자산·부채의 평가에 대한 설명으로 옳지 않은 것은?

2019년 9급

① 자산을 법령에 따른 장기할부조건 등으로 취득하는 경우 발생한 채무를 기업회계기준이 정하는 바에 따라 현재가치로 평가하여 현재가치할인차금으로 계상한 경우의 당해 현재가치할인차금은 취득가액에 포함하지 아니한다.
② 유형자산의 취득과 함께 국·공채를 매입하는 경우 기업회계기준에 따라 그 국·공채의 매입가액과 현재가치의 차액을 해당 유형자산의 취득가액으로 계상한 금액은 유형자산의 취득가액에 포함한다.
③ 기업회계기준에 따라 단기매매항목으로 분류된 금융자산 및 파생상품의 취득가액은 매입가액으로 한다.
④ 내국법인이 보유하는 「보험업법」이나 그 밖의 법률에 따른 유형자산 및 무형자산 등의 장부가액을 증액 또는 감액 평가한 경우에는 그 평가일이 속하는 사업연도 및 그 후의 사업연도의 소득금액을 계산할 때 그 장부가액은 평가한 후의 금액으로 한다.

01

✓ 오답체크

① 원가법으로 신고한 경우 시가하락으로 인한 평가는 인정하지 않는다.
② 환급금에 대한 이자는 익금에 해당하지 않는다.
③ 비화폐성 자산·부채는 평가를 인정하지 않는다.

02

「보험업법」이나 그 밖의 법률에 따른 유형자산 및 무형자산의 평가손실은 인정되지 않는다.

정답 01 ④ 02 ④

03 법인세법령상 내국법인의 자산의 취득가액과 평가에 관한 설명으로 옳은 것은?

① 재고자산의 평가방법을 신고한 법인이 그 평가방법을 변경하기 위하여 재고자산등 평가방법변경신고서를 납세지 관할세무서장에게 제출하려고 하는 경우에는 변경할 평가방법을 적용하고자 하는 사업연도의 종료일 이전 2월이 되는 날까지 제출하여야 한다.

② 유형자산의 취득과 함께 국·공채를 매입하는 경우 기업회계기준에 따라 그 국·공채의 매입가액과 현재가치의 차액을 당해 유형자산의 취득가액으로 계상했더라도 그 금액은 자산의 취득가액에 포함하지 아니한다.

③ 재고자산이 부패로 인해 정상가격으로 판매할 수 없게 된 경우 그 사유가 발생한 사업연도 종료일 현재의 처분가능한 시가로 자산의 장부가액을 감액할 수 있고 그 감액분을 신고조정을 통해 손금산입할 수 있다.

④ 매매를 목적으로 소유하는 재고자산인 부동산의 평가방법을 법령에 따른 기한 내에 신고하지 아니한 경우, 납세지 관할세무서장은 그 재고자산을 개별법에 의하여 평가한다.

03

✓ 오답체크

① 재고자산 평가방법의 변경신고는 변경할 평가방법을 적용하고자 하는 사업연도 종료일 이전 3월이 되는 날까지 신고하여야 한다.

② 유형자산을 취득하면서 국공채를 매입하는 경우 국공채의 매입가액과 현재가치의 차액을 취득가액으로 계상하면 그 금액은 취득가액에 포함된다.

③ 재고자산의 부패 등으로 감액하는 것은 결산조정을 통하여 가능하다.

---

04 법인세법령상 손익의 귀속시기와 자산·부채의 평가에 대한 설명으로 옳지 않은 것은?

① 계약기간이 1년 미만인 단기건설도급공사의 경우에 법인이 당해 사업연도의 결산을 확정함에 있어서 작업진행률을 기준으로 손익을 계상한 경우 세법상 이를 인정한다.

② 재고자산이 파손되어 정상가격으로 판매할 수 없게 된 경우에는 당해 감액사유가 발생한 사업연도에 당해 재고자산의 장부가액을 사업연도 종료일 현재 처분 가능한 시가로 평가한 가액으로 감액할 수 있다.

③ 임대료 지급기간이 1년을 초과하는 경우 이미 경과한 기간에 대응하는 임대료 상당액과 비용은 이를 각각 그 당해 사업연도의 익금과 손금으로 한다.

④ 특수관계인 외의 자로부터 정당한 사유 없이 유형자산을 취득하면서 정상가액보다 높은 가격으로 매입하고 실제 지급한 매입가액을 장부상 취득원가로 계상한 경우, 그 실제 매입가액을 세무상 취득가액으로 인정한다.

04

특수관계인 외의 자로부터 정당한 사유 없이 유형자산을 취득하면서 정상가액보다 높은 가격으로 매입하고 실제 지급한 매입가액을 장부상 취득원가로 계상한 경우, 정상가액을 세무상 취득가액으로 한다. 그리고 정상가액을 초과하는 금액은 기부금으로 본다.

05 「법인세법」상 재고자산 및 유가증권의 평가방법에 대한 설명으로 옳지 않은 것은?

2015년 9급

① 법인이 보유한 주식의 평가는 개별법, 총평균법, 이동평균법 중 법인이 납세지 관할세무서장에게 신고한 방법에 의한다.

② 법인의 재고자산평가는 원가법과 저가법 중 법인이 납세지 관할세무서장에게 신고한 방법에 의한다.

③ 법인의 재고자산평가는 자산 과목별로 구분하여 종류별·영업장별로 각각 다른 방법으로 평가할 수 있다.

④ 법인이 재고자산평가와 관련하여 신고한 평가방법 이외의 방법으로 평가한 경우에는 무신고시의 평가방법과 당초에 신고한 방법 중 평가가액이 큰 평가방법에 의한다.

05
개별법은 채권의 경우 가능하며 주식은 총평균법, 이동평균법을 적용한다.

06 제조업을 영위하는 ㈜한국이 유가증권(A주식)과 관련된 거래를 다음과 같이 적절하게 회계처리한 경우 2022년 및 2023년에 유보(또는 △유보)로 소득처분 할 금액(순액)은? (단, ㈜한국의 사업연도는 1월 1일부터 12월 31일까지이다)

2014년 7급

ㄱ. 2022년 중 특수관계인인 개인으로부터 시가 1,000,000원인 유가증권(A주식)을 900,000원에 매입하여 장부에 매입가액으로 계상하였다.

ㄴ. 2022년 말 유가증권(A주식)의 시가는 1,200,000원이며, 300,000원의 평가이익을 장부에 계상하였다.

ㄷ. 2023년 중 2022년에 취득한 유가증권(A주식)을 1,300,000원에 매각하면서 처분이익 100,000원을 장부에 계상하였다.

2022년	2023년
① 유보 200,000원	△유보 200,000원
② △유보 200,000원	유보 200,000원
③ 유보 300,000원	△유보 300,000원
④ △유보 300,000원	유보 300,000원

06
1. 2022년
  • 익금산입 유가증권 100,000원 유보
  • 익금불산입 평가이익 300,000원 △유보
2. 2023년
  익금산입 유가증권 200,000원 유보

정답 05 ① 06 ②

07 「법인세법」상 재고자산의 평가에 관한 설명으로 옳지 않은 것은? 2013년 9급

① 법정 기한 내에 재고자산 평가방법을 신고하지 아니한 경우 매매를 목적으로 소유하는 부동산은 납세지 관할세무서장이 선입선출법에 의하여 평가한다.

② 재고자산은 영업장별로 다른 방법에 의하여 평가할 수 있다.

③ 신설법인이 재고자산 평가방법을 신고하고자 하는 때에는 설립일이 속하는 사업연도의 법인세과세표준 신고기한 내에 신고하여야 한다.

④ 법인이 신고한 재고자산 평가방법을 변경하고자 하는 경우 변경할 평가방법을 적용하고자 하는 사업연도의 종료일 이전 3월이 되는 날까지 신고하여야 한다.

08 「법인세법」상 손익의 귀속시기와 자산·부채의 평가에 관한 설명으로 옳은 것은 모두 몇 개인가?
2011년 7급

> ㄱ. 투자회사 등의 결산을 확정할 때 증권 등의 투자와 관련된 수익 중 이미 경과한 기간에 대응하는 이자 및 할인액과 배당소득을 해당 사업연도의 수익으로 계상한 경우에는 그 계상한 연도의 익금에 산입하지 아니한다.
>
> ㄴ. 장기할부조건으로 판매하는 경우 발생한 채권을 기업회계기준이 정하는 바에 따라 현재가치로 평가하여 현재가치할인차금을 계상하고 이를 해당 채권의 회수기간동안 기업회계기준이 정하는 바에 따라 환입한 금액은 각 사업연도의 익금에 산입하지 아니한다.
>
> ㄷ. 자산을 장기할부조건으로 취득하는 경우 발생한 채무를 기업회계기준이 정하는 바에 따라 현재가치로 평가하여 계상한 현재가치할인차금은 취득가액에 포함하지 아니한다.
>
> ㄹ. 「보험업법」이나 그 밖의 법률에 따라 유형·무형자산을 증액하거나 감액(감가상각 제외)하는 경우에는 증액하거나 감액한 후의 금액을 장부가액으로 한다.

① 1개   ② 2개

③ 3개   ④ 4개

07

법정 기한 내에 재고자산 평가방법을 신고하지 아니한 경우 매매를 목적으로 소유하는 부동산은 납세지 관할세무서장이 개별법에 의하여 평가한다.

08

옳은 것은 1개(ㄷ)이다.

✓ 오답체크

ㄱ. 투자회사 등의 결산을 확정할 때 증권 등의 투자와 관련된 수익 중 이미 경과한 기간에 대응하는 이자 및 할인액과 배당소득을 해당 사업연도의 수익으로 계상한 경우에는 그 계상한 연도의 익금으로 한다.

ㄴ. 장기할부조건으로 판매하는 경우 발생한 채권을 기업회계기준이 정하는 바에 따라 현재가치로 평가하여 현재가치할인차금을 계상하고 이를 해당 채권의 회수기간동안 기업회계기준이 정하는 바에 따라 환입한 금액은 각 사업연도의 익금에 산입한다.

ㄹ. 「보험업법」이나 그 밖의 법률에 따라 유형·무형자산을 증액하는 경우에는 증액한 후의 금액을 장부가액으로 한다.

09 「법인세법」은 일정한 자산에 대하여 법인이 기한 내에 평가방법을 신고하지 않는 경우에는 납세지 관할세무서장이 「법인세법」에서 규정한 방법에 따라 평가하도록 규정하고 있다. 이러한 경우 재고자산(매매목적용 부동산 제외)과 유가증권에 대한 「법인세법」상 평가방법이 바르게 연결된 것은?

2010년 9급

재고자산	유가증권
① 후입선출법	총평균법
② 선입선출법	총평균법
③ 총평균법	이동평균법
④ 이동평균법	개별법

09
재고자산(부동산 제외)은 무신고시 선입선출법으로 하며 유가증권은 총평균법을 적용한다. 부동산은 개별법을 적용한다.

10 「법인세법」상 재고자산의 평가에 관한 설명으로 옳지 않은 것은? 2009년 7급

① 신설법인이 법령의 규정에 의한 신고기한 내에 재고자산의 평가방법을 신고하지 아니한 경우에는 납세지 관할세무서장이 선입선출법(매매를 목적으로 소유하는 부동산의 경우에는 개별법으로 한다)에 의하여 재고자산을 평가한다.

② 신설법인은 당해 법인의 설립일이 속하는 사업연도의 법인세과세표준의 신고기한 내에 재고자산의 평가방법을 신고하고자 하는 때에는 법령이 정하는 재고자산 등 평가방법신고서를 납세지 관할세무서장에게 제출하여야 한다.

③ 법령의 규정에 의한 기한 내에 재고자산의 평가방법 변경신고를 하지 아니하고 그 방법을 변경한 경우에는 신고한 평가방법에 의하여 평가한 가액과 선입선출법에 의하여 평가한 가액 중 작은 금액으로 평가한다.

④ 재고자산의 평가방법을 신고한 법인으로서 그 평가방법을 변경하고자 하는 법인은 변경할 평가방법을 적용하고자 하는 사업연도의 종료일 이전 3월이 되는 날까지 법령이 정하는 재고자산 등 평가방법 변경신고서를 납세지 관할세무서장에게 제출하여야 한다.

10
법령의 규정에 의한 기한 내에 재고자산의 평가방법 변경신고를 하지 아니하고 그 방법을 변경한 경우에는 당초 신고한 평가방법에 의하여 평가한 가액과 선입선출법에 의하여 평가한 가액 중 큰 금액으로 평가한다.

정답 09 ② 10 ③

11 법인세법령상 내국법인의 손익의 귀속시기와 자산·부채의 평가에 대한 설명으로 옳지 않은 것은?

2022년 7급

① 자산을 「법인세법 시행령」 제68조 제4항에 따른 장기할부조건 등으로 취득하여 발생한 채무를 기업회계기준에 따라 현재가치로 평가하여 현재가치할인차금을 계상한 경우의 당해 현재가치할인차금은 자산의 취득가액에 포함하지 않는다.

② 감가상각자산이 진부화, 물리적 손상 등에 따라 시장가치가 급격히 하락하여 법인이 기업회계기준에 따라 손상차손을 계상한 경우(천재지변·화재 등의 사유로 손상된 경우 등 「법인세법」 제42조 제3항 제2호에 해당하는 경우는 제외)에는 해당 손상차손이 「법인세법」 제23조 제1항에 따른 상각범위액을 초과하더라도 이를 전액 손금에 산입한다.

③ 보유하던 주식의 발행법인이 파산한 경우, 해당 감액사유가 발생한 사업연도에 주식의 장부가액을 사업연도 종료일 현재 시가(시가로 평가한 가액이 1천 원 이하인 경우에는 1천 원으로 한다)로 평가한 가액으로 감액할 수 있으며, 이 경우 그 감액한 금액을 해당 사업연도의 손비로 계상하여야 한다.

④ 「자본시장과 금융투자업에 관한 법률」에 따른 투자회사 등(같은 법 제230조에 따른 환매금지형집합투자기구는 제외)이 보유하는 「법인세법 시행령」 제73조 제2호 다목의 집합투자재산은 시가법에 따라 평가한다.

12 법인세법령상 취득일 또는 발생일(통화선도의 경우에는 계약체결일)의 「외국환거래규정」에 따른 매매기준율 또는 재정(裁定)된 매매기준율로 평가하는 방법을 선택하여 적용할 수 없는 것은? (단, 화폐성 외화자산·부채 및 통화선도는 법인세법령의 정의를 충족한다)

2022년 7급

① 제조업을 영위하는 내국법인 (주)A가 화폐성 외화자산·부채의 환위험을 회피하기 위하여 보유하는 통화선도

② 제조업을 영위하는 내국법인 (주)B가 보유하는 화폐성 외화자산

③ 「은행법」에 의한 인가를 받아 설립된 내국법인 C은행이 보유하는 통화선도

④ 「은행법」에 의한 인가를 받아 설립된 내국법인 D은행이 보유하는 화폐성 외화부채

11
천재지변 등으로 인한 손상차손이 아닌 경우에는 손상차손에 의한 자산감액은 즉시상각의제로 본다. 따라서 상각범위액을 초과하는 경우에는 손금불산입의 세무조정을 해야 한다.

12
문제는 취득일 또는 발생일의 환율(외화평가를 하지 않는 방법)을 선택할 수 없는 경우를 찾는 것이다. 따라서 무조건 사업연도 종료일의 환율로 평가해야 하는 ④가 정답이다.

07 기업업무추진비와 기부금

❶ 기업업무추진비 명칭

2024년 1월 1일부터는 접대비의 명칭이 기업업무추진비로 변경될 예정이다.

1 기업업무추진비❶

1. 개념

기업업무추진비란 기업업무추진비 및 교제비·사례금·그 밖에 어떠한 명목이든 상관없이 이와 유사한 성질의 비용으로서 법인이 업무와 관련하여 지출한 금액을 말한다. 이러한 기업업무추진비의 과도한 지출을 억제하기 위하여 한도 내에서 손금으로 인정하고 있다.

> **참고**
>
> **기업업무추진비, 기부금, 광고선전비 구분**
> 1. 업무와 관련성 있는 지출
>   ① 특정인에게 무상 지출: 기업업무추진비(한도 내 손금인정)
>   ② 불특정다수인에게 무상 지출: 광고선전비(전액 손금인정)
> 2. 업무와 관련성 없는 지출 – 특정인에게 무상 지출: 기부금(한도 내 손금인정)

2. 기업업무추진비의 범위

기업업무추진비에 해당하는지 여부는 계정명칭에 상관없이 그 실질내용에 따라 판단한다.

(1) 직원이 조직한 조합·단체에 복리시설비를 지출한 경우

조합이나 단체가 법인인 경우는 기업업무추진비로 보며 법인이 아닌 경우는 법인의 경리의 일부로 본다. 여기서 경리의 일부로 본다는 것은 지출성격에 따라 자산이나 비용으로 회계처리하는 것을 말한다.

(2) 약정에 의하여 채권의 전부 또는 일부를 포기한 경우

① 약정에 의한 채권의 포기가 업무와 관련된 경우는 기업업무추진비로 보며 업무와 관련이 없는 경우는 기부금으로 본다.

② 특수관계인에 대한 채권으로 조세부담 부당감소에 해당하는 경우는 부당행위계산의 부인으로 보며 특수관계인 외의 자에 대한 채권으로서 채권포기에 정당한 사유가 있는 경우는 손금으로 처리한다. 여기서 정당한 사유란 채무자의 부도 등으로 회수가 불확실한 채권 등을 조기에 회수하기 위하여 채권의 일부를 포기하는 경우 그 포기하는 행위에 객관적으로 정당한 사유가 있는 때를 말한다.

(3) 통상 회의비를 초과하는 금액과 유흥을 위하여 지출하는 금액

사회통념상 인정될 수 있는 범위 내의 회의비는 손금으로 인정하나 통상 회의비를 초과하는 금액과 유흥을 위하여 지출하는 금액은 기업업무추진비로 본다.

(4) 기업업무추진비 관련 부가가치세

① 기업업무추진비 관련 부가가치세 매입세액은 불공제대상이며, 기업업무추진비로 본다.

② 거래처에 대한 현물접대는 사업상 증여에 해당하므로 공급에 해당한다. 이때 부담하는 부가가치세 매출세액은 기업업무추진비에 해당한다.

(5) 기업업무추진비로 보지 않는 것

① 주주 또는 출자자(이하 '주주 등'이라 함)나 임원 또는 직원이 부담하여야 할 성질의 기업업무추진비를 법인이 지출한 것은 기업업무추진비로 보지 않는다.

② 광고선전목적으로 기증한 물품의 구입비용(특정인에게 기증한 물품의 경우에는 연간 5만 원 이내의 금액에 한정은 기업업무추진비로 보지 않음)

③ 판매한 상품·제품의 판매장려금 및 판매수당 등 판매와 관련된 부대비용(사전약정 없이 지급하는 경우를 포함)은 전액 손금으로 인정한다.

3. 적격증명서류

(1) 범위

① 적격증명서류란 신용카드·직불카드·외국에서 발행된 신용카드·기명식 선불카드 등 「조세특례제한법」에 따른 선불카드 및 현금영수증의 사용, 계산서·세금계산서, 매입자발행세금계산서, 매입자발행계산서 또는 원천징수영수증을 말한다.

② 신용카드 등은 법인의 명의로 발급받은 신용카드 등에 한하여 인정되므로 법인의 임직원 개인카드를 사용한 경우와 다른 가맹점 명의로 작성된 신용카드 등 사용액은 적격증명서류 사용액으로 보지 않는다.

(2) 적격증명서류 관련 세무조정

① 증명서류 미수령: 법인이 기업업무추진비로 계상한 금액 중 지출증명서류가 없는 기업업무추진비는 손금불산입하고 귀속자에 따라 배당 등으로 소득처분을 한다. 다만, 귀속자가 불분명한 경우에는 대표자에 대한 상여로 소득처분한다.

② 적격증명서류 미수령: 기업업무추진비지출액이 건당 3만 원(경조사비의 경우는 20만 원)을 초과하는 경우 적격증명서류를 수취하지 않은 것은 전액 손금불산입하고 기타사외유출로 소득처분한다. 다만, 다음의 경우는 적격증명을 수취하기가 어려우므로 그 대상에서 제외한다.

㉠ 법인이 직접 생산한 제품 등으로 제공한 현물기업업무추진비

㉡ 거래처와의 약정에 의한 매출채권의 포기액

㉢ 국외 지역 중 기업업무추진비가 지출된 장소(해당 장소가 소재한 인근 지역 안의 유사한 장소를 포함)에서 현금 외에 다른 지출수단이 없어 적격증빙서류를 구비하기 어려운 경우의 해당 국외지역에서의 지출

㉣ 농·어민(법인은 제외)으로부터 직접 재화를 공급받는 경우의 지출로서 그 대가를 금융회사 등을 통하여 지급한 지출(해당 법인이 과세표준신고를 할 때 과세표준신고서에 송금사실을 적은 송금명세서를 첨부하여 납세지 관할세무서장에게 제출한 경우에 한정)

> **참고**
>
> **기업업무추진비 소득처분 요약**
>
> | 구분 | 소득처분 |
> |---|---|
> | 증빙누락분(귀속 불분명) | 대표자 상여 |
> | 건당 3만 원 초과(경조사 20만 원 초과)분에 대한 적격증명미수취분❶ | 기타사외유출 |
> | 기업업무추진비 한도초과분 | 기타사외유출 |

❶

임직원 명의의 신용카드사용액, 다른 가맹점 명의로 작성된 신용카드 매출전표 수령액을 포함한다.

4. 기업업무추진비 계산

(1) 한도금액

기업업무추진비(증빙누락과 건당 3만 원 초과 등으로 손금불산입된 금액은 제외함)는 다음의 산식에 따른 금액을 초과하는 경우 그 금액에 대하여 손금불산입으로 처리한다.

> 기업업무추진비 한도=①+②
>
> ① 일반기업업무추진비 한도액=㉠+㉡[특정법인❷은 (㉠+㉡) × 50%]
>
> ㉠ 1,200만 원(중소기업은 3,600만 원) × $\dfrac{\text{해당 사업연도 월수}❸}{12}$
>
> ㉡ (일반수입금액 × 적용률)+(특정수입금액 × 적용률 × 10%)
>
> ② 문화비로 지출한 기업업무추진비 한도액=Min(㉠, ㉡)
>
> ㉠ 문화비로 지출한 기업업무추진비
>
> ㉡ ① 일반기업업무추진비 한도액 × 20%

❷ 특정법인

특정법인은 손금파트의 업무용 승용차 관련비용에서 설명한 부동산임대업을 주업으로 하는 특정법인을 말한다.

❸

월수는 역에 따라 계산하되 1월 미만은 1월로 한다.

(2) 수입금액

① 수입금액은 기업회계기준에 따라 계산한 매출액❹(매출에누리·매출할인·매출환입은 제외)을 말한다. 이러한 수입금액에는 중단사업부문의 매출액도 포함된다.

② 특정수입금액이란 특수관계인과의 거래로 발생한 매출액을 말하며 수입금액에서 특정수입금액을 제외한 금액이 일반 수입 금액에 해당한다.

❹

간주공급, 간주임대료 등은 포함하지 않는다.

(3) 적용률

적용률은 수입금액에 따라 차등적용되며 일반수입금액과 특정수입금액이 함께 있는 경우에는 일반 수입 금액부터 높은 적용률을 적용한다.

수입금액	적용률
100억 원 이하	3/1,000
100억 원 초과 500억 원 이하	2/1,000
500억 원 초과	3/10,000

사례로 이해 UP↗

적용률 계산

총수입금액이 130억 원인 경우
1. 일반수입금액 80억 원(전체 금액에 3/1,000 적용)
2. 특정수입금액 50억 원(20억 원까지 3/1,000 적용, 100억 원 초과하는 30억 원은 2/1,000 적용)

(4) 문화비로 지출한 기업업무추진비

문화비로 지출한 기업업무추진비란 국내문화 관련 지출로서 다음과 같은 기업업무추진비가 있는 경우를 말한다.

① 문화예술의 공연이나 전시회 또는 박물관의 입장권 구입

② 체육활동의 관람을 위한 입장권 구입

③ 비디오물, 음반 및 음악영상물, 간행물의 구입

④ 문화관광축제의 관람 또는 체험을 위한 입장권·이용권의 구입

⑤ 관광공연장의 입장권으로서 입장권 가격 중 식사·주류 가격과 공연물 관람 가격이 각각의 시가 등에 비례하여 적절하게 구분되어 있는 것의 구입

⑥ 기획재정부령으로 정하는 박람회 입장권 구입

5. 현물기업업무추진비

기업업무추진비를 금전 외의 자산으로 제공한 경우 해당 자산의 가액은 시가와 장부가액 중 큰 금액으로 한다.

6. 기업업무추진비의 귀속시기

기업업무추진비의 귀속시기는 접대행위가 발생한 사업연도로 본다(발생주의). 따라서 접대행위는 있었으나 그 비용을 미지급한 경우에도 기업업무추진비로 보아 한도를 계산한다. 이와 반대로 기업업무추진비를 지출은 하였으나 이를 이연하여 해당 사업연도에 비용으로 처리하지 않은 경우에도 지출한 연도의 기업업무추진비로 보아 한도를 계산한다.

2 기부금

1. 개념

(1) 의의

① 기부금이란 법인의 사업과 관련 없이 특수관계인 외의 자에게 무상으로 지출하는 재산적 증여의 가액을 말한다.❶

② 본래 기부금은 업무와 관련 없는 지출이므로 손금으로 될 수 없다. 다만, 기업활동에서 불가피하거나 공익성 있는 항목에 대하여 한도 내에서 손금으로 인정하고 있다.

(2) 의제기부금

법인이 특수관계인 외의 자에게 정당한 사유 없이 자산을 정상가액보다 낮은 가액으로 양도하거나 정상가액보다 높은 가액으로 매입함으로써 그 차액 중 실질적으로 증여한 것으로 인정되는 금액은 기부금으로 본다. 여기서 정상가액이란 시가에 30% 가산하거나 30% 차감한 금액을 말한다.

2. 기부금의 구분

(1) 특례기부금

① 국가나 지방자치단체에 무상으로 기증하는 금품의 가액(단, 「기부금품의 모집 및 사용에 관한 법률」의 적용을 받는 경우 그 법에 따라 접수하는 것에 한함)

② 국방헌금과 국군장병 위문금품의 가액(예비군 포함)

③ 천재지변(특별재난지역으로 선포된 경우 그 선포의 사유가 된 재난을 포함)으로 생기는 이재민을 위한 구호금품의 가액(해외기부금 포함)

④ 다음의 기관(병원은 제외)에 시설비 · 교육비 · 장학금 또는 연구비로 지출하는 기부금

㉠ 사립학교

㉡ 비영리 교육재단(국립 · 공립 · 사립학교의 시설비, 교육비, 장학금 또는 연구비 지급을 목적으로 설립된 비영리 재단법인으로 한정)

㉢ 기능대학

---

❶
특수관계인에게 무상으로 지출하는 재산적 증여가액은 기부금이 아니라 부당행위계산의 부인에 해당하므로 손금불산입하여야 한다. 다만, 그 특수관계인이 세법상 기부금 대상단체인 경우에는 기부금으로 본다.

ⓔ 전공대학의 명칭을 사용할 수 있는 평생교육시설 및 원격대학 형태의 평생교육시설

ⓜ 외국교육기관

ⓗ 산학협력단

ⓢ 한국과학기술원·광주과학기술원 및 대구경북과학기술원

ⓞ 국립대학법인 서울대학교·국립대학법인 울산과학기술대학교·국립대학법인 인천대학교, 한국에너지공과대학교

ⓩ 「재외국민의 교육지원 등에 관한 법률」에 따른 한국학교(요건을 충족한 경우에 한함)

⑤ 다음의 병원에 시설비·교육비 또는 연구비로 지출하는 기부금

ⓣ 국립대학병원

ⓛ 국립대학치과병원

ⓒ 서울대학교병원

ⓡ 서울대학교치과병원

ⓜ 사립학교가 운영하는 병원

ⓗ 국립암센터

ⓢ 지방의료원

ⓞ 국립중앙의료원

ⓩ 대한적십자사가 운영하는 병원

ⓩ 한국보훈복지의료공단이 운영하는 병원

ⓚ 한국원자력의학원

ⓔ 국민건강보험공단이 운영하는 병원

ⓟ 「산업재해보상보험법」에 따른 의료기관

⑥ 사회복지사업, 그 밖의 사회복지활동의 지원에 필요한 재원을 모집·배분하는 것을 주된 목적으로 하는 비영리법인으로서 법으로 정하는 요건을 갖춘 법인에 지출하는 기부금

🔳 사회복지공동모금회, 재단법인 바보의 나눔 등

(2) 우리사주조합기부금

① 우리사주조합기부금은 해당 법인의 우리사주조합에 대한 것이 아니라 협력업체 등 다른 법인의 우리사주조합에 대한 기부금을 말한다.

② 해당 법인의 우리사주조합에 출연하는 자사주의 장부가액 또는 금품은 전액 손금에 해당한다.

(3) 일반기부금

① 다음의 비영리법인(단체를 포함하며, 이하 '일반기부금단체 등'이라 함)에 대하여 당해 일반기부금단체 등의 고유목적사업비로 지출하는 기부금

    ㉠ 사회복지법인

    ㉡ 어린이집 · 유치원 · 학교, 기능대학, 전공대학 형태의 평생교육시설 및 원격대학 형태의 평생교육시설

    ㉢ 종교의 보급, 그 밖에 교화를 목적으로 「민법」에 따라 문화체육관광부장관 또는 지방자치단체의 장의 허가를 받아 설립한 비영리법인(그 소속 단체를 포함)

    ㉣ 의료법인

② 다음의 용도로 지출하는 기부금

    ㉠ 유치원 · 학교 · 기능대학 · 평생교육시설 및 원격대학 형태의 평생교육시설의 장이 추천하는 개인에게 교육비 · 연구비 또는 장학금으로 지출하는 기부금

    ㉡ 공익신탁으로 신탁하는 기부금

    ㉢ 사회복지 · 문화 · 예술 · 교육 · 종교 · 자선 · 학술 등 공익목적으로 지출하는 기부금으로서 기획재정부령이 정하는 기부금
        예 국민체육진흥기금, 근로복지진흥기금, 발명진흥기금 등

③ 다음의 어느 하나에 해당하는 사회복지시설 또는 기관 중 무료 또는 실비로 이용할 수 있는 시설 또는 기관에 기부하는 금품의 가액

    ㉠ 아동복지시설

    ㉡ 노인복지시설(입소자 본인이 비용을 전부부담하는 경우는 제외)

    ㉢ 장애인복지시설(유료복지시설은 제외)

    ㉣ 한부모가족복지시설

    ㉤ 정신질환자 사회복귀시설 및 정신요양시설

    ㉥ 지원시설 및 성매매피해상담소

    ㉦ 가정폭력 관련 상담소 및 보호시설

    ㉧ 성폭력피해상담소 및 성폭력피해자보호시설

    ㉨ 사회복지시설 중 사회복지관과 부랑인 · 노숙인 시설

    ㉩ 「다문화가족지원법」에 따른 다문화가족지원센터

    ㉪ 청소년복지시설

④ 국제기구에 지출하는 기부금으로 다음의 요건을 모두 갖춘 국제기구로서 기획재정부장관이 지정하여 고시하는 국제기구에 지출하는 기부금
    예 유엔난민기구, 세계식량계획 등

㉠ 사회복지·문화·예술·교육·종교·자선·학술 등 공익을 위한 사업을 수행할 것

　　　㉡ 우리나라가 회원국으로 가입하였을 것

　　⑤ 대한적십자사, 독립기념관, 한국문화예술위원회의 고유목적사업비 기부금

3. 비지정기부금

(1) 2. 외의 기부금은 비지정기부금에 속한다.

　　예 향우회, 동창회, 종친회, 신용협동조합, 새마을금고❶, 정당에 지출하는 기부금 등

(2) 비지정기부금은 전액 손금불산입하고 다음과 같이 소득처분한다.

　　① 출자자(출자임원 제외): 배당

　　② 임직원: 상여

　　③ 위 외의 경우: 기타사외유출

4. 기부금 한도

다음의 범위 내에서 기부금을 손금으로 산입한다.

구분	한도액
특례기부금	(기준소득금액 − 이월결손금❷) × 50%
우리사주조합기부금	(기준소득금액 − 이월결손금❷ − 특례기부금 손금산입액) × 30%
일반기부금	(기준소득금액 − 이월결손금❷ − 특례·우리사주 기부금 손금인정액) × 10%(20%)❸

(1) 기부금 계산구조❹

```
          당  기  순  이  익
   (+) 가    산    조    정
   (−) 차    감    조    정
   ─────────────────────────
   차가감소득금액 + 기부금  =  기준소득금액
                              − 이 월 결 손 금
   (+) 기 부 금 한 도 초 과        (A)
   (−) 기 부 금 이 월 손 금
       각  사 업 연 도 소 득 금 액

   ─────────────────────────────────────
          한도              초과액
   특례: A × 50%        손금불산입 기타사외유출
   우리: (A − 손금) × 30%   손금불산입 기타사외유출
   일반: (A − 손금) × 10%   손금불산입 기타사외유출
```

(2) 기준소득금액

기준소득금액은 차가감소득금액에 기부금을 가산한 금액을 말한다. 이러한 기준소득금액에는 합병·분할로 인한 양도손익은 제외한다.

---

❶
새마을금고에 「사랑의 좀도리 운동」을 위하여 지출하는 기부금은 일반기부금에 해당한다.

❷ 이월결손금
이월결손금은 각 사업연도 소득의 80%를 한도로 이월결손금을 공제받는 법인은 기준소득금액의 80%를 한도로 한다.

❸
사업연도 종료일 현재 사회적 기업의 경우는 20%를 적용한다.

❹
기부금 한도초과액의 세무조정은 소득금액조정합계표에 기재하지 않고 법인세 과세표준 및 세액조정계산서에 직접 기재한다.

5. 한도초과액의 이월

(1) 내국법인이 각 사업연도에 지출한 기부금 중 특례기부금과 일반기부금의 한도를 초과하는 경우 해당 사업연도의 다음 사업연도 개시일부터 10년간 이월하여 기부금의 한도 내에서 공제한다(2013.1.1. 이후 지출한 기부금부터 10년간 이월함).

(2) 기부금의 한도계산에서 기부금의 손금산입 순서는 다음으로 한다.

① 이월된 기부금을 당기 기부금 한도 내에서 손금산입(손금산입 기타)으로 한다.

② 남은 기부금한도 내에서 해당 사업연도에 지출한 기부금을 손금으로 한다.

6. 현물기부금의 평가

(1) **특례기부금 · 일반기부금(특수관계인이 아닌 자에게 기부한 경우)**

장부가액

(2) **일반기부금(특수관계인에게 기부한 경우) · 비지정기부금**

시가와 장부가액 중 큰 금액

7. 기부금의 귀속시기

(1) **원칙 – 현금주의**

기부금은 그 지출한 날이 속하는 사업연도에 귀속한다.

① 법인이 가지급금 등으로 이연계상한 경우에도 지출한 사업연도의 기부금으로 본다.

② 기부금을 지출하지 않고 미지급금으로 계상한 경우 실제로 그 지출이 있을 때까지 기부금으로 보지 않는다.

③ 어음을 발행(배서를 포함함)한 경우는 실제로 결제된 날에 지출한 것으로 보고 수표를 발행한 경우는 수표를 교부한 날에 지출한 것으로 본다. 다만, 선일자수표는 수표에 기재된 발행일에 따라 실제로 대금이 결제된 날의 기부금으로 본다.

(2) **예외**

정부로부터 인 · 허가를 받기 이전의 설립중인 공익법인 및 단체 등에 지출한 기부금의 경우에는 지출한 사업연도가 아닌 그 법인 및 단체가 정부로부터 인가 또는 허가를 받은 날이 속하는 사업연도의 기부금으로 본다.

01 「법인세법」상 세무조정에 관한 설명으로 옳지 않은 것만을 모두 고른 것은?

2014년 7급

> ㄱ. 기업업무추진비, 일반기부금, 임원에 대한 퇴직급여의 경우 세법에서 정한 일정한 한도를 초과하는 금액은 손금불산입된다.
> ㄴ. 영리내국법인이 특수관계 없는 개인으로부터 유가증권을 시가보다 낮은 가액으로 양수했을 때, 그 시가와 실제 양수가액과의 차액은 익금이 아니다.
> ㄷ. 해당 법인의 주주 등(소액주주 등은 제외)이 사용하고 있는 사택의 유지비·관리비·사용료는 손금에 산입된다.
> ㄹ. 유형자산의 취득에 사용된 특정차입금 중 건설 등이 준공된 후에 남은 차입금에 대한 이자는 손금에 산입하지 않는다.

① ㄱ, ㄴ

② ㄴ, ㄷ

③ ㄷ, ㄹ

④ ㄱ, ㄹ

02 법인세법령상 기업업무추진비와 기부금에 대한 설명으로 옳지 않은 것은?

2022년 9급

① 법인이 그 직원이 조직한 단체에 복리시설비를 지출한 경우 해당 단체가 법인인 때에는 이를 기업업무추진비로 본다.
② 주주가 부담하여야 할 성질의 기업업무추진비를 법인이 지출한 것은 이를 기업업무추진비로 보지 아니한다.
③ 법인이 천재지변으로 생기는 이재민을 위한 구호금품을 금전 외의 자산으로 제공한 경우 해당 자산의 가액은 기부했을 때의 시가에 따라 산정한다.
④ 법인이 기부금을 미지급금으로 계상한 경우 실제로 이를 지출할 때까지는 당해 사업연도의 소득금액계산에 있어서 이를 기부금으로 보지 아니한다.

01
옳지 않은 것은 ㄷ, ㄹ이다.
ㄷ. 해당 법인의 주주 등(소액주주 등은 제외한다)이 사용하고 있는 사택의 유지비·관리비·사용료는 손금에 산입하지 아니한다.
ㄹ. 유형자산의 취득에 사용된 특정차입금 중 건설 등이 준공된 후에 남은 차입금에 대한 이자는 손금에 산입한다.

02
이재민 구호금품(특례기부금)을 현물로 제공한 경우에는 장부가액으로 평가한다.

03 「법인세법」상 일반기부금에 해당하는 것만을 고른 것은? 2013년 9급

> ㄱ. 사립학교에 시설비로 지출하는 기부금
> ㄴ. 사회복지법인의 고유목적사업비로 지출하는 기부금
> ㄷ. 「산업교육진흥 및 산학연협력촉진에 관한 법률」에 따른 산학협력단에 연구비로 지출하는 기부금
> ㄹ. 천재지변으로 생기는 이재민을 위한 구호금품의 가액
> ㅁ. 국민체육진흥기금으로 출연하는 기부금

① ㄱ, ㄴ   ② ㄱ, ㅁ
③ ㄴ, ㅁ   ④ ㄹ, ㅁ

03
일반기부금에 해당하는 것은 ㄴ, ㅁ이며, ㄱ, ㄷ, ㄹ은 특례기부금에 해당한다.

04 「법인세법」상 기업업무추진비에 대한 설명으로 옳지 않은 것은? 2009년 9급

① 임원이 부담하여야 할 성질의 기업업무추진비를 법인이 지출한 것은 이를 기업업무추진비로 보지 아니한다.
② 법인이 그 직원이 조직한 조합(법인)에 복리시설비를 지출한 것은 이를 기업업무추진비로 보지 아니한다.
③ 기업업무추진비를 금전 이외의 자산으로 지출한 경우 당해 기업업무추진비의 가액은 이를 제공한 때의 시가와 장부가액 중 큰 금액으로 평가한다.
④ 내국법인이 경조금으로 지출한 것으로 1회에 20만 원 초과하지 아니하는 금액은 법정증명서류를 구비하지 않아도 기업업무추진비로 본다.

04
직원이 조직한 조합이 법인으로서 그 조합에 법인이 복리시설비를 지출한 경우에는 기업업무추진비에 해당한다.

08 감가상각비와 지급이자 손금불산입

1 감가상각비

1 개념

1. 감가상각이란 유형·무형자산의 취득가액에서 잔존가액을 차감한 금액을 그 자산의 내용연수에 걸쳐 비용으로 배분하는 과정이다.
2. 세법에서는 취득가액·잔존가치와 내용연수의 추정과 감가상각방법을 세법에 정한 규정을 적용하도록 하고 있으며, 감가상각범위액 내에서 법인이 감가상각 여부나 상각시기 등을 임의로 선택할 수 있는 임의상각제도(결산조정)를 채택하고 있다. 다만, 예외적으로 신고조정으로 하는 특례도 있다.

2 감가상각자산의 범위

1. 감가상각자산

(1) 감가상각자산은 다음의 유형·무형자산으로 한다.

구분	범위
유형자산	① 건축물(건물 및 구축물) ② 차량 및 운반구·공구·기구 및 비품 ③ 선박 및 항공기 ④ 기계 및 장치 ⑤ 동물 및 식물 ⑥ 기타 위와 유사한 자산
무형자산	① 영업권(합병 또는 분할로 인하여 합병법인 등이 계상한 영업권은 제외)·의장권·실용신안권·상표권 ② 특허권·어업권·「해저광물자원 개발법」에 따른 채취권·유료도로관리권·수리권·전기가스공급시설이용권·공업용수도시설이용권·수도시설이용권·열공급시설이용권 ③ 광업권·전신전화전용시설이용권·전용측선이용권·하수종말처리장시설관리권·수도시설관리권 ④ 댐사용권 ⑤ 개발비 ⑥ 사용수익기부자산가액 ⑦ 「전파법」에 따른 주파수이용권·「항만법」에 따른 공항시설관리권 및 항만시설관리권

(2) 개발비 및 사용수익기부자산은 다음과 같다.**❶**

구분	범위
개발비(자산)	상업적인 생산 또는 사용 전에 재료 · 장치 · 제품 · 공정 · 시스템 또는 용역을 창출하거나 현저히 개선하기 위한 계획 또는 설계를 위하여 연구결과 또는 관련지식을 적용하는 데 발생하는 비용으로서 기업회계기준에 따른 개발비 요건을 갖춘 것(「산업기술연구조합 육성법」에 따른 산업기술연구조합의 조합원이 해당 조합에 연구개발 및 연구시설 취득 등을 위하여 지출하는 금액을 포함)이다.
사용수익 기부자산가액	금전 외의 자산을 특례기부단체 또는 일반기부금단체에 기부한 후 그 자산을 사용하거나 그 자산으로부터 수익을 얻는 경우 해당 자산의 장부가액을 사용수익 기부자산으로 한다.

2. 감가상각자산에 포함하는 것

(1) 장기할부조건 등으로 매입한 감가상각자산

법인이 해당 자산의 가액 전액을 자산으로 계상하고 사업에 사용하는 경우에는 그 대금의 청산 또는 소유권의 이전 여부에 관계없이 이를 감가상각자산으로 본다.

(2) 리스자산

금융리스자산은 리스이용자의 감가상각자산으로 하고 금융리스 외의 리스자산은 리스회사의 감가상각자산으로 본다.

3. 감가상각자산에 포함하지 않는 것

(1) 사업에 사용하지 않는 것(유휴설비 제외)

사업에 사용하지 않는 자산은 감가상각자산이 아니다. 다만, 사업에 사용하다가 일시적으로 사용하지 않는 유휴설비는 감가상각자산으로 본다.

(2) 건설 중인 자산**❷**

건설 중인 자산은 감가상각자산이 아니다. 다만, 일부가 완성되어 당해 부분이 사업에 사용되는 경우 그 부분은 감가상각자산으로 본다.

(3) 시간이 경과함에 따라 그 가치가 감소되지 않는 것

토지 · 서화 · 골동품 등과 같이 시간이 경과함에 따라 그 가치가 감소되지 않으므로 감가상각대상 자산이 아니다.

➕ 심화 | 유휴설비

사업에 사용하고 있으나 일시적 조업중단 등으로 인하여 가동되지 않고 있는 유휴설비는 감가상각자산에 해당한다. 그러나 다음의 자산은 유휴설비에 포함되지 않으므로 감가상각대상에 해당하지 않는다.
1. 사용 중 철거하여 사업에 사용하지 않는 기계 및 장치 등
2. 취득 후 사용하지 않고 보관 중인 기계 및 장치

4. 감가상각시부인 계산의 구조

(1) 개념

① 회사가 계상한 감가상각비와 상각범위액(세법상 한도금액)을 비교하여 상각범위액을 초과하는 금액은 손금에 산입하지 않는다. 이러한 감가상각 시부인 계산은 개별 자산별로 행해지고 다른 자산과 상각부인액 또는 시인부족 액을 상계할 수 없다.

② 감가상각비의 손금계상방법은 감가상각자산의 장부가액에서 직접 감액 하는 방법과 감가상각누계액으로 계상하는 방법 중에 선택하여야 한다.

구분	방법	회계처리
직접상각법	감가상각자산의 장부가액을 직접 감액한다.	(차) 감가상각비 ××× / (대) 자산 ×××
간접상각법	감가상각누계액(해당 자산의 차감계정)으로 계상하여 감가상각자산을 감액한다.	(차) 감가상각비 ××× / (대) 감가상각누계액 ×××

(2) 감가상각시부인❶ 계산

구분	세무조정	사후관리
회사상각비 > 상각범위액	손금불산입 유보한다(초과금액을 상각부인액이라 함).	차기 이후에 시인부족액이 발생하는 경우 시인부족액 범위 내에서 손금산입(△유보)으로 처리한다.
회사상각비 < 상각범위액	세무조정 없다(미달하는 금액을 시인부족액이라 함).	전기 상각부인액이 있는 경우 시인부족액의 범위 내에서 손금산입한다(시인부족액은 다음 사업연도로 이월되지 않음).

❶ **상각부인액과 시인부족액**

1. **상각부인액**: 회사계상액이 상각범위 액보다 큰 경우 그 초과액을 상각부인 액이라고 한다.
2. **시인부족액**: 회사계상액이 상각범위 액보다 작은 경우 그 미달하는 가액 을 시인부족액이라고 한다.

5. 감가상각방법

(1) 자산별 감가상각방법

자산별로 다음의 구분에 다른 상각방법 중 법인이 납세지 관할세무서장에게 신고한 방법에 따라 계산한다.

① 유형자산

구분	신고시 방법	무신고시 방법
건축물	정액법	정액법
광업용 유형자산	생산량비례법 · 정률법 · 정액법	생산량비례법
폐기물매립시설	생산량비례법 · 정률법	생산량비례법
기타 유형자산	정액법 · 정률법	정률법

② 무형자산

구분	신고시 방법	무신고시 방법
광업권 (「해저광물자원 개발법」에 의한 채취권 포함)	생산량비례법 · 정액법	생산량비례법
개발비[1]	관련 제품의 판매 또는 사용이 가능한 시점부터 20년 이내의 기간 내에서 연단위로 신고한 내용연수에 따라 매사업연도별 경과월수에 비례하여 상각하는 방법이다(정액법 월할상각).	관련제품의 판매 또는 사용이 가능한 시점부터 5년 동안 매년 균등액을 상각하는 방법이다(정액법 월할상각).
사용수익기부자산	사용수익기간에 관한 특약이 있으면 그 사용수익기간(특약 없으면 신고내용연수)에 따라 균등하게 안분한 금액을 상각[2]한다(정액법 월할상각).	
주파수이용권 · 공항시설관리권 · 항만시설관리권	주무관청에서 고시하거나 주무관청에 등록한 기간 내에서 사용기간에 따라 균등액을 상각한다(정액법).	
기타무형자산 (특허권 등)	정액법	

[1] 개발비

개발비로 계상하였으나 해당 제품의 판매 또는 사용이 가능한 시점이 도래하기 전에 개발을 취소한 경우에는 다음의 요건을 모두 충족하는 날이 속하는 사업연도의 손금으로 한다.
1. 해당 개발로부터 상업적인 생산 또는 사용을 위한 해당 재료 · 장치 · 제품 · 공정 · 시스템 또는 용역을 개선한 결과를 식별할 수 없을 것
2. 해당 개발비를 전액 손비로 계상하였을 것

[2]

사용수익기간 또는 신고내용연수기간 중에 멸실되거나 계약이 해지된 경우에는 미상각잔액 전액 상각한다.

(2) 신고서 제출

감가상각방법을 신고하려는 법인은 자산별로 하나의 방법을 선택하여 감가상각방법신고서를 다음에 정하는 날이 속하는 사업연도의 법인세 과세표준의 신고기한까지 납세지 관할세무서장에게 제출하여야 한다. 그리고 신고한 상각방법(신고하지 않은 경우는 무신고시 방법)을 그 후의 사업연도에도 계속하여 적용하여야 한다.

① 신설법인과 새로 수익사업을 개시한 비영리법인: 그 영업개시일

② ① 외의 법인이 위의 구분을 달리하는 감가상각자산을 새로 취득한 경우: 그 취득일

6. 감가상각방법의 변경

(1) 변경사유

다음에 해당하는 경우에는 납세지 관할세무서장의 승인을 얻어 상각방법을 변경할 수 있다.

① 상각방법이 서로 다른 법인이 합병(분할합병 포함)을 한 경우

② 상각방법이 서로 다른 사업자의 사업을 인수 또는 승계한 경우

③ 「외국인투자 촉진법」에 의하여 외국투자자가 내국법인의 주식 등을 20% 이상 인수 또는 보유하게 된 경우

④ 해외시장의 경기변동 또는 경제적 여건의 변동으로 인하여 종전의 상각방법을 변경할 필요가 있는 경우

⑤ 회계정책의 변경에 따라 결산상각방법이 변경된 경우(변경한 결산상각방법과 같은 방법으로 변경하는 경우만 해당)

(2) 변경신청기한

① 감가상각방법을 변경하고자 하는 법인은 그 변경할 상각방법을 적용하고자 하는 최초사업연도의 종료일까지 감가상각방법변경신청서를 제출(국세정보통신망에 의한 제출을 포함함)하여 승인을 얻어야 한다. 법인이 변경승인을 얻지 못하고 상각방법을 변경한 경우 상각범위액은 변경하기 전의 상각방법에 의하여 계산한다.

② 신청서를 접수한 납세지 관할세무서장은 접수일이 속하는 사업연도 종료일부터 1개월 이내에 그 승인 여부를 결정하여 통지하여야 한다.

7. 감가상각범위액의 계산

(1) 감가상각방법

$$\text{상각범위액} = \text{상각대상금액}^{❶} \times \text{상각률}^{❷}$$

① **정액법**: 감가상각대상 자산의 취득가액에 상각률을 곱하여 매년 균등액을 감가상각하는 방법을 말한다. 취득가액은 세법상 취득가액을 말하므로 해당 자산에 즉시상각의제 금액이 있으면 즉시상각의제 누계액(총합계)을 가산하여 계산한다.

$$\text{상각범위액} = \text{취득가액} \times \text{상각률}(1/\text{내용연수})$$

② **정률법**: 감가상각대상 자산의 취득가액에서 감가상각누계액을 차감한 금액(미상각잔액)에 상각률을 곱하여 계산한다. 정률법은 미상각잔액을 대상으로 하기 때문에 세법상 인정되지 않는 상각부인액이 회계상 감가상각누계액에 포함된 경우에는 해당 금액을 차감하고 계산한다.

$$\text{상각범위액} = \text{미상각잔액}^{❸} \times \text{상각률}\left(1 - \sqrt[n]{\frac{\text{잔존가액}}{\text{취득가액}}}\right)$$

③ **생산량비례법**: 감가상각대상 자산의 취득가액을 그 자산이 속하는 광구의 총 채굴 예정량 중에서 해당 사업연도 중 그 광구에서 채굴한 양에 비례하여 감가상각하는 방법을 말한다.

$$\text{상각범위액} = \text{취득가액} \times \frac{\text{해당 사업연도 중 그 광구에서 채굴한 양}}{\text{그 자산이 속하는 광구의 총 채굴 예정량}}$$

❶
취득가액, 잔존가액

❷
내용연수, 상각방법

❸
취득가액 − 감가상각누계액 + 상각부인액

(2) 취득가액

① **일반적인 취득가액:** 앞에서 설명한 취득가액에 관한 규정을 적용한다. 취득가액에 포함하는 것과 포함하지 않는 것을 구분하면 다음과 같다.

㉠ 취득가액에 포함하는 것

ⓐ 건설자금이자

ⓑ 유형자산의 취득가액으로 계상한 국·공채의 매입가액과 현재 가치와의 차액

㉡ 취득가액에 포함하지 않는 것

ⓐ 자산을 취득하는 경우 현재가치로 평가하여 발생하는 현재가치 할인 차금

ⓑ 특수관계인으로부터 고가매입한 경우의 시가초과액

ⓒ 특수관계인이 아닌 자로부터 고가매입한 경우 정상가액을 초과하는 금액

② **자본적 지출과 수익적 지출**

㉠ **자본적 지출:** 감가상각자산의 내용연수를 연장시키거나 해당 자산의 가치를 현실적으로 증가시키기 위하여 지출한 수선비를 말한다.

㉡ **수익적 지출:** 감가상각자산의 원상회복이나 능력유지 등을 위하여 지출한 수선비를 말한다.

㉢ 자본적 지출은 해당 자산의 취득원가에 가산하여 감가상각대상이 되고 수익적 지출은 발생한 과세기간에 비용으로 처리한다.

자본적 지출	수익적 지출
ⓐ 본래의 용도를 변경하기 위한 개조	ⓐ 건물 또는 벽의 도장
ⓑ 엘리베이터 또는 냉난방장치의 설치	ⓑ 파손된 유리나 기와의 대체
ⓒ 빌딩 등에 있어서 피난시설 등의 설치	ⓒ 기계의 소모된 부속품 또는 벨트의 대체
ⓓ 재해 등으로 인하여 멸실 또는 훼손되어 본래의 용도에 이용할 가치가 없는 건축물·기계·설비 등의 복구	ⓓ 자동차의 타이어 대체
	ⓔ 재해를 입은 자산에 대한 외장의 복구 또는 도장 및 유리의 삽입
ⓔ 그 밖의 개량·확장·증설 등 위와 유사한 성질의 것	ⓕ 그 밖의 조업가능한 상태의 유지 등 위와 유사한 것

(3) 잔존가액

① 원칙: 자산을 처분할 때 회수할 수 있는 금액을 말하며 「법인세법」은 잔존가액을 획일적으로 '0'으로 하고 있다.

② 예외

　㉠ 정률법에 따라 상각하는 경우 정률법 산식에서 상각률은 잔존가액이 없으면 계산할 수 없으므로 취득가액의 5%에 상당하는 금액을 잔존가액으로 한다. 그리고 그 잔존가액은 감가상각자산에 대한 미상각잔액이 최초로 취득가액의 5% 이하가 되는 사업연도의 상각범위액에 가산한다.

　㉡ 감가상각이 종료되는 시점에는 취득가액의 5%와 1,000원 중 적은 금액을 장부가액으로 하고 손금에 산입하지 않는다. 이 금액은 비망가액으로 처분시점에 손금에 산입한다.

(4) 내용연수

「법인세법」에서는 내용연수를 구체적으로 규정하여 법인의 선택 범위를 다음과 같이 규제하고 있다. 내용연수는 그 기간 동안 감가상각을 하여야 하는 것이 아니라 상각범위액을 구하기 위한 상각률의 구성요소에 불과하다. 감가상각은 임의상각제도이므로 감가상각의 여부는 법인의 선택에 달려 있다. 따라서 원칙적으로 상각기간의 제한은 없다. 다만, 세법에서는 상각범위액을 계산하기 위한 상각률의 구성요소로 내용연수를 규정하고 있는 것이다.

구분		대상자산	내용연수 (하한~상한)
별표2	시험연구용자산의 내용연수표	광학기기 · 시험기기 · 측정기기 · 공구	5년
		건물부속설비 · 구축물 · 기계장치	3년
별표3	무형자산의 내용연수표	영업권	5년
		특허권	7년
		어업권	10년
		광업권	20년
		댐사용권	50년
별표5	건축물 등의 기준 내용연수 및 내용연수범위표	차량 · 운반구, 공구, 기구 및 비품	5년 (4년~6년)
		선박 및 항공기	12년 (9년~15년)
		연와조 · 블록조 · 콘크리트조 등 건물과 구축물	20년 (15년~25년)
		철골 · 철골콘크리트조 · 석조 등 건물과 구축물	40년 (30년~50년)
별표6	업종별 자산	업종별로 내용연수를 규정	4년~20년 (3년~25년)

① **기준내용연수와 신고내용연수:** 「법인세법」에서 규정하고 있는 내용연수를 기준내용연수라고 한다. 신고내용연수는 기준내용연수의 25% 가감한 범위 내에서 신고한 내용연수를 말한다.

내용연수의 신고는 영업개시일이 속하는 사업연도의 법인세 과세표준 신고기한(각 사업연도 종료일이 속하는 달의 말일부터 3개월 이내)까지 하여야 한다. 내용연수의 신고는 연단위로 하여야 하며 법인이 신고한 내용연수는 그 후 사업연도에 있어서도 계속해서 적용하여야 한다.

㉠ **건축물 등과 업종별자산:** 건축물 등(별표5)과 업종별 자산(별표6)의 경우에는 내용연수의 범위(기준내용연수 ± 25%) 내에서 법인이 선택하여 납세지 관할세무서장에게 신고한 내용연수에 따른 상각률을 적용한다. 다만, 기한 내 신고하지 않은 경우에는 기준내용연수에 따른 상각률을 적용한다.

㉡ **시험연구용자산과 무형자산:** 개발비 · 사용수익기부자산가액 · 주파수이용권 · 공항시설관리권 · 항만시설관리권은 제외한 시험연구용자산(별표2)과 무형자산(별표3)의 경우에는 규정된 내용연수에 따른 상각률을 적용한다. 내용연수 범위 내에서 선택하는 것이 아니라 내용연수를 그대로 적용하는 것이다.

사례로 이해 UP ↗

신고내용연수

1. 기준내용연수 10년
2. 신고내용연수 범위 8년~12년(7.5년은 선택할 수 없음)

➕ 심화 | 내용연수

신고한 내용연수(무신고는 기준내용연수)는 그 후 사업연도에도 계속하여 적용하여야 한다. 다만, 다음의 경우에는 새로운 내용연수를 선택하여 다음의 날이 속하는 사업연도의 법인세 과세표준 신고기한까지 신고하여야 한다.
1. 자산별 · 업종별 구분에 의한 기준내용연수가 다른 자산을 새로 취득한 경우
2. 새로운 업종의 사업을 개시한 경우

---

② **내용연수의 특례 및 변경:** 다음의 어느 하나에 해당하는 경우에는 기준내용연수의 50%를 가감한 범위 내에서 사업장별로 납세지 관할지방국세청장의 승인을 얻어 50%(㉢과 ㉣의 경우에는 25%를 가감한 범위) 가감한 범위 내에서 내용연수를 적용하거나 변경하여 적용할 수 있다. 내용연수를 변경(재변경 포함)한 법인이 해당 자산의 내용연수를 다시 변경하고자 하는 경우에는 변경한 내용연수를 최초로 적용한 사업연도 종료일부터 3년이 경과하여야 한다.

○ 사업장의 특성으로 자산의 부식·마모 및 훼손의 정도가 현저한 경우

○ 영업개시 후 3년이 경과한 법인으로서 해당 사업연도의 생산설비(건축물은 제외)의 가동률이 직전 3개 사업연도의 평균가동률보다 현저히 증가한 경우

○ 새로운 생산기술 및 신제품의 개발·보급 등으로 기존 생산설비의 가속상각이 필요한 경우

○ 경제적 여건의 변동으로 조업을 중단하거나 생산설비의 가동률이 감소한 경우

○ 건축물과 업종별 자산에 해당하는 감가상각자산에 대하여 국제회계기준을 최초로 적용하는 사업연도에 결산내용연수를 변경하는 경우(결산내용연수가 연장된 경우 내용연수를 연장하고 결산내용연수가 단축된 경우 내용연수를 단축하는 경우만 해당하되 내용연수를 단축하는 경우에는 결산내용연수보다 짧은 내용연수로 변경할 수 없음)

○ 건축물과 업종별 자산에 해당하는 감가상각자산에 대한 기준내용연수가 변경된 경우. 다만, 내용연수를 단축하는 경우로서 결산내용연수가 변경된 기준내용연수의 25%를 가감한 범위 내에 포함되는 경우에는 결산내용연수보다 짧은 내용연수로 변경할 수 없다.

⊞ 심화 | 특례내용연수 승인신청

특례내용연수의 승인 또는 변경승인의 신청은 다음의 기한 내에 납세지 관할세무서장을 거쳐 관할지방국세청장에게 하여야 한다.

1. **특례내용연수 승인신청기한**
   ① 신설법인과 새로 수익사업을 개시한 비영리내국법인의 경우에는 그 영업을 개시한 날부터 3개월이 되는 날까지 신청하여야 한다.
   ② 자산별·업종별 구분에 의한 기준내용연수가 다른 자산을 새로 취득하거나 새로운 업종의 사업을 개시한 경우에는 그 취득한 날 또는 개시한 날부터 3개월이 되는 날까지 신청해야 한다.
2. **특례내용연수 변경승인신청기한**: 변경할 내용연수를 적용하고자 하는 최초사업연도의 종료일까지 신청하여야 한다.
3. **관할세무서장의 통지**: 신청서를 접수한 납세지 관할세무서장은 신청서의 접수일이 속하는 사업연도 종료일부터 1개월 이내에 관할지방국세청장으로부터 통보받은 승인 여부에 관한 사항을 통지하여야 한다.

---

③ 수정내용연수

○ 내국법인이 기준내용연수(해당 내국법인에게 적용되는 기준내용연수)의 50% 이상이 경과된 중고자산을 다른 법인 또는 개인사업자로부터 취득(합병·분할에 의하여 자산을 승계한 경우 포함)한 경우에는 내용연수를 수정하여 적용할 수 있다.

ⓒ 수정내용연수는 그 자산의 기준내용연수와 기준내용연수의 50%에 상당하는 연수의 범위 내에서 선택하여 납세지 관할세무서장에게 신고한 내용연수를 수정내용연수로 한다. 이러한 수정내용연수 계산시 1년 미만은 없는 것으로 한다.

⊞ 심화 │ 내용연수변경신청서 제출기한

수정내용연수는 법인이 다음의 기한 내에 내용연수변경신고서를 제출한 경우에 한하여 적용한다.
1. **중고자산을 취득한 경우:** 취득일이 속하는 사업연도의 법인세 과세표준 신고기한
2. **합병·분할로 승계한 자산의 경우:** 합병·분할등기일이 속하는 사업연도의 법인세 과세표준 신고기한

---

(5) 특별한 경우의 계산

① **신규취득의 경우:** 사업연도 중에 취득하여 사업에 사용한 감가상각자산에 대한 상각범위액은 사업에 사용한 날부터 해당 사업연도 종료일까지의 월수에 따라 월할 계산한다. 이 경우 월수는 초일을 산입하여 역에 따라 계산하되, 1개월 미만의 일수는 1개월로 한다.

> **사례로 이해 UP**
>
> 7월 10일에 10억 원의 건물(정액법)을 취득하고 내용연수가 10년인 경우 상각범위액 계산은 10억 원 × 1/10 × 6/12 = 5천만 원으로 계산한다.

② **정관 등에 의한 사업연도가 1년 미만인 경우:** 정관 등에 정하는 정상적인 사업연도가 1년 미만인 경우에는 다음과 같이 환산한 내용연수에 의한 상각률을 적용하여 상각범위액을 계산한다. 이 경우 월수는 역에 따라 계산하되 1개월 미만의 일수는 1개월로 한다.

$$환산내용연수 = 본래의\ 내용연수 \times \frac{12}{사업연도의\ 월수}$$

> **사례로 이해 UP**
>
> 사업연도가 1월 1일부터 6월 30일인 법인이 내용연수가 10년인 건물을 취득한 경우 환산내용연수는 10년 × 12/6 = 20년을 적용한다.

③ **일시적으로 사업연도가 1년 미만이 된 경우:** 사업연도의 변경 및 사업연도의 의제규정에 따라 사업연도가 일시적으로 1년 미만이 된 경우에는 다음과 같이 상각범위액을 계산한다. 이 경우 월수는 역에 따라 계산하되 1개월 미만의 일수는 1개월로 한다.

$$사업연도가\ 1년인\ 경우의\ 상각범위액 \times \frac{해당\ 사업연도\ 월수}{12}$$

④ **자본적 지출:** 사업연도 중에 감가상각자산에 대한 자본적 지출이 있는 경우에는 자본적 지출이 발생한 후의 월수를 고려하지 않고 감가상각자산의 기초금액에 합산하여 해당 사업연도 전체 기간에 대하여 상각범위액을 계산한다. 즉, 사업연도 중에 자본적 지출이 발생하더라도 월할상각하지 않고 기초부터 발생한 것으로 보아 상각범위액으로 계산한다.

⑤ **감가상각방법을 변경한 경우:** 상각방법을 변경한 경우에 상각범위액은 다음 산식에 의한다. 이 경우 상각률은 당초 신고내용연수(기준내용연수)를 의미하므로 경과된 기간은 고려하지 않고 계산한다.

㉠ 정률법 또는 생산량비례법을 정액법으로 변경하는 경우

$$\left(\begin{array}{c}\text{감가상각누계액을}\\\text{공제한 장부가액}\end{array} + \begin{array}{c}\text{전기이월}\\\text{상각부인누계액}\end{array}\right) \times \begin{array}{c}\text{신고내용연수 또는}\\\text{기준내용연수에 따른}\\\text{정액법 상각률}\end{array}$$

㉡ 정액법 또는 생산량비례법을 정률법으로 변경하는 경우

$$\left(\begin{array}{c}\text{감가상각누계액을}\\\text{공제한 장부가액}\end{array} + \begin{array}{c}\text{전기이월}\\\text{상각부인누계액}\end{array}\right) \times \begin{array}{c}\text{신고내용연수 또는}\\\text{기준내용연수에 따른}\\\text{정률법 상각률}\end{array}$$

㉢ 정률법 또는 정액법을 생산량비례법으로 변경하는 경우

$$\left(\begin{array}{c}\text{감가상각}\\\text{누계액을}\\\text{공제한}\\\text{장부가액}\end{array} + \begin{array}{c}\text{전기이월}\\\text{상각부인}\\\text{누계액}\end{array}\right) \times \left(\dfrac{\text{해당 사업연도의}\ \text{채굴량}}{\text{총채굴}\ \text{예정량} - \dfrac{\text{변경 전 사업연도까지의}}{\text{총채굴량}}}\right)$$

3 즉시상각의제

1. 개념

법인이 감가상각자산을 취득하기 위하여 지출한 금액과 감가상각자산에 대한 자본적 지출에 해당하는 금액을 손비로 계상한 경우에는 이를 감가상각한 것으로 보아 상각범위액을 계산한다.

> **➕ 심화 | 손상차손**
>
> 감가상각자산이 진부화·물리적 손상 등에 따라 시장가치가 급격히 하락하여 법인이 기업회계기준에 따라 손상차손을 계상한 경우에는 해당 금액을 감가상각비로 보아 감가상각시부인 계산을 한다. 다만, 천재지변 등으로 인한 경우에는 전액 손금으로 인정한다.

2. 특례

다음의 경우에는 감가상각자산을 사업에 사용한 날이 속하는 사업연도 손비로 계상한 경우에 한하여 해당 금액을 손금으로 인정한다. 즉, 감가상각시부인 계산을 하지 않고 손금으로 인정된다는 것이다.

(1) 소액자산의 취득가액

취득가액이 거래단위별로 100만 원 이하인 감가상각자산으로 그 자산을 사업에 사용한 사업연도의 손비로 계상한 경우에 손금에 산입한다. 다만, 다음의 자산은 즉시상각의제로 보아 감가상각시부인 계산을 하여야 한다.

① 그 고유업무의 성질상 대량으로 보유하는 자산
② 그 사업의 개시 또는 확장을 위하여 취득한 자산

(2) 어구 등의 취득가액

다음 중 그 자산을 사업에 사용한 사업연도의 손비로 계상한 경우에 손금에 산입한다.

① 어업에 사용되는 어구
② 영화필름, 공구(금형 제외), 가구, 전기기구, 가스기기, 가정용 기구 · 비품, 시계, 시험기기, 측정기기 및 간판
③ 대여사업용 비디오테이프 및 음악용 콤팩트디스크로서 개별자산의 취득가액이 30만 원 미만인 것
④ 전화기(휴대용 전화기 포함) 및 개인용 컴퓨터(그 주변기기 포함)

(3) 소액수선비

각 사업연도에 지출한 수선비(자본적지출에 해당하는 수선비)로서 다음의 어느 하나에 해당하는 경우에는 지출한 사업연도의 손비로 계상한 경우에 자본적지출로 보지 않고 손금에 산입한다.

① 개별자산별로 수선비로 지출한 금액이 600만 원 미만인 경우
② 개별자산별로 수선비로 지출한 금액이 직전사업연도 종료일 현재 재무상태표상의 자산가액의 5%에 미달하는 경우
③ 3년 미만의 기간마다 주기적인 수선을 위하여 지출하는 경우

(4) 생산설비의 폐기손실

시설개체 또는 기술낙후로 인하여 생산설비의 일부를 폐기한 경우 해당 자산의 장부가액에서 1,000원을 공제한 금액을 폐기일이 속하는 사업연도의 손금에 산입할 수 있다.

(5) 사업의 폐지 또는 사업장의 이전

사업의 폐지 또는 사업장의 이전으로 임대차계약에 따라 임차한 사업장의 원상회복을 위하여 시설물을 철거하는 경우 해당 자산의 장부가액에서 1,000원을 공제한 금액을 폐기일이 속하는 사업연도의 손금에 산입할 수 있다.

4 상각부인액의 사후관리

1. 양도한 경우

(1) 전체를 양도한 경우

감가상각자산을 양도한 경우에는 해당 자산의 상각부인액은 양도일이 속하는 사업연도의 손금에 산입한다.

(2) 일부를 양도한 경우

감가상각자산의 일부를 양도하는 경우에는 상각부인액 중에서 다음에 따른 양도부분(취득가액 비율)이 차지하는 비율만큼 손금에 산입한다.

$$
\text{해당 감가상각자산} \atop \text{전체 상각부인액} \times \frac{\text{양도부분의 취득가액}}{\text{해당 감가상각자산의 전체 취득가액}}
$$

2. 평가증한 자산의 경우

(1) 법인이 감가상각자산을 「보험업법」이나 그 밖의 법률에 따라 감가상각자산의 장부가액을 평가증한 경우 해당 감가상각자산의 상각부인액은 평가증금액까지 손금으로 추인하고 평가증의 한도를 초과하는 금액은 이를 그 후의 사업연도에 이월할 상각부인액으로 한다. 이 경우 시인부족액은 소멸하는 것으로 한다.

(2) 법인이 감가상각자산에 대하여 감가상각과 평가증을 병행한 경우에는 먼저 감가상각을 한 후 평가증을 한 것으로 보아 상각범위액을 계산한다.

5 감가상각의제

1. 개념

(1) 각 사업연도의 소득에 대하여 법인세가 면제되거나 감면되는 사업을 영위하는 법인으로서 법인세를 면제받거나 감면받은 경우에는 손금에 산입하는 개별자산에 대한 감가상각비가 상각범위액이 되도록 감가상각비를 손금으로 계상하거나 손금에 산입하여야 한다.

(2) 손금으로 계상하거나 손금에 산입한 감가상각비가 상각범위액에 미달한 법인은 그 후 사업연도의 상각범위액 계산의 기초가 될 자산의 가액에서 그 감가상각비에 상당하는 금액을 공제한 잔액을 기초가액으로 하여 상각범위액을 계산한다.❶

📖 **기출 OX**

내국법인이 감가상각자산에 대하여 감가상각과 「법인세법」 제42조 제1항 제1호에 따른 평가증을 병행한 경우에는 먼저 감가상각을 한 후 평가증을 한 것으로 보아 상각범위액을 계산한다. (○)

19. 7급

❶ **정률법에 미치는 효과**

감가상각의제를 적용하는 법인은 결산서에 감가상각비를 계상하지 않더라도 상각범위액만큼 감가상각비가 있는 것으로 보아 손금산입을 적용한다. 따라서 미상각잔액에 상각률을 곱해서 상각범위액을 계산하는 정률법의 경우는 감가상각의제규정을 적용받은 다음 사업연도의 미상각잔액이 감소되므로 상각범위액에 영향을 미치게 된다.

2. 신고조정

감가상각의제의 경우는 일반적인 감가상각비와 달리 감가상각범위액에 미달하는 것을 허용하지 않고 강제적으로 범위액까지 상각하여야 한다는 것이다(신고조정).

3. 적용요건

감가상각의제를 적용하기 위하여서는 다음의 요건을 모두 충족하여야 한다.

(1) 법인이 각 사업연도 소득에 대하여 법인세가 면제되거나 감면되는 사업을 영위하여야 한다.

(2) 실제로 법인세를 면제 또는 감면받아야 한다. 따라서 법인세가 면제·감면되는 사업을 영위하는 법인이라도 결손 또는 면제요건의 불비 등으로 법인세를 면제 또는 감면받지 못한 경우에는 감가상각의제규정을 적용하지 않는다.

4. 추계결정·경정의 경우

추계결정 또는 경정을 하는 경우에는 감가상각자산에 대한 감가상각비를 손금에 산입한 것으로 본다.

참고

한국채택국제회계기준 적용에 따른 감가상각비 손금산입

1. **개념**: 한국채택국제회계기준 도입에 따른 감가상각방법의 변경이나 내용연수의 변경으로 감가상각비가 과소계상되는 경우 법인세가 급증하는 것을 방지하기 위하여 본래의 감가상각비와 국제회계기준에 따른 감가상각비와의 차이를 신고조정으로 손금산입을 해주는 것을 말한다.
2. **신고조정에 의한 손금산입 대상**: 한국채택국제회계기준 도입 법인이 보유한 유형자산과 법에 정한 무형자산을 대상으로 한다. 무형자산이란 다음의 것을 말한다.
   ① 감가상각비를 손금으로 계상할 때 적용하는 결산내용연수를 확정할 수 없는 것으로서 법에 정한 요건을 갖춘 무형자산
   ② 한국채택국제회계기준으로 최초로 적용하기 전에 취득한 영업권
3. **신고조정 방법**: 다음에 따른 금액이 국제회계기준에 따른 상각범위액의 범위에서 손금인정된 금액보다 큰 경우에는 그 차액을 신고조정으로 손금산입할 수 있다.
   ① 2013년 12월 31일 이전 취득분(종전감가상각비): 국제회계기준을 적용하지 않고 종전 방식에 따라 감가상각비를 계상한 경우 상각범위액의 범위에서 손금으로 인정될 감가상각비금액
   ② 2014년 1월 1일 이후 취득분(기준감가상각비): 개별자산별로 기준내용연수를 적용하여 계산한 감가상각비 상당액

2 지급이자

1 개요

1. 지급이자(이자비용)는 순자산을 감소시키므로 손금으로 산입한다. 다만, 다음의 경우는 손금에 산입하지 않는다.

부인순서	구분	소득처분
1순위	채권자불분명 사채이자	대표자 상여
2순위	비실명 채권·증권 이자	(원천징수금액은 기타사외유출)
3순위	건설자금이자	유보
4순위	업무무관자산 등에 대한 지급이자	기타사외유출

2. 「국제조세조정에 관한 법률」에 의하여 과소자본세제로 인한 지급이자손금불산입 규정, 소득대비 과다이자비용 손금불산입, 혼성금융상품 거래에 따라 발생하는 이자비용 손금불산입이 적용되는 경우에는 그 규정을 위의 「법인세법」에 의한 지급이자손금불산입 규정보다 우선하여 적용한다.

2 손금불산입 대상 지급이자

1. 채권자가 불분명한 사채이자

(1) 대상

채권자가 불분명한 사채이자는 다음의 차입금에 대한 이자를 말하며, 거래일 현재 주민등록표에 의하여 그 거주사실 등이 확인된 채권자가 차입금을 변제받은 후 소재불명이 된 경우에는 그 이자를 채권자가 불분명한 사채이자로 보지 않는다. 채권자가 불분명한 사채이자는 직접적으로 지급한 이자는 물론이고, 알선수수료·사례금 등의 명목 여하를 불구하고 해당 사채를 차입하고 지급하는 금품을 포함한다.

① 채권자의 주소 또는 성명을 확인할 수 없는 차입금

② 채권자의 능력 및 자산상태로 보아 금전을 대여한 것으로 인정할 수 없는 차입금

③ 채권자와의 금전거래사실 및 거래내용이 불분명한 차입금

(2) 소득처분

사채이자에 대한 금액은 손금불산입 대표자에 대한 상여로 처분하고 지급이자에 대한 원천징수세액은 기타사외유출로 처분한다.

2. 비실명 채권·증권의 이자(지급받은 자가 불분명한 채권·증권의 이자·할인액)

(1) 채권과 증권의 발행법인이 채권 또는 증권의 이자·할인액을 직접 지급하는 경우에 그 지급사실이 객관적으로 인정되지 아니하는 채권 또는 증권의 이자를 말한다.

(2) 지급이자는 손금불산입 대표자 상여로 처분하고 지급이자에 대한 원천징수세액은 손금불산입하고 기타사외유출로 처분한다.

> **사례로 이해 UP**
>
> **A법인이 채권자가 불분명한 사채이자를 1억 원을 지급하는 경우**
>
> 1. **사례1:** 원천징수세액이 없는 경우
>   ⇨ 손금불산입 1억 원 상여
> 2. **사례2:** 원천징수세액으로 1억 원 중 1천만 원을 납부한 경우
>   ⇨ 손금불산입 9천만 원 상여, 손금불산입 1천만 원 기타사외유출

3. 건설자금이자

(1) 개념❶

① 건설자금이자란 사업용 유형자산과 무형자산의 매입·제작·건설에 소요된 차입금에 대하여 그 자산의 건설 등의 과정에서 발생한 이자를 말한다.

② 사업용 유형·무형자산의 건설 등에 소요된 것이 분명한 특정차입금에 대한 지급이자는 자산의 원가에 가산하여 계산한다. 이러한 특정차입금❷ 외의 일반차입금❸이자는 자산의 원가에 가산하거나 당기의 손금으로 계상하는 것 중 선택할 수 있다.

┌ **참고**

기업회계와 비교

구분	기업회계	세법
자본화대상	적격자산 (재고자산·유형자산·무형자산·투자부동산 등)	사업용 자산 (유형자산·무형자산)
특정차입금	자본화	자본화
일반차입금	자본화	자본화 또는 손금 선택

(2) 계산

① 특정차입금에 대한 지급이자는 건설기간 또는 매입기간·제작기간 중에 발생한 차입금이자만 자본화 대상이 되며 건설 등이 준공된 후에 남은 차입금에 대한 이자는 손금에 산입하는 것이다.

② 특정차입금의 이자는 건설 등이 준공된 날❹까지 자본적 지출로 하여 그 취득원가에 가산한다. 다만, 특정차입금의 일시예금에서 생기는 수입이자는 원본에 가산하는 자본적 지출금액에서 차감한다.

---

❶

「법인세법」에서는 사업용 유형자산과 무형자산에 대하여만 건설자금이자를 인정하고 있다. 따라서 투자부동산이나 재고자산에 대한 지급이자는 건설자금이자에 해당하지 않는다.

❷ 특정차입금

사업용 유형자산과 무형자산의 건설 등에 사용하기 위한 목적으로 차입한 자금을 말한다.

❸ 일반차입금

일반적인 목적으로 차입한 자금을 말한다.

❹ 준공된 날

1. **토지:** 대금청산일과 사용개시일(건설 착공일 또는 토지업무사용일) 중 빠른 날
2. **건축물:** 취득일과 사용개시일 중 빠른 날
3. **기타:** 사용개시일

③ 특정차입금의 일부를 운영자금으로 전용한 경우에는 자산의 건설 등과 무관하므로 그 차입금에 대한 지급이자는 손금에 산입한다.

④ 차입한 건설자금의 연체로 인하여 생긴 이자를 원본에 가산한 경우에는 그 가산한 금액은 이를 해당 사업연도의 자본적 지출로 하고 그 원본에 가산한 금액에 대한 지급이자는 이를 손금으로 한다.

(3) 일반차입금

건설자금이자 중 일반차입금이자는 취득원가에 산입하거나 당기 손금산입 중 선택할 수 있다.

(4) 특정차입금이자 세무조정

① 비상각자산

㉠ 취득원가를 이자비용으로 계상한 경우: 특정차입금에 대한 건설자금이자를 비용으로 계상한 경우에는 손금불산입(유보)으로 처분하고 추후 처분시에 손금산입(△유보)으로 추인한다.

㉡ 이자비용을 취득원가로 계상한 경우: 특정차입금에 대한 이자비용을 취득원가로 과대계상한 경우에는 손금산입(△유보)으로 처분하고 추후 처분시에 손금불산입(유보)으로 추인한다.

② 상각자산

㉠ 이자비용을 취득원가로 계상한 경우: 특정차입금에 대한 이자비용을 취득원가로 과대계상한 경우에는 손금산입(△유보)으로 처분하고 추후 처분시에 손금불산입(유보)으로 추인한다.

㉡ 취득원가를 이자비용으로 계상한 경우

ⓐ 건설 중인 경우: 감가상각자산에 대한 건설자금이자를 비용으로 처리한 경우에는 손금불산입(유보)으로 한다. 그 후 해당 자산의 건설이 완료된 후 감가상각비의 시인부족액이 발생하는 경우 건설 중인 자산에 손금불산입한 금액을 상각부인액으로 보아 손금산입으로 추인한다.

ⓑ 건설이 완료된 경우: 건설자금이자를 이자비용으로 계상한 경우에는 즉시상각의제로 보아 감가상각시부인 계산을 한다.

기출 OX

건설자금에 충당한 차입금의 일시예금에서 생기는 수입이자는 원본에 가산하는 자본적 지출금액에서 차감한다. (○)

09. 7급

4. 업무무관자산 등에 대한 지급이자

(1) 개념

업무무관자산 등은 해당 법인의 업무와 직접적으로 관련이 없다고 인정되는 자산(동산이나 부동산)이나 업무무관가지급금을 말한다. 이러한 업무무관자산 등이 있는 경우 차입금의 이자비용 중에서 법에서 정한 일정금액을 손금으로 인정하지 않는다.

(2) 업무무관자산의 범위

업무에 사용하지 않는 부동산과 동산은 취득가액으로 평가한다. 다만, 취득가액 중 특수관계인으로부터 시가를 초과하여 매입한 경우로 고가매입으로 인한 부당행위계산의 부인규정에 해당하는 경우는 해당 자산의 시가초과액을 포함한 가액으로 한다(업무무관자산의 범위는 손금과 손금불산입 부분의 업무무관자산을 참고).

(3) 특수관계인에 대한 업무무관가지급금

① 범위: 업무무관가지급금은 명칭 여하를 불구하고 해당 법인의 업무와 관련이 없이 특수관계인에 대한 자금의 대여액(금융회사 등의 경우 주된 수익사업으로 볼 수 없는 자금의 대여액을 포함)을 말한다. 이러한 업무무관가지급에 대한 손금불산입 규정은 적정이자의 수령 여부에 상관없이 적용한다.

② 동일인에 대한 가지급금과 가수금의 상계: 동일인에 대한 가지급금 등과 가수금이 함께 있는 경우에는 이를 상계한 금액으로 하되 가지급금 등과 가수금의 발생 시에 각각 상환기간 및 이자율 등에 관한 약정이 있어 상계할 수 없는 경우에는 상계하지 않는다.

> **참고**
>
> **업무무관가지급금에서 제외되는 금액**
>
> 다음의 금액은 업무무관가지급금으로 보지 않는다.
> 1. 직원에 대한 월정급여액의 범위 내에서의 일시적인 급료의 가불금
> 2. 직원에 대한 경조사비의 대여액
> 3. 직원(자녀 포함)에 대한 학자금 대여액
> 4. 「소득세법」상 지급시기의제규정❶에 의하여 지급한 것으로 보는 배당소득 및 상여금에 대한 소득세를 법인이 대납하고 이를 가지급금으로 계상한 금액
> 5. 정부의 허가를 받아 국외에 자본을 투자한 내국법인이 해당 국외 투자법인에 종사하거나 종사할 자의 여비·급료 기타 비용을 대신 부담하고 이를 가지급금 등으로 계상한 금액
> 6. 법인이 우리사주조합 또는 그 조합원에게 해당 우리사주조합이 설립된 회사의 주식취득에 소요되는 자금을 대여한 금액
> 7. 「국민연금법」에 의하여 근로자가 지급받은 것으로 보는 퇴직금전환금
> 8. 익금산입액에 대한 귀속이 불분명하여 대표자에 대한 상여로 소득처분한 금액에 대한 소득세를 법인이 납부하고 이를 가지급금으로 계상하는 금액
> 9. 한국자산관리공사가 출자총액의 전액을 출자하여 설립한 법인에 대여한 금액
> 10. 중소기업의 직원(지배주주 등 제외)에 대한 주택구입·전세자금대여금

❶ 지급시기의제규정

「소득세법」상 원천징수 지급시기의제규정은 법인이 이익 또는 잉여금의 처분에 의한 배당소득 또는 상여를 그 처분을 결정한 날로부터 3개월이 되는 날까지 지급하지 아니한 때에는 그 3개월이 되는 날에 배당소득 또는 상여를 지급한 것으로 보아 원천징수를 하도록 하는 규정을 말한다.

(4) 계산

① 업무무관자산 등에 대한 지급이자손금불산입 대상이 되는 이자비용은 전체 지급이자에서 이미 부인된 손금불산입액을 제외한 지급이자비용을 그 대상으로 한다.

② 다음 산식에 따른 업무무관자산 등에 대한 지급이자 손금불산입액은 기타 사외유출로 소득처분한다.

$$\text{손금불산입액} = \text{지급이자}^{❶} \times \frac{\text{업무무관자산가액적수} + \text{가지급금적수}^{❷}}{\text{차입금적수}}$$

> **참고**
>
> **지급이자의 범위**
>
> | 지급이자에 포함되는 것 | 지급이자에 포함하지 않는 것 |
> | --- | --- |
> | ① 금융어음 할인료 | ① 상업어음 할인료(매각거래에 해당하는 경우) |
> | ② 사채할인발행차금상각액 | ② 현재가치할인차금상각액 · 연지급수입이자 |
> | ③ 금융리스의 리스료 | ③ 선급이자 |
> | ④ 미지급이자계상액 | ④ 기업구매자금대출이자 |
> | ⑤ 사채이자(社債이자 · 私債이자) | ⑤ 운용리스료 |

❶
지급이자
=총지급이자−(채권자불분명 사채이자, 비실명 채권 · 증권이자, 건설자금이자)

❷
분자금액은 분모금액을 초과할 수 없다.

01 법인세법령상 건설자금에 충당한 차입금의 이자에 대한 설명으로 옳지 않은 것은?

2020년 7급

① 특정차입금에 대한 지급이자는 건설 등이 준공된 날까지 이를 자본적 지출로 하여 그 원본에 가산하되, 특정차입금의 일시예금에서 생기는 수입이자는 원본에 가산하는 자본적 지출금액에서 차감한다.

② 특정차입금의 일부를 운영자금에 전용한 경우에는 그 부분에 상당하는 지급이자는 이를 손금으로 한다.

③ 특정차입금의 연체로 인하여 생긴 이자를 원본에 가산한 경우 그 가산한 금액은 이를 해당 사업연도의 자본적 지출로 하고, 그 원본에 가산한 금액에 대한 지급이자는 이를 손금으로 한다.

④ 건설자금에 충당한 차입금의 이자에서 특정차입금에 대한 지급이자를 뺀 금액으로서 대통령령으로 정하는 금액은 내국법인의 각 사업연도의 소득금액을 계산할 때 손금에 산입해야 한다.

01
건설자금에 충당한 차입금의 이자에서 특정차입금에 대한 지급이자를 뺀 금액으로서 대통령령으로 정하는 금액은 내국법인의 각 사업연도의 소득금액을 계산할 때 손금에 산입하지 아니할 수 있다. 즉, 손금산입과 자산원에 가산하는 것 중 선택할 수 있다(일반차입금 이자).

02 법인세법령상 내국법인의 감가상각에 대한 설명으로 옳지 않은 것은?

2020년 7급

① 법인이 손비로 계상한 감가상각비가 2,000만 원이고 상각범위액이 2,400만 원인 경우, 그 차액에 해당하는 400만 원은 그 후 사업연도의 상각부인액에 충당한다.

② 내국법인이 감가상각자산을 취득하기 위하여 지출한 금액을 손비로 계상한 경우에는 해당 사업연도의 소득금액을 계산할 때 감가상각비로 계상한 것으로 보아 상각범위액을 계산한다.

③ 법인이 감가상각자산에 대하여 감가상각과 평가증을 병행한 경우에는 먼저 감가상각을 한 후 평가증을 한 것으로 보아 상각범위액을 계산한다.

④ 법인이 각 사업연도에 개별자산별로 수선비로 지출한 금액이 600만 원 미만인 경우로서 그 수선비를 해당 사업연도의 손비로 계상한 경우에는 자본적 지출에 포함하지 않는다.

02
시인부족액은 다음 사업연도로 이월되지 않는다. 따라서 그 후 사업연도의 상각부인액에 충당할 수 없다.

03 「법인세법」상 내국법인 ㈜C는 제9기에 건물의 일부(취득 당시의 장부가액 3,000,000원)를 양도하였는데, 양도직전 건물 전체에 관한 자료는 다음과 같다. 제9기에 양도한 건물에 대한 세무조정으로 옳은 것은? 2016년 9급

> (1) 건물 전체의 취득 당시의 장부가액: 15,000,000원
> (2) 건물 전체의 감가상각누계액: 7,000,000원
> (3) 건물 전체의 상각부인액: 2,500,000원

① 익금산입 500,000원(유보)
② 손금산입 500,000원(△유보)
③ 익금산입 2,500,000원(유보)
④ 손금산입 2,500,000원(△유보)

03
• 2,500,000 × (3,000,000/15,000,000)
  = 500,000원
• 손금산입 500,000원(△유보)

04 다음 자료에 의하여 ㈜서울의 제2기(2023년 7월 1일부터 12월 31일까지)의 기계장치에 대한 감가상각범위액을 계산하면 얼마인가? (단, ㈜서울의 사업연도는 6개월임) 2015년 9급

> • 취득가액: 50,000,000원
> • 취득일자: 2023년 10월 1일
> • 신고내용년수: 5년
> • 감가상각방법: 정액법

① 2,500,000원   ② 3,000,000원
③ 4,500,000원   ④ 5,000,000원

04
• 환산내용연수 5년 × 12/6 = 10년
• 50,000,000 × 1/10 × 3/6 = 2,500,000원

05 다음의 자료는 특정자산에 대한 감가상각과 관련된 것이다. 자료를 이용하여 세무조정을 할 경우 옳은 것은? (단, 국제회계를 적용받지 않는 법인으로 가정한다)

2014년 9급

> • 전기 말까지 감가상각비 부인누계액 1,000,000원
> • 당기 중 감가상각비 범위액 1,500,000원
> • 당기 중 회사계상 감가상각비 1,200,000원

① 감가상각비 부인누계액 중 300,000원은 손금산입하고, 나머지 700,000원은 다음 사업연도로 이월한다.
② 당기 감가상각비 시인부족액 300,000원은 소멸하고, 감가상각비 부인누계액 1,000,000원은 다음 사업연도로 이월한다.
③ 감가상각비 부인누계액 1,000,000원은 소멸하고, 당기 감가상각비 시인부족액 300,000원은 다음 사업연도로 이월한다.
④ 감가상각비 부인누계액 1,000,000원과 감가상각비 시인부족액 300,000원은 각각 다음 사업연도로 이월한다.

05
전기까지의 상각부인액 1,000,000원 중 당기 시인부족액 300,000원의 범위 내에서 손금에 산입한다.

06 「법인세법」상 감가상각에 대한 설명으로 옳지 않은 것은?

2011년 9급

① 유휴설비는 감가상각자산에 포함하지 아니한다.
② 장기할부조건으로 매입한 자산의 경우 법인이 해당 자산의 가액 전액을 자산으로 계상하고 사업에 사용하는 경우에는 그 대금의 청산 또는 소유권의 이전 여부에 관계없이 이를 감가상각자산에 포함한다.
③ 금전 외의 무형자산을 지방자치단체에 기부한 후 그 자산을 사용하는 경우 당해 자산의 장부가액은 감가상각 대상이다.
④ 건설 중인 것은 감가상각자산에 포함하지 아니한다.

06
유휴설비는 감가상각자산에 해당한다.

07 ㈜A는 특수관계인인 ㈜B로부터 2023년 1월 1일 건물을 10억 원에 매입하였다. ㈜A가 다음과 같이 회계처리를 한 경우 2023년 세무조정(소득처분 포함)으로 옳은 것은? (단, ㈜A의 사업연도는 1월 1일~12월 31일임)

2011년 7급

- 건물의 시가는 불분명하고, 「상속세 및 증여세법」상 평가액은 8억 원이며, 「부동산가격공시 및 감정평가에 관한 법률」에 의한 감정평가법인의 감정가액은 7억 원임
  (차) 건물 10억   (대) 현금 및 현금성자산 10억
- 2022년 말 이 건물에 대해 감가상각비 1억 원(정액법, 신고내용년수 10년)을 계상함
  (차) 감가상각비 1억   (대) 감가상각누계액 1억

	건물시가초과액(손금산입)	고가매입(익금산입)	초과상각액(손금불산입)
①	2억 원, △유보	2억 원, 배당	2천만 원, 유보
②	2억 원, △유보	2억 원, 기타사외유출	2천만 원, 유보
③	3억 원, △유보	3억 원, 배당	3천만 원, 유보
④	3억 원, △유보	3억 원, 기타사외유출	3천만 원, 유보

07

1. 고가매입 부당행위계산의 부인 조정
   - 손금산입 건물 3억 원(△유보)
   - 익금산입 부당행위계산부인 3억 원 (기타사외유출)
2. 자산감액분에 대한 감가상각비
   - 회사 감가상각비: 1억 원
   - 세법상 감가상각범위액
     = 7억 원 × 10%
     = 7천만 원
   - 손금불산입 감가상각비한도초과액 3천만 원(유보)

---

08 「법인세법」상 해당 자산가액에 포함되어 감가상각 대상이 되는 항목으로 옳은 것은?

2010년 7급

① 특수관계인으로부터의 자산 취득 시 부당행위계산에 의한 시가초과액
② 장기할부조건으로 매입한 자산을 현재가치로 평가함에 따라 기업회계기준에 의해 계상한 현재가치 할인 차금
③ 지반침하를 방지하기 위해 기계장치에 직접적으로 연결된 기초공사를 수행함에 따른 비용
④ 재해를 입은 자산에 대한 외장의 복구비용

08

✔ 오답체크

①, ②, ④의 금액은 자산가액에 포함되지 않는다.

09 갑법인의 제3기 사업연도의 다음 자료에 의하여 감가상각비 시부인 계산을 한 후의 감가상각비에 대한 유보잔액은? (단, △는 시인부족액이며 국제회계적용법인은 아닌 것으로 가정한다)

2010년 7급

구분	건물	비품	기계장치	특허권
전기상각시부인액	△300,000원	△400,000원	600,000원	200,000원
회사상각액	1,200,000원	700,000원		900,000원
상각범위액	1,400,000원	500,000원	300,000원	800,000원
당기상각시부인액	△200,000원	200,000원	△300,000원	100,000원

① 500,000원

② 600,000원

③ 800,000원

④ 1,100,000원

09

1. 기초 유보
   600,000원+200,000원
   =800,000원
2. 당기 증감내역
   200,000원−300,000원+
   100,000원=0
   • 건물 0
   • 비품 200,000원
   • 기계장치 △300,000원(전기 부인액)
   • 특허권 100,000원
3. 기말 유보
   800,000원+0=800,000원

10 「법인세법」상 법인에게 귀속되는 지급이자의 손금불산입 사항이 다음에 열거한 항목들에게 동시에 발생하는 경우, 지급이자 손금불산입의 적용순서로 옳은 것은?

2010년 9급

> ㄱ. 건설자금에 충당한 자금의 이자
> ㄴ. 채권자가 불분명한 사채이자
> ㄷ. 업무무관 자산에 대한 지급이자
> ㄹ. 국외지배주주에게 지급하는 배당간주이자

① ㄱ → ㄴ → ㄷ → ㄹ

② ㄴ → ㄱ → ㄷ → ㄹ

③ ㄷ → ㄴ → ㄱ → ㄹ

④ ㄹ → ㄴ → ㄱ → ㄷ

10
「국세조세조정에 관한 법률」에 의한 과소자본세제에 따른 지급이자 손금불산입액은 「법인세법」의 다른 지급이자 손금불산입에 우선하여 적용한다.

11 「법인세법」상 건설자금에 충당한 차입금의 이자에 관한 설명으로 옳지 않은 것은?

2009년 7급

① 차입한 건설자금의 연체로 인하여 생긴 이자를 원본에 가산한 경우 그 가산한 금액은 이를 당해 사업연도의 자본적 지출로 하고, 그 원본에 가산한 금액에 대한 지급이자는 이를 손금으로 한다.

② 건설자금에 충당한 차입금의 일시예금에서 생기는 수입이자는 원본에 가산하는 자본적 지출금액에서 차감한다.

③ 차입한 건설자금의 일부를 운영자금에 전용한 경우에는 그 부분에 상당하는 지급이자는 이를 손금에 산입하지 아니한다.

④ 유형자산의 건설 등에 소요된지의 여부가 분명하지 아니한 일반차입금에 대한 지급이자는 이자비용으로 할 수 있다.

11
차입한 건설자금의 일부를 운영자금에 전용한 경우에는 그 부분에 상당하는 지급이자는 이를 손금에 산입한다.

12 「법인세법」상 감가상각에 관한 설명으로 옳지 않은 것은?

2007년 9급

① 당기에 법인세 감면을 받아 감가상각의 의제가 적용되는 법인이 감가상각비를 손금으로 계상하지 아니한 경우에는 차기에 정률법에 의한 상각범위액 계산에는 영향을 미치지 않는다.

② 상각부인액은 이후 사업연도에 법인이 감가상각비를 계상하지 않을 경우에도 상각범위액을 한도로 하여 손금으로 추인한다.

③ 개별 자산별로 수선비 지출액이 600만 원 미만인 경우 그 수선비를 당해 사업연도의 손금으로 계상한 경우에는 감가상각시부인 계산 없이 손금으로 인정한다.

④ 정액법에 의해 상각범위액을 계산함에 있어서 감가상각자산의 잔존가액은 '0'으로 한다.

12
당기에 법인세 감면을 받아 감가상각의 의제가 적용되는 법인이 감가상각비를 손금으로 계상하지 아니한 경우에는 차기에 정률법에 의한 상각범위액 계산에는 영향을 미친다.

13 「법인세법」상 감가상각비의 손금산입에 대한 설명으로 옳지 않은 것은?

2007년 9급

① 건물의 감가상각방법으로서는 정액법만이 인정된다.
② 당해 감가상각자산의 장부가액을 직접 감액하는 방법도 인정된다.
③ 취득 후 사용하지 않고 보관 중인 기계 및 장치도 감가상각자산에 해당한다.
④ 감가상각방법이 서로 다른 법인이 합병한 경우에는 감가상각방법을 변경할 수 있다.

14 법인세법령상 즉시상각의 의제에 대한 설명으로 옳지 않은 것은? 2022년 9급

① 법인이 개별자산별로 수선비로 지출한 금액이 600만 원 미만인 경우로서 그 수선비를 해당 사업연도의 손비로 계상한 경우에는 자본적 지출에 포함하지 않는다.
② 자본적 지출이란 법인이 소유하는 감가상각자산의 내용연수를 연장시키거나 해당 자산의 가치를 현실적으로 증가시키기 위하여 지출한 수선비를 말한다.
③ 재해를 입은 자산에 대한 외장의 복구 · 도장 및 유리의 삽입에 대한 지출은 자본적 지출에 포함한다.
④ 시설의 개체 또는 기술의 낙후로 인하여 생산설비의 일부를 폐기한 경우에는 해당 자산의 장부가액에서 1천 원을 공제한 금액을 폐기일이 속하는 사업연도의 손금에 산입할 수 있다.

15 「법인세법」 제28조의 규정에 의한 지급이자 손금불산입액 중 「자본금과 적립금 조정명세서(을)」표에 반영될 수 있는 것은? 〈2007년 9급〉

① 채권자가 불분명한 사채의 이자를 손금불산입한 경우
② 내국법인이 발행한 채권·증권의 이자를 지급받은 자가 불분명하여 손금불산입한 경우
③ 법인이 업무무관자산을 취득·보유함에 따라 지급한 차입금의 이자 중 법령이 정하는 바에 따라 계산한 지급이자를 손금불산입한 경우
④ 당기 말 현재에 건설 중인 유형자산의 건설자금에 충당한 차입금의 지급이자를 법인이 기간의 비용으로 계상함에 따라 손금불산입한 경우

16 법인세법령상 감가상각비에 대한 설명으로 옳지 않은 것은? 〈2023년 9급〉

① 건축물과 무형자산은 정률법 또는 정액법에 의하여 상각범위액을 계산한다.
② 상각부인액은 그 후의 사업연도에 해당 법인이 손비로 계상한 감가상각비가 상각범위액에 미달하는 경우에 그 미달하는 금액을 한도로 손금에 산입하며, 이 경우 법인이 감가상각비를 손비로 계상하지 않은 경우에도 상각범위액을 한도로 그 상각부인액을 손금에 산입한다.
③ 시인부족액은 그 후 사업연도의 상각부인액에 이를 충당하지 못한다.
④ 감가상각자산을 양도한 경우 당해 자산의 상각부인액은 양도일이 속하는 사업연도의 손금에 이를 산입한다.

09 충당금과 준비금

❶

「법인세법」에서 인정되는 충당금은 다음으로 한정된다. 따라서 「법인세법」에서 규정되지 않은 하자보수충당부채, 수선충당부채 등은 그 설정을 인정하지 않는다.
1. 퇴직급여충당금 및 퇴직연금충당금
2. 대손충당금
3. 구상채권상각충당금
4. 일시상각충당금 및 압축기장충당금

1 퇴직급여충당금과 퇴직연금충당금❶

1 퇴직급여충당금

1. 개요

(1) 법인이 각 사업연도에 임원이나 직원의 퇴직급여에 충당하기 위하여 퇴직급여충당금을 손금으로 계상한 경우에는 일정한 금액의 범위에서 손금에 산입한다.

(2) 퇴직급여충당금은 법인이 손비로 계상한 경우에만 인정되며 신고조정으로 손금산입하지 않는다. 다만, 퇴직연금충당금의 경우에는 강제신고조정사항이다.

2. 설정한도액

손금산입이 가능한 한도액은 다음과 같다.

> 손금산입 한도액=Min(①, ②)
> ① 총급여액 기준: 임원·직원의 총급여액 × 5%
> ② 추계액 기준: 퇴직급여추계액 × 0% − 세법상 퇴직급여충당금 잔액 + 기말퇴직금전환금❷

❷ 퇴직전환금

퇴직금전환금은 1999년 4월 1일부터 「국민연금법」에 따라 폐지되었으며 그 전까지 불입한 금액을 말한다.

(1) **총급여액 기준**

① 대상자: 퇴직급여 지급대상이 되는 임원·직원에게 지급한 총급여액을 말하며 1년 미만 근속자의 경우는 퇴직급여를 지급한다는 규정이 있는 경우에 포함한다. 그리고 확정기여형 퇴직연금이 설정된 자는 포함하지 않는다.

② 총급여액: 근로의 제공으로 인하여 받는 봉급·상여·수당과 이와 유사한 성질의 급여 총액을 말한다. 다만, 비과세 근로소득·손금불산입 인건비·인정상여·퇴직으로 인하여 받는 소득으로서 퇴직소득에 속하지 않는 소득·직무발명보상금은 제외한다.

❸

정관 등 규정에 따라 계산한 금액으로 하되 규정이 없는 경우 「근로자퇴직급여보장법」에 따라 계산한 금액으로 한다.

❹

다음 금액의 합계액으로 한다(손금불산입되는 임원퇴직급여 한도초과액 및 손금에 산입하는 확정기여형퇴직연금부담금은 제외).
1. 퇴직연금가입자의 보험수리적기준 추계액
2. 퇴직연금미가입자의 일시퇴직기준 추계액과 퇴직연금 가입자의 미가입기간 추계액의 합계액

(2) **추계액 기준**

> Max(①, ②)
> ① 일시퇴직기준 퇴직급여추계액❸
> ② 보험수리적기준 등 퇴직급여추계액❹

3. 퇴직급여 지급 시 처리방법[1]

(1) 현실적 퇴직의 경우

퇴직급여충당금과 상계하고 기초 퇴직급여충당금을 초과하여 지급하는 금액은 손금으로 처리한다.

(2) 비현실적 퇴직의 경우

현실적으로 퇴직하지 않은 임원 또는 직원에게 지급한 퇴직급여는 현실적으로 퇴직할 때까지 지급액을 업무무관 가지급금으로 본다.

(3) 현실적 퇴직한 임직원에게 미지급한 경우

손금의 귀속시기는 임직원이 현실적으로 퇴직한 날이므로 지급하지 않은 경우라도 퇴직급여충당금과 상계하고 미지급비용으로 처리한다.

4. 세무조정

회사의 퇴직급여충당금 설정액과 비교하여 한도액이 더 큰 경우에는 세무조정이 없으나 설정액이 한도액을 초과하는 경우 그 초과액은 손금불산입하고 유보로 처분한다.

5. 합병·분할의 경우 퇴지급여충당금의 승계

퇴직급여충당금을 손금에 산입한 내국법인이 합병 또는 분할한 경우 그 법인의 합병등기일이나 분할등기일 현재의 해당 퇴직급여충당금 중 합병법인·분할신설법인 또는 분할합병의 상대방법인에게 인계한 금액은 그 합병법인 등이 합병등기일 또는 분할등기일에 가지고 있는 퇴직급여충당금으로 본다.

2 퇴직연금충당금

1. 개요

퇴직연금충당금은 회사가 내부적으로 적립하는 퇴직급여충당금과 별도로 외부에 적립하는 경우 그 금액에 대하여 신고조정으로 손금산입을 허용하고 있다.

2. 퇴직연금충당금 종류

(1) 확정기여형 퇴직연금제도(Defined Contribution)

① 회사의 부담금이 사전에 확정되며 근로자가 받는 연금급여는 적립금의 운용결과에 따라 변동되는 제도를 말한다.

② 확정기여형 퇴직연금제도는 회사가 불입하는 금액이 전액손금으로 인정된다. 다만, 임원의 경우는 임원의 퇴직 시까지 회사가 부담한 부담금 등의 합계액을 퇴직급여로 보아 임원퇴직급여 한도 초과 여부를 계산한다.

---

[1] 퇴직급여충당금은 개인별퇴직급여충당금 설정액과는 상관없이 해당 법인의 퇴직급여충당금의 범위 내에서 지급하여야 한다.

(2) 확정급여형 퇴직연금제도(Defined Benefit)

① 개념:

㉠ 근로자가 퇴직할 때 받는 연금급여액이 사전에 확정되며 회사의 적립 금부담금은 회사가 적립한 금액의 운용결과에 따라 변동되는 제도를 말한다.

㉡ 확정급여형 퇴직연금제도에서는 한도 내에서 손금으로 인정되며 한도 계산식은 다음과 같다.

> Min(ⓐ, ⓑ) − 세법상 퇴직연금충당금 이월잔액
>
> ⓐ 퇴직급여추계액 − 세법상 퇴직급여충당금 기말잔액
>
> ⓑ 퇴직연금운용자산 기말잔액

② 퇴직연금충당금의 손금산입: 퇴직연금충당금은 회사가 퇴직연금충당금을 결산서에 반영하여 계상하거나 회사가 퇴직연금충당금을 결산서에 반영하지 않은 경우에도 손금으로 산입하고 있다(신고조정).

③ 세무조정: 회사계상액과 비교하여 세법상 한도액을 초과하는 금액은 손금 불산입하고 유보로 처리한다. 다만, 신고조정대상에 해당하므로 회사계상 액이 한도액에 미달하는 경우에도 손금산입하고 △유보로 처분한다.

3. 퇴직급여지급하는 경우 충당금 상계

확정급여형 퇴직연금납입액이 있는 회사가 퇴직급여를 지급하면 퇴직연금충당금 과 먼저 상계한다. 지급액이 퇴직연금충당금보다 큰 경우 그 초과액은 퇴직급여충 당금과 상계한다. 퇴직급여충당금을 초과하는 지급액은 퇴직급여로 비용처리한다.

참고

퇴직연금제도

구분	확정기여형(DC)	확정급여형(DB)
개념	회사의 부담금이 사전에 확정되며 근로자가 받는 연금급여는 적립금 운용 결과에 따라 변동하는 퇴직연금	근로자가 퇴직할 때 지급받을 급여액이 사전에 확정되어 있는 퇴직연금
적립금운용	운용손익은 근로자의 손익	운용손익은 사용자의 손익
세법적용	• 직원: 전액 손금 • 임원: 한도 내 손금인정	한도 내 손금인정

2 대손금과 대손충당금

1 대손금

1. 개념

대손금이란 세법에서 정한 법정사유에 의하여 회수가 불가능한 채권을 말한다. 대손금은 채권이라는 자산의 감소에 해당하므로 손금에 해당한다.

2. 대손사유

세법에서 정한 대손사유를 충족한 경우에만 대손금을 손금으로 인정하고 있다.

(1) 신고조정사항

다음의 대손사유에 해당하는 경우에는 그 대손금을 반드시 해당 사유가 발생한 날이 속하는 사업연도의 손금에 산입하여야 한다.

① 「상법」에 의한 소멸시효가 완성된 외상매출금 및 미수금
② 「어음법」에 의한 소멸시효가 완성된 어음
③ 「수표법」에 의한 소멸시효가 완성된 수표
④ 「민법」에 의한 소멸시효가 완성된 대여금 및 선급금
⑤ 「채무자 회생 및 파산에 관한 법률」에 의한 회생계획인가의 결정 또는 법원의 면책결정에 따라 회수불능으로 확정된 채권
⑥ 「민사집행법」의 규정에 의하여 채무자의 재산에 대한 경매가 취소된 압류채권
⑦ 서민의 금융생활 지원에 관한 법률에 따른 채무조정을 받아 신용회복지원협약에 따라 면책으로 확정된 채권

(2) 결산조정사항

다음의 대손사유가 발생한 경우에는 그 대손금을 해당 사유가 발생하여 법인이 손비로 계상한 날이 속하는 사업연도의 손금으로 한다.

① 부도발생일❶부터 6개월 이상 지난 수표 또는 어음상의 채권 및 외상매출금(중소기업이 보유한 외상매출금으로서 부도발생일 이전의 것에 한함)으로서 사업연도 종료일 현재 회수되지 아니한 해당 채권금액에서 1,000원❷을 뺀 금액. 다만, 법인이 채무자의 재산에 대하여 저당권을 설정하고 있는 경우는 제외한다.
② 회수기일을 6개월 이상 지난 채권 중에서 채권가액이 30만 원 이하인 소액채권❸

🏛 기출 OX

「채무자 회생 및 파산에 관한 법률」에 따른 회생계획인가의 결정 또는 법원의 면책결정에 따라 회수불능으로 확정된 채권은 해당 사유가 발생한 날이 속하는 사업연도의 소득금액을 계산할 때 손금에 산입한다. (○)　　　19. 7급

❶ 부도발생일

부도발생일이란 소지하고 있는 부도수표나 부도어음의 지급기일(지급기일 전에 수표나 어음을 제시하여 금융기관으로부터 부도확인을 받은 경우에는 그 부도확인일)을 말한다.

❷
채권 1매당 1,000원으로 한다.

❸ 소액채권
30만 원 이하의 소액채권은 채무자별 채권가액을 기준으로 판단한다.

③ 채무자의 파산·강제집행·형의 집행·사업의 폐지·사망·실종·행방불명으로 인하여 회수할 수 없는 채권

④ 금융회사 등의 채권으로서 감독기관장이 대손을 인정한 다음의 채권
   ㉠ 금융감독원장이 기획재정부장관과 협의하여 정한 대손처리기준에 따라 금융기관이 금융감독원장으로부터 대손금으로 승인받은 것
   ㉡ 금융감독원장이 ㉠의 기준에 해당한다고 인정하여 대손처리를 요구한 채권으로서 금융회사 등이 대손금으로 계상한 것

⑤ 중소기업창업투자회사의 창업자에 대한 채권으로서 중소기업청장이 기획재정부장관과 협의하여 정한 기준에 해당한다고 인정한 것

⑥ 재판상의 화해 등 확정판결과 같은 효력을 가지는 것으로서 민사소송법에 따른 화해, 민사소송법에 따른 화해권고결정, 민사조정법에 따른 결정, 민사조정법에 따른 조정에 따라 회수불능으로 확정된 채권

⑦ 중소기업의 외상매출금·미수금으로서 회수기일이 2년 이상 지난 외상매출금·미수금(다만, 특수관계인과의 거래로 인하여 발생한 외상매출금·미수금은 제외)

⑧ 물품의 수출 또는 외국에서의 용역 제공으로 발생한 채권으로서 무역에 관한 법령에 따라 기획재정부령으로 정하는 사유에 해당하며 한국무역보험공사로부터 회수불능으로 확인된 채권

3. 합병·분할의 경우

법인이 다른 법인과 합병하거나 분할하는 경우로서 결산조정사항에 해당하는 대손금을 합병등기일 또는 분할등기일이 속하는 사업연도까지 손비로 계상하지 않은 경우 그 대손금은 해당 법인의 합병등기일 또는 분할등기일이 속하는 사업연도의 손비로 한다.

4. 대손금의 손금산입 대상채권

대손처리할 수 있는 채권에 대해서는 별다른 제한을 두고 있지 않다. 따라서 일반적인 매출채권은 물론이고 대여금·유형자산처분미수금 등의 채권도 대손처리할 수 있다. 다만, 다음의 경우에는 대손금의 요건을 충족하더라도 손금에 산입할 수 없으며 대손충당금설정대상 채권에도 제외된다.

(1) 채무보증(법에서 정한 채무보증은 제외)으로 인하여 발생한 구상채권❶

(2) 특수관계인에게 해당 법인의 업무와 관련없이 지급한 가지급금❶(특수관계인에 대한 판단은 대여시점을 기준으로 함)

(3) 「부가가치세법」상 대손세액공제받은 부가가치세 매출세액 미수금

❶ 구상채권

채무보증으로 인한 구상채권과 특수관계인에 대한 업무무관가지급금 등 채권의 처분손실은 손금에 산입하지 아니한다.

법에서 정한 채무보증

다음의 채무보증으로 발생하는 구상채권은 대손금으로 할 수 있다.

1. 「독점규제 및 공정거래에 관한 법률」의 어느 하나에 해당하는 채무보증
2. 일정한 금융회사 등이 행한 채무보증
3. 신용보증사업을 영위하는 법인이 행한 채무보증
4. 「대·중소기업 상생협력 촉진에 관한 법률」에 따른 위탁기업이 수탁기업협의회의 구성원인 수탁기업에 대하여 행한 채무보증

5. 채권의 재조정

법인이 기업회계기준에 따른 채권의 재조정에 따라 채권의 장부가액과 현재가치의 차액을 대손금으로 계상한 경우에는 이를 손금에 산입하며, 손금에 산입한 금액은 기업회계기준의 환입방법에 따라 익금에 산입한다.

2 대손충당금

1. 개념

대손충당금은 실제로 대손사유가 발생하지 않았으나 기말채권 중 일정비율만큼 미래에 발생한 대손에 대비하여 미리 대손충당금을 설정하는 것을 말한다.

2. 설정대상채권❶

대손충당금을 설정할 수 있는 채권은 다음의 채권을 대상으로 한다.

(1) 외상매출금

상품 또는 제품의 판매가액의 미수액과 가공료 또는 용역 등의 제공에 따른 사업수입금액의 미수액

(2) 대여금

금전소비대차계약 등에 따라 타인에게 대여한 금액

(3) 그 밖에 이에 준하는 채권

어음상의 채권·미수금·기업회계기준에 따른 대손충당금 설정대상채권

3. 채권·채무의 상계

법인이 동일인에 대하여 매출채권과 매입채무를 가지고 있는 경우 해당 매입채무를 상계하지 아니하고 대손충당금을 계상할 수 있다. 다만, 당사자간의 약정에 의하여 상계하기로 한 경우에는 상계한 순액을 기준으로 설정한다.

---

❶

대손발생가능성이 없는 국가 등에 대한 매출채권이나 담보가 100% 설정된 채권도 대손충당금 설정대상채권에 해당한다.

기출 OX

내국법인이 동일인에 대하여 매출채권과 매입채무를 가지고 있는 경우에는 당해 매입채무를 상계하지 아니하고 대손충당금으로 계상할 수 있다(단, 당사자간의 약정에 의하여 상계하기로 한 경우는 제외함). (○)   16. 7급

4. 설정대상에서 제외되는 채권

(1) 채무보증으로 인하여 발생한 구상채권

(2) 특수관계인에게 해당법인이 업무와 관련 없이 지급한 가지급금(특수관계인에 대한 판단은 대여시점을 기준으로 함)

(3) 할인어음 및 배서양도어음(매각거래)

(4) 부당행위계산규정을 적용받는 고가매입거래에 있어서 시가초과액에 상당하는 채권

5. 손금산입 한도액

$$손금산입 한도액 = 당기말 세무상 설정대상채권의 장부가액 \times 설정률$$

$$세법상 설정대상채권 = 기말 재무상태표상 채권 - 설정제외채권 \pm 채권유보$$

설정률 = Max(①, ②)

① 1%

② 대손실적률 = $\dfrac{해당 \, 사업연도의 \, 대손금(요건 \, 충족한 \, 것)}{직전사업연도 \, 종료일 \, 현재의 \, 채권잔액}$

6. 세무조정

(1) **회사가 대손처리**

　① 대손요건 미충족: 손금불산입 유보(추후 대손사유 충족시 손금산입 △유보)

　② 대손불능채권: 손금불산입 귀속자에 따라 소득처분

(2) **회사가 대손처리하지 않은 경우**

　신고조정사유의 대손사유 충족한 경우 손금산입 △유보(추후 대손처리하는 경우 손금불산입 유보)

(3) **대손부인된 채권을 회수하는 경우**

　대손사유가 충족한 채권을 회수하는 경우에는 익금에 해당하며, 대손부인된 채권을 회수하는 경우에는 익금으로 보지 않고 채권대금을 회수한 것으로 본다.

(4) **한도 세무조정**

　① 한도초과액: 손금불산입 유보❶

　② 한도미달액: 세무조정 없음

7. 대손충당금 상계(총액법)

(1) **전기 기말 대손충당금 설정**

　세법상 설정대상금액 총액을 대손충당금을 설정하며 손금으로 산입한다.

❶
전기대손충당금 한도초과액 당기에 자동
추인(손금산입 △유보)

(2) 당기 대손금 발생

당기에 「법인세법」상 대손사유가 발생한 채권의 대손금을 기초 대손충당금과 상계한다.

(3) 당기 기말 대손충당금 설정

기초대손충당금에서 당기에 발생한 대손금을 상계한 후에 남은 대손충당금을 모두 익금으로 산입하여 대손충당금 잔액을 0으로 만든다. 그리고 기말에 설정하여야 하는 대손충당금 총액을 손금에 산입한다.[1]

> ⊞ 심화 | **총액법 법조문**
>
> 대손충당금을 손금으로 계상한 내국법인은 대손금이 발생한 경우 그 대손금을 대손충당금과 먼저 상계하여야 하고, 대손금과 상계하고 남은 대손충당금의 금액은 다음 사업연도의 소득금액을 계산할 때 익금에 산입한다.

사례로 이해 UP↗

대손충당금 한도계산

다음의 자료를 보고 대손충당금 한도초과액을 계산하면 얼마인가?

- 전기말 세법상 기말채권: 100,000,000원
- 당기말 세법상 기말채권: 200,000,000원
- 당기 세법상 대손금: 2,000,000원
- 당기 법인의 설정 대손충당금: 3,000,000원
- 당기 법인의 기말 대손충당금: 5,000,000원

⇨ 한도 계산
- 세법상 한도: 200,000,000원 × Max(1%, 2%[2])=4,000,000원
- 초과액: 5,000,000원(기말대손충당금) − 4,000,000원=1,000,000원

---

8. 합병 또는 분할의 경우 대손충당금의 승계

대손충당금을 손금에 산입한 법인이 합병 또는 분할한 경우 그 법인의 합병등기일 또는 분할등기일 현재의 대손충당금 중 합병법인 등에게 인계한 금액은 그 합병법인 등이 합병등기일 또는 분할등기일에 가지고 있는 대손충당금으로 본다. 이러한 대손충당금의 인계는 이에 대응하는 채권이 동시에 인계되는 경우에 한하여 적용한다.

---

③ 일시상각충당금(또는 압축기장충당금)

1. 개념

(1) 법인이 국고보조금·공사부담금 및 보험차익을 받는 경우 익금항목으로 과세대상이다. 그러나 익금에 산입하여 과세하게 되면 자산취득에 사용될 금액이 세금으로 감소하게 되어 본래의 목적에 사용이 어렵게 된다.

❶

총액법에 따라 법인이 장부를 작성하였다고 가정하여 한도를 계산할 때 재무상태표의 기말잔액과 세법상 한도금액을 비교하여 한도초과 여부를 계산한다.

📖 **기출 OX**

「법인세법」 제34조 제1항에 따라 대손충당금을 손금에 산입한 내국법인은 대손금이 발생한 경우 그 대손금을 대손충당금과 먼저 상계하여야 하고, 상계하고 남은 대손충당금의 금액은 다음 사업연도의 소득금액을 계산할 때 익금에 산입한다. (○)　　19. 7급

❷

$$\frac{2,000,000}{100,000,000}=2\%$$

(2) 따라서 일시에 손금으로 산입하는 일시상각충당금 또는 압축기장충당금(비상각자산)을 설정하여 과세시점을 이연시키고 있다.

(3) 일시상각충당금은 손금산입 후 감가상각과정이나 처분시점에서 다시 익금에 산입이 되므로 법인세 부담을 일정기간 이연시키는 과세이연제도이다.

2. 손금산입

(1) 국고보조금 등으로 취득한 사업용 자산가액의 손금산입[1]

「보조금 관리에 관한 법률」 등에 따라 국가 또는 지방자치단체로부터 보조금을 받는 법인이 보조금을 지급받아 사업용 자산(사업용 유형 · 무형자산과 비축용 석유류)의 취득 · 개량하는 데 사용한 경우 또는 사업용 자산을 취득 · 개량하고 이에 대한 국고보조금 등을 사후에 지급받은 경우에는 사업용 자산을 취득 · 개량에 사용된 국고보조금 등의 금액을 손금에 산입할 수 있다.

(2) 공사부담금으로 취득한 유형 · 무형자산가액의 손금산입[2]

전기사업 · 도시가스사업 등 열거된 사업을 경영하는 법인이 그 사업에 필요한 시설을 하기 위하여 수요자 또는 편익을 받는 자로부터 그 시설을 구성하는 토지 등 자산을 제공받은 경우 또는 금전 등을 제공받아 해당 시설을 구성하는 유형 · 무형자산의 취득에 사용하거나 유형 · 무형자산을 취득하고 이에 대한 공사부담금을 사후에 제공받은 경우 그 유형 · 무형자산가액을 손금에 산입할 수 있다.

(3) 보험차익으로 취득한 유형자산가액의 손금산입

법인이 유형자산의 멸실이나 손괴로 인하여 보험금을 지급받아 그 멸실한 유형자산에 대체하여 동일한 종류의 유형자산을 취득하거나 손괴된 유형자산을 개량(그 취득한 유형자산의 개량 포함)하는 경우에는 그 유형자산을 취득 또는 개량하는 데 사용된 보험차익은 손금에 산입할 수 있다.

3. 손금산입요건

(1) 지급받은 금액의 사용기한

국고보조금 · 공사부담금 · 보험금(이하 '국고보조금 등'으로 함)을 지급받은 날이 속하는 사업연도에 일시상각충당금 또는 압축기장충당금을 손금에 산입하며 지급받은 사업연도의 종료일까지 자산을 취득해야 한다. 다만, 국고보조금 등을 지급받은 사업연도까지 자산을 취득하지 못하더라도 법인세 신고 시 사용계획서를 제출하면 일시상각충당금 또는 압축기장충당금을 손금에 산입하며 국고보조금 등을 지급받은 사업연도의 다음 사업연도 개시일부터 1년(보험차익 2년)이내에 자산을 취득해야 한다.

[1] 국고보조금 손금산입

다음에 열거된 법률에 따라 국가 등으로부터 받은 보조금을 받은 법인을 대상으로 한다.
「보조금관리에 관한 법률」, 「지방재정법」, 「농어촌 전기공급사업 촉진법」, 「전기사업법」, 「사회기반시설에 대한 민간투자법」, 「한국철도공사법」, 「농어촌정비법」, 「도시 및 주거환경정비법」

[2] 공사부담금 손금산입

다음에 열거된 업종을 경영하는 법인을 대상으로 한다.
「전기사업법」에 따른 전기사업, 「도시가스사업법」에 따른 도시가스사업, 「액화석유가스의 안전관리 및 사업법」에 따른 액화석유가스 충전사업, 액화석유가스 집단공급사업 및 액화석유가스 판매사업, 「집단에너지사업법」에 따른 집단에너지공급사업

(2) 사용기한의 연장

다음의 사유로 인하여 국고보조금 등을 사용하지 못한 경우 그 사유가 끝나는 날이 속하는 사업연도의 종료일을 그 기한으로 본다.

① 공사의 허가 또는 인가 등이 지연되는 경우

② 공사를 시행할 장소의 미확정 등으로 공사기간이 연장되는 경우

③ 용지의 보상 등에 관한 소송이 진행되는 경우

④ 그 밖에 위에 준하는 사유가 발생한 경우

(3) 미사용액의 익금산입

국고보조금 등의 금액을 손금에 산입한 법인이 기한 내에 사업용 자산의 취득·개량에 사용하지 않거나 사용하기 전에 폐업 또는 해산하는 경우 그 사용하지 못한 금액은 해당 사유가 발생한 사업연도의 익금에 산입한다. 다만, 합병이나 분할의 경우 합병법인 등이 그 금액을 승계한 경우는 제외하고 이러한 경우에는 합병법인 등이 손금에 산입한 것으로 본다.

4. 손금산입방법

(1) 세무조정

① 원칙(결산조정): 국고보조금 등은 결산조정사항으로 자산별로 다음의 구분에 따라 일시상각충당금 또는 압축기장충당금으로 계상하여 손금에 산입한다.

　　㉠ 감가상각자산: 일시상각충당금

　　㉡ 그 외 자산: 압축기장충당금

② 특례(임의신고조정)

　　㉠ 법인이 일시상각충당금 또는 압축기장충당금을 세무조정계산서에 작성하고 이를 법인세 과세표준 신고 시 손금에 산입한 경우 그 금액은 손금으로 계상한 것으로 본다.

　　㉡ 다만, 일시상각충당금 또는 압축기장충당금의 계상이 기업회계기준에 위배되는 것이기 때문에 「법인세법」에서 신고조정을 허용하고 있다.

(2) 익금산입 금액

① 일시상각충당금: 일시상각충당금(손금)으로 계상한 금액은 다음의 방법으로 익금에 산입한다.

　　㉠ 해당 사업용 자산의 감가상각비와 상계하는 경우

$$상계할 \ 금액 = 감가상각비 \times \frac{일시상각충당금}{취득가액}$$

　　㉡ 해당 자산을 처분하는 경우: 미상계잔액을 전액 익금산입

② 압축기장충당금: 해당 자산을 처분하는 사업연도에 전액 익금산입

📖 기출 OX

일시상각충당금 또는 압축기장충당금은 신고조정에 의한 손금산입이 허용된다.
(O)　　　　　　　　　　16. 7급

4 구상채권상각충당금

1. 신용보증기금 등의 구상채권의 대손에 대비하여 구상채권상각충당금을 손비로 계상한 경우에는 일정 한도 내에서 손금에 산입한다.
2. 손금산입은 결산조정을 원칙으로 한다. 다만, 국제회계기준에 따른 대한주택보증주식회사는 이익처분에 의한 신고조정을 허용한다.
3. 구상채권 중 대손이 발생하는 경우 그 대손금을 구상채권상각충당금과 먼저 상계하고, 상계하고 남은 구상채권상각충당금은 다음 사업연도의 소득금액을 계산할 때 익금에 산입한다.

5 준비금

1. 해약환급금 준비금

(1) 「보험업법」에 따른 보험회사(이하 "보험회사"라 한다)가 해약환급금준비금(보험회사가 보험계약의 해약 등에 대비하여 적립하는 금액을 말한다)을 세무조정계산서에 계상하고 그 금액 상당액을 해당 사업연도의 이익처분을 할 때 해약환급금준비금으로 적립한 경우에는 그 금액을 결산을 확정할 때 손비로 계상한 것으로 보아 해당 사업연도의 소득금액을 계산할 때 손금에 산입한다.

(2) 해약환급금 준비금을 손금산입하려는 보험회사는 해약환급금준비금에 관한 명세서를 납세지 관할 세무서장에게 제출하여야 한다.

2. 책임준비금

(1) 보험사업을 하는 내국법인(「보험업법」에 따른 보험회사는 제외한다)이 각 사업연도의 결산을 확정할 때 「수산업협동조합법」 등 보험사업 관련 법률에 따른 책임준비금(이하 이 조에서 "책임준비금"이라 한다)을 손비로 계상한 경우에는 그 계상한 책임준비금을 해당 사업연도의 소득금액을 계산할 때 손금에 산입한다.

(2) 손금에 산입한 책임준비금은 다음 사업연도 또는 손금에 산입한 날이 속하는 사업연도의 종료일 이후 3년이 되는 날(3년이 되기 전에 해산 등 사유가 발생하는 경우에는 해당 사유가 발생한 날)이 속하는 사업연도의 소득금액을 계산할 때 익금에 산입한다.

(3) 책임준비금을 손금에 산입한 날이 속하는 사업연도의 종료일 이후 3년이 되는 날이 속하는 사업연도에 책임준비금을 익금에 산입하는 경우 이자상당액을 해당 사업연도의 법인세에 더하여 납부하여야 한다.

3. 비상위험준비금

(1) 보험사업을 하는 내국법인이 각 사업연도의 결산을 확정할 때 「보험업법」이나 그 밖의 법률에 따른 비상위험준비금을 손비로 계상한 경우에는 그 계상한 비상위험준비금을 해당 사업연도의 소득금액을 계산할 때 손금에 산입한다.

(2) 한국채택국제회계기준을 적용하는 내국법인이 비상위험준비금을 세무조정계산서에 계상하고 그 금액 상당액을 해당 사업연도의 이익처분을 할 때 비상위험준비금으로 적립한 경우에는 그 금액을 결산을 확정할 때 손비로 계상한 것으로 본다.

4. 비영리법인의 고유목적사업준비금

(1) 손금산입

고유목적사업준비금은 그 설정 여부를 비영리법인이 선택할 수 있는 결산조정사항이다. 하지만 기업회계에서 고유목적사업준비금의 비용계상을 인정하지 않고 있으므로 세법에서는 「주식회사의 외부감사에 관한 법률」에 따른 감사인의 회계감사를 받는 비영리내국법인의 경우 이익처분에 의한 신고조정을 허용하고 있다.

> 한도 = (이자소득 + 배당소득) × 100% +
>
> (이자 · 배당소득 외 − 이월결손금 − 특례기부금) × 50%

(2) 손금산입 제외

비영리내국법인의 수익사업에서 발생한 소득에 대하여 「법인세법」 또는 「조세특례제한법」에 따른 비과세 · 면제, 준비금, 소득공제 또는 세액감면(세액공제 제외)을 적용받는 경우에는 고유목적사업준비금을 손금산입할 수 없다. 다만, 고유목적사업준비금만을 적용받는 것으로 수정신고한 경우를 제외한다.

(3) 상계와 환입

① 상계: 손금에 산입한 고유목적사업준비금을 고유목적사업 등에 지출하는 경우에는 그 금액을 먼저 계상한 사업연도의 고유목적사업준비금을 먼저 사용한 것으로 보아 차례로 상계하여야 한다. 이 경우 직전사업연도 종료일 현재의 고유목적사업준비금의 잔액을 초과하여 해당 사업연도의 고유목적사업 등에 지출한 금액이 있는 경우 그 금액은 당해 사업연도에 계상할 고유목적사업준비금에서 지출한 것으로 본다.

② 환입

㉠ 손금에 산입한 고유목적사업준비금의 잔액이 있는 비영리법인이 다음의 경우에 해당하는 경우 그 잔액(ⓒ의 경우에는 고유목적사업 등에 지출하지 않은 금액)은 해당 사유가 발생한 날이 속하는 사업연도의 익금에 산입한다.

ⓐ 고유목적사업준비금을 손금으로 계상한 사업연도의 종료일 이후 5년이 되는 날까지 고유목적사업 등에 사용하지 못한 금액

ⓑ 고유목적사업준비금을 손금으로 계상한 사업연도의 종료일 이후 5년 이내에 고유목적사업준비금의 잔액 중 일부를 환입하여 익금으로 계상한 경우

ⓒ 고유목적사업준비금을 고유목적사업 등에 지출하지 않은 경우

ⓓ 해산하는 경우(승계한 경우는 제외)

ⓔ 고유목적사업을 전부 폐지한 경우

ⓕ 법인으로 보는 단체가 승인취소되거나 거주자로 변경된 경우

㉡ 위 ⓐ · ⓑ · ⓒ에 해당하는 경우 미사용액에 대한 다음의 이자를 추징한다.

이자상당액 = 법인세 감소액 × 해당기간 일수 × 22/100,000

01 법인세법령상 내국법인의 대손금에 대한 설명으로 옳지 않은 것은? 2022년 9급

① 「민법」에 따른 소멸시효가 완성된 대여금은 해당 사유가 발생한 날이 속하는 사업연도의 손금으로 한다.

② 부도발생일부터 6개월 이상 지난 어음상의 채권(해당 법인이 채무자의 재산에 대하여 저당권을 설정하고 있는 경우는 제외한다)은 해당 사유가 발생한 날이 속하는 사업연도의 손금으로 한다.

③ 채무자의 파산으로 회수할 수 없는 채권은 해당 사유가 발생하여 손비로 계상한 날이 속하는 사업연도의 손금으로 한다.

④ 회수기일이 6개월 이상 지난 채권 중 채권가액이 30만 원 이하(채무자별 채권가액의 합계액을 기준으로 한다)인 채권은 해당 사유가 발생하여 손비로 계상한 날이 속하는 사업연도의 손금으로 한다.

01

부도발생일부터 6개월이 지난 어음은 대손사유 중 결산조정 사유에 해당하므로 대손금으로 계상한 날이 속하는 사업연도의 손금에 해당된다.

02 제조업을 영위하는 영리내국법인인 ㈜한국의 제17기 사업연도(1월 1일∼12월 31일) 자료를 이용하여 법인세법상 각 사업연도의 소득금액을 계산할 때 대손충당금에 대한 세무조정의 결과가 제17기 각 사업연도의 소득금액에 미친 영향은?

2019년 9급

• 매출채권과 관련된 대손충당금 계정은 다음과 같다.

대손충당금			(단위: 원)
당 기 상 계	10,000,000	전 기 이 월	12,000,000
차 기 이 월	15,000,000	당 기 설 정	13,000,000
계	25,000,000	계	25,000,000

- 전기이월 중에는 전기에 한도초과로 부인된 금액 3,000,000원이 포함되어 있다.
- 당기상계는 「법인세법」에 따른 대손요건을 충족한 매출채권과 상계된 것이며, 그 외 대손처리된 매출채권은 없다.

• 대손충당금 설정대상이 되는 「법인세법」상 매출채권 잔액은 다음과 같다.
  - 제16기 말 현재 매출채권: 250,000,000원
  - 제17기 말 현재 매출채권: 300,000,000원

---

① 2,000,000원 감소

② 1,000,000원 감소

③ 0원(변동 없음)

④ 1,000,000원 증가

02

전기 대손충당금 추인
〈손금산입 대손충당금 3,000,000 △유보〉
당기 대손충당금 한도초과
• 회사 계상액: 15,000,000
• 세법상 한도액:
  300,000,000 × Max(1%, 4%*)
  =12,000,000
• 한도초과: 손금불산입 3,000,000 유보
* 10,000,000/250,000,000=4%
세무조정 상계하면 소득에 미치는 영향은 없다.

03 갑을복지재단(사업연도: 1월 1일~12월 31일)은 2023년에 설립된 비영리 내국법인으로서 2023년에 국내에서 예금이자 1억 원을 받고 14%의 원천징수세액을 제외한 8천 6백만 원을 수령하였다. 또한 2023년에 수익사업에 해당하는 건물의 임대소득 1억 원이 있다. 갑을복지재단이 예금이자를 과세표준 신고에 포함한다는 가정하에 법인세를 최소화하고자 한다면 신고해야 할 2023년 각 사업연도의 소득금액은? (단, 갑을복지재단은 고유목적사업준비금의 손금산입요건을 충족하고, 고유목적사업 등에 대한 지출액 중 100분의 50 이상의 금액을 장학금으로 지출하는 법인이 아니며, 기부금과 지방소득세 및 조세특례제한법상의 특례는 고려하지 않는다) 2019년 9급

① 0원
③ 1억 원

② 5천만 원
④ 1억 8천 6백만 원

04 「법인세법」상 다음 자료에 의하여 영리내국법인 ㈜B의 제5기(2022년 1월 1일~12월 31일) 대손충당금 손금산입 한도초과액을 계산하면? 2016년 9급

> (1) 제5기 회계장부상 대손충당금 당기상계액: 20,000,000원(전액 「법인세법」상 대손금의 손금산입 요건을 충족함)
> (2) 제5기 회계장부상 대손충당금 당기설정액: 30,000,000원
> (3) 제5기 회계장부상 대손충당금 기말잔액: 50,000,000원
> (4) 제4기말 「법인세법」상 대손충당금 설정대상 채권 잔액: 10억 원
> (5) 제5기말 「법인세법」상 대손충당금 설정대상 채권 잔액: 12억 원

① 6,000,000원
③ 26,000,000원

② 24,000,000원
④ 28,000,000원

05 「법인세법」상 충당금에 대한 설명으로 옳지 않은 것은?

① 내국법인이 동일인에 대하여 매출채권과 매입채무를 가지고 있는 경우에는 당해 매입채무를 상계하지 아니하고 대손충당금으로 계상할 수 있다. (단, 당사자 간의 약정에 의하여 상계하기로 한 경우는 제외함)

② 일시상각충당금 또는 압축기장충당금은 신고조정에 의한 손금산입이 허용된다.

③ 대손충당금을 손금으로 계상한 내국법인은 대손금이 발생한 경우 그 대손금을 대손충당금과 먼저 상계하여야 하고, 대손금과 상계하고 남은 대손충당금의 금액은 다음 사업연도의 소득금액을 계산할 때 손금에 산입한다.

④ 국고보조금 등 상당액을 손금에 산입한 내국법인이 손금에 산입한 금액을 기한 내에 사업용 자산의 취득에 사용하기 전에 합병하고, 손금에 산입한 금액을 합병법인에게 승계하는 경우 그 금액은 합병법인이 손금에 산입한 것으로 본다.

06 법인세법령상 내국법인의 대손금의 손금불산입에 대한 설명으로 옳은 것은?

① 「민사소송법」에 따른 화해에 따라 회수불능으로 확정된 채권은 해당 사유가 발생하여 손비로 계상한 날이 속하는 사업연도의 소득금액을 계산할 때 손금에 산입한다.

② 「채무자 회생 및 파산에 관한 법률」에 따른 회생계획인가의 결정에 따라 회수불능으로 확정된 채권은 해당 사유가 발생한 날이 속하는 사업연도와 관계없이 해당 채권을 실제 손비로 계상한 날이 속하는 사업연도의 소득금액을 계산할 때 손금에 산입한다.

③ 채무보증(「법인세법 시행령」 제19조의2 제6항에 정하는 채무보증은 제외)으로 인하여 발생한 구상채권은 해당 구상채권을 회수할 수 없는 사실이 확정된 날이 속하는 사업연도의 소득금액을 계산할 때 손금에 산입한다.

④ 「법인세법」 제19조의2 제1항에 따라 손금에 산입한 대손금을 그 다음 사업연도에 회수한 경우 그 회수금액은 해당 대손금을 손금에 산입한 사업연도에 익금 산입한다.

05

대손충당금을 손금으로 계상한 내국법인은 대손금이 발생한 경우 그 대손금을 대손충당금과 먼저 상계하여야 하고, 대손금과 상계하고 남은 대손충당금의 금액은 다음 사업연도의 소득금액을 계산할 때 익금에 산입한다.

06

✔ 오답체크

② 신고조정 사유에 해당하는 대손이므로 해당 사유가 발생한 날의 사업연도의 손금에 해당된다.

③ 채무보증으로 인한 구상채권은 대손이 될 수 있는 채권에 해당하지 않는다.

④ 손금에 산입한 대손금을 회수한 경우 회수한 사업연도의 익금에 해당된다.

10 부당행위계산의 부인

1 개념

1. 법인이 특수관계인과의 거래로 인하여 그 법인의 소득에 대한 조세의 부담을 부당하게 감소시킨 경우에는 납세지 관할세무서장 또는 지방국세청장은 그 법인의 행위 또는 소득금액의 계산에 관계없이 소득금액을 다시 계산하는 것을 부당행위계산의 부인이라고 한다. 실질과세원칙에 따라 조세회피를 부인하고 조세부담의 공평성을 실현하고자 한다.❶

2. 부당행위계산부인은 소득금액을 재계산하는 것이므로 당사자간에 거래 자체의 사법상의 법률효과를 부인하는 것은 아니다.

2 부당행위계산의 부인 요건

1. 요건

다음의 요건을 모두 충족하여야 한다.

(1) 특수관계인과의 거래일 것(특수관계인 외의 자를 통하여 이루어진 거래 포함)

(2) 그 거래로 인하여 법인의 조세부담이 부당하게 감소되었다고 인정될 것

2. 특수관계인

특수관계인의 여부는 쌍방관계를 기준으로 한다. 본인의 입장에서 상대방이 특수관계인이면 상대방의 입장에서 본인은 당연히 특수관계인에 해당한다.

> ⊞ 심화 │ 특수관계인
>
> 1. 임원의 임면권의 행사·사업방침의 결정 등 당해 법인의 경영에 대하여 사실상 영향력을 행사하고 있다고 인정되는 자(「상법」에 의하여 이사로 보는 자를 포함)와 그 친족
> 2. 주주 등(소액주주 등을 제외)과 그 친족
> 3. 법인의 임원·직원 또는 주주 등의 직원(주주 등이 영리법인인 경우에는 그 임원을, 비영리법인인 경우에는 그 이사 및 설립자를 말함)이나 직원 외의 자로서 법인 또는 주주 등의 금전 기타 자산에 의하여 생계를 유지하는 자와 이들과 생계를 함께 하는 친족
> 4. 해당 법인이 직접 또는 그와 1.부터 3.까지의 관계에 있는 자를 통하여 어느 법인의 경영에 대하여 지배적인 영향력을 행사하고 있는 경우 그 법인
> 5. 해당 법인이 직접 또는 그와 1.부터 4.까지의 관계에 있는 자를 통하여 어느 법인의 경영에 대하여 지배적인 영향력을 행사하고 있는 경우 그 법인
> 6. 당해 법인에 100분의 30 이상을 출자하고 있는 법인에 100분의 30 이상을 출자하고 있는 법인이나 개인
> 7. 당해 법인이 「독점규제 및 공정거래에 관한 법률」에 의한 기업집단에 속하는 법인인 경우 그 기업집단에 소속된 다른 계열회사 및 그 계열회사의 임원

❶
특수관계인과의 거래를 통하여 조세를 부당하게 감소시킨 것에 대하여 적용하는 것이므로 실제 조세의 부당감소가 있었다면 납세자의 조세회피의사는 필요로 하지 않는다.

🏛 **기출 OX**
부당행위계산의 부인에서 특수관계의 존재 여부는 해당 법인과 법령이 정하는 일정한 관계에 있는 자를 말하며, 이 경우 해당 법인도 그 특수관계인의 특수관계인으로 본다. (○)　　　15. 9급

3. 특수관계인의 판단시점

(1) 원칙

부당행위계산의 부인은 그 행위 당시를 기준[1]으로 하여 해당 법인과 특수관계인 간의 거래(특수관계인 외의 자를 통하여 이루어진 거래를 포함)에 대하여 적용한다.

(2) 예외

불공정합병에 있어서 특수관계인인 법인의 판정은 합병등기일이 속하는 사업연도의 직전사업연도의 개시일(그 개시일이 서로 다른 법인이 합병한 경우에는 먼저 개시한 날)부터 합병등기일까지의 기간에 의한다.

4. 조세의 부당감소 유형

(1) 유형

다음의 경우는 예시 규정으로 조세의 부당한 감소가 있다면 부당행위계산의 부인 규정을 적용할 수 있다.

① 자산을 시가보다 높은 가액으로 매입 또는 현물출자받았거나, 그 자산을 과대상각한 경우

② 자산을 무상 또는 시가보다 낮은 가액으로 양도 또는 현물출자한 경우. 다만, 「법인세법」에서 정한 주식매수선택권 등의 행사 또는 지급에 따라 주식을 양도하는 경우는 제외한다.

③ 금전이나 그 밖의 자산 또는 용역을 무상 또는 낮은 이율·요율·임대료로 대부 또는 제공한 경우. 다만, 비출자임원(소액주주임원 포함) 및 직원에게 사택(임차사택 포함)을 제공하는 경우와 법에 정한 주식매수선택권 등의 행사 또는 지급에 따라 금전을 제공하는 경우에는 부당행위계산의 부인규정을 적용하지 않는다.[2]

④ 금전이나 그 밖의 자산 또는 용역을 높은 이율·요율이나 임차료로 차용하거나 제공을 받은 경우[2]

⑤ 불공정합병[3]·불공정증자[4]·불공정감자[5]로 인하여 주주 등인 법인이 특수관계인인 다른 주주 등에게 이익을 분여한 경우

⑥ ⑤ 외의 경우로 증자·감자, 합병·분할, 「상속세 및 증여세법」에 따른 전환사채 등에 의한 주식의 전환·인수·교환 등 법인의 자본을 증가시키거나 감소시키는 거래를 통하여 법인의 이익을 분여하였다고 인정되는 경우. 다만, 법에 정한 주식매수선택권의 행사에 따라 주식을 발행하는 경우를 제외한다.

⑦ 특수관계인인 법인간 합병(분할합병 포함)·분할에 있어서 불공정한 비율로 합병·분할하여 합병·분할에 따른 양도손익을 감소시킨 경우. 다만, 자본시장과 금융투자업에 관한 법률에 따라 합병(분할합병 포함)·분할하는 경우는 제외한다.

---

[1] 특수관계판단

거래 당시의 특수관계인 여부를 판단하기 때문에 특수관계가 소멸된 후의 거래는 부당행위계산의 부인을 적용할 수 없다.

[2] 연결법인 부당행위계산의 부인 제외

연결납세방식을 적용받는 법인으로 다음의 요건을 모두 충족한 경우는 제외한다.
1. 용역이 거래가격에 따른 연결납세방식을 적용받는 연결법인 간에 연결법인세액의 변동이 없을 것
2. 해당 용역의 착수일 등 용역을 제공하기 시작한 날이 속하는 사업연도부터 그 용역의 제공을 완료한 날이 속하는 사업연도까지 연결납세방식을 적용하는 연결법인 간의 거래일 것

[3] 불공정합병

특수관계인인 법인간의 합병(분할합병 포함)에 있어서 주식 등을 시가보다 높거나 낮게 평가하여 불공정한 비율로 합병한 경우이다.

[4] 불공정증자

법인의 증자에 있어서 신주를 배정받을 수 있는 권리의 전부 또는 일부를 포기(그 포기한 신주가 「자본시장과 금융투자업에 관한 법률」에 따른 모집방법으로 배정되는 경우를 제외)하거나, 신주를 시가보다 높은 가액으로 인수하는 경우이다.

[5] 불공정감자

법인의 감자에 있어서 주주 등의 소유주식 등의 비율에 의하지 아니하고 일부 주주 등의 주식 등을 소각하는 경우이다.

⑧ 무수익자산을 매입 또는 현물출자 받았거나 그 자산에 대한 비용을 부담한 경우

⑨ 불량자산을 차환하거나 불량채권을 양수한 경우

⑩ 출연금을 대신 부담한 경우

⑪ 파생상품에 근거한 권리를 행사하지 않거나 그 행사기간을 조정하는 등의 방법으로 이익을 분여하는 경우

⑫ 기타 위에 준하는 행위 또는 계산 및 그 외에 법인의 이익을 분여하였다고 인정되는 것이 있는 경우

(2) 현저한 이익

조세의 부당감소 유형에서 ① · ② · ③ · ④와 기타 준하는 행위에 대하여는 시가와 거래가액의 차액이 시가의 5%에 상당하는 금액 이상이거나 3억 원 이상인 경우에만 부당행위계산의 부인규정을 적용한다. 다만, 주권상장법인의 주식을 거래한 경우에는 현저한 이익의 요건을 적용하지 않는다.

3 시가

1. 개념

(1) 법인의 행위에 대하여 부당 여부를 판단하기 위하여 그 기준이 되는 시가의 금액이 필요하다. 이때 시가란 특수관계인이 아닌 자와의 정상적인 거래로 적용되거나 적용될 가격 · 요율 · 이자율 · 임대료 등을 말한다.

(2) 이러한 부당행위계산의 부인에 해당하는 경우 시가와의 차액을 익금에 산입한다.

2. 일반적인 기준

(1) 시가

특수관계인 외의 불특정다수인과 계속적으로 거래한 가격 또는 특수관계인이 아닌 제3자간에 일반적으로 거래된 가격을 시가로 한다. 다만, 상장주식을 다음 중 어느 하나에 해당하는 방법으로 거래한 경우에는 해당 주식의 시가는 거래일의 거래소 최종시세가액으로 한다(사실상 경영권의 이전이 수반되는 경우❶에는 그 가액의 20%를 가산한 가액으로 함❷).

① 증권시장 외에서 거래하는 방법

② 대량매매 등의 방법(거래소의 증권시장업무규정에서 일정 수량 또는 금액 이상의 요건을 충족하는 경우에 한정하여 매매가 성립하는 거래방법을 말함)

(2) 시가가 불분명한 경우

다음의 순서에 따라 계산한 금액을 시가로 본다.

---

❶
「상속세 및 증여세법」에 따른 최대주주가 변경되거나 최대주주 간의 거래에서 주식보유비율이 1% 이상 변동되는 경우를 말한다.

❷
다음의 경우는 20%를 가산하지 않는다.
1. 「채무자 회생 및 파산에 관한 법률」에 따라 법원이 인가결정한 회생계획을 이행 중인 법인
2. 「기업구조조정 촉진법」에 따라 기업개선계획의 이행을 위한 약정을 체결하고 기업개선계획을 이행 중인 법인
3. 해당 법인의 채권을 보유하고 있는 「금융실명거래 및 비밀보장에 관한 법률」에 따른 금융회사 등이나 그 밖의 법률에 따라 금융업무 또는 기업 구조조정 업무를 하는 「공공기관의 운영에 관한 법률」에 따른 공공기관으로서 기획재정부령으로 정하는 기관과 경영정상화계획의 이행을 위한 협약을 체결하고 경영정상화계획을 이행 중인 법인
4. 「기업 활력 제고를 위한 특별법」에 따른 사업재편계획 승인을 받은 법인

① 1순위: 감정평가업자(감정평가법인과 감정평가사)가 감정한 가액이 있는 경우 그 가액(감정한 가액이 2 이상인 경우에는 그 감정한 가액의 평균액). 다만, 주식, 출자지분 또는 가상자산은 제외한다.

② 2순위: 「상속세 및 증여세법」에 따른 평가액❶

3. 시가적용 특례

(1) 금전의 대여 또는 차용의 경우

금전의 대여 또는 차용의 경우에는 가중평균차입이자율을 시가로 한다. 다만, 가중평균차입이자율의 적용이 불가능하거나 과세표준신고를 할 때 당좌대출이자율을 시가로 선택하는 경우에는 당좌대출이자율을 시가로 한다.

(2) 금전 외의 자산 또는 용역의 제공

금전 외의 자산 또는 용역의 제공에 있어서 일반적인 기준을 적용할 수 없는 경우에는 다음의 금액을 시가로 한다.

구분	시가
유형 또는 무형의 자산을 제공하거나 제공받은 경우	$[자산시가 \times 50\% - 전세금(보증금)] \times 정기예금이자율 \times \dfrac{임대일수}{365}$
건설 기타 용역을 제공하거나 제공받는 경우	$원가 \times (1 + 수익률❷)$

> ⊞ **심화** ㅣ **부당행위계산의 부인 세무조정❸**
>
> 1. **고가매입**: 특수관계인과의 거래로 시가보다 고가로 매입한 경우에는 시가와 거래가액의 차액에 대하여 손금산입(△유보)으로 자산을 시가로 감액하고 시가와 거래가액의 차액만큼 익금산입하고 상대방에 대한 상여 · 배당 등으로 소득처분한다.
>   ▶ 사례: 법인이 임원에게 토지를 거래가 100원(시가 60원)에 구입하였다.
>   〈손금산입 토지 40 △유보〉
>   〈익금산입 부당행위계산부인 40 상여〉
> 2. **저가양도**: 특수관계인과의 거래로 시가보다 저가로 거래한 경우에는 시가와 거래가액의 차액만큼 익금산입 상여 · 배당 등으로 소득처분한다.
>   ▶ 사례: 법인이 임원에게 토지를 거래가 60원(시가 100원)에 양도하였다.
>   〈익금산입 부당행위계산부인 40 상여〉

4 사택임대

임직원에게 사택을 제공하는 경우 다음과 같이 부당행위계산의 부인을 적용한다.

구분	사택유지비	적정임대료에 미달하게 임대한 경우
직원 · 비출자임원 · 소액주주임원	손금인정	부당행위계산의 부인 적용하지 않는다.
출자임원(소액주주임원 제외) 및 그 친족	손금불산입	부당행위계산의 부인 적용대상에 해당(적정임대료와의 차액을 익금에 산입)한다.

❶
「상속세 및 증여세법」에 따른 평가액은 시가산정이 어려운 경우에 적용하는 「상속세 및 증여세법」상의 보충적 평가방법에 의한 평가액을 말한다. 이 경우 비상장법인의 주식가액 산정시 비상장법인이 보유한 주권상장주식의 가액은 평가기준일의 한국거래소 최종시세가액으로 한다.

❷
수익률은 해당 사업연도 중 특수관계인 외의 자에게 제공한 유사한 용역제공거래 또는 특수관계인이 아닌 제3자 간의 일반적인 용역제공거래에 있어서의 수익률로서 기업회계기준에 의하여 계산한 수익률[(매출액 - 원가) ÷ 원가]을 말한다.
$$\Rightarrow \left(\dfrac{매출액 - 원가}{원가} \right)$$

❸ 대응조정
부당행위계산의 부인 규정에 따라 법인의 각 사업연도 소득금액을 재계산하더라도 특수관계인인 상대방에 대한 대응조정은 하지 않는다.

5 가지급금 인정이자

1. 개념

법인이 특수관계인에게 무상 또는 낮은 이율로 금전을 대부한 경우 또는 특수관계인으로부터 높은 이율로 금전을 차용한 경우에는 부당행위계산으로 본다. 따라서 인정이자(적정이자)와 회사가 계상한 이자와의 차액을 귀속자에게 배당·상여 등으로 소득처분하여야 한다.

2. 인정이자 계산대상 가지급금

업무무관자산 등에 대한 지급이자 손금불산입 대상이 되는 업무무관가지급금의 범위와 동일하다.

3. 가지급금과 가수금 상계

동일인에 대한 가지급금 등과 가수금이 있는 경우에는 상계한 금액으로 한다. 다만, 가지급금과 가수금의 발생시에 각각의 상환기간·이자율 등에 관한 약정이 있어서 이를 상계할 수 없는 경우에는 상계하지 않는다.

4. 가지급금 인정이자 계산

가지급금에 대한 인정이자는 다음과 같이 계산한다. 가지급금이라 하더라도 적정이자를 수령하는 경우에는 인정이자의 계산대상이 되지 않는다.

> 가지급금 인정이자 = 가지급금 등의 적수 × 인정이자율 × 1/365

(1) 인정이자율

가중평균차입이자율을 시가로 한다. 다만, 다음의 경우에는 당좌대출이자율을 시가로 한다.

① 가중평균차입이자율의 적용이 불가능한 다음의 경우로 해당 대여금·차입금에 한정하여 당좌대출이자율을 적용한다.

  ㉠ 특수관계인이 아닌 자로부터 차입한 금액이 없는 경우

  ㉡ 차입금 전액이 채권자 불분명사채 또는 비실명 채권·증권의 발행으로 조달된 경우

  ㉢ 대여한 법인의 가중평균차입이자율과 대여금리가 해당 대여시점 현재 자금을 차입한 법인의 가중평균차입이자율보다 높아 가중평균차입이자율이 없는 것으로 보는 경우

② 대여한 날(계약을 갱신한 경우에는 그 갱신일)부터 해당 사업연도 종료일까지의 기간이 5년을 초과하는 대여금이 있는 경우에는 해당 대여금·차입금에 한정하여 당좌대출이자율을 시가로 한다.

③ 해당 법인이 과세표준신고를 할 때 당좌대출이자율**❶**을 시가로 선택하는 경우에는 당좌대출이자율을 시가로 하여 선택한 사업연도와 이후 2개 사업연도는 당좌대출이자율을 시가로 한다.

❶ 당좌대출이자율

당좌대출이자율은 금융기관의 당좌대출 이자율을 고려하여 기획재정부령으로 정하는 이자율을 말한다.

(2) 익금산입액

$$익금산입액 = 가지급금인정이자 - 실제이자수령액$$

(3) 가지급금 등에 대한 미수이자

① 상환기간 및 이자율 등에 대한 약정이 없는 경우: 법인이 특수관계인간의 금전거래에 있어서 상환기간 및 이자율 등에 대한 약정이 없는 대여금 및 가지급금 등에 대하여 결산상 미수이자를 계상한 경우에도 미수이자는 익금불산입하고 인정이자 상당액을 익금에 산입하여 귀속자에 따라 소득처분한다.

② 상환기간 및 이자율 등에 대한 약정이 있는 경우**❷**: 법인이 특수관계인간의 금전거래에 있어서 상환기간 및 이자율 등에 대한 약정이 있는 대여금 및 가지급금 등에 대하여 결산상 미수이자를 계상한 경우에는 별도의 세무조정은 하지 않으며 인정이자와 미수이자와의 차액을 익금에 산입하고 귀속자에 따라 소득처분한다.

❷

약정이 있는 경우 미수이자계상액은 발생일이 속하는 사업연도 종료일로부터 1년이 되는 날까지 회수하지 아니한 경우에는 그 1년이 되는 날에 익금산입하고 귀속자에 따라 상여 등으로 처분한다. 다만, 회수하지 아니한 정당한 사유가 있거나, 회수할 것이 객관적으로 입증되는 경우에는 제외한다.

⊞ 심화 | 불균등자본거래

1. 개념: 불공정한 자본거래로 어느 한 주주의 손실이 다른 주주에게 이익으로 이전되는 효과가 발생할 수 있다. 이러한 경우 다음과 같이 처분한다.

이익을 분여하는 주주		이익을 분여받는 주주	
개인 또는 비영리법인	없음	개인 또는 비영리법인	증여세 과세
영리법인	익금산입 기타사외유출	영리법인	익금산입 유보

2. 불공정자본거래 유형

① **불공정합병**: 불공정합병이란 특수관계인인 법인간의 합병(분할합병 포함)에 있어서 주식 등을 시가보다 높거나 낮게 평가하여 불공정한 비율로 합병한 경우를 말한다.

② **불공정증자**: 불공정증자란 법인의 자본을 증가시키는 거래에 있어서 신주(전환사채, 신주인수권부사채 또는 교환사채 포함)를 배정·인수받을 수 있는 권리의 전부 또는 일부를 포기하거나 신주를 시가보다 높은 가액으로 인수하는 경우를 말한다.

③ **불공정감자**: 불공정감자란 법인의 감자에 있어서 주주가 소유한 주식의 비율에 의하지 아니하고 일부 주주의 주식을 시가보다 저가로 소각하는 경우를 말한다.

01 「법인세법」상 부당행위계산의 부인 규정을 적용하기 위한 시가에 대한 설명으로 옳은 것은?

2016년 7급

① 시가를 산정할 때 해당 거래와 유사한 상황에서 해당 법인이 특수관계인 외의 불특정다수인과 계속적으로 거래한 가격 또는 특수관계인이 아닌 제3자간에 일반적으로 거래된 가격에 따른다.

② 금전의 대여기간이 5년을 초과하는 대여금이 있는 경우 해당 대여금에 한정하여 가중평균차입이자율을 시가로 한다.

③ 시가가 확인되는 경우에도 「부동산 가격공시 및 감정평가에 관한 법률」에 의한 감정평가법인이 감정한 가액에 따를 수 있다.

④ 증권시장 외에서 거래하는 방법으로 상장주식을 거래하는 경우에는 그 거래된 가격을 시가로 한다.

02 「법인세법」상 부당행위계산부인 규정에 관한 설명으로 옳지 않은 것은?

2009년 9급

① 자산을 시가보다 높은 가액으로 매입한 경우에는 시가와 거래가액의 차액이 3억 원 이상이거나 시가의 5%에 상당하는 금액 이상인 경우에 한하여 부당행위계산부인 규정을 적용한다.

② 행위 당시에는 특수관계가 성립하였으나 그 이후 사업연도 종료일 현재 특수관계가 소멸된 경우에도 부당행위계산부인 대상에 해당된다.

③ 선물거래에 근거한 권리를 행사하지 않는 방법으로 이익을 분여하는 경우에는 부당행위계산의 유형에 해당되지 아니한다.

④ 주권상장법인이 소액주주인 임원에게 사택을 제공한 경우에는 부당행위계산의 유형에 해당되지 아니한다.

정답 01 ① 02 ③

03 ㈜서울의 대주주이자 대표이사인 김서울씨는 보유하던 토지(시가 2억 원, 취득가액 5천만 원)를 ㈜서울에 2억 5천만 원을 받고 매각하였다. ㈜서울이 장부상 당해 토지를 2억 5천만 원으로 계상한 경우 ㈜서울의 입장에서 필요한 세무조정과 소득처분으로 옳은 것은?

2007년 9급

① 5천만 원 익금산입(상여) 및 5천만 원 손금산입(사내유보)
② 5천만 원 익금산입(배당) 및 5천만 원 손금산입(사내유보)
③ 5천만 원 익금산입(상여) 및 5천만 원 손금산입(기타)
④ 5천만 원 익금산입(기타사외유출) 및 5천만 원 손금산입(사내유보)

03
시가초과액은 손금산입하여 시가로 감액하고 해당 금액만큼 다시 사외유출된 금액이므로 익금산입하고 상여로 처분한다.

04 「법인세법」상 조세의 부담을 부당히 감소시킨 것으로 인정되는 경우에 해당하지 않는 것은?

2012년 9급

① 자산을 시가보다 높은 가액으로 매입 또는 현물출자 받았거나 그 자산을 과대 상각한 경우
② 무수익 자산을 매입·현물출자받았거나 그 자산에 대한 비용을 부담한 경우
③ 불량자산을 차환하거나 불량채권을 양수한 경우
④ 주식매수선택권의 행사에 따라 주식을 양도하는 경우로서 주식을 시가보다 낮은 가액으로 양도한 경우

04
주식매수선택권의 행사에 따라 주식을 양도하는 경우로서 주식을 시가보다 낮은 가액으로 양도하는 것은 부당행위계산부인에 해당하지 않는다.

05 「법인세법」상 부당행위계산 부인에 관한 설명으로 옳지 않은 것은?

2010년 7급

① 부당성 여부는 경제적 합리성을 기준으로 판단한다는 것이 판례의 입장이다.
② 부당행위계산 부인은 특수관계인과의 거래에서 적용된다.
③ 허위의 거래이든 실제의 거래이든 관계없이 부당성의 요건을 충족하면 부당행위계산 부인의 대상이 된다.
④ 행위 또는 계산의 결과 조세부담이 부당히 감소하여야 한다.

05
실질에 따라 과세하므로 실제로 거래하지 않은 허위거래는 부당행위계산부인을 적용하지 않는다.

06 「법인세법」상 부당행위계산의 부인에 대한 설명으로 옳은 것을 모두 고른 것은?

2015년 9급

ㄱ. 법인이 특수관계인으로부터 무수익 자산을 2억 원에 매입한 경우에는 부당행위계산의 부인을 적용한다.

ㄴ. 부당행위계산의 부인은 법인과 특수관계에 있는 자 간의 거래를 전제로 하며, 특수관계인 외의 자를 통하여 이루어진 거래는 이에 포함하지 않는다.

ㄷ. 부당행위계산의 부인에서 특수관계의 존재 여부는 해당 법인과 법령이 정하는 일정한 관계에 있는 자를 말하며, 이 경우 해당 법인도 그 특수관계인의 특수관계인으로 본다.

ㄹ. 부당행위계산의 부인을 적용할 때 시가가 불분명한 경우에는 「부동산 가격공시 및 감정평가에 관한 법률」에 의한 감정평가업자가 감정한 가액과 「상속세 및 증여세법」에 따른 보충적 평가방법을 준용하여 평가한 가액 중 큰 금액을 시가로 한다.

① ㄱ, ㄴ   ② ㄱ, ㄷ

③ ㄴ, ㄹ   ④ ㄷ, ㄹ

06

옳은 것은 ㄱ, ㄷ이다.

✓ 오답체크

ㄴ. 부당행위계산부인 규정은 그 행위 당시를 기준으로 하여 해당 법인과 특수관계인간의 거래(특수관계인 외의 자를 통하여 이루어진 거래를 포함)에 대하여 이를 적용한다.

ㄹ. 부당행위계산부인 규정에서 시가를 적용함에 있어서 시가가 불분명한 경우에는 감정평가업자가 감정한 가액(주식 제외)과 「상속세 및 증여세법」에 따른 보충적 평가방법을 순차적으로 적용한다.

---

07 법인세법령상 조세의 부담을 부당하게 감소시킨 것으로 인정되는 경우(부당행위계산)에 해당하지 않는 것은? (단, 다른 요건은 모두 충족된 것으로 본다)

2023년 9급

① 특수관계인인 법인 간 분할에 있어서 불공정한 비율로 분할하여 분할에 따른 양도손익을 감소시킨 경우(다만, 「자본시장과 금융투자업에 관한 법률」 제165조의4에 따라 분할하는 경우는 제외)

② 출연금을 대신 부담한 경우

③ 금전을 시가보다 낮은 이율로 차용한 경우

④ 불량자산을 차환하거나 불량채권을 양수한 경우

07

금전을 낮은 이자율로 차용한 것은 부당행위계산의 부인에 해당하지 않는다.

11 과세표준의 계산

1 계산구조

1. 법인세의 과세표준은 각 사업연도 소득금액에서 이월결손금 · 비과세소득 · 소득공제액을 순차적으로 공제하여 계산한다.

> 과세표준 = 각 사업연도 소득금액 − 이월결손금 − 비과세소득 − 소득공제액

2. 이월결손금이 각 사업연도 소득금액을 초과하는 경우에는 그 이월결손금을 차기로 이월하며 비과세소득과 소득공제액이 각 사업연도 소득금액에서 이월결손금을 차감한 금액을 초과하는 경우에는 그 초과한 금액은 이월되지 않고 소멸한다.❶

2 이월결손금

1. 개념

(1) 세법상 결손금이란 손금의 총액이 익금의 총액을 초과하는 경우 그 초과하는 금액을 말하며, 이러한 결손금이 차기로 이월된 경우 그 금액을 이월결손금이라고 한다.

(2) 이러한 결손금은 15년(2008.12.31. 이전분 5년, 2009.1.1. 이후 2019.12.31. 이전분 10년)간 이월하여 공제한다.

(3) 결손금 중 중소기업에 한하여 직전사업연도의 소득금액에서 소급하여 공제할 수 있다.

2. 결손금의 이월공제

(1) 요건

① 각 사업연도개시일 전 15년 이내에 개시한 사업연도에서 발생한 세무상 결손금(합병 · 분할에 따라 승계한 결손금을 포함)만 해당하며, 이러한 세무상 결손금은 「법인세법」에 따라 신고하거나 결정 · 경정되거나, 「국세기본법」에 따라 수정신고한 과세표준에 포함된 결손금에 한정한다.

② 이월결손금의 공제순서는 공제기간 이내 분 이월결손금 중 먼저 발생한 사업연도의 결손금부터 순차로 공제한다.

③ 결손금 발생 후 각 사업연도의 과세표준계산을 할 때 공제되지 아니한 금액만을 공제한다.

❶ 소득공제 이월공제
유동화전문회사 등에 대한 소득공제의 경우 초과배당금액은 5년간 이월된다.

❶

법인이 이월결손금을 기업회계기준에 따라 자본잉여금·이익잉여금으로 장부상 보전한 때에도 세무상 이월결손금에는 영향이 없으므로 세무상 이월결손금은 각 사업연도 소득금액에서 공제할 수 있다.

(2) 공제할 수 없는 결손금

다음의 경우는 결손금을 이미 공제받았으므로 과세표준을 계산할 때 공제할 수 없다.❶

① 결손금소급공제제도에 따라 소급공제받은 결손금

② 당기 전에 과세표준계산시 이월결손금으로 이미 공제된 금액

③ 자산수증이익 및 채무면제이익으로 충당된 이월결손금

④ 특정법인이 출자전환채무면제이익으로 출자전환 이후 사업연도에 발생하는 결손금의 보전에 충당한 경우의 결손금

(3) 이월결손금 공제 범위

① 「조세특례제한법」에 따른 중소기업과 다음의 법인은 각 사업연도 소득금액 내에서 전액 공제한다.

　　㉠ 「채무자 회생 및 파산에 관한 법률」에 따라 법원이 인가결정한 회생계획을 이행 중인 법인

　　㉡ 「기업구조조정 촉진법」에 따라 기업개선계획의 이행을 위한 약정을 체결하고 기업개선계획을 이행 중인 법인

　　㉢ 해당 법인의 채권을 보유하고 있는 「금융실명거래 및 비밀보장에 관한 법률」에 따른 금융회사 등이나 그 밖의 법률에 따라 금융업무 또는 기업 구조조정 업무를 하는 「공공기관의 운영에 관한 법률」에 따른 공공기관으로서 기획재정부령으로 정하는 기관과 경영정상화계획의 이행을 위한 협약을 체결하고 경영정상화계획을 이행 중인 법인

　　㉣ 채권, 부동산 또는 그 밖의 재산권(이하 '유동화자산'이라 함)을 기초로 「자본시장과 금융투자업에 관한 법률」에 따른 증권을 발행하거나 자금을 차입(이하 '유동화거래'라 함)할 목적으로 설립된 법인으로서 일정요건❷을 모두 갖춘 법인

　　㉤ 소득공제 대상이 되는 유동화 전문회사, 투자회사·투자목적회사·투자유한회사 등의 투자회사

　　㉥ 「기업 활력 제고를 위한 특별법」에 따른 사업재편계획 승인을 받은 법인

② ① 외의 법인은 각 사업연도 소득금액의 80% 범위 내에서 공제한다.

(4) 추계의 경우 이월결손금 배제

법인세 과세표준을 추계결정 또는 추계경정하는 경우에는 이월결손금을 공제하지 아니한다. 다만, 천재·지변 등으로 장부 기타 증빙서류가 멸실되어 불가피하게 과세표준을 추계하는 경우에는 이월결손금공제가 허용된다.

❷

일정요건은 다음과 같다.

1. 「상법」또는 그밖의 법률에 따른 주식회사 또는 유한회사일 것

2. 한시적으로 설립된 법인으로서 상근하는 임원 또는 직원을 두지 아니할 것

3. 정관 등에서 법인의 업무를 유동화거래에 필요한 업무로 한정하고 유동화거래에서 예정하지 아니한 합병, 청산 또는 해산이 금지될 것

4. 유동화거래를 위한 회사의 자산 관리 및 운영을 위하여 업무위탁계약 및 자산관리위탁계약이 체결될 것

5. 2015년 12월 31일까지 유동화자산의 취득을 완료하였을 것

📖 기출 OX

장부를 기장하지 아니하여 법인세 과세표준을 추계결정하는 경우에는 이월결손금을 공제할 수 없다. (○)　　05. 9급

이월결손금 공제기간 정리

구분	내용
발생연도제한이 없는 이월결손금	① 자산수증이익 · 채무면제이익에 충당하는 이월결손금 ② 청산소득금액계산시 공제하는 이월결손금
각 사업연도개시 전 15년 이내 이월결손금	① 기부금한도액 계산 ② 법인세 과세표준 계산시 공제하는 이월결손금

3. 결손금의 소급공제

(1) 소급공제요건

① 결손금이 발생한 「조세특례제한법」에 따른 중소기업에 한한다.❶

② 법인세 과세표준 신고기한 내에 결손금이 발생한 사업연도와 그 직전사업연도의 소득에 대한 법인세의 과세표준 및 세액을 각각 신고한 경우만 적용한다. 따라서 기한후 신고하는 경우에는 결손금 소급공제를 적용받을 수 없다.

③ 직전사업연도의 소득에 대하여 과세된 법인세액이 있어야 한다.

④ 법인세 과세표준 신고기한 내에 소급공제법인세액환급신청서를 납세지 관할 세무서장에게 제출하여야 한다.

(2) 환급세액

환급세액=Min(①, ②)

① $\dfrac{\text{직전사업연도의}}{\text{법인세 산출세액}}$❷ $- \left(\dfrac{\text{직전사업연도의}}{\text{과세표준}} - \dfrac{\text{소급공제}}{\text{결손금}}❸\right) \times \dfrac{\text{직전사업연도의}}{\text{세율}}$

② 한도: 직전사업연도의 법인세 산출세액 − 직전사업연도의 감면 · 공제세액

(3) 환급절차

① 납세지 관할세무서장은 결손금 소급공제에 따른 법인세의 환급신청을 받으면 지체 없이 환급세액을 결정하여 「국세기본법」에 따라 환급하여야 한다.

② 법인세 신고기한 내에 소급공제 신청서를 제출하지 아니한 경우의 결손금은 자동적으로 이월결손금 공제가 적용되므로 「국세기본법」 규정에 의한 경정 등의 청구에 의하여 소급공제하지 않는다.

③ 중소기업이 합병으로 인하여 소멸하거나 폐업한 경우에도 그 합병등기일 또는 폐업일이 속하는 사업연도에 발생한 결손금에 대하여 결손금 소급공제를 받을 수 있다.

(4) 환급세액의 추징과 이자

납세지 관할세무서장은 다음의 추징사유가 발생한 경우에는 환급이 취소된 세액과 이자상당액을 가산하여 결손금이 발생한 사업연도의 법인세로 징수한다.

---

❶ 소비성서비스업을 주된 사업으로 영위하는 법인은 중소기업이 될 수 없으므로 결손금 소급공제를 받을 수 없다.

기출 OX

한 사업연도에서 발생한 결손금을 다른 사업연도의 소득에서 공제하는 방법과 관련하여, 예외적으로 법령에 의하여 소급공제를 허용하는 경우를 제외하고는, 그 후 사업연도의 소득에서 이월공제한다. (○) 15. 7급

❷ 직전사업연도의 법인세 산출세액은 토지 등 양도소득에 대한 법인세를 제외한 금액을 말한다.

❸ 소급공제 결손금은 해당 사업연도의 결손금으로서 소급공제를 받고자 하는 금액을 말한다.

① 추징사유

    ㉠ 결손금 소급공제규정에 의하여 법인세를 환급한 후 결손금이 발생한 사업연도에 대한 법인세의 과세표준과 세액을 경정함으로써 당초의 결손금이 감소된 경우

    ㉡ 중소기업에 해당되지 아니하는 법인이 법인세를 환급받은 경우

    ㉢ 결손금이 발생한 사업연도의 직전사업연도에 대한 법인세의 과세표준과 세액을 경정함으로써 환급세액이 감소된 경우

② 추징금액: 경정으로 감소된 결손금이 있을 때 당초의 결손금 중 일부금액만 소급공제받은 경우에는 소급공제받지 아니한 결손금이 먼저 감소된 것으로 본다.

> ㉠ 환급취소세액 = 결손금 소급공제로 인한 당초 환급세액 × $\dfrac{\text{감소된 결손금액} - \text{소급공제받지 아니한 결손금}}{\text{소급공제결손금액}}$
>
> ㉡ 이자상당액 = 환급취소세액 × 일수^❶ × 22/100,000^❷

3 비과세소득

1. 개념

(1) 「법인세법」에서 공익목적 등에 사용하는 소득은 과세대상에서 제외한다. 비과세소득은 익금항목으로 각 사업연도 소득금액에 포함한 후 과세표준계산할 때 공제하는 방법으로 과세대상에서 제외한다.

(2) 비과세소득이 각 사업연도 소득금액에서 이월결손금을 공제한 잔액을 초과하는 경우 그 금액은 소멸된다. 즉, 비과세소득은 이월되지 않는다.

2. 법인세상 비과세소득

「법인세법」상 비과세소득은 공익신탁(학술 · 종교 · 제사 · 자선 기타 공익을 목적으로 하는 신탁)의 신탁재산에서 생기는 소득에 대하여는 과세하지 아니한다.

4 소득공제

1. 대상법인

(1) 유동화전문회사, 투자회사, 투자목적회사, 프로젝트금융투자회사 등의 내국법인이 배당가능이익의 90% 이상을 배당한 경우 그 금액(이하 배당금액)은 해당 배당을 결의한 잉여금 처분의 대상이 되는 사업연도의 소득금액에서 공제한다.

---

❶

당초 환급세액의 통지일의 다음날부터 환급취소에 의하여 징수하는 법인세액의 고지일까지의 기간의 일수를 말한다.

❷

납세자가 법인세액을 과다하게 환급받은데 정당한 사유가 있는 때에는 국세환급가산금 지급 시 적용하는 이자율을 적용한다.

(2) 배당금액이 해당 사업연도의 소득금액을 초과하는 경우 그 초과하는 금액(이하 초과배당금액)은 해당 사업연도의 다음 사업연도 개시일부터 5년 이내에 끝나는 각 사업연도로 이월하여 그 이월된 사업연도의 소득금액에서 공제할 수 있다(다만, 내국법인이 이월된 사업연도에 배당가능이익의 90% 이상을 배당하지 않는 경우는 제외).

(3) 이월된 초과배당금액을 해당 사업연도의 소득금액에서 공제하는 경우에는 다음의 방법에 따라 공제한다.

　　① 이월된 초과배당금액을 해당 사업연도의 배당금액보다 우선 공제한다.

　　② 이월된 초과배당금액이 둘 이상인 경우에는 먼저 발생한 것부터 공제한다.

2. 배당가능이익

> 배당가능이익
> = 당기순이익 + 이월이익잉여금 − 이월결손금 − 「상법」에 따라 적립한 이익준비금

배당가능이익에서 다음에 해당하는 금액은 제외한다.

(1) 「상법」에 따라 자본준비금을 감액하여 받는 배당(의제배당으로 과세되는 자본준비금의 배당은 제외)

(2) 당기순이익·이월이익잉여금 및 이월결손금 중 유가증권의 평가에 따른 손익. 다만, 투자회사 등의 집합투자재산의 평가손익은 배당가능이익에 포함

3. 소득공제배제

다음 중 어느 하나에 해당하는 경우에는 소득공제를 적용하지 아니한다.

(1) 배당을 받은 주주 등에 대하여 「법인세법」 또는 「조세특례제한법」에 따라 그 배당에 대한 소득세 또는 법인세가 비과세되는 경우. 다만, 배당을 받은 주주 등이 동업기업과세특례를 적용받는 동업기업인 경우로서 그 동업자들에 대하여 배분받은 배당에 해당하는 소득에 대한 소득세 또는 법인세가 전부 과세되는 경우는 제외한다.

(2) **배당을 지급하는 내국법인이 다음의 요건을 모두 갖춘 경우**

　　① 사모방식으로 설립된 법인

　　② 개인 2인 이하 또는 개인 1인 및 그 친족이 발행주식총수 또는 출자총액의 95% 이상의 주식 등을 소유한 주주 등인 법인일 것. 다만, 개인 등에게 배당 및 잔여재산의 분배에 관한 청구권이 없는 경우를 제외한다.

01 법인세법령상 내국법인의 각 사업연도 소득에 대한 비과세 및 소득공제에 대한 설명으로 옳은 것은?

2021년 7급

① 공익신탁의 신탁재산에서 생기는 소득에 대하여는 각 사업연도 소득에 대한 법인세를 과세한다.

② 「기업구조조정투자회사법」에 따른 기업구조조정투자회사가 법령으로 정하는 배당가능이익의 100분의 90 이상을 배당한 경우 그 금액은 해당 배당을 결의한 잉여금 처분의 대상이 되는 사업연도의 소득금액에서 공제한다.

③ 유동화전문회사 등에 대한 소득공제를 받으려는 법인은 소득공제신청서를 배당일로부터 2주 이내에 본점 소재지 관할 세무서장에게 제출하여야 한다.

④ 배당을 지급하는 내국법인이 사모방식으로 설립되었고, 개인 2인이 발행주식총수의 100분의 95의 주식을 소유한 법인(개인에게 배당 및 잔여재산의 분배에 관한 청구권이 없는 경우는 제외)인 경우에는 유동화전문회사 등에 대한 소득공제규정을 적용할 수 있다.

01

✔ 오답체크
① 공익신탁의 이익은 비과세대상에 해당된다.
③ 과세표준신고와 함께 기획재정부령으로 정하는 소득공제신청서를 납세지 관할세무서장에게 제출하여야 한다.
④ 사무방식으로 설립하고 개인 2인 이하 또는 개인 1인 및 친족이 지분의 95% 이상을 소유하고 있는 경우에는 배당소득공제를 적용하지 않는다.

02 「법인세법」상 내국법인의 각 사업연도 소득에서 공제하는 이월결손금에 대한 설명으로 옳지 않은 것은?

2015년 7급

① 한 사업연도에서 발생한 결손금을 다른 사업연도의 소득에서 공제하는 방법과 관련하여, 예외적으로 법령에 의하여 소급공제를 허용하는 경우를 제외하고는, 그 후 사업연도의 소득에서 이월공제한다.

② 이월결손금공제에 있어서는 먼저 발생한 사업연도의 결손금부터 순차로 공제한다.

③ 법인세 과세표준을 추계 결정하는 경우에도 이월결손금을 공제할 수 있는 경우가 있다.

④ 이월결손금으로 공제될 수 있는 결손금은 법인세 과세표준 신고에 포함되었거나 과세행정청의 법인세 결정·경정에 포함된 결손금이어야 하며, 그 외 납세자가 「국세기본법」에 따라 수정신고하면서 과세표준에 포함된 경우에는 그 대상이 될 수 없다.

02
이월결손금으로 공제될 수 있는 결손금은 법인세 과세표준 신고에 포함되었거나 과세행정청의 법인세 결정·경정에 포함된 결손금이어야 하며, 그 외 납세자가 「국세기본법」에 따라 수정신고하면서 과세표준에 포함된 경우에도 그 대상이 될 수 있다.

정답 01 ② 02 ④

03 「법인세법」상 내국법인의 각 사업연도의 소득과 과세표준의 계산에 관한 설명 중 옳지 않은 것은?

2009년 9급

① 각 사업연도의 소득은 그 사업연도에 속하는 익금의 총액에서 그 사업연도에 속하는 손금의 총액을 공제한 금액으로 한다.

② 각 사업연도의 결손금은 그 사업연도에 속하는 손금의 총액이 그 사업연도에 속하는 익금의 총액을 초과하는 경우에 그 초과하는 금액으로 한다.

③ 각 사업연도의 개시일 전 7년 이내에 발생한 이월결손금에 한해서 각 사업연도의 소득에서 공제할 수 있다.

④ 각 사업연도의 소득에 대한 과세표준은 총 익금에서 총 손금을 공제하여 산출한 소득에서 이월결손금, 비과세소득, 소득공제액을 순차로 공제한 금액으로 한다.

04 「법인세법」에 의하여 각 사업연도 소득에서 공제하는 이월결손금에 대한 설명으로 옳은 것은?

2005년 9급

① 각 사업연도에 발생한 이월결손금은 합산되어 차기 이후 사업연도 소득에서의 공제는 발생연도에 관계없이 적용한다.

② 익금불산입 항목인 주식발행액면초과액으로 충당된 이월결손금은 장부상 존재하지 아니하므로 소멸된 것으로 본다.

③ 장부를 기장하지 아니하여 법인세 과세표준을 추계결정하는 경우에는 이월결손금을 공제할 수 없다.

④ 공제시한 경과로 각 사업연도 소득에서 공제하지 아니하고 소멸된 이월결손금은 더 이상 자산수증이익이나 채무면제이익에도 충당할 수 없다.

05 법인세의 이월공제가 허용되는 것으로 옳게 묶인 것은?

2005년 7급

> ㄱ. 외국납부세액공제
> ㄴ. 재해손실세액공제
> ㄷ. 사실과 다른 회계처리로 인한 경정에 따른 세액공제
> ㄹ. 배당세액공제
> ㅁ. 통합투자세액공제

① ㄱ, ㄷ, ㅁ   ② ㄱ, ㄴ, ㄷ
③ ㄴ, ㄷ, ㄹ   ④ ㄷ, ㄹ, ㅁ

03

각 사업연도의 개시일 전 15년 이내에 개시한 사업연도에서 발생한 결손금으로서 그 후의 각 사업연도의 과세표준 계산에 있어서 공제되지 않은 금액은 각 사업연도 소득 금액의 일정 범위 안에서 이를 공제한다.

04

✓ 오답체크

① 각 사업연도개시일 전 15년 이내에 개시한 사업연도에서 발생한 결손금을 공제할 수 있다.
② 세법상 이월결손금은 소멸된 것이 아니므로 공제대상에 해당한다.
④ 자산수증이익이나 채무면제이익에서 공제하는 이월결손금은 기간의 제한이 없다.

05

✓ 오답체크

ㄴ. 재해손실세액공제와 ㄹ. 배당세액공제는 이월되지 않는다.

12 산출세액의 계산

1 산출세액

1. 사업연도가 1년인 경우

과세표준에 다음의 세율을 적용하여 계산한 금액을 각 사업연도 소득에 대한 법인세 산출세액으로 한다.

과세표준	세율
2억 원 이하	9%
2억 원 초과 200억 원 이하	1,800만 원 + 2억 원 초과금액 × 19%
200억 원 초과 3천억 원 이하	37억 8천만 원 + 200억 원 초과금액 × 21%
3천억 원 초과	625억 8천만 원 + 3천억 원 초과금액 × 24%

2. 사업연도가 1년 미만인 경우

사업연도가 1년 미만인 경우에는 다음과 같이 산출세액을 계산한다.

$$산출세액 = \left(과세표준 \times \frac{12}{사업연도\ 월수^{①}} \right) \times 세율 \times \frac{사업연도\ 월수^{①}}{12}$$

❶
사업연도 월수는 역에 따라 계산하되 1개월 미만의 일수는 1개월로 한다.

2 토지 등의 양도소득이 있는 법인

1. 과세대상

「법인세법」에서 정한 주택, 별장, 조합원입주권, 분양권 및 비사업용토지 등의 양도소득이 있는 법인의 경우에는 다음의 금액을 산출세액으로 한다.

$$법인세\ 산출세액 = 각\ 사업연도\ 소득에\ 대한\ 법인세 + 토지\ 등\ 양도소득에\ 대한\ 법인세$$

2. 과세대상과 비과세대상

(1) 과세대상

법인의 주택, 별장, 조합원입주권, 분양권 및 비사업용토지의 양도로 인한 소득을 과세하며 그 세율은 다음과 같다.

① 주택 · 별장: 20%(미등기 40%)

② 비사업용토지: 10%(미등기 40%)

③ 조합원입주권 · 분양권: 20%

참고

주택

국내에 소재하는 주택 및 별장(법에서 정하는 농어촌 주택은 제외)으로서 다음에 해당하지 않는
것은 양도소득으로 과세한다.

1. 주주 등이나 출연자가 아닌 임원(소액주주임원을 포함) 및 직원에게 제공하는 사택 및 그 밖에
   무상으로 제공하는 법인 소유의 주택으로서 사택제공기간 또는 무상제공기간이 10년 이상인
   주택
2. 저당권의 실행으로 인하여 취득하거나 채권변제를 대신하여 취득한 주택으로서 취득일부터 3년
   이 경과하지 아니한 주택
3. 「법인세법」에서 정하는 임대주택
4. 그 밖에 부득이한 사유로 보유하고 있는 주택으로서 기획재정부령으로 정하는 주택

(2) 비과세대상

다음의 양도소득에 대하여는 토지 등의 양도소득에 대한 법인세를 과세하지
아니한다. 다만, 미등기토지 등❶의 양도소득에 대하여는 그러하지 아니하다.

① 파산선고에 의한 토지 등의 처분으로 인하여 발생하는 소득

② 법인이 직접 경작하던 농지로서 일정한 경우에 해당하는 농지의 교환 또
   는 분합으로 발생한 소득

③ 「도시개발법」 그 밖의 법률에 의한 환지처분으로 지목 또는 지번이 변경되
   거나 체비지로 충당됨으로써 발생하는 소득

④ 「소득세법」에서 양도로 보지 않는 교환으로 발생하는 소득

⑤ 적격분할·적격합병·적격물적분할·적격현물출자·조직변경 및 교환으
   로 인하여 발생하는 소득

⑥ 「한국토지주택공사법」에 따른 한국토지주택공사가 같은 법에 따른 개발사
   업으로 조성한 토지 중 주택건설용지로 양도함으로써 발생하는 소득

⑦ 주택을 신축하여 판매(「민간임대주택에 관한 특별법」에 따른 민간건설임
   대주택 또는 「공공주택 특별법」에 따른 공공건설임대주택을 동법에 따라
   분양하거나 다른 임대사업자에게 매각하는 경우를 포함)하는 법인이 그
   주택 및 주택에 부수되는 토지로서 그 면적이 다음의 면적 중 넓은 면적
   이내의 토지를 양도함으로써 발생하는 소득

   ㉠ 주택의 연면적(지하층의 면적, 지상층의 주차용으로 사용되는 면적 및
      「주택건설기준 등에 관한 규정」의 규정에 따른 주민공동시설의 면적을
      제외)

   ㉡ 건물이 정착된 면적에 5배(「국토의 계획 및 이용에 관한 법률」의 규정
      에 따른 도시지역 밖의 토지의 경우에는 10배)를 곱하여 산정한 면적

⑧ 「민간임대주택에 관한 특별법」에 따른 기업형임대사업자에게 토지를 양도
   하여 발생하는 소득

⑨ 그 밖에 공공목적을 위한 양도 등 기획재정부령이 정하는 사유로 인하여
   발생하는 소득

❶ 미등기토지 등

미등기토지 등이란 토지 등을 취득한 법
인이 그 취득에 관한 등기를 하지 않고
양도하는 토지 등을 말한다.

3. 계산구조

```
        토 지  등 의  양 도 금 액
  (−) 양도 당시의 장부가액
  ──────────────────────────
        양   도   소   득
  (×) 세              율
  ──────────────────────────
        산   출   세   액
  ══════════════════════════
```

(1) 양도차손이 발생한 경우

법인이 각 사업연도에 2 이상의 과세대상 토지 등을 양도하는 경우에는 양도한 각 자산별로 계산한 양도소득을 합산한다. 이 경우 양도한 자산 중 양도 당시의 장부가액이 양도금액을 초과하는 양도차손이 발생하는 자산이 있는 경우에는 그 초과하는 금액을 다음 자산의 양도소득에서 순차로 차감하여 양도소득을 계산한다.

① 양도차손이 발생한 자산과 같은 세율을 적용받는 자산의 양도소득
② 양도차손이 발생한 자산과 다른 세율을 적용받는 자산의 양도소득

(2) 하나의 자산이 둘 이상 세율을 적용받는 경우

하나의 자산이 둘 이상의 세율에 해당하는 때에는 그 중 가장 높은 세율을 적용한다.

4. 귀속시기

토지 등 양도소득의 귀속사업연도는 대금을 청산한 날이 속하는 사업연도를 원칙으로 한다. 다만, 대금청산일 전에 소유권 이전등기일 · 인도일 또는 사용수익일이 도래하는 경우에는 그 중 빠른 날이 속하는 사업연도로 한다. 장기할부조건으로 토지 등을 양도한 경우에도 동일하게 적용한다.

3 세액감면

1. 개념

조세정책상 목적으로 법인세 산출세액에서 특정한 소득에 대한 세액의 전부를 면제하거나 세액의 일정비율을 경감하는 제도를 말한다.

$$감면세액 = 산출세액 \times \frac{감면대상소득금액}{과세표준} \times 감면율$$

2. 「법인세법」상 세액감면

현행 「법인세법」에 규정된 감면은 없으며 「조세특례제한법」상 세액감면규정이 있다. 이러한 세액감면은 당기에 감면받지 못하면 차기로 이월하지 않고 소멸한다.

4 세액공제

1. 개요

세액공제는 일정요건을 충족한 법인에 대하여 산출세액에서 일정금액을 공제하는 것을 말한다.

(1) 「법인세법」상 세액공제

① 외국납부세액공제(10년간 이월공제)

② 재해손실세액공제(이월공제 없음)

③ 사실과 다른 회계처리로 인한 경정에 따른 세액공제(기간제한 없이 이월공제)

(2) 「조세특례제한법」상 세액공제

연구인력개발비 세액공제 · 통합투자세액공제 등

2. 외국납부세액공제

(1) 개념

국외원천소득에 대하여 법인세를 납부하고 이를 다시 우리나라에서 과세하면 이중과세문제가 발생한다. 이러한 문제를 해결하기 위해 외국법인세액을 공제하는 방법을 선택하여 적용받을 수 있도록 하고 있다.

(2) 범위

① **직접외국납부세액**: 외국정부(지방자치단체 포함)에 의하여 과세된 세액으로서 내국법인의 각 사업연도의 과세표준에 포함된 국외원천소득에 대하여 직접적으로 납부하였거나 납부할 것으로 확정된 다음의 세액(가산세 제외)을 말한다.

ⓐ 초과이윤세 및 그 밖에 법인의 소득 등을 과세표준으로 하여 과세된 세액

ⓑ 법인의 소득 등을 과세표준으로 하여 과세된 세액의 부가세액

ⓒ 법인의 소득 등을 과세표준으로 하여 과세된 세액과 동일한 세목에 해당하는 것으로서 소득 외의 수익금액 또는 그 밖에 이에 준하는 것을 과세표준으로 하여 과세된 세액

② **의제외국납부세액**: 의제외국납세액이란 내국법인이 조세조약의 상대국에서 국외원천소득에 대하여 법인세를 감면받고 그 감면받은 세액을 조세조약이 정하는 범위에서 납부한 세액으로 보아 공제하는 금액을 말한다.

③ 간접외국납부세액: 내국법인의 각 사업연도 소득금액에 외국자회사로부터 받은 수입배당금이 포함되어 있는 경우에는 외국자회사가 납부한 법인세액 중 일정액을 내국법인이 납부한 것으로 간주한다. 다만, 외국자회사에 대한 수입배당금익금불산입 규정이 적용되는 경우에는 외국납부세액공제를 적용하지 않는다.

  ㉠ 자회사 요건: 외국자회사란 배당기준일 현재 6개월 이상 계속하여 의결권 있는 발행주식총수 또는 출자총액의 10%(해외자원개발산업을 하는 외국법인의 경우에는 5%) 이상을 출자하고 있는 법인을 말한다.

  ㉡ 간접외국납부세액의 세무조정: 간접외국납부세액을 세액공제방식을 선택한 경우 간접외국납부세액을 익금으로 간주하여 각 사업연도의 소득금액에 합산한 후 산출세액에서 세액공제로 차감한다.

$$\text{간접외국납부세액} = \text{외국자회사의 법인세} \times \frac{\text{외국자회사로부터의 수입배당금}}{\text{외국자회사의 소득금액} - \text{외국자회사의 법인세액}}$$

(3) 한도

다음의 금액을 한도로 하여 세액공제를 한다.

$$\text{공제한도} = \text{법인세 산출세액}^\text{❶} \times \frac{\text{국외원천소득}^\text{❷}}{\text{해당 사업연도의 과세표준}}$$

(4) 세액공제와 손금산입

① 세액공제

  ㉠ 공제한도를 계산할 때 국외사업장이 2개 이상의 국가에 있는 경우에는 국가별로 구분하여 이를 계산하는 방법을 적용한다.

  ㉡ 2개 이상 국가에 국외사업장이 있는 경우 외국납부세액공제 한도액을 국가별로 구분하여 계산하는 경우에 어느 국가의 소득금액이 결손인 경우의 국외원천소득금액 계산은 각 국별 소득금액에서 그 결손금액을 총소득금액에 대한 국가별 소득금액 비율로 안분계산하여 차감한 금액으로 한다.

② 이월공제: 외국납부세액이 공제한도를 초과하는 경우 그 초과하는 금액은 해당 사업연도의 다음 사업연도 개시일부터 10년 이내에 끝나는 각 사업연도에 이월하여 공제받을 수 있다.

③ 손금산입: 외국납부세액을 이월공제기간 내에 공제받지 못한 경우 그 공제받지 못한 외국법인세액은 이월공제기간의 종료일 다음 날이 속하는 사업연도의 소득금액을 계산할 때 손금에 산입할 수 있다.

❶
토지 등 양도소득에 대한 법인세와 미환류소득에 대한 법인세는 제외한다.

❷
국외원천소득은 국외원천소득과 관련된 비과세소득·이월결손금·소득공제액을 공제한 금액을 말한다. 이 경우 이월결손금 등의 귀속국이 불분명한 경우에는 각 사업연도 소득금액에 비례하여 안분계산한다.

(5) 외국납부세액공제절차

① 외국납부세액공제를 적용받으려는 내국법인은 법인세 과세표준신고와 함께 외국납부세액공제세액계산서를 납세지 관할세무서장에게 제출하여야 한다.

② 내국법인은 외국정부의 국외원천소득에 대한 법인세의 결정·통지의 지연, 과세기간의 상이 등의 사유로 과세표준신고와 함께 외국납부세액공제세액계산서를 제출할 수 없는 경우에는 외국정부의 국외원천소득에 대한 법인세결정통지를 받은 날부터 3개월 이내에 외국납부세액공제세액계산서에 증빙서류를 첨부하여 제출할 수 있다.

③ 외국정부가 국외원천소득에 대하여 결정한 법인세액을 경정함으로써 외국납부세액에 변동이 생긴 경우에 관하여 이를 준용한다. 이 경우 환급세액이 발생하면 충당하거나 환급할 수 있다.

(6) 세액공제의 배제

법인세의 과세표준을 추계결정·경정하는 경우에는 외국납부세액공제 규정을 적용하지 않는다. 다만, 천재지변 등으로 장부나 그 밖에 증빙서류가 멸실되어 추계하는 경우에는 제외한다.

⊞ 심화 | 간접투자회사 등의 외국납부세액공제 특례

1. **세액공제**: 투자회사, 투자목적회사, 투자유한회사, 투자합자회사(경영참여형 사모집합투자기구는 제외), 투자유한책임회사 및 기업구조조정 부동산투자회사, 위탁관리 부동산투자회사가 국외의 자산에 투자하여 얻은 소득에 대하여 납부한 외국법인세액이 있는 경우에는 당기 법인세액에서 다음의 세액을 세액공제한다.

> 외국납부세액공제액: Min(①, ②)
> ① 외국납부세액
> ② 한도: 국외자산에 투자하여 얻은 소득 × 14%

2. **환급세액**: 간접투자회사 등은 해당 사업연도의 외국납부세액이 그 사업연도의 법인세액을 초과하는 경우에는 그 초과하는 금액을 환급받을 수 있다.

---

3. 재해손실세액공제

(1) 개념

① 법인이 사업연도 중에 천재·지변 기타 재해로 인하여 자산총액의 20% 이상을 상실하여 납세가 곤란하다고 인정되는 경우에는 법인세액에 재해상실비율을 곱하여 계산된 금액을 법인세 산출세액에서 공제한다. 단, 상실된 자산가액을 한도로 공제한다.

② 재해손실세액공제를 받으려는 법인은 재해손실세액공제신청서를 납세지 관할세무서장에게 신청하여야 한다.

(2) **재해상실비율**

$$재해상실비율 = \frac{상실된\ 자산가액}{상실\ 전의\ 자산총액}$$

① **자산총액:** 토지를 제외한 사업용 자산과 상실로 변상책임이 있는 타인소유의 자산의 합계액을 말한다. 이러한 자산가액은 장부가액으로 하되 장부가 소실·분실되어 자산가액을 알 수 없는 경우에는 납세지 관할세무서장이 조사하여 재해발생일 현재의 가액(시가)에 의하여 계산한다.

② **상실된 자산가액**

　⊙ 수탁받은 자산에 대하여 보상을 하여야 하는 경우 그 금액을 포함하고 예금·받을어음·외상매출금 등은 채권추심에 관한 증서가 멸실된 경우에는 상실된 자산의 가액에 포함하지 않는다.

　⊙ 재해자산이 보험에 가입되어 있어 보험금을 수령하더라도 상실된 자산총액을 계산할 때 그 보험금을 차감하지 않는다.

(3) **세액공제대상 법인세**

① 재해손실세액공제는 다음과 같이 계산한다.

> 재해손실세액공제: Min(⊙, ⓒ)
> ⊙ 공제대상세액 × 재해상실비율
> ⓒ 한도: 상실된 자산의 가액

② 공제대상세액은 다음의 금액을 합산한 금액으로 한다.

　⊙ 재해발생일 현재 부과되지 아니한 법인세와 부과된 법인세로서 미납된 법인세(가산세를 포함)를 말한다. 여기서 가산세란 장부의 기록·보관 불성실가산세, 무신고가산세, 과소신고·초과환급신고가산세, 납부지연가산세, 원천징수등 납부지연가산세를 말한다.

　⊙ 재해발생일이 속하는 사업연도 소득에 대한 법인세를 포함한다(법인세 산출세액－다른 법률에 의한 공제·감면세액＋가산세).

(4) **신청절차**

재해손실세액공제를 받으려는 법인은 다음의 기한 내에 재해손실세액공제신청서를 납세지 관할세무서장에게 제출하여야 한다.

① 과세표준신고기한이 지나지 아니한 법인세의 경우: 그 신고기한. 다만, 재해발생일부터 신고기한까지의 기간이 3개월 미만인 경우에는 재해발생일로부터 3개월 이내에 제출하여야 한다.

② 재해발생일 현재 미납된 법인세와 납부하여야 할 법인세의 경우: 재해발생일로부터 3개월 이내에 제출하여야 한다.

4. 사실과 다른 회계처리로 인한 경정에 따른 세액공제

(1) 개요

분식회계로 인하여 내국법인이 법인세를 과다 납부한 후에 그 환급을 경정청구하는 경우에는 이를 바로 환급하지 않고 매년 과다 납부한 세액의 20%를 한도로 하여 세액공제를 한다.

(2) 공제세액

① **적용요건**: 다음의 요건을 모두 충족한 사실과 다른 회계처리로 인하여 과세표준 및 세액을 과다하게 계상함으로써 「국세기본법」에 따라 경정을 청구하여 경정을 받은 경우에는 과다 납부한 세액을 환급하지 않고 그 경정일이 속하는 사업연도부터 각 사업연도의 법인세액에서 과다 납부한 세액을 공제한다.

  ㉠ 사업보고서 및 감사보고서를 제출할 때 수익 또는 자산을 과다 계상하거나 손비 또는 부채를 과소 계상할 것

  ㉡ 내국법인, 감사인 또는 그에 소속된 공인회계사가 법 소정의 경고·주의 등의 조치를 받을 것

② **세액공제**: 각 사업연도별로 공제하는 금액은 과다납부한 세액의 20%를 한도로 하고 공제 후 남아 있는 과다납부한 세액은 이후 사업연도에 이월하여 공제한다.

(3) 공제순서

세액감면 및 세액공제가 동시에 적용되는 경우에는 세액감면 및 다른 세액공제 후 사실과 다른 회계처리로 인한 경정에 따른 세액공제를 적용한다.

⊞ 심화 | 내국법인이 해산하는 경우

사실과 다른 회계처리로 인한 경정에 따른 세액공제를 받은 내국법인이 과다납부한 세액이 남아 있는 상황에서 해산하는 경우에는 다음과 같이 처리한다.

1. **합병 또는 분할에 따라 해산하는 경우**: 합병법인 또는 분할신설법인(분할합병의 상대방법인 포함)이 남아 있는 과다 납부한 세액을 승계하여 세액공제한다.
2. **1. 외의 사유로 해산하는 경우**: 납세지 관할세무서장 또는 관할지방국세청장은 남아 있는 과다 납부한 세액에서 청산소득에 대한 법인세 납부세액을 빼고 남은 금액을 즉시 환급하여야 한다.

⌐ 참고

세액감면 및 세액공제의 적용순서

1. 세액감면
2. 이월공제가 인정되지 않는 세액공제
3. 이월공제가 인정되는 세액공제
4. 사실과 다른 회계처리로 인한 경정에 따른 세액공제

최저한세(「조세특례제한법」)

1. 「조세특례제한법」상의 손금산입 및 익금불산입, 비과세, 소득공제, 세액감면 등의 규정을 적용 받는 법인은 법인세의 과세표준을 과도하게 감소시키게 된다. 「조세특례제한법」상의 감면 규 정을 받지 못하는 법인은 동일한 소득이 발생하더라도 상대적으로 높은 법인세를 부담해야 하 는 과세형평의 문제가 발생한다.

2. 이러한 문제를 해결하기 위해 「조세특례제한법」상의 감면 규정을 적용받는 법인에게 최소한의 법인세(최저한세)를 법으로 규정하고 최저한세보다 세액이 더 작아지는 경우에는 「조세특례제 한법」상의 감면규정을 배제한다.

01 중소기업이 아닌 ㈜한국은 등기된 비사업용 토지(장부가액 9억 원)를 10억 원(취득시기: 2017년 3월 2일, 양도시기: 2023년 3월 3일)에 양도하였다. ㈜한국의 법인세 산출세액은? (단, ㈜한국의 사업연도는 2023년 1월 1일부터 2023년 12월 31일까지이며, 다른 소득은 없다고 가정한다)

2014년 9급

① 5,000,000원
② 8,000,000원
③ 10,000,000원
④ 19,000,000원

02 「법인세법」상 법인세에 관한 설명으로 옳지 않은 것은? 2007년 9급

① 사업연도를 변경하고자 하는 법인은 그 법인의 직전사업연도 종료일부터 3월 이내에 대통령령이 정하는 바에 따라 납세지 관할세무서장에게 이를 신고하여야 한다.
② 내국법인의 각 사업연도의 소득 중 공익신탁의 신탁재산에서 생기는 소득에 대하여는 각 사업연도의 소득에 대한 법인세를 과세하지 아니한다.
③ 천재ㆍ지변 기타 재해로 인하여 대통령령이 정하는 자산총액의 100분의 30 미만이 상실된 경우에만 재해손실에 대한 세액공제를 받을 수 있다.
④ 「상법」의 규정에 의하여 내국법인이 조직을 변경하는 경우에는 청산소득에 대한 법인세를 과세하지 아니한다.

01

1. 각 사업연도 소득 법인세
   - 과세표준
     =10억 원−9억 원
     =1억 원
   - 산출세액
     =1억 원 × 9%=900만 원
2. 토지 등 양도소득 법인세
   =(10억 원−9억 원) × 10%
   =1천만 원
3. 법인세 산출세액
   =900만 원+1,000만 원
   =1,900만 원

02
천재ㆍ지변 기타 재해로 인하여 대통령령이 정하는 자산총액의 100분의 20 이상이 상실된 경우에는 재해손실에 대한 세액공제를 받을 수 있다.

13 법인세 납세절차

1 기납부세액

1 개요

각 사업연도 소득금액에 대한 법인세를 각 사업연도 종료일이 속하는 달의 말일부터 3개월 이내에 신고·납부하는 것이 원칙이다. 다만, 확정신고·납부하기 전에 법인세를 미리 징수 또는 납부하는 제도를 두고 있으며 이러한 기납부세액은 중간예납세액·원천징수세액·수시부과세액 등이 있다.

2 중간예납세액

1. 개념

중간예납이란 각 사업연도의 기간이 6개월을 초과하는 법인이 해당 사업연도 개시일부터 6개월간을 중간예납기간으로 하여 그 기간에 대한 법인세를 납부하는 것을 말한다.

2. 중간예납의무자

각 사업연도기간이 6개월을 초과하는 법인(합병이나 분할에 의하지 아니하고 새로 설립된 법인의 최초사업연도는 제외)은 중간예납의무가 있다. 다만, 다음의 경우는 중간예납의무가 없다.

(1) 「고등교육법」에 따른 사립학교를 경영하는 학교법인

(2) 「국립대학법인 서울대학교 설립·운영에 관한 법률」에 따른 국립대학법인 서울대학교

(3) 「국립대학법인 인천대학교 설립·운영에 관한 법률」에 따른 국립대학법인 인천대학교

(4) 「산업교육진흥 및 산학연협력촉진에 관한 법률」에 따른 산학협력단

(5) 「초·중등교육법」에 따른 사립학교를 경영하는 학교법인

(6) 직전사업연도의 중소기업으로서 "직전 사업연도의 법인세 납부실적 기준"으로 계산한 금액이 50만 원 미만인 내국법인

(7) 청산법인(청산기간에 사업수입금액이 발생한 경우 제외)

(8) 국내사업장이 없는 외국법인

3. 계산방법

중간예납세액은 직전사업연도의 법인세 납부실적을 기준으로 계산하는 방법과
해당 사업연도의 중간예납기간의 실적을 기준으로 계산하는 방법 중 선택하여
계산한 세액을 납부하여야 한다.

(1) 직전사업연도 법인세 납부 실적 기준

$$
\begin{aligned}
&\text{중간예납세액} \\
&= \left(\begin{array}{l} \text{직전사업연도} \\ \text{법인세 산출세액} \end{array} - \begin{array}{c} \text{직전사업연도 감면세액} \cdot \\ \text{공제세액} \cdot \text{원천징수세액} \cdot \\ \text{수시부과세액}^{\text{❶}} \end{array} \right) \times \frac{6}{\text{직전사업연도 월수}}
\end{aligned}
$$

① 직전사업연도의 법인세 산출세액에는 가산세를 포함하고 토지 등 양도소득
   에 대한 법인세와 미환류소득에 대한 법인세는 제외한다.

② 중간예납의 납부기한이 지난 경우에는 직전사업연도 법인세 납부실적 기
   준으로 하여야 하며, 다음의 경우에는 중간예납기간의 실적 기준에 따라 중
   간예납세액을 납부하여야 한다.

   ㉠ 직전사업연도의 법인세로서 확정된 산출세액(가산세 제외)이 없는 법인
      (유동화전문회사 등 「법인세법」상 소득공제대상인 명목회사를 제외)인
      경우

   ㉡ 해당 중간예납기간만료일까지 직전사업연도의 법인세액이 확정되지 아니
      한 법인인 경우

   ㉢ 분할신설법인 및 분할합병의 상대방법인의 분할 후 최초사업연도의 경우

⊞ 심화 | 직전사업연도의 법인세액이 없는 것으로 보는 경우

1. 직전사업연도의 법인세 산출세액은 있으나 중간예납·원천징수세액 및 수시부과세액이
   산출세액을 초과함으로써 납부한 세액이 없는 경우에는 직전사업연도의 법인세액이 없는
   경우로 보지 아니한다.
2. 결손 등으로 인하여 직전사업연도의 법인세 산출세액이 없이 가산세로서 확정된 세액이
   있는 법인의 경우에는 직전사업연도의 법인세액이 없는 경우로 보아 해당 사업연도의 중간
   예납기간의 실적을 기준으로 중간예납세액을 계산하여 납부하여야 한다.

---

(2) 해당 사업연도의 중간예납기간 실적 기준

$$
\begin{aligned}
&\text{중간예납세액} \\
&= \left(\begin{array}{l} \text{중간예납기간} \\ \text{과세표준} \end{array} \times \frac{12}{6} \right) \times \text{세율} \times \frac{6}{12} - \begin{array}{c} \text{중간예납기간의 감면} \cdot \\ \text{공제세액 원천징수세액} \cdot \\ \text{수시부과세액} \end{array}
\end{aligned}
$$

❶
직전사업연도 법인세 산출세액에서 기
납부세액 중 직전사업연도의 중간예납
세액은 차감하지 않아야 전체 사업연도
의 세액을 계산할 수 있다.

4. 납부와 징수

(1) 납부

① 중간예납세액은 그 중간예납기간이 지난 날부터 2개월 이내에 납세지 관할세무서 · 한국은행 또는 체신관서에 납부하여야 한다.

② 중간예납세액이 1천만 원을 초과하는 경우에는 분납규정을 적용하여 분납할 수 있다.

(2) 징수

납세지 관할세무서장은 법인이 중간예납세액의 전부 또는 일부를 납부하지 아니하면 그 미납된 중간예납세액을 징수하여야 한다. 다만, 중간예납세액을 납부하지 아니한 법인이 반드시 중간예납기간에 대한 결산기준으로 중간예납세액을 납부하여야 하는 경우에는 중간예납세액을 결정하여 징수하여야 한다.

3 원천징수

1. 원천징수 대상소득

법인에게 다음의 소득을 지급하는 자는 그 지급하는 금액에 원천징수세율을 적용하여 계산한 금액에 상당하는 법인세를 징수하여야 한다. 그리고 그 징수일이 속하는 달의 다음달 10일까지 관할세무서에 납부하여야 한다.

원천징수대상소득	원천징수세율
이자소득금액	14%(비영업대금의 이익 25%)❶
집합투자기구로부터의 이익 중 투자신탁 이익	14%

2. 원천징수 제외

다음의 경우에는 원천징수를 하지 않는다.

(1) 법인세가 비과세되거나 면제되는 소득

(2) 신고한 과세표준에 이미 산입된 미지급소득

(3) 「은행법」에 의한 은행 · 보험회사 등 대통령령이 정하는 금융회사 등의 수입금액(채권이자 및 집합투자기구로부터의 이익은 제외)

3. 납부

원천징수일이 속하는 달의 다음달 10일까지 납세지 관할세무서장에게 납부하여야 한다. 다만, 직전연도(신규로 사업을 개시한 사업자의 경우 신청일이 속하는 반기) 상시 고용인원이 20명 이하인 원천징수의무자(금융 · 보험업 영위 법인 제외)가 원천징수 관할세무서장으로부터 승인을 얻거나 국세청장이 정하는 바에 따라 지정을 받은 경우 그 징수일이 속하는 반기의 마지막 달의 다음달 10일까지 납부할 수 있다.

❶ 비영업대금의 이익

「온라인투자연계금융업 및 이용자 보호에 관한 법률」에 따라 금융위원회에 등록한 온라인투자연계금융업자를 통하여 지급받는 이자소득에 대해서는 14%의 세율을 적용한다.

4. 소액부징수

원천징수세액이 1,000원 미만인 경우에는 해당 법인세를 징수하지 아니한다.

5. 미납시 징수

납세지 관할세무서장은 원천징수의무자가 징수하지 않거나 징수한 세액을 납부하지 않은 경우 원천징수의무자로부터 납부세액과 원천징수 등 납부지연가산세를 징수해야 한다. 다만, 원천징수의무자가 징수하지 않은 경우로 납세의무자가 그 법인세액을 이미 납부한 경우에는 원천징수의무자에게 원천징수 등 납부지연가산세만 징수한다.

4 수시부과

1. 개념

수시부과란 조세포탈의 우려가 있는 경우 납세지 관할세무서장 또는 관할지방국세청장이 사업연도 중에 수시로 그 법인에 대한 법인세를 부과할 수 있는 제도를 말한다. 다음의 경우 조세포탈의 우려가 있다고 보아 법인세를 수시부과할 수 있다.

(1) 신고를 하지 아니하고 본점 또는 주사무소를 이전한 경우, 사업부진 기타 사유로 인하여 휴업 또는 폐업상태에 있는 경우, 그 밖에 조세를 포탈할 우려가 있다고 인정되는 상당한 이유가 있는 경우

(2) 법인이 주한국제연합군 또는 외국기관으로부터 사업수입금액을 외국환은행을 통하여 외환증서 또는 원화로 영수하는 경우

2. 수시부과세액 계산

(1) 수시부과하는 경우 그 사업연도 개시일부터 수시부과사유가 발생한 날(직전사업연도에 대한 과세표준신고기한 이전에 수시부과사유가 발생한 경우에는 직전사업연도 개시일부터 수시부과사유가 발생한 날)까지를 수시부과기간으로 하여 과세표준을 결정한다.

(2) 수시부과하는 경우 가산세에 관한 규정은 적용하지 아니한다.

> 수시부과세액
>
> $$= \left(\text{과세표준} \times \frac{12}{\text{수시부과기간의 월수}} \times \text{세율} \right) \times \frac{\text{수시부과기간의 월수}}{12}$$

3. 신고

수시부과된 소득도 법인세 신고 시 각 사업연도 소득에 포함하여야 하며 수시부과된 세액은 기납부세액으로 공제한다.

1 법인세 과세표준 신고

1. 신고기한

(1) 일반원칙

납세의무가 있는 법인은 각 사업연도 종료일이 속하는 달의 말일부터 3개월 이내에 해당 사업연도의 소득에 대한 법인세의 과세표준과 세액을 납세지 관할 세무서장에게 신고하여야 한다. 각 사업연도의 소득금액이 없거나 결손금이 있는 법인도 신고하여야 한다.

(2) 외부감사법인의 신고기한 연장

① 「주식회사의 외부감사에 관한 법률」에 따라 감사인에 의한 감사를 받아야 하는 내국법인이 해당 사업연도의 감사가 종결되지 아니하여 결산이 확정되지 아니하였다는 사유로 신고기한의 종료일 3일 전까지 신고기한의 연장을 신청한 경우에는 그 신고기한을 1개월의 범위 내에서 연장할 수 있다.

② 신고기한이 연장된 내국법인은 신고기한의 다음날부터 신고 및 납부가 이루어진 날 또는 연장된 날까지의 일수에 이자율(국세환급가산금 지급 시 적용하는 이자율)을 적용한 이자를 가산하여 납부하여야 한다.

2. 제출서류

과세표준 및 세액신고서에 다음의 서류를 첨부하여야 한다.

(1) 필수첨부서류

다음의 필수첨부서류를 과세표준 신고 시 첨부하지 않으면 무신고로 보아 무신고가산세를 적용한다. 다만, 비영리내국법인 중 사업소득에 의한 수익사업 및 채권 등을 매도함에 따른 매매익이 없는 경우는 필수첨부서류를 첨부하지 않아도 무신고로 보지 않는다.

① 기업회계기준을 준용하여 작성한 개별 내국법인의 재무상태표 · 포괄손익계산서 · 이익잉여금처분계산서(또는 결손금처리계산서)

② 세무조정계산서(법인세과세표준 및 세액조정계산서)

(2) 기타서류

① 세무조정계산서 부속서류

② 현금흐름표

2 법인세 납부

1. 납부기한

각 사업연도의 소득에 대한 법인세를 과세표준신고기한까지 납세지관할세무서·한국은행 또는 체신관서에 납부하여야 한다.

2. 분납

납부할 세액이 1천만 원을 초과하는 경우에는 다음의 금액을 납부기한이 지난 날부터 1개월(중소기업의 경우에는 2개월) 이내에 분납할 수 있다. 다만, 가산세와 감면분 추가납부세액은 분납대상세액이 아니다.

구분	분납가능금액
납부할 세액이 2천만 원 이하인 경우	1천만 원 초과하는 금액
납부할 세액이 2천만 원 초과하는 경우	해당 세액의 50% 이하의 금액

> **사례로 이해 UP**
>
> **분납세액 계산**
> 1. 법인세 납부세액이 15,000,000원인 경우
>   ① 신고 시 납부세액: 10,000,000원
>   ② 분납세액: 5,000,000원
> 2. 법인세 납부세액이 30,000,000원인 경우
>   ① 신고 시 납부세액: 15,000,000원
>   ② 분납세액: 15,000,000원
> 3. 법인세 납부세액이 15,000,000원이고 가산세가 1,000,000원이 있는 경우
>   ① 신고 시 납부세액: 11,000,000원
>   ② 분납세액: 5,000,000원

3 내국법인의 성실신고확인제도

1. 성실신고확인대상 사업자[1]

다음 어느 하나에 해당하는 내국법인은 법인세를 신고할 때 과세표준 계산의 적정성을 세무사 또는 공인회계사·세무법인·회계법인이 확인하고 작성한 성실신고확인서를 납세지 관할세무서장에게 제출하여야 한다. 다만, 「주식회사의 외부감사에 관한 법률」에 따라 감사인에 의한 감사를 받는 법인은 제출하지 않을 수 있다.

(1) 부동산임대업을 주업으로 하는 특정 내국법인(업무용 승용차 관련비용에서 설명한 특정법인)

(2) 「소득세법」에 따른 성실신고확인대상사업자가 사업용 유형·무형자산을 현물출자하는 등 법령으로 정하는 방법에 따라 내국법인으로 전환된 경우 그 내국법인(사업연도 종료일 현재 법인으로 전환한 후 3년 이내의 내국법인으로 한정)

---

[1] 유동화전문회사 등 명목투자회사는 성실신고확인대상 사업자에서 제외한다.

(3) 위 (2)에 따라 전환한 내국법인이 그 전환에 따라 경영하던 사업을 인수한 다른 내국법인(내국법인 전환일부터 3년 이내인 경우로서 그 다른 내국법인의 사업연도 종료일 현재 인수한 사업을 계속 경영하고 있는 경우로 한정함)

2. 신고납부기한

성실신고확인서를 제출하는 경우 각 사업연도의 종료일이 속하는 달의 말일부터 4개월 이내에 납세지 관할세무서장에게 신고하여야 한다.❶

3. 성실신고세액공제❷

> 세액공제액＝Min(성실신고확인비용 × 60%, 150만 원)

성실신고확인대상 내국법인이 해당 과세연도의 과세표준을 과소신고한 경우로서 그 과소신고한 과세표준이 경정(수정신고를 포함)된 과세표준의 10% 이상인 경우에는 공제받은 세액공제액을 전액 추징하고 다음 3개 사업연도 동안 해당 세액공제를 적용하지 아니한다.

4. 성실신고확인서 미제출에 대한 제재

(1) 가산세 부과

성실신고 확인대상인 내국법인이 각 사업연도의 종료일이 속하는 달의 말일부터 4개월 이내에 성실신고확인서를 납세지 관할 세무서장에게 제출하지 아니한 경우에는 다음의 금액 중 큰 금액을 가산세로 해당 사업연도의 법인세액에 더하여 납부하여야 한다(성실신고확인서 제출 불성실 가산세는 산출세액이 없는 경우에도 적용함).

① 법인세 산출세액(토지 등 양도소득에 대한 법인세액 및 「조세특례제한법」에 따른 투자 · 상생협력 촉진을 위한 과세특례를 적용하여 계산한 법인세액은 제외)의 100분의 5

② 수입금액의 1만분의 2

(2) 세무조사대상

세무공무원은 정기선정에 의한 조사 외의 납세자가 성실신고확인서의 제출의무를 이행하지 아니한 경우에는 세무조사를 할 수 있다.

⊞ 심화 | 매입자발행계산서(2023.7.1.이후 적용)

사업과 관련하여 법인 또는 사업자로부터 재화 또는 용역을 공급받은 법인이 재화 또는 용역을 공급한 법인 또는 사업자의 부도 · 폐업, 공급 계약의 해제 · 변경 또는 그 밖에 사유로 계산서를 발급받지 못한 경우에는 매입자발행계산서를 발급할 수 있음
1. 해당 재화 또는 용역의 공급시기가 속하는 사업연도의 종료일로부터 6개월 이내 신청
2. 거래건당 공급가액이 5만 원 이상인 경우

┌───┐
⊞ **심화** │ **가상자산**

1. 특정 금융거래정보의 보고 및 이용 등에 관한 법률에 따른 가상자산은 선입선출법에 따라
   평가해야 한다.
2. 부당행위계산의 부인을 적용할 때 원칙적인 시가가 없는 경우 가상자산은 감정가액을 적
   용하지 않는다.
3. 가상자산 거래내역 등의 제출
   「특정 금융거래정보의 보고 및 이용 등에 관한 법률」에 따라 신고가 수리된 가상자산사업
   자는 가상자산 거래내역 등 법인세 부과에 필요한 자료를 거래가 발생한 날이 속하는 분
   기의 종료일의 다음다음 달 말일까지 납세지 관할 세무서장에게 제출하여야 한다.
└───┘

3 결정 · 경정 · 징수 및 환급

1 결정과 경정

1. 결정

납세지 관할세무서장 또는 관할지방국세청장은 법인이 법인세 과세표준신고를
하지 아니한 경우에는 법인세 과세표준과 세액을 결정한다. 이러한 결정은 법인
세 과세표준신고기한으로부터 1년 내에 완료하여야 하나, 국세청장이 조사기간
을 따로 정하거나 부득이한 사유로 인하여 국세청장의 승인을 얻은 경우에는 그
러하지 아니한다.

2. 경정

납세지 관할세무서장 또는 관할지방국세청장은 법인세 과세표준신고를 한 법인
이 다음에 해당하는 경우에는 법인세 과세표준과 세액을 경정한다.

(1) 신고내용에 오류 또는 누락이 있는 경우

(2) 지급명세서, 매출 · 매입처별 계산서합계표의 전부 또는 일부를 제출하지 아
   니한 경우

(3) 다음 중 어느 하나에 해당하는 경우로서 시설규모나 영업 현황으로 보아 신
   고내용이 불성실하다고 판단되는 경우

   ① 신용카드 가맹점 가입요건에 해당하는 법인이 정당한 사유 없이 「여신전
      문금융업법」에 따른 신용카드가맹점으로 가입하지 아니한 경우

   ② 신용카드 가맹점이 정당한 사유 없이 신용카드에 의한 거래를 거부하거나
      신용카드매출전표를 사실과 다르게 발급한 경우

③ 현금영수증 가맹점으로 가입하여야 하는 법인 및 현금영수증 가맹점 가입 대상자로 지정받은 법인이 정당한 사유 없이 현금영수증 가맹점으로 가입하지 아니한 경우

④ 현금영수증 가맹점이 정당한 사유 없이 현금영수증 발급을 거부하거나 사실과 다르게 발급한 경우

(4) 내국법인이 사업보고서 및 감사보고서를 제출할 때 수익 또는 자산을 과대계상하거나 손비 또는 부채를 과소계상하는 등 사실과 다른 회계처리를 함으로 인하여 그 내국법인·그 감사인 또는 그에 소속된 공인회계사가 일정한 경고·주의 등의 조치를 받은 경우로서 과세표준 및 세액을 과다하게 계상하여 경정청구를 한 경우

3. 재경정

납세지 관할세무서장 또는 관할지방국세청장은 법인세 과세표준과 세액을 결정 또는 경정한 후 그 결정 또는 경정에 오류나 누락이 있는 것을 발견한 즉시 이를 다시 경정한다.

4. 결정 및 경정방법

(1) 원칙(실지조사)

법인세의 과세표준과 세액의 결정 또는 경정은 장부나 그 밖의 증빙서류를 근거로 하여야 한다.

(2) 예외(추계)

① 추계 결정 및 경정사유: 다음의 사유로 실지조사를 할 수 없는 경우에는 추계할 수 있다.

㉠ 소득금액을 계산함에 있어서 필요한 장부나 증빙서류가 없거나 그 중요한 부분이 미비 또는 허위인 경우

㉡ 기장의 내용이 시설규모·종업원 수·원자재사용량 기타 조업상황 등에 비추어 허위임이 명백한 경우

② 추계 결정 및 경정방법

㉠ 기준경비율

$$\text{과세표준} = \text{사업수입금액} - \left[\begin{array}{c} \text{매입비용} \\ \text{임차료} \\ \text{인건비} \end{array} \right] - \text{사업수입금액} \times \text{기준경비율} + \text{가산액}$$

사업수입금액에서 차감하는 경비는 매입비용(사업용유형·무형자산의 매입비용 제외), 사업용유형·무형자산에 대한 임차료, 대표자 및 임원 또는 직원의 급여와 임금 및 퇴직급여로서 증빙서류에 의하여 지출하였거나 지출할 금액을 말한다.

ⓛ 동일 업종의 다른 법인이 있는 경우(동업자권형)

    ⓐ 기준경비율이 결정되어 있지 아니하였거나 천재·지변 기타 불가항력으로 장부 기타 증빙서류가 멸실된 때에는 기장이 가장 정확하다고 인정되는 동일 업종의 다른 법인의 소득금액을 참착하여 그 과세표준을 결정·경정한다.

    ⓑ 다만, 동일 업종의 다른 법인이 없는 경우로서 과세표준신고 후에 장부 기타 증빙서류가 멸실된 때에는 신고서 및 첨부서류에 의하고, 과세표준신고 전에 장부 기타 증빙서류가 멸실된 때에는 직전사업연도의 소득률에 의하여 과세표준을 결정·경정한다.

ⓒ 소기업이 폐업하는 경우:「조세특례제한법」에 따른 소기업이 폐업한 때(조세탈루혐의가 있다고 인정되는 경우로서 기획재정부령으로 정하는 사유가 있는 경우는 제외)에는 수입금액에 「소득세법 시행령」에 따른 기준경비율에 의한 금액, 단순경비율에 의한 금액, 직전사업연도의 소득률 중 작은 비율을 곱하여 계산한 금액을 과세표준으로 하여 결정 또는 경정하는 방법을 적용한다.

③ 추계시 불이익

  ㉠ 법인세의 과세표준과 세액을 추계하는 경우 이월결손금공제와 외국납부세액공제에 관한 규정을 적용하지 아니한다. 다만, 천재지변 등으로 장부나 그 밖의 증빙서류가 멸실되어 추계하는 경우에는 그러하지 아니한다.

  ㉡ 추계조사로 인하여 결정된 과세표준과 결산서상 법인세비용차감전 순이익과의 차이에 대한 소득처분은 대표자에 대한 상여로 처분한다. 다만, 천재지변 등으로 장부나 그 밖의 증빙서류가 멸실되어 추계결정하는 경우에는 기타사외유출로 처분한다.

2 징수와 환급

1. 징수

(1) 납세지 관할세무서장은 내국법인이 각 사업연도의 소득에 대한 법인세로서 납부하여야 할 세액의 전부 또는 일부를 납부하지 아니하면 그 미납된 법인세액을 「국세징수법」에 따라 징수하여야 한다.

(2) 납세지 관할세무서장은 내국법인이 납부하여야 할 중간예납세액의 전부 또는 일부를 납부하지 아니하면 그 미납된 중간예납세액을 「국세징수법」에 따라 징수하여야 한다.

(3) 납세지 관할세무서장은 원천징수의무자가 그 징수하여야 할 세액을 징수하지 아니하였거나 징수한 세액을 기한까지 납부하지 아니하면 지체 없이 원천징수의무자로부터 그 원천징수의무자가 원천징수하여 납부하여야 할 세액에 상당하는 금액에 가산세액을 더한 금액을 법인세로서 징수하여야 한다. 다만, 원천징수의무자가 원천징수를 하지 아니한 경우로서 납세의무자가 그 법인세액을 이미 납부한 경우에는 원천징수의무자에게 그 가산세만 징수한다.

2. 환급

납세지 관할세무서장은 중간예납·수시부과 또는 원천징수한 법인세액이 각 사업연도의 소득에 대한 법인세액(가산세를 포함)을 초과하는 경우 그 초과하는 금액은 환급하거나 다른 국세 및 강제징수비에 충당하여야 한다.

---

4 가산세

1 신고·납부 가산세

「국세기본법」에서 통합하여 규정하고 있다(「국세기본법」 규정 참고).

2 「법인세법」상 가산세

1. 장부의 기록·보관 불성실 가산세

납세지 관할세무서장은 각 사업연도의 소득에 대한 법인세를 징수할 때 해당 내국법인이 장부의 비치·기장 의무를 이행하지 아니한 경우에는 납세지 관할세무서장이 결정한 산출세액(토지 등 양도소득에 대한 법인세액은 제외)의 20%에 상당하는 금액(그 금액이 해당 법인 수입금액의 1만분의 7보다 적거나 산출세액이 없는 경우에는 그 수입금액의 1만분의 7에 상당하는 금액)을 가산한 금액을 법인세로서 징수하여야 한다. 다만, 비영리내국법인에 대하여는 그러하지 아니하다.

2. 주주 등의 명세서 제출 불성실 가산세

납세지 관할세무서장은 주주 등의 명세서를 제출하여야 하는 내국법인이 다음의 어느 하나에 해당하는 경우에는 해당 주주 등이 보유한 주식 등의 액면금액(무액면주식인 경우에는 그 주식을 발행한 법인의 자본금을 신규발행주식총수로 나누어 계산한 금액) 또는 출자가액의 0.5%에 해당하는 금액을 설립일이 속하는 사업연도의 법인세에 가산하여 징수하여야 한다. 이 경우 산출세액이 없는 경우에도 가산세는 징수한다.

(1) 명세서를 제출하지 아니한 경우

(2) 명세서에 주주 등의 명세의 전부 또는 일부를 누락하여 제출한 경우

(3) 제출한 명세서가 대통령령으로 정하는 불분명한 경우에 해당하는 경우

3. 증빙불비가산세

지출건당 3만 원 초과(부가가치세 포함)인 경우로 사업과 관련하여 사업자로부터 재화를 공급받고 적격증명서류를 받지 아니하거나 사실과 다른 증명서류를 받은 경우에는 그 받지 아니한 금액 또는 사실과 다르게 받은 금액의 2%에 상당하는 금액을 가산한 금액을 법인세로서 징수하여야 한다. 이 경우 산출세액이 없는 경우에도 가산세는 징수한다.

4. 주식 등 변동상황명세서 제출 불성실 가산세

납세지 관할세무서장은 사업연도 중에 주식 등의 변동사항이 있을 때 주식 등 변동상황명세서를 제출하여야 하는 내국법인이 다음의 어느 하나의 경우에 해당하면 미제출·누락제출 및 불분명하게 제출한 주식 등의 액면금액 또는 출자가액의 1%에 상당하는 금액을 가산한 금액을 법인세로서 징수하여야 한다. 이 경우 산출세액이 없는 경우에도 가산세는 징수한다.

(1) 명세서를 제출하지 아니한 경우

(2) 명세서에 주식 등의 변동사항을 누락하여 제출한 경우

(3) 제출한 명세서가 대통령령으로 정하는 불분명한 경우에 해당하는 경우

5. 지급명세서 제출 불성실 가산세

납세지 관할세무서장은 지급명세서를 제출하여야 할 내국법인이 그 제출기한까지 제출하지 아니하였거나 제출된 지급명세서가 불분명한 경우에는 그 제출하지 아니한 분의 지급금액 또는 불분명한 분의 지급금액의 1%[1]에 상당하는 금액을 가산한 금액을 법인세로서 징수하여야 한다. 이 경우 산출세액이 없는 경우에도 가산세는 징수한다.

6. 계산서 등 불성실 가산세

납세지 관할세무서장은 법인이 다음의 어느 하나에 해당하는 경우에는 그 공급가액의 일정금액을 가산한 금액을 법인세로서 징수하여야 한다. 이 경우 산출세액이 없는 경우에도 가산세는 징수하되, 「부가가치세법」에 따라 가산세가 부과되는 부분은 제외한다.

(1) 계산서 등에 적어야 할 사항의 전부 또는 일부를 적지 아니하거나 사실과 다르게 적은 경우, 공급가액의 1%

[1] 제출기한이 지난 후 3개월 이내에 제출하는 경우에는 0.5%로 한다.

(2) 매출·매입처별 계산서합계표를 규정된 기한까지 제출하지 아니한 경우 또는 제출하였더라도 그 합계표에 적어야 할 사항의 전부 또는 일부를 적지 아니하거나 사실과 다르게 적은 경우, 공급가액의 0.5%

(3) 매입처별 세금계산서합계표를 기한까지 제출하지 아니한 경우 또는 제출하였더라도 그 매입처별 세금계산서합계표에 적어야 할 사항의 전부 또는 일부를 적지 아니하거나 사실과 다르게 적은 경우, 공급가액의 0.5%

(4) 재화나 용역을 공급받고 세금계산서 등 지출증명서류를 받지 아니한 경우나 재화나 용역을 공급받은 자가 계산서 등을 발급하지 아니한 경우, 공급가액의 2%

7. 기부금영수증 불성실 가산세

납세지 관할세무서장은 내국법인이 기부금을 손금에 산입하기 위하여 필요한 기부금영수증 또는 거주자나 비거주자가 기부금을 필요경비에 산입하거나 기부금으로 기부금세액공제를 받기 위하여 필요한 기부금영수증(이하 '기부금영수증'이라 함)을 발급하는 법인이 기부금영수증을 사실과 다르게 적어 발급(기부금액 또는 기부자의 인적사항 등 주요사항을 적지 아니하고 발급하는 경우를 포함)하거나 기부 법인별 발급명세를 작성·보관하지 아니한 경우에는 다음의 구분에 따른 금액을 산출세액 또는 결정세액에 가산하여 징수하여야 한다. 이 경우 산출세액 또는 결정세액이 없는 경우에도 가산세를 징수하며, 「상속세 및 증여세법」에 따라 보고서 제출의무를 이행하지 아니하거나 출연받은 재산에 대한 장부의 작성·비치 의무를 이행하지 아니하여 가산세가 부과되는 경우 (2)는 적용하지 아니한다.

(1) **기부금영수증의 경우**

① 기부금액을 사실과 다르게 적어 발급한 경우: 사실과 다르게 발급된 금액 [영수증에 실제 적힌 금액(영수증에 금액이 적혀 있지 아니한 경우에는 기부금영수증을 발급받은 자가 기부금을 손금 또는 필요경비에 산입하거나 기부금세액공제를 신청한 해당 금액)과 건별로 발급하여야 할 금액과의 차액]의 2%에 해당하는 금액

② 기부자의 인적 사항 등을 사실과 다르게 적어 발급하는 등 ① 외의 경우: 영수증에 적힌 금액의 2%에 해당하는 금액

(2) **기부 법인별 발급명세의 경우**

작성·보관하지 아니한 금액의 0.2%

8. 신용카드매출전표 발급거부가산세

신용카드가맹점이 신용카드에 의한 거래를 거부하거나 신용카드 매출전표를 사실과 다르게 발급한 경우에는 해당 사업연도의 거래에 대하여 관할세무서장으로부터 통보받은 건별 발급거부금액 또는 신용카드 매출전표를 사실과 다르게 발급한 금액(건별로 발급하여야 할 금액과의 차액)의 5%에 상당하는 금액(건별로 계산한 금액이 5천 원 미만이면 5천 원으로 함)을 가산한 금액을 법인세로서 징수하여야 한다. 이 경우 산출세액이 없는 경우에도 가산세를 징수한다.

9. 현금영수증 미발급가산세

현금영수증가맹점으로 가입하여야 할 법인이 가입하지 아니하거나 현금영수증가맹점이 건당 5천 원 이상의 거래금액에 대하여 현금영수증 발급을 거부하거나 사실과 다르게 발급한 경우에는 다음의 어느 하나에 해당하는 금액을 가산한 금액을 법인세로서 징수하여야 한다. 이 경우 산출세액이 없는 경우에도 가산세를 징수한다.

(1) 현금영수증가맹점으로 가입하지 아니한 경우는 가맹하지 아니한 사업연도의 수입금액(둘 이상의 업종을 하는 법인인 경우에는 대통령령으로 정하는 업종에서 발생한 수입금액만 해당)의 1%에 상당하는 금액에 가맹하지 아니한 기간을 고려하여 대통령령으로 정하는 바에 따라 계산한 비율을 곱한 금액

(2) 현금영수증 발급을 거부하거나 사실과 다르게 발급한 경우는 해당 사업연도의 거래에 대하여 관할세무서장으로부터 통보받은 건별 발급 거부금액 또는 건별로 사실과 다르게 발급한 금액(건별로 발급하여야 할 금액과의 차액)의 5%에 상당하는 금액(건별로 계산한 금액이 5천 원 미만이면 5천 원으로 함)

10. 업무용 승용차 관련비용 명세서 제출 불성실 가산세

(1) 업무용 승용차 관련비용을 손금에 산입한 내국법인이 업무용 승용차 관련비용 등에 관한 명세서(이하 '명세서'라 함)를 제출하지 아니하거나 사실과 다른 명세서를 제출한 경우에는 다음의 구분에 따른 금액을 해당 사업연도의 법인세액에 더하여 납부하여야 한다.

① 명세서를 제출하지 아니한 경우: 해당 내국법인이 과세표준 신고를 할 때 업무용 승용차 관련비용으로 손금에 산입한 금액의 100분의 1

② 명세서를 사실과 다르게 적어 제출한 경우: 해당 내국법인이 과세표준 따른 신고를 할 때 업무용 승용차 관련비용으로 손금에 산입한 금액 중 해당 명세서에서 사실과 다르게 적어 제출한 금액의 100분의 1

(2) 위 (1)의 가산세는 산출세액이 없는 경우에도 적용한다.

01 중소기업인 ㈜A의 제10기(2023. 1. 1.~12. 31.) 사업연도의법인세 납부세액이 22,000,000원인 경우, 법인세법령상 ㈜A의 최대 분납가능금액과 분납기한에 대한 설명으로 옳은 것은? (단, ㈜A는 성실신고확인서를 제출한 경우에 해당하지 않으며, 「국세기본법」에 따른 기한의 특례는 고려하지 않는다)

2021년 7급

① 최대 10,000,000원을 2023년 4월 30일까지 분납할 수 있다.
② 최대 10,000,000원을 2020년 5월 31일까지 분납할 수 있다.
③ 최대 11,000,000원을 2023년 4월 30일까지 분납할 수 있다.
④ 최대 11,000,000원을 2023년 5월 31일까지 분납할 수 있다.

01
중소기업은 2개월 뒤에 분납할 수 있으므로 5월 31일까지 전체 금액의 50% 이하 금액을 분납할 수 있다.

02 「법인세법」상 내국법인(비영리법인은 제외)의 각 사업연도의 소득에 대한 과세표준과 세액의 신고에 대한 설명으로 옳지 않은 것은?

2021년 9급

① 과세표준과 세액의 신고를 할 때에는 그 신고서에 기업회계기준을 준용하여 작성한 개별 내국법인의 재무상태표를 첨부하여야 한다.
② 내국법인이 합병으로 해산하는 경우에 과세표준과 세액의 신고를 할 때에는 그 신고서에 합병등기일 현재의 피합병법인의 재무상태표와 합병법인이 그 합병에 따라 승계한 자산 및 부채의 명세서를 첨부하여야 한다.
③ 과세표준과 세액의 신고를 할 때에는 그 신고서에 세무조정계산서를 첨부하여야 한다.
④ 「주식회사 등의 외부감사에 관한 법률」에 따라 감사인에 의한 감사를 받은 내국법인의 성실신고확인서는 과세표준과 세액을 신고할 때 반드시 제출해야 하는 서류에 해당한다.

02
내국법인의 필수첨부서류는 재무상태표, 포괄손익계산서, 이익잉여금처분계산서(또는 결손금처리계산서), 세무조정계산서이다. 따라서 성실신고확인서는 필수첨부서류에 해당하지 않는다.

정답 01 ④ 02 ④

03 법인세법령상 내국법인의 신고 및 납부에 대한 설명으로 옳은 것만을 모두 고르면?

> ㄱ. 성실신고확인서를 제출하는 법인의 경우 과세표준과 세액의 신고기한은 각 사업연도의 종료일이 속하는 달의 말일부터 3개월이다.
> ㄴ. 중소기업에 해당하는 내국법인의 납부할 세액이 2천만 원인 경우에는 1천만 원을 초과하는 금액을 납부기한이 지난 날부터 2개월 이내에 분납할 수 있다.
> ㄷ. 「주식회사 등의 외부감사에 관한 법률」에 따라 감사인에 의한 감사를 받아야 하는 내국법인이 해당 사업연도의 감사가 종결되지 아니하여 결산이 확정되지 아니하였다는 사유로 대통령령으로 정하는 바에 따라 신고기한의 연장을 신청한 경우에는 그 신고기한을 2개월의 범위에서 연장할 수 있다.
> ㄹ. 사업연도의 기간이 6개월을 초과하는 「고등교육법」에 따른 사립학교를 경영하는 학교법인은 각 사업연도(합병이나 분할에 의하지 아니하고 새로 설립된 법인의 최초 사업연도는 제외) 중 중간예납세액을 납부할 의무가 있다.

① ㄴ　　　　　　　　　　　② ㄹ
③ ㄱ, ㄷ　　　　　　　　　④ ㄴ, ㄹ

03

옳은 것은 ㄴ이다.

☑ 오답체크

ㄱ. 성실신고확인서를 제출하는 법인의 경우 과세표준과 세액의 신고기한은 각 사업연도의 종료일이 속하는 달의 말일부터 4개월이다.

ㄷ. 「주식회사 등의 외부감사에 관한 법률」에 따라 감사인에 의한 감사를 받아야 하는 내국법인이 해당 사업연도의 감사가 종결되지 아니하여 결산이 확정되지 아니하였다는 사유로 대통령령으로 정하는 바에 따라 신고기한의 연장을 신청한 경우에는 그 신고기한을 1개월의 범위에서 연장할 수 있다.

ㄹ. 「고등교육법」에 따른 사립학교를 경영하는 학교법인은 중간예납세액을 납부할 의무가 없다.

14 기타 법인세

1 비영리법인의 법인세

1 개념

비영리법인이란 영리 아닌 사업을 목적으로 설립된 법인으로서 구성원에게 이익을 분배할 목적으로 사업을 영위하는 법인이 아닌 다음의 법인을 말한다.

1. 「민법」 제32조에 따라 설립된 법인(학술·종교·자선·기예·사교 기타 영리 아닌 사업을 목적으로 하는 사단 또는 재단으로서 주무관청의 허가를 얻어 설립등기를 함으로써 성립된 법인)
2. 「사립학교법」이나 그 밖의 특별법에 따라 설립된 법인으로서 「민법」 제32조에 규정된 목적과 유사한 목적을 가진 법인. 다만, 조합법인 등이 아닌 법인으로서 그 주주·사원 또는 출자자에게 이익을 배당할 수 있는 법인은 제외한다.
3. 「국세기본법」에 따른 법인으로 보는 법인 아닌 단체
4. 외국법인 중 외국의 정부·지방자치 및 영리를 목적으로 하지 아니하는 법인(법인으로 보는 법인 아닌 단체를 포함)

2 과세소득의 범위

1. 납세의무

(1) 비영리내국법인

국내외에서 발생하는 수익사업에 대한 각 사업연도 소득에 대한 법인세와 토지 등 양도소득에 대한 법인세를 납부하여야 한다.

(2) 비영리외국법인

국내원천 수익사업에서 생기는 각 사업연도 소득에 대하여 법인세와 토지 등 양도소득에 대한 법인세를 납부하여야 한다.

2. 수익사업 범위

비영리내국법인의 각 사업연도의 소득은 다음 각각의 사업 또는 수입(수익사업)에서 생기는 소득으로 한다.

(1) 통계청장이 고시하는 한국표준산업분류에 의한 각 사업 중 제조업, 건설업, 도매업·소매업, 소비자용품수리업, 부동산·임대 및 사업서비스업 등 수익이 발생하는 사업소득

(2) 「소득세법」에 따른 이자소득

(3) 「소득세법」에 따른 배당소득

(4) 주식·신주인수권 또는 출자지분의 양도로 인하여 생기는 수입

(5) 유형자산·무형자산(고유목적사업에 직접 사용하는 자산은 제외^❶)의 처분으로 인하여 생기는 수입

(6) 「소득세법」상 부동산에 관한 권리 및 기타자산의 양도로 인하여 생기는 수입

(7) 채권·증권(그 이자소득에 대하여 법인세가 비과세되는 것은 제외)을 매도함에 따른 매매익(채권 등의 매각익에서 채권 등의 매매손을 차감한 금액). 다만, 수익사업에서 제외되는 예금보험제도 운영사업 등에 귀속되는 채권매매익은 제외한다.

3. 과세특례

(1) 고유목적사업준비금의 손금산입

① 비영리내국법인은 그 법인의 고유목적사업이나 일반기부금에 지출하기 위하여 고유목적사업준비금을 손비로 계상하는 경우에는 일정한 범위 내에서 손금에 산입한다.

② 고유목적사업준비금은 결산조정사항이지만 「주식회사의 외부감사에 관한 법률」에 따른 감사인의 회계감사를 받는 비영리내국법인의 경우에는 예외적으로 잉여금처분에 의한 신고조정을 허용한다.

③ 손금에 산입할 수 있는 범위는 다음과 같다.

$$\begin{pmatrix}이자·배당 \\ 소득금액\end{pmatrix} + \begin{pmatrix}수익사업 \\ 소득금액\end{pmatrix} - \begin{pmatrix}이자·배당 \\ 소득금액\end{pmatrix} - \begin{pmatrix}이월 \\ 결손금\end{pmatrix} - \begin{pmatrix}특례기부금 \\ 손금산입액\end{pmatrix} \times 50\%$$

④ 손금산입한 고유목적사업준비금의 잔액이 있는 비영리내국법인이 해산하거나, 고유목적사업을 폐지, 고유목적사업준비금을 손금으로 계상한 사업연도의 종료일 이후 5년이 되는 날까지 고유목적사업 등에 사용하지 않은 경우, 고유목적사업준비금을 손금으로 계상한 사업연도의 종료일 이후 5년 이내에 고유목적사업준비금의 잔액 중 일부를 환입하여 익금으로 계상한 경우에는 그 해당사유발생일이 속하는 사업연도의 익금에 산입한다.

> ➕ **심화** | **고유목적사업준비금 설정대상법인**
>
> 비영리내국법인이 고유목적사업준비금을 설정할 수 있다. 그 중에서 법인으로 보는 법인 아닌 단체의 경우에는 일반기부금단체, 법령에 따라 설치된 기금, 공동주택의 입주자대표회의·임차인대표회의 또는 이와 유사한 관리기구만 해당한다.

❶

해당 유형·무형자산의 처분일(「국가균형발전 특별법」에 따라 이전하는 공공기관의 경우에는 공공기관 이전일) 현재 3년 이상 계속하여 법령 또는 정관에 규정된 고유목적사업(사업소득에 해당하는 수익사업은 제외)에 직접 사용한 유형·무형자산의 처분으로 인하여 생기는 수입을 말한다. 이 경우 해당 유형·무형자산의 유지·관리 등을 위한 관람료·입장료 수입 등 부수수익이 있는 경우에도 이를 고유목적사업에 직접 사용한 유형·무형자산으로 보며, 비영리법인이 수익사업에 속하는 유형·무형자산을 고유목적사업에 전입한 후 처분하는 경우에는 전입 시 시가로 평가한 가액을 그 유형·무형자산의 취득가액으로 하여 처분으로 인하여 생기는 수입을 계산한다.

❶
비영리법인이 양도소득과세표준 예정
신고를 한 경우에는 특례를 적용한 법
인세에 대한 과세표준신고를 한 것으
로 본다.

📖 기출 OX
비영리법인이 수익사업을 영위하는 경
우에는 자산·부채 및 손익을 해당 수익
사업에 속하는 것과 수익사업이 아닌 기
타의 사업에 속하는 것을 각각 별개의
회계로 구분하여 경리하여야 한다. (○)
09. 7급

❷
1. 수익사업과 기타사업에 공통되는 자
   산과 부채는 이를 수익사업에 속하는
   것으로 한다.
2. 수익사업과 기타사업에 공통되는 익
   금과 손금은 수입금액 또는 매출액에
   비례하여 안분계산한다.

(2) 이자소득에 대한 선택적 분리과세

① 비영리내국법인은 이자소득(비영업대금의 이익은 제외하고, 투자신탁 이익을 포함하며, 이하 '이자소득'이라 함)으로서 원천징수된 이자소득에 대하여는 과세표준 신고를 하지 아니할 수 있다. 이 경우 과세표준 신고를 하지 아니한 이자소득은 각 사업연도의 소득금액을 계산할 때 포함하지 아니한다.

② 과세표준신고를 하지 않은 이자소득은 각 사업연도의 소득금액에 포함하지 않으며 수정신고·기한 후 신고 또는 경정 등에 의하여서도 이를 과세표준에 포함시킬 수 없다.

(3) 자산양도소득 특례

비영리내국법인(사업소득에 해당하는 수익사업을 하는 비영리내국법인은 제외)이 양도소득세 과세대상 자산의 양도소득을 법인세의 과세표준신고를 하지 않을 수 있다. 과세표준신고를 하지 않은 경우는 「소득세법」에 따라 양도소득세 규정을 준용하여 계산한 과세표준에 양도소득세율을 적용하여 계산한 금액을 법인세로 납부하여야 한다.❶

(4) 기장의무배제

사업소득과 채권매매익에 해당하는 수익사업을 영위하지 않는 비영리내국법인은 기장의무를 지지 않으며 기장의무를 지는 비영리법인도 장부의 기록·보관 불성실가산세를 적용받지 않는다.

(5) 필수적 첨부서류 제출면제

사업소득과 채권매매익에 해당하는 수익사업을 영위하지 않는 비영리내국법인이 과세표준신고시 재무상태표·포괄손익계산서·이익잉여금처분계산서 및 세무조정계산서를 첨부하지 않아도 신고를 한 것으로 본다.

(6) 구분경리

비영리법인이 수익사업을 영위하는 경우에는 자산·부채 및 손익을 해당 수익사업에 속하는 것과 수익사업이 아닌 그 밖의 사업에 속하는 것을 각각 다른 회계로 구분하여 기록하여야 한다.❷

2 청산소득에 대한 법인세

1 개념

1. 청산소득이란 법인이 해산하는 경우 그 법인의 해산에 따른 잔여재산가액이 해산등기일 현재의 자기자본총액을 초과하는 경우 그 초과금액을 말한다.
2. 이러한 청산소득에 대한 법인세는 청산과정에서 실현되는 소득에 대하여 최종적으로 과세하기 위함이다.

2 납세의무자

해산으로 소멸하는 영리내국법인만이 청산소득에 대한 법인세의 납세의무를 진다. 비영리내국법인은 청산소득에 대한 법인세 납세의무가 없으며 영리내국법인도 조직변경의 경우에는 청산소득에 대한 법인세의 납세의무가 없다.

🚩 **기출 OX**

비영리법인은 어떠한 경우라도 청산소득에 대한 법인세 납세의무를 지지 않는다.
(○)   13. 7급

> **참고**
>
> **청산소득에 대한 납세의무가 없는 조직변경**
>
> 1. 「상법」의 규정에 따라 조직변경하는 경우
> 2. 특별법에 따라 설립된 법인이 그 특별법의 개정이나 폐지로 인하여 「상법」에 따른 회사로 조직변경하는 경우
> 3. 「변호사법」에 따라 법무법인이 법무법인(유한)으로 조직변경하는 경우
> 4. 「관세사법」에 따라 관세사법인이 관세법인으로 조직변경하는 경우
> 5. 「변리사법」에 따라 특허법인이 특허법인(유한)으로 조직변경하는 경우
> 6. 「협동조합 기본법」에 따라 법인등이 협동조합으로 조직변경하는 경우
> 7. 「지방공기업법」에 따라 지방공사가 지방공단으로 조직변경하거나 지방공단이 지방공사로 조직변경하는 경우

3 계산

과세표준

청산소득에 대한 법인세 과세표준은 청산소득금액으로 한다.

> 청산소득금액＝잔여재산가액 − 해산등기일의 자기자본총액

1. 잔여재산가액

잔여재산가액은 해산등기일 현재의 자산총액에서 부채총액을 공제한 금액으로 한다. 다만, 추심할 채권과 환가처분할 자산은 다음과 같이 평가한다.

(1) 추심할 채권과 환가처분할 자산은 추심 또는 환가처분한 날 현재의 금액

(2) 추심 또는 환가처분 전에 분배한 경우에는 그 분배한 날 현재의 시가에 의한 평가액

2. 자기자본총액

(1) 자기자본총액이란 해산등기일 현재의 다음의 금액을 말한다.

> **자기자본총액**
>
> = 납입자본 · 출자금 + 세무상잉여금 − 이월결손금 + 법인세환급액

(2) 해산등기일 현재 소멸되지 않고 남아있는 이월결손금(발생연도의 제한이 없는 세무상 이월결손금)이 있는 경우에는 그 이월결손금은 잉여금을 초과하지 않는 범위 내에서 상계하며, 잉여금을 초과하는 이월결손금은 없는 것으로 본다.

(3) 청산소득을 계산할 때 해산등기일 전 2년 이내에 자본금에 전입한 잉여금이 있는 경우에는 해당금액을 자본금에 전입하지 않은 것으로 본다.

3. 청산기간 중에 생기는 소득의 처리

(1) 청산기간 중에 생기는 각 사업연도의 소득금액이 있는 경우에는 그 법인의 해당 각 사업연도의 소득금액에 산입한다.

(2) 법인이 해산등기일 현재의 자산을 청산기간 중에 처분한 금액(환가를 위한 재고자산의 처분액을 포함)은 청산소득에 포함한다. 다만, 청산기간 중에 해산 전의 사업을 계속하여 영위하는 경우 해당 사업에서 발생한 사업수입이나 임대수입, 공 · 사채 및 예금의 이자수입 등은 그러하지 아니하다.

4. 세율

법인세율은 각 사업연도 소득에 대한 법인세율과 동일하다.

4 신고와 납부

1. 확정신고와 납부

청산소득에 대한 법인세의 신고와 납부기한은 다음과 같다. 청산소득금액이 없는 경우에도 청산소득에 대한 법인세 과세표준과 세액의 신고는 하여야 한다.

(1) **해산에 의한 경우**

잔여재산가액확정일이 속하는 달의 말일부터 3개월 이내

(2) **사업계속의 경우**

계속등기일이 속하는 달의 말일부터 3개월 이내

📖 기출 OX

법인이 해산등기일 현재의 자산을 청산기간 중에 처분한 금액은 청산소득에 포함하지만, 청산기간 중에 해산 전의 사업을 계속하여 영위하는 경우 당해 사업에서 발생한 사업수입이나 임대수입, 공사채 및 예금의 이자수입 등은 포함하지 않는다. (○)   16. 7급

2. 중간신고와 납부

(1) 청산소득에 대한 법인세를 중간신고 · 납부하는 경우 그 기한은 다음과 같으며 유동화전문회사 등「법인세법」상 소득공제를 받는 법인은 중간신고 · 납부의무가 없다.

    ① 해산에 의한 잔여재산가액이 확정되기 전에 그 일부를 주주 등에게 분배한 경우에는 그 분배한 날이 속하는 달의 말일부터 1개월 이내에 신고하여야 한다.

    ② 해산등기일로부터 1년이 되는 날까지 잔여재산가액이 확정되지 아니한 경우에는 그 1년이 되는 날이 속하는 달의 말일부터 1개월 이내에 신고하여야 한다.

(2) 다만,「국유재산법」에 규정한 청산절차에 따라 청산하는 법인의 경우에는 중간신고에 관한 규정을 적용하지 아니한다.

3. 결정 · 경정 및 징수

납세지 관할세무서장 또는 관할지방국세청장은 각 사업연도 소득에 대한 법인세의 규정을 준용하여 청산소득에 대한 법인세를 결정 · 경정 · 재경정한다.

4. 가산세 배제

청산소득에 대한 법인세를 징수할 때에는 국세기본법에 따른 납부지연가산세 중 납부하지 않은 세액에 대한 가산세(납부고지서에 따른 납부기한의 다음날부터 부과되는 분에 한정함) 및 체납에 대한 제재는 적용하지 않는다.

---

3 미환류소득에 대한 법인세
[투자 · 상생협력 촉진을 위한 과세특례를 적용하여 계산한 법인세(「조세특례제한법」)]

1 대상 법인

각 사업연도 종료일 현재「독점규제 및 공정거래에 관한 법률」에 따른 상호출자제한기업집단에 속하는 법인이 미환류소득이 있는 경우 해당 소득에 대하여 20%의 법인세를 과세한다(각 사업연도 소득금액에 대한 법인세에 추가하여 과세).

2 계산방법

해당 내국법인은 두 가지 방법 중 선택하여 미환류소득을 계산한다. 어느 하나의 방법을 선택하여 신고한 경우 해당 사업연도의 개시일부터 다음의 기간까지는 그 선택한 방법을 계속 적용하여야 한다.

> • 방법 1: 3년이 되는 날이 속하는 사업연도
>
> 기업소득 × 70% − (투자액 + 임금증가액 + 상생협력을 위한 지출액 × 3)
>
> • 방법 2: 1년이 되는 날이 속하는 사업연도
>
> 기업소득 × 15% − (임금증가액 + 상생협력을 위한 지출액 × 3)

1. 기업소득

각 사업연도 소득에 국세·지방세과오납금환급금이자, 수입배당금액 익금불산입, 전기기부금한도초과액의 손금산입액 등은 가산하고, 해당 사업연도의 법인세액, 법인세 감면에 대한 농어촌특별세 및 법인지방소득세, 이익준비금, 의무적으로 적립하는 적립금, 공제한 이월결손금 등은 차감하여 계산한다.

2. 투자액

(1) 새로 취득하는 자산(중고품 및 금융리스 외의 리스자산은 제외)

(2) 기계 및 장치, 공구, 기구 및 비품 등 사업용 유형자산이 대상이며 자본적 지출을 포함한다(취득단계에서 즉시상각의제규정에 따라 해당 사업연도에 즉시상각된 분은 제외).

3. 임금증가액

근로자에 대한 근로소득으로 다음에 해당하는 자는 제외한다.

(1) 임원

(2) 근로소득의 금액이 8천만 원 이상인 근로자

(3) 근로계약기간이 1년 미만인 근로자 및 단시간근로자

4. 상생협력을 위한 지출액

「대·중소기업 상생협력 촉진에 관한 법률」에 따른 출연금 등을 말한다.

3 신고

1. 내국법인은 미환류소득을 각 사업연도의 종료일이 속하는 달의 말일부터 3개월 이내에 납세지 관할세무서장에게 신고하여야 한다.

2. 해당 내국법인이 미환류소득의 산정방법을 선택하지 않은 경우에는 해당 법인이 최초로 과세대상에 해당하게 되는 사업연도에 미환류소득이 적게 산정되거나 초과환류액이 많이 산정되는 방법을 선택하여 신고한 것으로 본다.

4 차기환류적립금과 초과환류액

1. 차기환류적립금

해당 사업연도 미환류소득의 전부 또는 일부를 다음 2개 사업연도의 투자·임금 등으로 환류하기 위한 금액(차기환류적립금)으로 적립하여 해당 사업연도의 미환류소득에서 차기환류적립금을 공제할 수 있다.

2. 초과환류액

초과환류액(초과환류액으로 차기환류적립금을 공제한 경우 공제 후 잔액)은 그 다음 2개 사업연도까지 이월하여 그 다음 2개 사업연도 동안 미환류소득에서 공제할 수 있다.

5 투자자산 사후관리

투자액으로 공제한 기계장치 등을 투자완료일 또는 매입일·취득일로부터 2년이 지나기 전에 양도하거나 대여한 경우에는 그 자산투자금액의 공제로 인하여 납부하지 아니한 세액에 이자상당액을 가산하여 납부하여야 한다.

6 합병·분할시 승계

합병 또는 분할에 따라 피합병법인 또는 분할법인이 소멸하는 경우 합병법인 또는 분할신설법인은 미환류소득 및 초과환류액을 승계할 수 있다.

4 외국법인의 납세의무

1 개념

외국법인이란 외국에 본점 또는 주사무소를 둔 법인(국내에 사업의 실질적 관리장소가 소재하지 아니하는 경우만 해당)을 말한다. 외국영리법인의 경우 국내원천소득과 토지 등 양도소득에 대하여 납세의무가 있고 외국비영리법인의 경우 국내원천 수익사업소득과 토지 등 양도소득에 대하여 납세의무가 있다. 이 장에서 외국법인과 비거주자를 비교하여 설명하고자 한다.

2 국내원천소득범위

1. 이자소득

다음에서 규정하는 소득으로서 이자소득(국외에서 받는 예금의 이자소득은 제외)과 그 밖의 대금의 이자 및 신탁의 이익. 다만, 거주자 또는 내국법인의 국외사업장을 위하여 그 국외사업장이 직접 차용한 차입금의 이자는 제외한다.

(1) 국가 · 지방자치단체 · 거주자 · 내국법인 또는 외국법인의 국내사업장이나 비거주자의 국내사업장으로부터 지급받는 소득

(2) 외국법인 또는 비거주자로부터 지급받는 소득으로서 그 소득을 지급하는 외국법인 또는 비거주자의 국내사업장과 실질적으로 관련하여 그 국내사업장의 소득금액을 계산할 때 필요경비 또는 손금에 산입되는 것

2. 배당소득

내국법인 또는 법인으로 보는 단체나 그 밖에 국내로부터 지급받는 배당소득(외국법인으로부터 받는 배당소득은 제외) 및 「국제조세조정에 관한 법률」에 따라 배당으로 처분된 금액이다.

3. 부동산소득

국내에 있는 부동산 또는 부동산상의 권리와 국내에서 취득한 광업권, 조광권, 토사석 채취에 관한 권리 또는 지하수의 개발 · 이용권의 양도 · 임대 또는 그 밖의 운영으로 인하여 발생하는 소득. 다만, 항목 7. 양도소득은 제외한다.

4. 선박 등 임대소득

거주자, 내국법인 또는 외국법인의 국내사업장이나 비거주자의 국내사업장에 선박, 항공기, 등록된 자동차나 건설기계 또는 산업상 · 상업상 · 과학상의 기계 · 설비 · 장치, 그 밖에 용구를 임대함으로써 발생하는 소득이다.

5. 사업소득

외국법인이 경영하는 사업에서 발생하는 소득(조세조약에 따라 국내원천사업소득으로 과세할 수 있는 소득을 포함)으로서 대통령령으로 정하는 것. 다만, 6. 인적용역소득은 제외한다.

6. 인적용역소득

국내에서 대통령령으로 정하는 인적용역을 제공함으로써 발생하는 소득. 이 경우 그 인적용역을 제공받는 자가 인적용역의 제공과 관련하여 항공료 등 대통령령으로 정하는 비용을 부담하는 경우에는 그 비용을 제외한 금액을 말한다.

7. 양도소득

다음의 어느 하나에 해당하는 자산·권리의 양도소득. 다만, 그 소득을 발생하게 하는 자산·권리가 국내에 있는 경우로 한정한다.

(1) 토지·건물, 부동산에 관한 권리, 사업용 자산과 함께 양도하는 영업권, 특정 시설물 이용권의 양도소득

(2) 내국법인의 주식 등(주식 등을 기초로 하여 발행한 예탁증서 및 신주인수권을 포함. 이하에서 같음) 중 양도일이 속하는 사업연도개시일 현재의 그 법인의 자산총액 중 토지·건물·부동산에 관한 권리의 자산가액 합계액이 100분의 50 이상인 법인의 주식 등(이하 '부동산주식'이라 함)으로서 「자본시장과 금융투자업에 관한 법률」에 따른 증권시장에 상장되지 아니한 주식 등

8. 사용료소득

다음의 어느 하나에 해당하는 권리·자산 또는 정보를 국내에서 사용하거나 그 대가를 국내에서 지급하는 경우 그 대가 및 그 권리 등을 양도함으로써 발생하는 소득. 다만, 소득에 관한 이중과세 방지협약에서 사용지를 기준으로 하여 그 소득의 국내원천소득 해당 여부를 규정하고 있는 경우에는 국외에서 사용된 권리 등에 대한 대가는 국내 지급 여부에도 불구하고 국내원천소득으로 보지 아니한다. 이 경우 특허권·실용신안권·상표권·디자인권 등 권리의 행사에 등록이 필요한 권리는 해당 특허권 등이 국외에서 등록되었고 국내에서 제조·판매 등에 사용된 경우에는 국내 등록 여부에 관계없이 국내에서 사용된 것으로 본다.

(1) 학술 또는 예술상의 저작물(영화필름을 포함)의 저작권, 특허권, 상표권, 디자인, 모형, 도면, 비밀스러운 공식 또는 공정, 라디오·텔레비전방송용 필름 및 테이프, 그 밖에 이와 유사한 자산이나 권리

(2) 산업상·상업상·과학상의 지식·경험에 관한 정보 또는 노하우

9. 유가증권 양도소득

다음의 어느 하나에 해당하는 주식 등(「자본시장과 금융투자업에 관한 법률」에 따른 증권시장에 상장된 부동산주식 등을 포함) 또는 그 밖의 유가증권을 양도함으로써 발생하는 일정한 소득이다.

(1) 내국법인이 발행한 주식 등과 그 밖의 유가증권

(2) 외국법인이 발행한 주식 등(「자본시장과 금융투자업에 관한 법률」에 따른 증권시장에 상장된 것으로 한정)과 외국법인의 국내사업장이 발행한 그 밖의 유가증권

10. 기타의 소득

1.부터 9.까지의 규정에 따른 소득 외의 소득으로서 다음의 어느 하나에 해당하는 소득이다.

(1) 국내에 있는 부동산 및 그 밖의 자산이나 국내에서 경영하는 사업과 관련하여 받은 보험금·보상금 또는 손해배상금

(2) 국내에서 지급하는 위약금이나 배상금으로서 대통령령으로 정하는 소득

(3) 국내에 있는 자산을 증여받아 생기는 소득

(4) 국내에서 지급하는 상금·현상금·포상금, 그 밖에 이에 준하는 소득

(5) 국내에서 발견된 매장물로 인한 소득

(6) 국내법에 따른 면허·허가, 그 밖에 이와 유사한 처분에 의하여 설정된 권리와 부동산 외의 국내자산을 양도함으로써 생기는 소득

(7) 국내에서 발행된 복권·경품권, 그 밖의 추첨권에 의하여 받는 당첨금품과 승마투표권·승자투표권·소싸움경기 투표권·체육진흥 투표권의 구매자가 받는 환급금

(8) 기타소득으로 처분된 금액

(9) 대통령령으로 정하는 특수관계인(이하 '국외특수관계인'이라 함)이 보유하고 있는 내국법인의 주식 등이 대통령령으로 정하는 자본거래로 인하여 그 가치가 증가함으로써 발생하는 소득

(10) (1)부터 (9)까지의 소득 외에 국내에서 하는 사업이나 국내에서 제공하는 인적용역 또는 국내에 있는 자산과 관련하여 제공받은 경제적 이익으로 생긴 소득(국가 또는 특별법에 따라 설립된 금융회사 등이 발행한 외화표시채권을 상환함으로써 받은 금액이 그 외화표시채권의 발행가액을 초과하는 경우에는 그 차액을 포함하지 아니함) 또는 이와 유사한 소득으로서 대통령령으로 정하는 소득

11. 근로소득(외국법인 제외)

국내에서 제공하는 근로의 대가로 받는 급여이다.

12. 퇴직소득(외국법인 제외)

국내에서 제공하는 근로에 대응하는 연금과 퇴직급여이다.

3 국내사업장

1. 국내사업장의 개념과 범위

국내사업장이란 외국법인이 국내에서 사업의 전부 또는 일부를 수행하는 고정된 장소를 말한다. 그 범위는 다음과 같다.

국내사업장에 해당하는 장소	① 지점·사무소 또는 영업소 ② 상점이나 그 밖의 고정된 판매장소 ③ 작업장·공장 또는 창고 ④ 6개월을 초과하여 존속하는 건설장소, 건설·조립·설치공사의 현장 또는 이와 관련된 감독을 하는 장소 ⑤ 고용인을 통하여 용역을 제공하는 장소로서 다음 중 어느 하나에 해당하는 장소 　㉠ 용역이 계속 제공되는 12개월 중 합계 6개월을 초과하는 기간 동안 용역이 수행되는 장소 　㉡ 용역이 계속 제공되는 12개월 중 합계 6개월을 초과하지 않는 경우로서 유사한 종류의 용역이 2년 이상 계속적·반복적으로 수행되는 장소 ⑥ 광산·채석장 또는 해저천연자원이나 그 밖의 천연자원의 탐사 장소 및 채취 장소
국내사업장에 해당하지 않는 장소	다음 중 어느 하나에 해당하는 장소(이하 '특정 활동 장소'라 함)가 비거주자·외국법인의 사업수행상 예비적 또는 보조적인 성격을 가진 활동을 하기 위하여 사용되는 경우 ① 자산의 단순한 구입만을 위하여 사용하는 일정한 장소 ② 판매를 목적으로 하지 않고 자산의 저장·보관만을 위하여 사용하는 일정한 장소 ③ 광고·선전·정보의 수집과 제공·시장조사를 하거나 그 밖에 사업수행상 예비적·보조적인 사업활동을 행하기 위하여 사용되는 일정한 장소 ④ 자기의 자산을 타인으로 하여금 가공만 하게 하기 위하여 사용하는 일정한 장소

2. 의제사업장

비거주자 또는 외국법인이 국내사업장을 가지고 있지 않은 경우에도 다음 중 어느 하나에 해당하는 자 또는 이에 준하는 자를 두고 사업을 경영하는 경우에는 그 자의 사업장 소재지(사업장이 없는 경우에는 주소지로 하고, 주소지가 없는 경우에는 거소지로 함)에 국내사업장을 둔 것으로 본다.

(1) 국내에서 그 비거주자·외국법인을 위하여 다음 중 어느 하나에 해당하는 계약을 체결할 권한을 가지고 그 권한을 반복적으로 행사하는 자

　① 비거주자·외국법인 명의의 계약

　② 비거주자·외국법인이 소유하는 자산의 소유권 이전 또는 소유권이나 사용권을 갖는 자산의 사용권 허락을 위한 계약

　③ 비거주자·외국법인의 용역제공을 위한 계약

(2) 국내에서 그 비거주자·외국법인을 위하여 비거주자·외국법인 명의계약 등을 체결할 권한을 가지고 있지 않더라도 계약을 체결하는 과정에서 중요한 역할(비거주자·외국법인이 계약의 중요사항을 변경하지 않고 계약을 체결하는 경우로 한정)을 반복적으로 수행하는 자

> **➕ 심화 | 종속대리인**
>
> 1. 국내에 그 외국법인을 위하여 계약을 체결할 권한을 가지고 그 권한을 반복적으로 행사하는 자
> 2. 외국법인의 자산을 상시 보관하고 관례적으로 이를 배달 또는 인도하는 자
> 3. 중개인·일반위탁매매인 기타 독립적 지위의 대리인으로서 주로 특정 외국법인만을 위하여 계약체결 등 사업에 관한 중요한 부분의 행위를 하는 자(이들이 자기사업의 정상적인 과정에서 활동하는 경우를 포함)
> 4. 보험사업(재보험사업을 제외)을 영위하는 외국법인을 위하여 보험료를 징수하거나 국내소재 피보험물에 대한 보험을 인수하는 자

4 과세방법

1. 외국법인

(1) 종합과세❶

국내사업장을 가진 외국법인이거나 부동산소득이 있는 외국법인의 경우 법인세 계산구조에 따라 종합하여 과세한다. 다만, 국내사업장이 있는 경우라도 외국법인의 국내원천소득(부동산소득 및 부동산양도소득은 제외)으로서 국내사업장과 실질적으로 관련되지 아니하거나 그 국내사업장에 귀속되지 아니하는 소득금액에 대하여는 분리과세한다.

(2) 분리과세❷

종합과세하는 경우 외의 외국법인은 각 국내원천소득별 원천징수로 납세의무가 종결된다. 다만, 양도소득은 원천징수 후 별도로 신고·납부하여야 한다.

2. 비거주자

(1) 종합과세

국내사업장이 있는 비거주자와 부동산소득이 있는 비거주자에 대하여는 국내원천소득(퇴직·양도소득은 제외)을 종합하여 과세한다. 다만, 국내사업장과 실질적으로 관련되지 않거나 그 국내사업자에 귀속되지 않는 소득(부동산·근로·연금·퇴직·양도소득은 제외)에 대하여는 소득별로 분리과세한다.

(2) 분리과세

비거주자의 국내원천소득(부동산·근로·연금·퇴직소득은 제외)으로서 국내사업장과 실질적으로 관련되지 않거나 그 국내사업장에 귀속되지 않는 소득금액(국내사업장이 없는 비거주자에게 지급하는 금액을 포함하며, 사업소득 중 조세조약에 따라 국내원천사업소득으로 과세할 수 있는 소득은 제외)에 대하여는 원천징수로써 과세를 종결한다(양도소득은 예납적 원천징수대상). 이 경우 국내원천소득을 지급하는 자는 국내원천소득을 지급할 때 원천징수하여 다음 달 10일까지 납부하여야 한다.

❶ **종합과세**
내국법인의 법인세 계산과 동일하게 법인세 계산구조에 종합하여 과세하는 방식을 말한다.

❷ **분리과세**
외국법인에게 소득을 지급하는 자가 그 소득의 지급 시 원천징수하고 그 외국법인이 법인세를 신고·납부하지 않는 방식을 말한다.

(3) 분류과세

퇴직소득과 양도소득에 대하여는 거주자와 같은 방법으로 과세한다.

5 과세표준계산

1. 비거주자

비거주자의 과세표준 및 세액 계산 등은 거주자를 준용한다. 다만, 종합소득공제의 경우 인적공제(기본공제와 추가공제) 중 비거주자 본인 외의 자에 대한 공제와 특별소득공제 · 자녀세액공제 및 특별세액공제는 하지 않는다.

2. 외국법인

(1) 종합과세

$$
\text{과세표준} = \text{국내원천소득} - \text{이월결손금} - \text{비과세소득} - \frac{\text{선박 또는 항공기의}}{\text{외국항행소득}}
$$

① 국내원천소득은 내국법인의 각 사업연도 소득금액에 대한 법인세를 준용한다.

② 이월결손금은 사업연도개시 전 10년 이내 개시한 사업연도에 발생한 결손금을 말한다. 그리고 이월결손금 공제의 범위는 각 사업연도 소득의 60%로 한다.

③ 선박 또는 항공기의 외국항행소득은 상호면세주의에 따라 공제한다.

④ 세액계산과 신고 · 납부 · 결정 · 경정 및 징수는 내국법인을 준용한다.

(2) 분리과세

① 외국법인의 국내원천소득(퇴직소득 · 부동산양도소득은 제외)으로서 국내사업장과 실질적으로 관련되지 않거나 국내사업장에 귀속되지 않는 소득에 대하여는 원천징수로 과세가 종결된다.

② 다만, 양도소득의 경우에는 예납적으로 원천징수하고 별도로 신고 · 납부하여야 한다.

(3) 원천징수세율

외국법인 또는 비거주자에게 소득금액을 지급하는 자는 그 지급을 할 때에 다음의 원천징수세율을 적용한 금액을 원천징수하여 그 원천징수한 날이 속하는 달의 다음달 10일까지 납세지 관할세무서 등에 납부하여야 한다.

❶
인적용역소득과 관련된 비용이란 인적
용역을 제공받는 자가 인적용역의 제공
과 관련하여 항공회사·숙박업자·음식
업자에게 직접 지급한 항공료·숙박비·
식사대를 말한다.

❷
국외에서 제공하는 인적용역 중 일정한
인적용역을 제공함으로써 발생하는 소
득이 조세조약에 따라 국내에서 발생하
는 것으로 간주되는 소득에 대하여는 그
지급액의 3%로 한다.

❸
국가·지방자치단체 및 내국법인이 발
행하는 채권에서 발생하는 이자소득은
지급액의 14%로 한다.

❹
양도한 자산의 취득가액 및 양도비용이
확인되는 경우 그 지급액의 10%에 상
당하는 금액과 그 자산의 양도차익의
20%에 상당하는 금액 중 적은 금액으
로 한다.

구분	원천징수세액
선박 등 임대소득·사업소득	지급액 × 2%
인적용역소득	(지급액 − 관련비용❶) × 20%❷
이자소득·배당소득· 사용료소득·기타의 소득❸	지급액 × 20%
양도소득 유가증권양도소득	지급액 × 10%❹
근로·연금소득	거주자 규정 준용
가상자산	① 가상자산의 취득가액 등이 확인되는 경우: min(㉠, ㉡) ㉠ 지급금액 × 10% ㉡ (지급금액 − 취득가액 등) × 20% ② 가상자산의 취득가액 등이 확인되지 않는 경우: 지급금액 × 10%

(4) 신고기한 연장

각 사업연도의 소득에 대한 법인세의 과세표준을 신고하여야 할 외국법인
으로서 본점 등의 결산이 확정되지 아니하거나 기타 부득이한 사유로 인하여
신고기한까지 신고서를 제출할 수 없는 외국법인은 해당 사업연도 종료일
부터 60일 이내에 사유서를 갖추어 납세지 관할세무서장에게 신고기한 연장
승인 신청을 할 수 있다.

6 외국법인의 국내사업장의 과세특례

1. 개념

외국법인이 국내에 진출하는 형태에 따라 과세가 달라진다. 외국법인은 자회사
의 형태 또는 지점의 형태로 국내에 진출하는데 진출형태별 과세체계는 다음과
같다.

(1) 자회사

자회사로 진출하는 경우 국내에서 발생한 소득에 대하여 법인세를 과세하고
국외주주에게 배당하는 경우 배당소득세를 과세한다.

(2) 지점

① 지점의 형태로 진출하는 경우 국내에서 발생한 소득에 대하여 법인세를 과
세하고 본점에 송금하는 금액에 대하여는 과세가 불가능하다.

② 진출형태에 따른 과세체계가 다르기 때문에 이러한 문제를 해결하기 위하
여 지점형태로 진출한 경우 추가로 법인세를 과세하고 있다.

2. 과세방법

(1) 외국법인(비영리외국법인은 제외)의 국내사업장에 한하여 지점세를 과세하되 우리나라와 해당 외국법인의 거주지국과 체결한 조세조약에 지점세과세에 대한 규정이 있어야 한다.

(2) 지점세율은 배당소득에 대한 원천징수세율(20%)로 하되, 우리나라와 해당 외국법인의 거주지국과 체결한 조세조약이 있는 경우에는 그에 따른다.

5 각 연결사업연도의 소득에 대한 법인세

1 개념

연결납세제도는 모회사와 자회사를 하나의 과세단위로 하여 법인세를 과세하는 것을 말하며 연결납세방식의 용어를 정리하면 다음과 같다.

용어	내용
연결납세방식	둘 이상의 내국법인을 하나의 과세표준과 세액을 계산하는 단위로 하여 법인세를 신고·납부하는 방식을 말한다.
연결법인	연결납세방식을 적용받는 내국법인을 말한다.
연결집단	연결법인 전체를 말한다.
연결모법인	연결집단 중 다른 연결법인을 완전지배하는 연결법인을 말한다.
연결자법인	연결모법인의 완전지배를 받는 연결법인을 말한다.
연결사업연도	연결집단의 소득을 계산하는 1회계기간을 말한다.

2 통칙

1. 적용대상

(1) 내국영리법인과 해당 내국법인이 완전지배하는 다른 내국법인(완전자법인)은 관할지방국세청장의 승인을 받아 연결납세방식을 적용할 수 있다. 이 경우 완전자법인이 둘 이상일 때에는 해당 법인 모두가 연결납세방식을 적용하여야 한다.

(2) 완전지배란 내국법인이 다른 내국법인의 발행주식총수(주식회사가 아닌 경우 출자총액, 의결권 없는 주식 등 포함)의 전부(100%)❶를 보유하는 경우를 말하며 내국법인과 내국법인이 완전지배하는 다른 내국법인이 보유한 또 다른 내국법인의 주식 등의 합계가 해당 내국법인의 발행주식총수의 전부(100%)인 경우를 포함한다.

❶ 완전지배

완전지배를 판단할 때 발행주식의 총수의 전부(100%)를 보유해야 한다. 이 경우 자기주식을 제외한 주식을 전부 보유하고 있는 경우에는 그 자기주식은 제외한다.

📖 기출 OX

내국법인과 완전자법인에 연결납세방식을 적용하는 경우 완전자법인이 2 이상인 때에는 해당법인 모두에 연결납세방식을 적용하여야 하는 것은 아니다. (×)
09. 9급

▶ 연결자법인이 2 이상인 때에는 모두 연결납세방식을 적용해야 한다.

2. 적용제외

연결대상에서 제외되는 완전모법인	연결대상에서 제외되는 완전자법인
① 비영리내국법인 ② 다른 내국법인(비영리내국법인 제외)의 완전지배를 받는 법인 ③ 해산으로 인하여 청산 중인 법인 ④ 지급배당에 대한 소득공제를 적용받는 유동화전문회사 · 투자회사 등에 해당하는 법인 ⑤ 동업기업과세특례를 적용하는 법인 ⑥ 해운기업에 대한 법인세 과세표준계산 특례를 적용하는 법인	① 해산으로 인하여 청산 중인 법인 ② 지급배당에 대한 소득공제를 적용받는 유동화전문회사 · 투자회사 등에 해당하는 법인 ③ 동업기업과세특례를 적용하는 법인 ④ 해운기업에 대한 법인세 과세표준계산 특례를 적용하는 법인

3. 사업연도

연결납세방식을 적용받는 각 연결법인의 사업연도는 연결사업연도와 일치하여야 한다. 이 경우 연결사업연도의 기간은 1년을 초과하지 못하며 연결사업연도의 변경에 관하여는 사업연도의 변경을 준용한다.

4. 납세지

연결법인의 납세지는 본래의 납세지에 불구하고 연결모법인의 납세지로 한다. 따라서 연결모법인의 본점 소재지를 기준으로 관할세무서장이 결정된다.

5. 신청 및 승인

(1) 연결납세방식을 적용받으려는 내국법인과 해당 내국법인의 완전자법인(이하 '연결대상법인 등'이라 함)은 최초의 연결사업연도 개시일부터 10일 이내 연결납세방식 적용 신청서를 해당 내국법인의 납세지 관할세무서장을 경유하여 관할지방국세청장에게 제출하여야 한다. 이 경우 연결대상법인 등은 연결사업연도를 함께 신고하여야 하고, 연결사업연도와 사업연도가 다른 연결대상법인 등은 사업연도의 변경을 신고한 것으로 본다.

(2) 관할지방국세청장은 이러한 신청을 받은 경우 최초의 연결사업연도개시일로부터 2개월 이내 승인 여부를 서면으로 통지하여야 하며 통지하지 않은 경우 승인한 것으로 본다.

🏛 **기출 OX**
연결법인의 납세지는 본래의 납세지에 불구하고 연결모법인의 납세지로 한다.
(○)   11. 9급

6. 연결납세방식의 취소

(1) 취소사유

연결모법인의 납세지 관할지방국세청장은 다음의 어느 하나에 해당하는 경우에는 승인을 취소할 수 있다.

① 연결법인의 사업연도가 연결사업연도와 일치하지 않은 경우

② 연결모법인이 완전지배하지 않는 내국법인에 대하여 연결납세방식을 적용하는 경우

③ 연결모법인의 완전자법인에 대하여 연결납세방식을 적용하지 않은 경우

④ 추계사유로 장부, 그 밖의 증명서류에 의하여 연결법인의 소득금액을 계산할 수 없는 경우

⑤ 연결법인에 수시부과사유가 있는 경우

⑥ 연결모법인이 다른 내국법인(비영리내국법인은 제외)의 완전 지배를 받는 경우

(2) 재적용 제한

① 연결납세방식의 적용 승인이 취소된 연결법인은 취소된 날이 속하는 사업연도와 그 다음 사업연도의 개시일부터 4년 이내에 끝나는 사업연도까지는 연결납세방식의 적용 당시와 동일한 법인을 연결모법인으로 하여 연결납세방식을 적용받을 수 없다.

② 승인이 취소된 경우 취소된 날이 속하는 연결사업연도의 개시일부터 그 연결사업연도의 종료일까지의 기간과 취소된 날이 속하는 연결사업연도 종료일의 다음날부터 본래사업연도 개시일 전날까지의 기간을 각각 1사업연도로 본다.

7. 승인취소시 결손금과 중간예납세액처리

(1) 결손금

각 연결사업연도의 개시일 전 15년 이내에 개시한 연결사업연도의 결손금 중 각 연결법인에 귀속하는 금액으로서 각 연결사업연도의 과세표준을 계산할 때 공제되지 아니한 금액은 해당 연결법인의 결손금으로 본다.

(2) 중간예납세액

연결중간예납세액 중 연결법인별 중간예납세액은 연결법인의 해당 사업연도 중간예납세액으로 본다.

(3) 결손금의 환원

연결납세방식을 적용받은 각 연결법인은 연결납세방식을 적용받은 연결사업 연도와 그 다음 연결사업연도의 개시일로부터 4년 이내에 끝나는 연결사업 연도 중에 연결납세방식의 적용 승인이 취소된 경우 다음의 구분에 따라 소득금액이나 결손금을 연결납세방식의 적용 승인이 취소된 사업연도의 익 금 또는 손금에 각각 산입하여야 한다. 다만, 부득이한 사유가 있는 경우에는 그러하지 아니하다.

① 연결사업연도 동안 다른 연결법인의 결손금과 합한 해당 법인의 소득금액 은 익금에 산입한다.

② 연결사업연도 동안 다른 연결법인의 소득금액과 합한 해당 법인의 결손금 은 손금에 산입한다.

8. 연결납세방식의 포기

(1) 연결납세방식의 적용을 포기하려는 연결법인은 연결납세방식을 적용하지 않으 려는 사업연도개시일 전 3개월이 되는 날까지 관할지방국세청장에게 신고하여야 한다. 다만, 연결납세방식을 최초로 적용받은 연결사업연도와 그 다음 연결사업 연도의 개시일부터 4년 이내에 끝나는 연결사업연도까지는 연결납세방식의 적용 을 포기할 수 없다.

(2) 포기하는 경우 결손금과 중간예납세액의 처리는 승인 취소시 규정을 준용한다.

9. 연결자법인의 추가 및 배제

(1) 추가

연결모법인이 새로 다른 내국법인을 완전지배하게 된 경우에는 완전지배가 성 립한 날이 속하는 연결사업연도의 다음 연결사업연도부터 해당 내국법인은 연결 납세방식을 적용하여야 한다. 다만, 법인의 설립등기일부터 연결모법인이 완전 지배하는 내국법인은 설립등기일이 속하는 사업연도부터 연결납세방식을 적용하 여야 한다.

(2) 배제

① 연결모법인의 완전지배를 받지 아니하게 되거나 해산한 연결자법인은 해당 사 유가 발생한 날이 속하는 연결사업연도의 개시일부터 연결납세방식을 적용하 지 아니한다. 다만, 연결자법인이 다른 연결법인에 흡수합병되어 해산하는 경 우에는 해산등기일이 속하는 사업연도에 연결납세방식을 적용할 수 있다.

② 배제되어 연결납세방식을 적용하지 아니하게 되는 경우에는 연결납세제 도의 재적용의 제한, 결손금의 처리 및 중간예납세액의 처리는 승인취소 규정을 준용한다.

(3) 신고

연결모법인은 연결자법인이 변경(추가 또는 배제)된 경우에는 변경일 이후 중간
예납기간 종료일과 사업연도 종료일 중 먼저 도래하는 날부터 1개월 이내에 관할
지방국세청장에게 신고하여야 한다.

(4) 연결자법인 배제의 경우 결손금 환원

연결납세방식을 적용받은 연결사업연도와 그 다음 연결사업연도의 개시일부
터 4년 이내에 끝나는 연결사업연도 중에 연결자법인의 배제에 따라 연결납
세방식을 적용하지 아니하는 경우 다음의 구분에 따라 소득금액 또는 결손금
을 해당 사유가 발생한 날이 속하는 사업연도의 익금 또는 손금에 각각 산입
하여야 한다. 다만, 연결자법인이 파산함에 따라 해산하는 경우에는 그러하
지 아니한다.

① 연결사업연도 동안 다른 연결법인의 결손금과 합한 연결배제법인(연결납
세방식을 적용하지 아니하게 된 개별법인)의 소득금액은 연결배제법인의
익금에 산입한다.

② 연결사업연도 동안 다른 연결법인의 소득금액과 합한 연결배제법인의 결
손금은 연결배제법인의 손금에 산입한다.

③ 연결사업연도 동안 연결배제법인의 결손금과 합한 해당 법인의 소득금액
은 해당 법인의 익금에 산입한다.

④ 연결사업연도 동안 연결배제법인의 소득금액과 합한 해당 법인의 결손금
은 해당 법인의 손금에 산입한다.

3 과세표준과 계산

1. 연결소득금액

다음의 순서에 따라 계산한다.

(1) 각 연결법인별로 각 사업연도 소득금액 계산

(2) 연결법인간 거래손익 조정

① 연결법인을 하나의 법인은 보고 연결법인 사이에 이루어진 거래로 인한 손
익은 제거하여야 한다.

② 연결법인 다른 연결법인에게 받은 수입배당금은 익금불산입, 기업업무추
진비는 손금불산입, 대손충당금은 손금불산입, 양도손익에 대하여 소득은
익금불산입으로 손실은 손금불산입으로 처리한다.

(3) 연결조정항목 제거

수입배당금에 대한 익금불산입 · 기업업무추진비 손금불산입 · 기부금 손금
불산입에 대한 세무조정을 제거한 후 연결집단기준으로 다시 계산한다.

(4) 연결조정항목 재계산 후 각 연결법인별로 배분

수입배당금의 익금불산입 · 기업업무추진비 손금불산입 · 기부금 손금불산입한 금액을 각 연결법인별로 배분한다.

2. 과세표준계산

	연 결 소 득 금 액
(−)	이 월 결 손 금
(−)	각 연결법인의 비과세 소득의 합계액
(−)	각 연결법인의 소득공제액의 합계액
	연 결 과 세 표 준

(1) 이월결손금

① 각 연결사업연도의 개시일 전 15년 이내에 개시한 연결사업연도의 결손금(연결법인의 연결납세방식의 적용 전에 발생한 결손금을 포함)으로서 그 후의 각 연결사업연도의 과세표준을 계산할 때 공제되지 아니한 금액을 말한다. 연결과세표준을 계산할 때 먼저 발생한 사업연도의 결손금부터 공제한다.

② 다만, 중소기업 및 특정법인을 제외한 연결법인의 이월결손금 공제의 범위는 연결소득개별귀속액의 80%로 한다.

(2) 이월결손금 공제한도

① 연결법인의 연결납세방식의 적용 전에 발생한 결손금
▶ 한도: 각 연결사업연도의 소득 중 해당 연결법인에 귀속되는 소득금액을 한도로 공제한다.

② 연결모법인이 적격분할 합병에 따라 피합병법인의 자산을 양도받는 경우 합병등기일 현재 피합병법인의 결손금
▶ 한도: 연결모법인의 연결소득개별귀속액 중 피합병법인으로부터 승계받은 사업에서 발생한 소득을 한도로 한다.

③ 연결모법인이 적격분할 합병에 따라 소멸한 분할법인의 자산을 양도받는 경우 분할등기일 현재 소멸한 분할법인의 결손금 중 연결모법인이 승계받은 사업에 귀속하는 금액
▶ 한도: 연결모법인의 연결소득개별귀속액 중 소멸한 분할법인으로부터 승계받은 사업에서 발생한 소득을 한도로 한다.

4 신고 및 납부

1. 신고

(1) 연결모법인은 각 연결사업연도의 종료일이 속하는 달의 말일부터 4개월 이내에 해당 연결사업연도의 소득에 대한 법인세의 과세표준과 세액을 납세지 관할세무서장에게 신고하여야 한다. 다만, 외부감사를 받는 경우 감사가 종결되지 아니하여 결산이 확정되지 아니하였다는 사유로 신고기한종료일 이전 3일이 되는 날까지 신고기한의 연장을 신청하는 경우 그 신고기한을 1개월의 범위에서 연장할 수 있다.

(2) 연결모법인이 연결사업연도의 소득에 대한 과세표준과 세액을 신고할 때에는 그 각 연결사업연도의 소득에 대한 법인세과세표준 및 세액신고서에 다음의 서류를 첨부하여야 한다.

① 필수적 첨부서류: 다음의 서류를 첨부하지 않은 경우 무신고로 본다.
  ㉠ 연결소득금액 조정명세서
  ㉡ 각 연결법인의 재무상태표 · 포괄손익계산서 · 이익잉여금처분계산서(결손금처리계산서) · 세무조정계산서
② 그 밖의 서류: 연결법인간 출자현황신고서 및 연결법인간 거래명세서

2. 연결중간예납

(1) 각 연결사업연도의 기간이 6개월을 초과하는 연결모법인은 해당 사업연도 개시일부터 그 6개월간을 중간예납기간으로 하여 연결중간예납세액을 중간예납기간이 지난 날부터 2개월 이내에 납세지 관할세무서장에게 납부하여야 한다. 이 경우 연결중간예납세액이 1천만 원을 초과하는 경우 일반 법인세와 마찬가지로 분납할 수 있다.

(2) 중간예납의무가 있는 연결모법인은 직전사업연도의 실적을 기준으로 하는 방법과 가결산방법 중 한 가지를 선택하여 연결중간예납세액을 계산할 수 있다. 다만, 다음의 경우에는 반드시 가결산방법에 따라 연결중간예납세액을 계산하여 납부하여야 한다.

① 직전연결사업연도의 확정된 연결산출세액이 없는 경우
② 해당 중간예납기간의 만료일까지 직전연결사업연도의 법인세로서 확정된 연결산출세액이 없는 경우

3. 연결법인세 납부

(1) 연결모법인의 납부

연결모법인은 연결산출세액에서 다음의 법인세액(가산세는 제외)을 공제한 금액을 각 연결사업연도의 소득에 대한 법인세로서 연결과세표준신고기한까지 납세지 관할세무서 등에게 납부하여야 한다.

① 해당 연결사업연도의 감면세액

② 해당 연결사업연도의 연결중간예납세액

③ 해당 연결사업연도의 각 연결법인의 원천징수된 세액의 합계액

(2) 연결자법인의 지급의무

❶
연결모법인이 연결자법인으로부터 지급받았거나 지급받을 금액은 익금에 산입하지 않으며 연결자법인이 연결모법인에게 지급하였거나 지급할 금액은 손금에 산입하지 않는다.

연결자법인은 연결법인세액의 납부기한까지 연결법인별 산출세액에서 다음의 금액을 뺀 금액에 가산세를 가산하여 연결모법인에게 지급하여야 한다.❶

① 해당 연결사업연도의 해당 법인의 감면세액

② 해당 연결사업연도의 연결법인별 중간예납세액

③ 해당 연결사업연도의 해당 법인의 원천징수된 세액

(3) 연대납세의무

연결법인은 각 연결사업연도의 소득에 대한 법인세(각 연결법인의 토지 등 양도소득에 대한 법인세와 미환류소득에 대한 법인세를 포함)를 연대하여 납부할 의무가 있다.

(4) 분납

연결모법인이 연결법인세액을 납부하는 경우 정규 법인세와 마찬가지로 분납 규정을 준용한다.

2024년 1월 1일부터 적용하는 연결납세제도

1. 용어 정의

① **연결모법인**: 연결집단 중 다른 연결법인을 연결지배하는 연결법인을 말한다.

② **연결자법인**: 연결모법인의 연결지배를 받는 연결법인을 말한다.

③ **연결지배**: 내국법인이 다른 내국법인의 발행주식총수 또는 출자총액의 100분의 90 이상을 보유하고 있는 경우를 말한다.

④ **연결가능모법인**: 비영리법인 등 연결모법인이 될 수 없는 법인을 제외한 법인을 말한다.

⑤ **연결가능자법인**: 청산법인 등 연결자법인이 될 수 없는 법인을 제외한 법인을 말한다.

2. 주식보유비율

연결지배를 위한 주식보유비율은 다음에서 정하는 바에 따라 계산한다.

① 의결권 없는 주식 또는 출자지분을 포함할 것

② 「상법」 또는 「자본시장과 금융투자업에 관한 법률」에 따라 보유하는 자기주식은 제외할 것

③ 「근로복지기본법」에 따른 우리사주조합을 통하여 근로자가 취득한 주식 및 그 밖에 다음의 어느 하나에 해당하는 주식으로서 발행주식총수의 100분의 5 이내의 주식은 해당 법인이 보유한 것으로 볼 것

　㉠ 우리사주조합이 보유한 주식

　㉡ 주식매수선택권의 행사에 따라 발행되거나 양도된 주식(주식매수선택권을 행사한 자가 제3자에게 양도한 주식을 포함한다)

④ 연결가능모법인이 연결가능자법인을 통해 또 다른 내국법인의 주식 또는 출자지분을 보유하는 경우에는 다음에 따라 계산한다.

> 연결가능모법인의 연결가능자법인에 대한 주식 또는 출자비율의 보유비율 ×
> 연결가능자법인의 또 다른 내국법인에 대한 주식 또는 출자비율의 보유비율

3. 연결납세제도 적용

다른 내국법인을 연결지배하는 내국법인(비영리법인 등 연결모법인이 될 수 없는 법인을 제외한 법인을 말하여 이하 '연결가능모법인' 이라 함)과 그 다른 내국법인(청산법인 등 연결자법인이 될 수 없는 법인을 제외한 법인을 말하며 이하 '연결가능자법인' 이라 함)은 연결가능모법인의 납세지 관할지방국세청장의 승인을 받아 연결납세방식을 적용할 수 있다. 이 경우 연결가능자법인이 둘 이상일 때에는 해당 법인 모두가 연결납세방식을 적용하여야 한다.

6 합병·분할 특례

1 합병에 대한 특례

1. 개념

(1) 합병으로 인하여 소멸하는 회사를 피합병법인이라 하고 합병 후 존속하는 회사 또는 합병으로 신설되는 회사를 합병법인이라 한다.

(2) 합병이 발생하면 피합병법인은 순자산을 합병법인에게 양도하고 합병법인은 그 대가로 주식 등을 피합병법인에게 교부하면 피합병법인이 그 주식을 주주에게 교부하고 소멸하게 된다.

2. 과세방법

(1) **피합병법인**

① 비적격합병: 피합병법인이 합병으로 해산하는 경우에는 그 법인의 자산을 합병법인에 양도한 것으로 본다. 이 경우 그 양도에 따라 발생하는 양도손익은 피합병법인이 합병등기일이 속하는 사업연도의 소득금액을 계산할 때 익금 또는 손금에 산입한다.

> 양도손익=㉠－㉡
> ㉠ 피합병법인이 합병법인으로부터 받은 양도가액
> ㉡ 순자산 장부가액

㉠ 양도가액은 합병으로 받는 주식과 주식 외 금전 등의 금액과 합병법인 납부하는 피합병법인의 법인세 등을 합산한 금액을 말한다.

㉡ 순자산 장부가액은 피합병법인의 합병등기일 현재의 자산의 장부가액 총액에서 부채의 장부가액 총액을 뺀 가액을 말한다. 여기에 환급되는 법인세가 있는 경우는 그 금액을 순자산장부가액에 가산한다.

② 적격합병(과세이연): 다음의 요건을 모두 갖춘 합병의 경우에는 피합병법인이 합병법인으로부터 받은 양도가액은 피합병법인의 합병등기일 현재의 순자산 장부가액으로 보아 양도손익이 없는 것으로 할 수 있다.

㉠ **사업목적**: 합병등기일 현재 1년 이상 사업을 계속하던 내국법인간의 합병일 것. 다만, 다른 법인과 합병하는 것을 유일한 목적으로 하는 법인으로서 대통령령으로 정하는 법인의 경우는 제외한다.

ⓛ **지분의 연속성**: 피합병법인의 주주 등이 합병으로 인하여 받은 합병대가의 총합계액 중 합병법인의 주식 등의 가액이 80% 이상이거나 합병법인의 모회사의 주식 등의 가액이 80% 이상인 경우로서 그 주식 등이 배정기준에 따라 배정되고, 피합병법인의 일정한 주주 등이 합병등기일이 속하는 사업연도의 종료일까지 그 주식 등을 보유할 것(주식을 교부받은 주주 등이 등기일이 속하는 사업연도의 종료일까지 합병으로 교부받은 전체 주식의 50% 이상을 처분하지 않을 것)

ⓒ **사업의 계속성**: 합병법인이 합병등기일이 속하는 사업연도의 종료일까지 피합병법인으로부터 승계받은 사업을 계속할 것

ⓔ **고용승계 및 유지**: 합병등기일 1개월 전 당시 피합병법인에 종사하는 「근로기준법」에 따라 근로계약을 체결한 내국인 근로자❶ 중 합병법인이 승계한 근로자의 비율이 80% 이상이고, 합병등기일이 속하는 사업연도의 종료일까지 그 비율을 유지할 것

> ⊞ **심화** | **적격합병 요건제외**
>
> 적격합병의 요건을 충족하지 않아도 다음의 경우는 적격합병으로 본다.
> 1. 내국법인이 발행주식총수 또는 출자총액을 소유(100%)하고 있는 다른 법인을 합병하거나 그 다른 법인에 합병되는 경우에도 양도손익이 없는 것으로 할 수 있는 경우
> 2. 동일한 내국법인의 발행주식총수를 소유하고 있는 서로 다른 완전자회사 간에 합병하는 경우

(2) 합병법인

① **비적격합병**: 합병법인이 합병으로 피합병법인의 자산을 승계한 경우에는 그 자산을 피합병법인으로부터 합병등기일 현재의 시가로 양도받은 것으로 본다.

ⓐ **합병매수차익**

   ⓐ 합병법인은 피합병법인의 자산을 시가로 양도받은 것으로 보는 경우로서 피합병법인에 지급한 양도가액이 피합병법인의 합병등기일 현재의 자산총액에서 부채총액을 뺀 금액(이하 '순자산시가'라 함)보다 적은 경우에는 그 차액(합병매수차익)을 세무조정계산서에 계상하고 합병등기일부터 5년간 균등하게 나누어 익금에 산입한다.

$$익금산입액 = 합병매수차익 \times \frac{해당\ 사업연도의\ 월수}{60월}$$

   ⓑ 월수는 역에 따라 계산하되 1월 미만의 월수는 1월로 한다. 이에 따라 합병등기일이 속한 월을 1월로 계산한 경우에는 합병등기일로부터 5년이 되는 날이 속한 월은 해당 사업연도의 월수의 계산에서 제외한다.

ⓛ 합병매수차손

 ⓐ 합병법인은 자산을 시가로 양도받은 것으로 보는 경우에 피합병법인에 지급한 양도가액이 합병등기일 현재의 순자산시가를 초과하는 경우로서 그 차액(합병매수차손)을 세무조정계산서에 계상하고 합병등기일부터 5년간 균등하게 나누어 손금에 산입한다.

 ⓑ 여기서 합병매수차손은 영업권인 경우에만 손금에 산입한다. 영업권이란 합병법인이 피합병법인의 상호·거래관계, 그 밖에 영업상의 비밀 등에 대하여 사업상 가치가 있다고 보아 대가를 지급한 것을 말한다.

$$손금산입액 = 합병매수차손(영업권) \times \frac{해당\ 사업연도의\ 월수}{60월}$$

② 적격합병

 ㉠ 피합병법인이 적격합병에 따라 양도손익이 없는 것으로 한 경우 합병법인은 피합병법인의 자산을 장부가액으로 양도받은 것으로 한다. 이 경우 양도받은 자산 및 부채의 가액을 합병등기일 현재의 시가로 계상하되 시가에서 피합병법인의 장부상 장부가액을 뺀 금액은 자산조정계정으로 계상하여야 한다.

 ㉡ 합병법인이 피합병법인의 자산을 장부가액으로 양도받은 경우 피합병법인의 합병등기일 현재의 이월결손금과 세무조정사항을 승계하며, 피합병법인이 합병 전에 적용받던 감면 또는 세액공제의 적용을 받을 수 있다. 이 경우 「법인세법」 또는 다른 법률에 그 요건 등을 모두 갖춘 경우에만 이를 적용한다.

(3) **피합병법인의 주주**

① 피합병법인의 주주는 다음과 같은 의제배당소득에 대한 법인세 또는 소득세의 납세의무를 진다.

$$의제배당금액 = 합병대가 - 주식\ 장부가액(취득가액)$$

② 합병대가는 합병으로 받는 주식가액과 금전이나 그 밖의 재산가액(합병교부금)을 합한 금액을 말한다.

③ 합병으로 받는 주식가액은 시가로 평가하는 것이 원칙이지만 과세이연요건(적격합병 요건 중 ㉠ 사업목적과 ㉡ 지분연속성을 충족. 단, 주식보유요건 제외)을 충족한 경우에는 그 주식가액은 종전 주식의 장부가액(개인주주는 취득가액)으로 평가한다. 다만, 합병으로 합병교부금을 받은 경우에는 시가와 종전의 장부가액 중 작은 금액으로 평가한다.

3. 사후관리

(1) 자산조정계정

① 피합병법인이 적격합병에 따라 양도손익이 없는 것으로 한 경우 합병법인은 피합병법인의 자산을 장부가액으로 양도받은 것으로 한다.

② 이 경우 양도받은 자산 및 부채의 가액을 합병등기일 현재의 시가로 계상하되 시가에서 피합병법인의 장부상 장부가액을 뺀 금액은 자산조정계정으로 계상하여야 한다.

구분	처리방법
감가상각자산에 설정된 자산조정계정	0보다 작은(유보로 처리된) 자산조정계정은 해당 자산의 감가상각비에 가산하고 0보다 큰(△유보로 처리된) 자산조정계정은 해당 자산의 감가상각비와 상계한다.
그 외 자산조정계정	해당 자산을 처분하는 사업연도에 자산조정계정은 전액 익금산입 또는 전액 손금산입한다. 다만, 자기주식을 소각하는 경우에는 익금 또는 손금에 산입하지 않고 소멸한다.

(2) 과세이연의 중단

① 피합병법인의 자산을 장부가액으로 양도받은 합병법인은 합병등기일이 속하는 사업연도의 다음 사업연도 개시일부터 2년(ⓒ의 경우는 3년) 이내에 다음의 중단사유가 발생하는 경우, 사유가 발생한 날이 속하는 사업연도의 소득금액을 계산할 때 자산조정계정 잔액의 총합계액(합계액이 유보인 경우는 없는 것으로 보고 △유보만 해당)을 익금에 산입한다.

　ⓐ 합병법인이 피합병법인으로부터 승계받은 사업을 폐지하는 경우

　ⓑ 피합병법인의 일정한 지배주주 등이 합병법인으로부터 받은 전체 주식의 50% 이상을 처분하는 경우

　ⓒ 각 사업연도 종료일 현재 합병법인에 종사하는 「근로기준법」에 따라 근로계약을 체결한 내국인 근로자 수가 합병등기일 1개월 전 당시 피합병법인과 합병법인에 각각 종사하는 근로자 수의 합의 80% 미만으로 하락하는 경우. 다만, 사업의 계속성요건과 지분의 연속성요건에 대한 부득이한 사유가 있는 경우에는 과세이연을 계속한다.

② 중단사유 발생 시 합병매수차익은 중단사유가 발생한 날이 속하는 사업연도에 손금에 산입하고 그 금액에 상당하는 금액을 5년이 되는 날까지 분할하여 익금에 산입한다.

③ 중단사유 발생 시 합병매수차손은 중단사유가 발생한 날이 속하는 사업연도에 익금에 산입하되 합병매수차손의 발생 원인이 영업권인 경우에만 그 금액에 상당하는 금액을 합병등기일부터 5년이 되는 날까지 분할하여 손금에 산입한다.

4. 이월결손금 승계와 공제제한[1]

(1) 이월결손금 승계

① 적격합병에 해당하여 피합병법인의 자산을 장부가액으로 양도받은 경우 합병법인은 피합병법인의 합병등기일 현재 세무상 이월결손금을 승계한다. 합병법인이 승계한 피합병법인의 이월결손금은 피합병법인으로부터 승계받은 사업에서 발생한 소득금액 범위에서 합병법인의 각 사업연도의 과세표준을 계산할 때 공제한다.

② 승계받은 결손금을 공제한 합병법인은 합병등기일이 속하는 사업연도의 다음 사업연도 개시일부터 2년 이내(근로자수 80% 미만은 3년)에 과세이연 중단사유가 발생한 경우에는 승계받은 결손금 중 공제한 금액을 그 사유가 발생한 날이 속하는 사업연도의 소득금액을 계산할 때 익금에 산입한다.

(2) 이월결손금 공제제한

합병법인의 합병등기일 현재 이월결손금 중 합병법인이 승계한 결손금을 제외한 금액은 합병법인의 각 사업연도의 과세표준을 계산할 때 피합병법인으로부터 승계받은 사업에서 발생한 소득금액의 범위에서는 공제하지 아니한다.

(3) 구분경리

① 다른 내국법인을 합병하는 법인은 다음의 구분에 따른 기간 동안 자산·부채 및 손익을 피합병법인으로부터 승계받은 사업에 속하는 것과 그 밖의 사업에 속하는 것을 각각 다른 회계로 구분하여 기록하여야 한다.

② 다만, 중소기업간 또는 동일사업을 하는 법인간에 합병하는 경우에는 회계를 구분하여 기록하지 않을 수 있다.

구분	구분경리 기간
합병등기일 현재 세무상 결손금이 있는 경우	그 결손금 또는 이월결손금을 공제받는 기간
승계한 피합병법인의 이월결손금을 공제받으려는 경우	
그 밖의 경우	합병 후 5년간

(4) 자산처분손실의 손금제한

① **피합병법인이 합병 전 보유하던 자산의 처분손실**: 적격합병을 한 합병법인은 피합병법인이 합병 전 보유하던 자산의 처분손실(합병등기일 현재 해당 자산의 시가가 장부가액보다 낮은 경우로서 그 차액을 한도로 하며, 합병등기일 이후 5년 이내에 끝나는 사업연도에 발생한 것만 해당)을 합병 전 피합병법인의 사업에서 발생한 소득금액의 범위에서 손금에 산입한다.

② **합병법인이 합병 전 보유하던 자산의 처분손실**: 적격합병을 한 합병법인은 합병 전 보유하던 자산의 처분손실(합병등기일 이후 5년 이내에 끝나는 사업연도에 발생한 것만 해당)을 합병 전 합병법인의 사업에서 발생한 소득금액의 범위에서 손금에 산입한다.

5. 공제와 감면의 승계

(1) 적격합병으로 자산을 장부가액으로 승계한 경우 합병법인은 피합병법인이 적용받던 감면과 세액공제를 승계하여 받을 수 있다.

(2) 세액감면은 합병법인이 승계받은 사업에서 발생한 소득에 대하여 합병 당시의 잔존감면기간 내에 종료하는 각 사업연도분까지 그 감면을 적용한다.

(3) 이월공제가 되는 세액공제(외국납부세액공제를 포함)로 공제되지 않은 세액공제액은 다음의 구분에 따라 이월공제잔여기간 내에 종료하는 각 사업연도분까지 공제한다.

① 이월된 외국납부세액공제 미공제액은 다음의 금액에서 공제한다.

$$\text{해당 사업연도의 세액} \times \frac{\text{승계받은 사업에서 발생한 국외원천소득}}{\text{해당 사업연도의 과세표준}}$$

② 법인세 최저한세액에 미달하여 공제받지 못한 금액으로서 이월된 미공제액은 승계받은 사업부문에 대하여 계산한 법인세 최저한세액의 범위에서 공제한다.

③ 위 외에 납부할 세액이 없어 공제받지 못한 금액으로서 이월된 미공제액은 승계받은 사업부문에 대하여 계산한 산출세액의 범위에서 공제한다.

2 인적분할

1. 분할유형

분할이란 하나의 회사가 둘 이상의 회사로 분리되는 것을 말하며 그 유형은 다음과 같다.

(1) 단순분할(분할)

분할된 사업부문이 독립하여 신설회사가 되는 경우를 말한다.

(2) 분할합병

분할된 사업부문이 기존회사와 합쳐지는 경우를 말하며 다음으로 구분된다.

① 흡수분할합병: 분할된 사업부문이 기존회사에 흡수합병되는 유형이다.

② 신설분할합병: 분할된 사업부문이 기존회사와 합쳐져서 신설회사가 되는 유형이다.

(3) 소멸분할(완전분할)과 존속분할(불완전분할)

소멸분할은 분할법인이 분할함에 따라 소멸하는 유형이고 존속분할은 분할법인이 분할 후에도 존속하는 유형을 말한다.

2. 인적분할과 물적분할

(1) 인적분할은 분할대가를 분할법인의 주주에게 교부하는 유형이고 물적분할은 분할대가를 분할법인에게 교부하는 유형이다.

(2) 인적분할은 합병과 비슷하며 물적분할은 현물출자와 비슷하다.

3. 과세방법

(1) 분할법인

① 비적격분할: 분할법인이 분할로 해산하는 경우에는 그 법인의 자산을 분할신설법인에 양도한 것으로 본다. 이 경우 그 양도에 따라 발생하는 양도손익은 분할법인이 분할등기일이 속하는 사업연도의 소득금액을 계산할 때 익금 또는 손금에 산입한다.

> 소멸분할시 양도손익 = 양도가액 − 순자산 장부가액
> 존속분할시 양도손익 = 양도가액 − 분할한 사업부문의 순자산 장부가액

㉠ 양도가액은 분할로 받는 주식과 주식 외 금전 등의 금액과 분할신설법인이 납부하는 분할법인의 법인세 등을 합산한 금액을 말한다.

㉡ 순자산 장부가액은 분할법인의 분할등기일 현재의 자산의 장부가액 총액에서 부채의 장부가액 총액을 뺀 가액을 말한다. 여기에 환급되는 법인세가 있는 경우는 그 금액을 순자산장부가액에 가산한다.

② 적격분할(과세이연): 다음의 요건을 모두 갖춘 분할의 경우에는 분할법인이 분할신설법인으로부터 받은 양도가액은 분할법인의 분할등기일 현재의 순자산 장부가액으로 보아 양도손익이 없는 것으로 할 수 있다.

㉠ 사업목적: 분할등기일 현재 5년 이상 사업을 계속하던 내국법인이 다음의 요건을 모두 갖추어 분할하는 경우일 것(분할합병의 경우에는 소멸한 분할합병의 상대방법인 및 분할합병의 상대방법인이 분할등기일 현재 1년 이상 사업을 계속하던 내국법인일 것)

ⓐ 분리하여 사업이 가능한 독립된 사업부문을 분할하는 것일 것

ⓑ 분할하는 사업부문의 자산 및 부채가 포괄적으로 승계될 것. 다만, 공동으로 사용하던 자산, 채무자의 변경이 불가능한 부채 등 분할하기 어려운 일정한 자산과 부채의 경우에는 그렇지 않다.

ⓒ 분할법인만의 출자에 의하여 분할하는 것일 것

ⓛ **지분의 연속성:** 분할법인의 주주 등이 분할신설법인으로부터 받은 분할대가의 전액(분할합병의 경우 80% 이상)이 주식으로서 그 주식이 분할법인의 주주가 소유하던 주식의 비율에 따라 배정되고, 분할법인의 일정한 주주 등이 분할등기일이 속하는 사업연도의 종료일까지 그 주식 등을 보유할 것(주식을 교부받은 주주 등이 등기일이 속하는 사업연도의 종료일까지 분할로 교부받은 전체 주식의 50% 이상을 처분하지 않을 것)

ⓒ **사업의 계속성:** 분할신설법인이 분할등기일이 속하는 사업연도의 종료일까지 분할법인으로부터 승계받은 사업을 계속할 것

ⓔ **고용승계 및 유지:** 분할등기일 1개월 전 당시 분할하는 사업부문에 종사하는 「근로기준법」에 따라 근로계약을 체결한 내국인 근로자 중 분할신설법인 등이 승계한 근로자의 비율이 80% 이상이고, 분할등기일이 속하는 사업연도의 종료일까지 그 비율을 유지할 것

(2) 분할신설법인

① **비적격분할:** 분할신설법인이 분할로 분할법인의 자산을 승계한 경우에는 그 자산을 분할법인으로부터 분할등기일 현재의 시가로 양도받은 것으로 본다.

㉠ 분할매수차익

ⓐ 분할신설법인은 분할법인의 자산을 시가로 양도받은 것으로 보는 경우로서 분할법인에 지급한 양도가액이 분할법인의 분할등기일 현재의 자산총액에서 부채총액을 뺀 금액(이하 '순자산시가'라 함)보다 적은 경우에는 그 차액(분할매수차익)을 세무조정계산서에 계상하고 분할등기일부터 5년간 균등하게 나누어 익금에 산입한다.

$$익금산입액 = 분할매수차익 \times \frac{해당\ 사업연도의\ 월수}{60월}$$

ⓑ 월수는 역에 따라 계산하되 1월 미만의 월수는 1월로 하고 이에 따라 분할등기일이 속한 월을 1월로 계산한 경우에는 분할등기일부터 5년이 되는 날이 속한 월은 해당 사업연도의 월수의 계산에서 제외한다.

ⓛ 분할매수차손

    ⓐ 분할신설법인은 자산을 시가로 양도받은 것으로 보는 경우에 분할법인에 지급한 양도가액이 분할등기일 현재의 순자산시가를 초과하는 경우로서 그 차액(분할매수차손)을 세무조정계산서에 계상하고 분할등기일부터 5년간 균등하게 나누어 손금에 산입한다.

    ⓑ 여기서 분할매수차손은 영업권인 경우에만 손금에 산입한다. 영업권이란 분할신설법인이 분할법인의 상호·거래관계, 그 밖에 영업상의 비밀 등에 대하여 사업상 가치가 있다고 보아 대가를 지급한 것을 말한다.

$$손금산입액 = 분할매수차손(영업권) \times \frac{해당\ 사업연도의\ 월수}{60월}$$

② 적격분할

  ⓐ 분할법인이 적격분할에 따라 양도손익이 없는 것으로 한 경우 분할신설법인은 분할법인의 자산을 장부가액으로 양도받은 것으로 한다. 이 경우 양도받은 자산 및 부채의 가액을 분할등기일 현재의 시가로 계상하되 시가에서 분할법인의 장부상 장부가액을 뺀 금액은 자산조정계정으로 계상하여야 한다.

  ⓛ 분할신설법인이 분할법인의 자산을 장부가액으로 양도받은 경우 분할법인의 분할등기일 현재의 이월결손금과 세무조정사항을 승계하며, 분할법인이 분할 전에 적용받던 감면 또는 세액공제의 적용을 받을 수 있다. 이 경우 「법인세법」 또는 다른 법률에 그 요건 등을 모두 갖춘 경우에만 이를 적용한다.

(3) 분할법인의 주주

① 분할법인의 주주는 다음과 같은 의제배당소득에 대한 법인세 또는 소득세의 납세의무를 진다.

$$의제배당금액 = 분할대가 - 주식\ 장부가액(취득가액)$$

② 분할대가는 분할로 받는 주식가액과 금전이나 그 밖의 재산가액(분할교부금)을 합한 금액을 말한다.

③ 분할로 받는 주식가액은 시가로 평가하는 것이 원칙이지만 과세이연요건(위 적격분할요건 ㉠과 ㉡을 충족. 다만, 주식보유요건은 제외)을 충족한 경우에는 그 주식가액은 종전 주식의 장부가액(개인주주는 취득가액)으로 평가한다. 다만, 분할로 분할교부금을 받은 경우에는 시가와 종전의 장부가액 중 작은 금액으로 평가한다.

4. 사후관리

(1) 자산조정계정

① 분할법인이 적격분할에 따라 양도손익이 없는 것으로 한 경우 분할신설법인은 분할법인의 자산을 장부가액으로 양도받은 것으로 한다.

② 이 경우 양도받은 자산 및 부채의 가액을 분할등기일 현재의 시가로 계상하되 시가에서 분할법인의 장부상 장부가액을 뺀 금액은 자산조정계정으로 계상하여야 한다.

구분	처리방법
감가상각자산에 설정된 자산조정계정	0보다 작은(유보로 처리된) 자산조정계정은 해당 자산의 감가상각비에 가산하고 0보다 큰(△유보로 처리된) 자산조정계정은 해당 자산의 감가상각비와 상계한다.
그 외 자산조정계정	해당 자산을 처분하는 사업연도에 자산조정계정은 전액 익금산입 또는 전액 손금산입한다. 다만, 자기주식을 소각하는 경우에는 익금 또는 손금에 산입하지 않고 소멸한다.

(2) 과세이연의 중단

① 분할법인의 자산을 장부가액으로 양도받은 분할신설법인은 분할등기일이 속하는 사업연도의 다음 사업연도 개시일부터 2년(ⓒ의 경우는 3년) 이내에 다음의 중단사유가 발생하는 경우 사유가 발생한 날이 속하는 사업연도의 소득금액을 계산할 때 자산조정계정 잔액의 총합계액(합계액이 유보인 경우에는 없는 것으로 보고 △유보만 해당)을 익금에 산입한다. 다만, 법정의 부득이한 사유가 있는 경우는 그러지 않다.

　㉠ 분할신설법인이 분할법인으로부터 승계받은 사업을 폐지하는 경우

　㉡ 분할법인의 일정한 지배주주 등이 분할신설법인으로부터 받은 전체 주식의 50% 이상을 처분하는 경우

　㉢ 각 사업연도 종료일 현재 분할신설법인에 종사하는 근로자 수가 분할등기일 1개월 전 당시 분할하는 사업부문과 소멸한 분할합병의 상대방법인에 각각 종사하는 근로자 수의 합의 80% 미만으로 하락한 경우

② 중단사유 발생 시 분할매수차익은 중단사유가 발생한 날이 속하는 사업연도에 손금에 산입하고 그 금액에 상당하는 금액을 5년이 되는 날까지 분할하여 익금에 산입한다.

③ 중단사유 발생 시 분할매수차손은 중단사유가 발생한 날이 속하는 사업연도에 익금에 산입하되 분할매수차손의 발생 원인이 영업권인 경우에만 그 금액에 상당하는 금액을 분할등기일부터 5년이 되는 날까지 분할하여 손금에 산입한다.

❶

1. 분할합병의 상대방 법인의 분할등기일 현재 특례기부금 및 일반기부금 중 이월된 금액으로서 그 후의 각 사업연도의 소득금액을 계산할 때 손금에 산입하지 아니한 금액(이하 '기부금한도초과액'이라 함) 중 적격분할에 따라 분할신설법인 등이 승계한 기부금한도초과액을 제외한 금액은 분할신설법인 등의 각 사업연도의 소득금액을 계산할 때 분할합병 전 분할합병의 상대방 법인의 사업에서 발생한 소득금액을 기준으로 특례기부금 및 일반기부금 각각의 손금산입한도액의 범위에서 손금에 산입한다.

2. 분할법인 등의 분할등기일 현재 기부금한도초과액으로서 적격분할에 따라 분할신설법인 등이 승계한 금액은 분할신설법인 등의 각 사업연도의 소득금액을 계산할 때 분할법인 등으로부터 승계받은 사업에서 발생한 소득금액을 기준으로 특례기부금 및 일반기부금 각각의 손금산입한도액의 범위에서 손금에 산입한다.

5. 이월결손금 승계와 공제제한❶

(1) 이월결손금 승계

① 적격분할에 해당하여 분할법인의 자산을 장부가액으로 양도받은 경우 분할신설법인은 분할법인의 분할등기일 현재 세무상 이월결손금을 승계한다. 분할신설법인이 승계한 분할법인의 이월결손금은 분할법인으로부터 승계받은 사업에서 발생한 소득금액 범위에서 분할신설법인의 각 사업연도의 과세표준을 계산할 때 공제한다.

② 승계받은 결손금을 공제한 분할신설법인은 분할등기일이 속하는 사업연도의 다음 사업연도 개시일부터 2년(고용인원 80% 미만은 3년) 이내에 과세이연 중단사유가 발생한 경우에는 승계받은 결손금 중 공제한 금액을 그 사유가 발생한 날이 속하는 사업연도의 소득금액을 계산할 때 익금에 산입한다.

(2) 이월결손금 공제제한

분할합병의 상대방 법인의 분할등기일 현재 이월결손금 중 분할신설법인 등이 승계한 결손금을 제외한 금액은 분할합병의 상대방 법인의 각 사업연도의 과세표준을 계산할 때 분할법인으로부터 승계받은 사업에서 발생한 소득금액의 범위에서는 공제하지 아니한다.

(3) 구분경리

① 다른 내국법인을 분할하는 법인은 다음의 구분에 따른 기간 동안 자산·부채 및 손익을 분할법인으로부터 승계받은 사업에 속하는 것과 그 밖의 사업에 속하는 것을 각각 다른 회계로 구분하여 기록하여야 한다.

② 다만, 중소기업간 또는 동일사업을 하는 법인간에 분할하는 경우에는 회계를 구분하여 기록하지 않을 수 있다.

구분	구분경리 기간
분할신설법인이 분할법인의 이월결손금을 공제받으려는 경우	이월결손금을 공제받는 기간
그 밖의 경우	분할 후 5년간

(4) 자산처분손실의 손금제한

① 분할법인이 분할 전 보유하던 자산의 처분손실: 적격분할을 한 분할신설법인은 분할법인이 분할 전 보유하던 자산의 처분손실(합병등기일 현재 해당 자산의 시가가 장부가액보다 낮은 경우로서 그 차액을 한도로 하며 분할등기일 이후 5년 이내에 끝나는 사업연도에 발생한 것만 해당)을 분할 전 분할법인의 사업에서 발생한 소득금액의 범위에서 손금에 산입한다.

② 분할신설법인이 분할 전 보유하던 자산의 처분손실: 적격분할을 한 분할신설법인은 분할 전 보유하던 자산의 처분손실(분할등기일 이후 5년 이내에 끝나는 사업연도에 발생한 것만 해당한다)을 분할 전 분할신설법인의 사업에서 발생한 소득금액의 범위에서 손금에 산입한다.

6. 공제와 감면의 승계

(1) 적격분할로 자산을 장부가액으로 승계한 경우 분할신설법인은 분할법인이 적용받던 감면과 세액공제를 승계하여 받을 수 있다.

(2) 세액감면은 분할신설법인이 승계받은 사업에서 발생한 소득에 대하여 분할 당시의 잔존감면기간 내에 종료하는 각 사업연도분까지 그 감면을 적용한다.

(3) 이월공제가 되는 세액공제(외국납부세액공제를 포함)로 공제되지 않은 세액 공제액은 다음의 구분에 따라 이월공제잔여기간 내에 종료하는 각 사업연도 분까지 공제한다.

① 이월된 외국납부세액공제 미공제액은 다음의 금액에서 공제한다.

$$\text{해당 사업연도의 세액} \times \frac{\text{승계받은 사업에서 발생한 국외원천소득}}{\text{해당 사업연도의 과세표준}}$$

② 법인세 최저한세액에 미달하여 공제받지 못한 금액으로서 이월된 미공제 액은 승계받은 사업부문에 대하여 계산한 법인세 최저한세액의 범위에서 공제한다.

③ 위 외에 납부할 세액이 없어 공제받지 못한 금액으로서 이월된 미공제액 은 승계받은 사업부문에 대하여 계산한 산출세액의 범위에서 공제한다.

3 물적분할

1. 개념

(1) 물적분할은 분할법인이 분할신설법인의 주식총수를 취득하므로 인적분할과 는 다른 과세문제가 발생한다.

(2) 물적분할은 자신이 분할대가를 취득하므로 사업부문에 대한 처분손익을 계 산하고 분할신설법인의 입장에서는 현물출자를 받은 것과 비슷하므로 분할 매수차손익이 발생하지 않는다.

(3) 분할법인의 주주 또한 의제배당소득에 대한 과세문제가 발생하지 않는다.

2. 물적분할시 자산의 양도차익에 대한 과세이연

(1) 분할법인이 물적분할에 의하여 분할신설법인의 주식을 취득한 경우로 적격 물적분할에 해당하는 경우 그 주식의 가액 중 물적분할로 인하여 발생한 자 산의 양도차익에 상당하는 금액은 분할등기일이 속하는 사업연도의 소득금 액을 계산할 때 손금에 산입할 수 있다. 양도차익은 압축기장충당금을 설정 하여 손금에 산입한다.

(2) 적격분할의 요건은 인적분할과 동일하고 주식에 대한 배정요건만 없다.

① **사업목적**: 분할등기일 현재 5년 이상 사업을 계속하던 내국법인이 다음의 요건을 모두 갖추어 분할하는 경우일 것

ㄱ 분리하여 사업이 가능한 독립된 사업부문을 분할하는 것일 것

ㄴ 분할하는 사업부문의 자산 및 부채가 포괄적으로 승계될 것. 다만, 공동으로 사용하던 자산, 채무자의 변경이 불가능한 부채 등 분할하기 어려운 일정한 자산과 부채의 경우에는 그렇지 않다.

ㄷ 분할법인만의 출자에 의하여 분할하는 것일 것

② **지분의 연속성**: 분할법인의 주주 등이 분할신설법인으로부터 받은 분할대가의 전액이 주식으로, 분할법인 등이 분할등기일이 속하는 사업연도의 종료일까지 그 주식 등을 보유할 것(주식을 교부받은 분할법인 등이 등기일이 속하는 사업연도의 종료일까지 분할로 교부받은 전체 주식의 50% 이상을 처분하지 않을 것)

③ **사업의 계속성**: 분할신설법인이 분할등기일이 속하는 사업연도의 종료일까지 분할법인으로부터 승계받은 사업을 계속할 것

④ **고용승계 및 유지**: 분할등기일 1개월 전 당시 분할하는 사업부문에 종사하는 「근로기준법」에 따라 근로계약을 체결한 내국인 근로자 중 분할신설법인등이 승계한 근로자의 비율이 80% 이상이고, 분할등기일이 속하는 사업연도의 종료일까지 그 비율을 유지할 것

3. 분할법인의 사후관리

(1) 주식 등의 처분

분할법인이 손금에 산입한 양도차익에 대하여 다음의 사유가 발생한 경우 그 사유가 발생하는 사업연도에 익금에 산입한다. 이 경우 분할신설법인은 그 자산의 처분 사실을 처분일부터 1개월 이내에 분할법인에 알려야 한다. 다만, 분할신설법인이 최초로 적격합병하거나 적격분할하는 경우에는 승계자산의 처분으로 보아 즉시과세하지 않고 새로이 압축기장충당금을 설정하여 추후에 주식 또는 자산처분시까지 과세를 이연시킨다.

① 분할법인이 분할신설법인으로부터 받은 주식의 처분(주식처분비율에 따라 익금산입)

② 분할신설법인이 분할법인으로부터 승계받은 자산 중 감가상각자산, 토지 및 주식(출자지분)을 처분하는 경우(승계자산의 처분비율에 따라 익금산입)

(2) 과세이연의 중단

적격물적분할에 따라 양도차익을 손금에 산입한 분할법인이 분할등기일이 속하는 사업연도의 다음 사업연도 개시일부터 2년(③의 경우는 3년) 이내에 다음의 어느 하나 사유가 발생하는 경우 주식 등의 처분에 따라 익금에 산입하고 남은 금액은 그 사유가 발생한 날이 속하는 사업연도의 소득금액을 계산할 때 익금에 산입한다. 다만, 부득이한 사유가 있는 경우에는 과세이연을 계속 적용한다.

① 분할신설법인이 분할법인으로부터 승계받은 사업을 폐지하는 경우

② 분할법인이 분할신설법인의 발행주식총수 또는 출자총액의 100분의 50 미만으로 주식 등을 보유하게 되는 경우

③ 각 사업연도 종료일 현재 분할신설법인에 종사하는 근로자 수가 분할등기일 1개월 전 당시 분할하는 사업부문과 소멸한 분할합병의 상대방법인에 각각 종사하는 근로자 수의 합의 80% 미만으로 하락한 경우

4. 분할신설법인

분할신설법인의 경우는 적격분할과 비적격분할 모두 취득한 자산을 취득 당시의 시가로 평가한다. 취득한 자산의 시가와 대가로 발행한 주식의 액면가액과의 차이는 주식발행초과금에 해당하여 분할매수차손익은 발생하지 않는다.

5. 사업양수 시 이월결손금 공제제한

내국법인(이하 '양수법인'이라 함)이 다른 내국법인(이하 '양도법인'이라 함) 사업을 양수하는 경우로서 다음의 기준에 모두 해당하는 경우에는 사업양수일 현재 이월결손금은 양수법인의 각 사업연도의 과세표준을 계산할 때 양수한 사업부문에서 발생한 소득금액(회계를 구분하여 기록하지 아니한 경우에는 그 소득금액을 대통령령으로 정하는 자산가액 비율로 안분계산한 금액으로 함)의 범위에서는 공제하지 아니한다.

(1) 양수자산이 사업양도일 현재 양도법인의 자산총액의 70% 이상이고, 양도법인의 자산총액에서 부채총액을 뺀 금액의 90% 이상일 것

(2) 사업의 양도 · 양수 계약일 현재 양도 · 양수인이 특수관계인이 법인인 경우

01 「법인세법」상 청산소득에 대한 설명으로 옳은 것은? 2016년 7급

① 비영리내국법인은 청산소득에 대하여 법인세의 납세의무를 진다.
② 법인이 해산등기일 현재의 자산을 청산기간 중에 처분한 금액은 청산소득에 포함하지만, 청산기간 중에 해산 전의 사업을 계속하여 영위하는 경우 당해 사업에서 발생한 사업수입이나 임대수입, 공·사채 및 예금의 이자수입 등은 포함하지 않는다.
③ 청산소득금액을 계산할 때 해산등기일 전 3년 이내에 자본금 또는 출자금에 전입한 잉여금이 있는 경우에는 해당 금액을 자본금 또는 출자금에 전입하지 아니한 것으로 보고 계산한다.
④ 영리내국법인이 조직변경한 경우 청산소득에 대한 법인세를 납부해야 한다.

02 「법인세법」상 비영리내국법인에 대한 설명으로 옳지 않은 것은? 2015년 7급

① 비영리내국법인의 고유목적사업에 직접 사용되는 유형·무형자산으로서 대통령령이 정하는 요건을 갖춘 경우 해당 자산의 처분으로 생기는 수입은 각 사업연도의 소득에 포함되어 과세되지 않는다.
② 모든 비영리내국법인은 복식부기의 방식으로 장부를 기장하고 이를 비치할 의무는 있지만, 이를 이행하지 않았을 경우에 장부의 기록·보관불성실가산세의 부과대상은 아니다.
③ 비영리내국법인의 경우에는 국내뿐만 아니라 국외의 수익사업 소득에 대해서도 각 사업연도의 소득으로 법인세가 과세된다.
④ 「주식회사의 외부감사에 관한 법률」에 따른 감사인의 회계감사를 받는 비영리내국법인이 「법인세법」에 따른 고유목적사업준비금을 세무조정계산서에 계상한 경우로서 그 금액에 상당하는 금액이 해당 사업연도의 이익처분에 있어서 그 준비금의 적립금으로 적립되어 있는 경우 그 금액은 손금으로 계상한 것으로 본다.

03 「법인세법」상 연결납세제도에 대한 설명으로 옳은 것만을 모두 고른 것은?

2015년 7급

> ㄱ. 다른 내국법인을 완전지배하는 내국법인이 비영리내국법인인 경우에도 연결납세제도가 적용된다.
> ㄴ. 연결자법인이 다른 연결법인에 흡수합병되어 해산하는 경우에는 해산등 기일이 속하는 연결사업연도에 연결납세방식을 적용할 수 없다.
> ㄷ. 연결법인은 연결납세방식의 적용을 포기할 수 있지만, 연결납세방식을 최초로 적용받은 연결사업연도와 그 다음 연결사업연도의 개시일부터 4년 이내에 끝나는 연결사업연도까지는 연결납세방식의 적용을 포기할 수 없다.
> ㄹ. 연결모법인과 그 법인의 완전자법인이 보유한 다른 내국법인의 주식 등의 합계가 그 다른 내국법인 발행주식 총수의 전부(「근로복지기본법」 제 2조 제4호에 따른 우리사주조합을 통하여 근로자가 취득한 주식 등 대통령령으로 정한 주식으로서 발행주식총수의 100분의 5 이내의 주식을 제외함)인 경우에도 연결납세제도를 적용할 수 있기 위한 요건으로서의 완전지배관계가 인정된다.

① ㄱ, ㄴ
② ㄱ, ㄹ
③ ㄴ, ㄷ
④ ㄷ, ㄹ

04 「법인세법」상 내국법인의 청산소득에 대한 설명으로 옳지 않은 것은?

2013년 7급

① 비영리내국법인은 어떠한 경우라도 청산소득에 대한 법인세의 납세의무를 지지 않는다.
② 합병이나 분할에 의해 해산하는 내국법인을 제외한 내국법인이 해산한 경우 그 청산소득의 금액은 그 법인의 해산에 의한 잔여재산의 가액에서 해산등기일 현재의 자본금 또는 출자금과 잉여금의 합계액을 공제한 금액으로 한다.
③ 내국법인의 해산에 의한 청산소득의 금액을 계산할 때 그 청산기간에 국세기본법에 따라 환급되는 법인세액이 있는 경우 이에 상당하는 금액은 그 법인의 해산등기일 현재의 자기자본의 총액에는 포함되지 아니한다.
④ 특별법에 따라 설립한 법인이 그 특별법의 개정으로 인하여 「상법」에 따른 회사로 조직변경하는 경우에는 청산소득에 대한 법인세를 과세하지 아니한다.

03

옳은 것은 ㄷ, ㄹ이다.

✔ 오답체크

ㄱ. 비영리내국법인인 경우에는 완전모법인으로는 연결납세제도가 적용되지 아니한다.
ㄴ. 연결자법인이 다른 연결법인에 흡수합병되어 해산하는 경우에는 해산등기일이 속하는 연결사업연도에 연결납세방식을 적용할 수 있다.

04

내국법인의 해산에 의한 청산소득의 금액을 계산할 때 그 청산기간에 「국세기본법」에 따라 환급되는 법인세액이 있는 경우 이에 상당하는 금액은 그 법인의 해산등기일 현재의 자기자본의 총액에는 가산한다.

05 「법인세법」상 연결납세방식에 대한 설명으로 옳은 것은? 2011년 9급

① 비영리내국법인도 완전모법인으로 연결납세방식을 적용할 수 있다.
② 내국법인이 다른 내국법인의 발행주식 총수의 50%를 보유한 경우에는 연결납세방식을 적용할 수 있다.
③ 연결법인의 납세지는 본래의 납세지에 불구하고 연결모법인의 납세지로 한다.
④ 연결법인이 원하는 경우에는 언제든지 연결납세방식의 적용을 포기할 수 있다.

06 「법인세법」상 주요 용어에 관한 설명으로 옳지 않은 것은? 2010년 7급

① 연결납세방식이란 둘 이상의 내 · 외국법인을 하나의 과세표준과 세액을 계산하는 단위로 하여 법인세를 신고 · 납부하는 방식을 말한다.
② 연결모법인이란 연결집단 중 다른 연결법인을 완전지배하는 연결법인을 말한다.
③ 사업연도란 법인의 소득을 계산하는 1회계기간을 말한다.
④ 손금이란 자본 또는 출자의 환급, 잉여금의 처분 및 「법인세법」에서 규정하는 것을 제외하고 당해 법인의 순자산을 감소시키는 거래로 인하여 발생하는 손비의 금액을 말한다.

07 「법인세법」상 비영리법인에 관한 설명으로 옳지 않은 것은? 2009년 7급

① 비영리내국법인의 수익사업에서 발생한 소득에 대하여 법에 따른 세액공제를 적용받는 경우에는 고유목적사업준비금의 손금산입 규정의 적용을 배제한다. 다만, 고유목적사업준비금만을 적용받는 것으로 수정신고한 경우를 제외한다.

② 주식·신주인수권 또는 출자지분의 양도로 인하여 생기는 수입은 비영리내국법인의 수익사업에 해당한다.

③ 비영리법인이 수익사업을 영위하는 경우에는 자산·부채 및 손익을 당해 수익사업에 속하는 것과 수익사업이 아닌 기타의 사업에 속하는 것을 각각 별개의 회계로 구분하여 경리하여야 한다.

④ 내국법인 중 「민법」 제32조 규정에 의하여 설립된 법인의 청산소득에 대하여 법인세를 부과하지 아니한다.

07

비영리내국법인의 수익사업에서 발생한 소득에 대하여 「법인세법」 또는 「조세특례제한법」에 따른 비과세·면제, 준비금의 손금산입, 소득공제 또는 세액감면(세액공제는 제외한다)을 적용받는 경우에는 고유목적사업준비금의 손금산입 규정을 적용하지 않는다. 다만, 고유목적사업준비금만을 적용받는 것으로 수정신고한 경우를 제외한다.

08 「법인세법」상 연결납세제도에 관한 설명으로 옳지 않은 것은? 2009년 9급

① 내국법인과 완전자법인에 연결납세방식을 적용하는 경우 완전자법인이 2 이상인 때에는 해당 법인 모두에 연결납세방식을 적용하여야 하는 것은 아니다.

② 연결납세방식을 적용받는 각 연결법인의 사업연도는 연결사업연도와 일치하여야 한다.

③ 연결납세방식을 최초로 적용받은 연결사업연도와 그 다음 연결사업연도의 개시일부터 4년 이내에 종료하는 연결사업연도까지는 연결납세방식의 적용을 포기할 수 없다.

④ 연결모법인은 각 연결사업연도의 종료일이 속하는 달의 말일부터 4개월 이내에 해당 연결사업연도의 소득에 대한 법인세의 과세표준과 세액을 납세지 관할세무서장에게 신고하여야 한다.

08

내국법인과 완전자법인에 연결납세방식을 적용하는 경우 완전자법인이 2 이상인 때에는 해당 법인 모두에 연결납세방식을 적용하여야 한다.

09 「법인세법」상 합병법인이 피합병법인으로부터 이월결손금을 승계받아 공제할 수 있는 요건으로 옳지 않은 것은?

2009년 9급

① 합병법인이 피합병법인의 자산을 시가에 의하여 승계할 것
② 피합병법인으로부터 승계한 사업에서 발생한 소득금액의 범위에서 이를 공제한다.
③ 합병등기일 현재 1년 이상 계속하여 사업을 영위하던 내국법인간의 합병일 것
④ 피합병법인의 주주 등이 합병법인으로부터 합병대가를 받은 경우에는 그 합병대가의 총 합계액 중 주식 등의 가액이 100분의 80 이상일 것

09
합병법인이 피합병법인으로부터 자산을 피합병법인의 장부가액으로 승계받은 경우에 이월결손금을 승계받을 수 있다.

MEMO

V

소득세법

01 총설

02 이자 · 배당소득

03 사업소득

04 근로소득 · 연금소득 · 기타소득

05 소득금액계산의 특례

06 종합소득과세표준의 계산

07 종합소득세액의 계산

08 퇴직소득세

09 양도소득세

10 소득세 신고 · 납부 및 비거주자의 신고 · 납부

11 금융투자소득

01 총설

1 소득세 개요

「소득세법」은 개인의 소득에 대하여 소득의 성격과 납세자의 부담능력 등에 따라 적정하게 과세함으로써 조세부담의 형평을 도모하고 재정수입의 원활한 조달에 이바지함을 목적으로 한다.

2 소득세의 과세방법

1. 과세소득의 범위

(1) 소득원천설

① 원칙: 일정한 재산·사업 등의 원천에서 계속적·경상적으로 발생하는 소득만을 과세대상소득으로 하는 소득원천설을 채택하고 있다. 따라서 일시적으로 발생하는 유가증권처분이익 등은 과세소득에 포함하지 않는다.

② 예외: 기타소득·퇴직소득·양도소득 등의 경우는 계속적·경상적이 아닌 일시적인 소득이지만 과세대상소득으로 열거하여 과세하고 있다. 일부분에 대하여는 순자산증가설을 채택하고 있다.

(2) 열거주의

① 「소득세법」은 과세소득을 이자소득·배당소득·사업소득·근로소득·연금소득·기타소득·퇴직소득·양도소득으로 구분하여 열거된 소득에 대하여만 과세하는 열거주의를 따르고 있다. 즉, 법령에서 열거하지 않은 소득에 대하여는 소득이 발생하더라도 과세하지 않는다.

② 다만, 이자소득, 배당소득 및 사업소득의 경우에는 해당 소득을 열거하는 것이 어려우므로 예외적으로 포괄주의를 채택하고 있다.

2. 과세단위

소득세의 과세단위는 개인이다. 개인에게 발생한 소득에 대하여 합산하여 과세하되 공동사업합산과세의 경우는 예외적으로 세대단위 등으로 합산하여 과세한다.

> **참고**
>
> **공동사업합산과세**
>
> 공동사업합산과세란 거주자 1인과 특수관계인이 공동으로 경영하는 사업에 대하여 조세 회피를 위해 각각의 손익분배비율을 허위로 정하여 신고하는 경우, 공동사업장의 손익분배비율이 가장 큰 1인이 다른 특수관계인들의 손익분배비율까지 합산하여 과세하는 것이다. 개인별로 과세되는 소득세에서 예외적인 과세방법이다.

3. 과세방법

(1) 원칙

소득세는 해당 과세기간의 소득을 합산하여 하나의 계산구조에 종합하여 과세하는 종합과세방법을 원칙으로 한다.

(2) 예외

① 분리과세: 분리과세는 소득의 지급자가 소득세를 원천징수함으로써 과세가 종결되는 방법이다. 이렇게 과세가 종결된 소득에 대하여는 합산하여 과세하지 않는다.

② 분류과세: 퇴직소득·양도소득의 경우 각각의 계산구조하에서 개별적으로 과세하고 있다. 다른 소득과 달리 그 소득을 형성하는 데 장기간이 걸렸으므로 다른 소득과 합산하여 과세하게 되면 세부담이 높아지는 결집효과가 발생한다. 따라서 합산하지 않고 별도로 세액을 계산하는 분류과세를 하고 있다.

4. 초과누진세율

「소득세법」은 6%~45%의 초과누진세율을 적용하고 있다. 따라서 소득이 증가할수록 높은 세율을 적용받게 된다.

종합소득과세표준	기본세율
1,400만 원 이하	과세표준의 6%
1,400만 원 초과 5,000만 원 이하	84만 원+1,200만 원을 초과하는 금액의 15%
5,000만 원 초과 8,800만 원 이하	624만 원+4,600만 원을 초과하는 금액의 24%
8,800만 원 초과 1억 5,000만 원 이하	1,536만 원+8,800만 원을 초과하는 금액의 35%
1억 5,000만 원 초과 3억 원 이하	3,706만 원+1억 5,000만 원을 초과하는 금액의 38%
3억 원 초과 5억 원 이하	9,406만 원+3억 원을 초과하는 금액의 40%
5억 원 초과 10억 원 이하	1억 7,406만 원+5억 원을 초과하는 금액의 42%
10억 원 초과	3억 8,406만 원+10억 원을 초과하는 금액의 45%

5. 인적공제

종합소득과세표준 계산시 개인의 부양가족 상황을 고려하여 소득공제 및 세액공제를 적용한다. 동일한 소득이 있더라도 부양가족이 많을수록 필요한 생계비가 많다는 점을 고려한 제도이다.

6. 원천징수

(1) 원천징수란 소득을 지급하는 자(원천징수의무자)가 소득을 받는 자에게 그 소득에 대한 일정 세금을 징수하여 다음달 10일까지 관할세무서에 납부하는 제도를 말한다.

(2) 원천징수로 납세의무가 종결되는 완납적 원천징수(분리과세)와 단지 미리 세금을 내는 예납적 원천징수가 있다. 완납적 원천징수한 소득에 대해서는 추후에 다른 소득과 합산하지 않는다. 하지만 예납적 원천징수는 다른 소득과 합산하여 신고한 후 원천징수한 세액은 기납부세액으로 차감하여 계산한다.

3 납세의무자

1. 거주자와 비거주자

(1) **구분**

① **거주자**: 거주자는 국내에 주소나 183일 이상 거소❶를 둔 개인을 말한다. 즉, 거주자는 국적과 상관없이 국내 주소 또는 183일 이상 거소 유무에 따라 판단한다.

② **비거주자**: 비거주자는 거주자가 아닌 개인을 말한다.

(2) **납세의무**

① **거주자**: 국내원천소득과 국외원천소득에 대하여 모두 소득세 납세의무를 진다. 단, 해당 과세기간종료일 10년 전부터 국내에 주소나 거소를 둔 기간의 합계가 5년 이하인 외국인 거주자에게는 과세대상소득 중 국외에서 발생한 소득의 경우 국내에서 지급되거나 국내로 송금된 소득에 대하여만 과세한다.

② **비거주자**: 국내원천소득에 대하여만 소득세 납세의무를 진다.

(3) **구분 사례**

① **거주자로 보는 경우**

㉠ 계속하여 183일 이상 국내에 거주할 것을 통상 필요로 하는 직업을 가진 때. 다만, 국외에서 근무하는 공무원, 거주자 · 내국법인의 국외사업장 또는 해외현지법인(내국법인이 발행주식총수 또는 출자지분의 100% 직접 또는 간접 출자한 경우에 한정) 등에 파견된 임원 또는 직원은 거주자로 본다.❷

㉡ 국내에 생계를 같이하는 가족이 있고, 그 직업 및 자산상태에 비추어 계속하여 183일 이상 국내에 거주할 것으로 인정되는 때

㉢ 외국 항행 선박 · 항공기의 승무원의 경우 생계를 같이하는 가족이 거주하는 장소 또는 근무시간 외 기간 중 통상 체재하는 장소가 국내인 경우

② **비거주자로 보는 경우**

㉠ 외국 국적을 가졌거나 외국의 영주권을 가진 자가 국내에 생계를 같이하는 가족이 없고, 그 직업 및 자산상태에 비추어 다시 입국하여 국내에 거주하리라고 인정되지 아니하는 때

❶ 거소

주소지 외의 장소 중 상당기간에 걸쳐 거주하는 장소를 거소라고 하며, 주소와 같이 밀접한 일상적인 생활이 형성되지 않은 장소를 말한다.

❷

거주자 · 내국법인의 국외사업장이나 내국법인이 100%를 직접 또는 간접 출자한 해외현지법인 등에 파견된 임직원이 파견기간 종료 후 재입국할 것으로 인정되는 경우에는 파견기간 및 외국국적 · 영주권 취득과 관계없이 거주자로 본다.

🏛 **기출 OX**

국외에 근무하는 자가 외국국적을 가진 자로서 국내에 생계를 같이하는 가족이 없고 그 직업 및 자산상태에 비추어 다시 입국하여 주로 국내에 거주하리라고 인정되지 아니하는 때에는 국내에 주소가 없는 것으로 본다. (○)　　15. 7급

ⓛ 외국 항행 선박·항공기의 승무원의 경우 생계를 같이하는 가족이 거주하는 장소 또는 근무시간 외 기간 중 통상 체재하는 장소가 국외인 경우

ⓒ 다음의 자는 국내에 주소가 있는지 여부 및 국내 거주기간에 불구하고 그 신분에 따라 비거주자로 본다.

ⓐ 주한외교관과 그 외교관의 세대에 속하는 가족. 다만, 대한민국 국민은 예외로 한다.

ⓑ 한미행정협정에 규정한 합중국 군대의 구성원·군무원 및 그들의 가족. 다만, 합중국의 소득세를 회피할 목적으로 국내에 주소가 있다고 신고한 경우에는 예외로 한다.

(4) 거주자 또는 비거주자로 되는 시기

① 비거주자가 거주자로 되는 시기

ⓖ 국내에 주소를 둔 날

ⓛ 국내에 주소를 가지거나 국내에 주소가 있는 것으로 보는 사유가 발생한 날

ⓒ 국내에 거소를 둔 기간이 183일이 되는 날

② 거주자가 비거주자로 되는 시기

ⓖ 거주자가 주소 또는 거소의 국외 이전을 위하여 출국하는 날의 다음 날

ⓛ 국내에 주소가 없거나 국외에 주소가 있는 것으로 보는 사유가 발생한 날의 다음 날

(5) 거주기간 계산

① 국내에 거소를 둔 기간은 입국하는 날의 다음날부터 출국하는 날까지로 한다.

② 국내에 거소를 두고 있던 개인이 출국 후 다시 입국한 경우에 생계를 같이하는 가족의 거주지나 자산소재지 등에 비추어 그 출국목적이 관광, 질병의 치료 등으로서 명백하게 일시적인 것으로 인정되는 때에는 그 출국한 기간도 국내에 거소를 둔 기간으로 본다.

③ 재외동포가 입국한 경우에 생계를 같이하는 가족의 거주지나 자산소재지 등에 비추어 그 입국목적이 관광, 질병의 치료 등 비사업목적으로서 명백하게 일시적인 것으로 인정되는 때에는 그 입국한 기간은 국내에 거소를 둔 기간으로 보지 아니한다.

④ 거소를 둔 기간이 1과세기간에 걸쳐 183일 이상인 경우에는 국내에 183일 이상 거소를 둔 것으로 본다.

2. 법인 아닌 사단 · 재단 기타 단체❶

(1) 원칙

국내에 주사무소 또는 사업의 실질적 관리장소를 둔 경우에는 1거주자로, 그 밖의 경우에는 1비거주자로 보아 소득세법을 적용한다.

(2) 예외(이익이 분배되는 경우)

① 분배가 전부 확인되는 경우: 다음 중 어느 하나에 해당하는 경우에는 소득구분에 따라 해당 단체의 각 구성원별로 「소득세법」 또는 「법인세법」에 따라 소득에 대한 소득세 또는 법인세❷를 납부할 의무를 진다.

ⓐ 구성원 간 이익의 분배비율이 정하여져 있고 해당 구성원별로 이익의 분배비율이 확인되는 경우

ⓑ 구성원 간 이익의 분배비율이 정하여져 있지 아니하나 사실상 구성원별로 이익이 분배되는 것으로 확인되는 경우

② 분배가 일부만 확인되는 경우: 해당 단체의 구성원 중에서 일부 구성원의 분배비율만 확인되거나, 일부 구성원에게만 이익이 분배되는 것으로 확인되는 경우에는 다음의 구분에 따라 소득세 또는 법인세를 납부할 의무를 진다.

ⓐ 확인되는 부분: 해당 구성원별로 소득세 또는 법인세에 대한 납세의무를 부담한다.

ⓑ 확인되지 아니하는 부분: 해당 단체를 1거주자 또는 1비거주자로 보아 소득세에 대한 납세의무를 부담한다.

3. 납세의무 특례

(1) 공동사업의 경우

① 원칙: 공동사업의 경우 손익분배비율에 따라 분배된 소득금액이나 분배될 소득금액에 따라 각 거주자별로 납세의무를 진다.

② 예외(공동사업합산과세): 공동사업자 중 주된 공동사업자와 특수관계인은 손익분배비율에 해당하는 그의 소득금액을 한도로 주된 공동사업자와 연대하여 납세의무를 진다.

(2) 상속의 경우

피상속인의 소득금액과 상속인의 소득은 서로 구분하여 소득세를 계산하되 피상속인의 소득세에 대하여는 상속인에게 납세의무를 진다.

(3) 신탁재산의 경우

① 신탁재산에 귀속되는 소득은 그 신탁의 이익을 받을 수익자(수익자가 사망하는 경우에는 그 상속인)에게 귀속되는 것으로 본다.

② 위 ①규정에도 불구하고 수익자가 특별히 정하여지지 아니하거나 존재하지 아니하는 신탁 또는 위탁자가 신탁재산을 실질적으로 통제하는 등 일정 요건을 충족하는 신탁의 경우에는 그 신탁재산에 귀속되는 소득은 위탁자에게 귀속되는 것으로 본다.❶

③ 신탁업을 경영하는 자는 각 과세기간의 소득금액을 계산할 때 신탁재산에 귀속되는 소득과 그 밖의 소득을 구분하여 경리하여야 한다.

(4) 분리과세소득의 경우

원천징수되는 소득으로서 종합소득 과세표준에 합산되지 아니하는 소득이 있는 자는 그 원천징수되는 소득세에 대하여 납세의무를 진다.

(5) 증여를 통한 우회양도의 경우

증여를 통한 우회양도규정에 의하여 증여자가 자산을 직접 양도한 것으로 보는 경우에는 그 양도소득에 대하여는 증여자와 증여받은 자가 연대하여 납세의무를 진다.

(6) 공동소유 자산의 경우

공동으로 소유한 자산에 대한 양도소득금액을 계산하는 경우에는 해당 자산을 공동으로 소유하는 각 거주자가 납세의무를 진다.

(7) 동업기업의 동업자의 경우

동업기업의 출자자인 거주자·비거주자별로 각 동업자군별 배분대상 소득금액 또는 결손금을 각 과세연도종료일의 동업자간의 손익분배비율에 따라 배분받은 소득에 대하여 과세한다.

4 과세기간

1. 원칙

1월 1일부터 12월 31일까지이며 개인의 과세기간은 사업의 개시와 폐업에 영향을 받지 않는다. 사업의 개시와 폐업은 사업소득에 한정되는 것이므로 사업소득 외의 종합소득이 발생할 수 있다. 따라서 과세기간은 사업의 개시와 폐업에 영향을 받지 않는다.

2. 예외

(1) 거주자가 사망한 경우

1월 1일부터 사망한 날까지를 과세기간으로 한다.

(2) 거주자가 주소 또는 거소를 국외로 이전(출국)하여 비거주자로 되는 경우

1월 1일부터 출국한 날까지를 과세기간으로 한다.

❶ 위탁자에게 귀속되는 소득

신탁재산의 소득이 위탁자에게 귀속되는 일정요건을 충족하는 신탁이란 다음 어느 하나의 요건을 갖춘 신탁을 말한다.

1. 위탁자가 신탁을 해지할 수 있는 권리, 수익자를 지정하거나 변경할 수 있는 권리, 신탁 종료 후 잔여재산을 귀속 받을 권리를 보유하는 등 신탁재산을 실질적으로 지배·통제할 것

2. 신탁재산 원본을 받을 권리에 대한 수익자는 위탁자로, 수익을 받을 권리에 대한 수익자는 그 배우자 또는 같은 주소 또는 거소에서 생계를 같이 하는 직계존비속(배우자의 직계존비속을 포함한다)으로 설정했을 것

1. 납세지의 개념

납세지는 소득세를 관할하는 관할세무서를 결정하는 기준이 되는 장소를 말한다.

(1) 구분

① 거주자

ㄱ 원칙: 주소지

ㄴ 예외: 주소지가 없는 경우에는 거소지

② 비거주자

ㄱ 원칙: 국내사업장의 소재지(국내사업장이 2 이상 있는 경우에는 주된 국내사업장의 소재지)

ㄴ 예외: 국내사업장이 없는 경우에는 국내원천소득이 발생하는 장소

심화 | 주소지

1. 주소지가 2 이상인 때에는 「주민등록법」에 의하여 등록된 곳을 납세지로 하고 거소지가 2 이상인 때에는 생활관계가 보다 밀접한 곳을 납세지로 한다.
2. 국내에 2 이상의 사업장이 있는 비거주자의 경우 그 주된 사업장을 판단하기가 곤란한 때에는 당해 비거주자가 납세지로 신고한 장소를 납세지로 한다.
3. 국내사업장이 없는 비거주자에게 국내의 2 이상의 장소에서 국내원천소득이 발생하는 경우에는 그 국내원천소득이 발생하는 장소 중에서 당해 비거주자가 납세지로 신고한 장소를 납세지로 한다.
4. 비거주자가 위의 2. 또는 3.의 규정에 의한 신고를 하지 않은 경우에는 소득상황 및 세무관리의 적정성 등을 참작하여 국세청장 또는 관할지방국세청장이 지정하는 장소를 납세지로 한다.

---

(2) 원천징수하는 소득세의 납세지

원천징수하는 소득세의 납세지는 다음에 해당하는 원천징수의무자의 사업장 소재지로 한다.

① 원천징수의무자가 거주자인 경우

ㄱ 그 거주자의 주된 사업장 소재지

ㄴ 주된 사업장 외의 사업장에서 원천징수를 하는 경우에는 그 사업장의 소재지로 하며, 사업장이 없는 경우에는 그 거주자의 주소지 또는 거소지로 한다.

② 원천징수의무자가 비거주자인 경우

ㄱ 그 비거주자의 주된 국내사업장 소재지

ㄴ 주된 국내사업장 외의 국내사업장에서 원천징수를 하는 경우에는 그 국내사업장의 소재지로 하며, 국내사업장이 없는 경우에는 그 비거주자의 거류지 또는 체류지로 한다.

③ 원천징수의무자가 법인인 경우

　㉠ 원칙: 법인의 본점 또는 주사무소 소재지

　㉡ 예외: 그 법인의 지점 등에서 독립채산제에 의하여 독자적으로 회계사무를 처리하는 경우에는 그 사업장의 소재지로 한다(그 사업장 소재지가 국외에 있는 경우는 제외). 다만, 다음 중 어느 하나에 해당하는 경우에는 그 해당 법인의 본점 또는 주사무소의 소재지를 소득세 원천징수세액의 납세지로 할 수 있다.

　　ⓐ 법인이 지점, 영업소 또는 그 밖의 사업장에서 지급하는 소득에 대한 원천징수세액을 본점 또는 주사무소에서 전자적 방법 등을 통해 일괄계산하는 경우로서 본점 또는 주사무소의 관할세무서장에게 신고한 경우

　　ⓑ 「부가가치세법」에 따라 사업자단위로 등록한 경우

④ 납세조합이 징수하는 소득세: 그 납세조합의 소재지로 한다.

⑤ 기타

　㉠ 상속의 경우: 거주자 또는 비거주자가 사망하여 그 상속인이 피상속인에 대한 소득세의 납세의무자가 된 경우 그 소득세의 납세지는 그 피상속인·상속인 또는 납세관리인의 주소지나 거소지 중 관할세무서장에게 신고하는 장소를 납세지로 본다.

　㉡ 비거주자가 납세관리인을 둔 경우: 비거주자가 납세관리인을 둔 경우 그 비거주자의 소득세 납세지는 국내사업장의 소재지 또는 납세관리인의 주소지나 거소지 중 납세관리인이 관할세무서장에게 납세지로 신고한 장소로 한다.

　㉢ 국내 주소가 없는 공무원 또는 임직원의 경우: 국외 근무하는 공무원 또는 거주자·내국법인의 국외사업장 등에 파견된 임직원은 국내에 주소가 없더라도 거주자로 보는데 이 경우 납세지는 그 가족의 생활근거지 또는 소속기관의 소재지로 한다.

　㉣ 부득이한 사유로 본래 주소 등을 일시 퇴거한 경우: 거주자가 취학, 질병의 요양, 근무상 또는 사업상의 형편으로 본래의 주소 또는 거소를 일시 퇴거한 경우에는 본래의 주소지 또는 거소지를 납세지로 본다.

2. 납세지의 지정●

(1) 지정사유

다음의 경우 국세청장 또는 관할지방국세청장은 납세지를 따로 지정할 수 있다.

❶ 납세지 지정

납세지를 지정하거나 사업소득이 있는 거주자의 신청이 있는 경우로서 사업장 소재지를 납세지로 지정하는 것이 세무관리상 부적절하다고 인정되어 그 신청대로 납세지 지정을 하지 아니한 경우에는 국세청장 또는 관할지방국세청장은 그 뜻을 납세의무자 또는 그 상속인·납세관리인이나 납세조합에 서면으로 각각 통지하여야 한다.

① 사업소득이 있는 거주자가 사업장 소재지를 납세지로 신청한 경우(신청)

② 거주자 또는 비거주자로서 납세지가 납세의무자의 소득상황으로 보아 부적당하거나 납세의무를 이행하기에 불편하다고 인정되는 경우(정부직권)

(2) 절차

① 신청에 의한 납세지 지정

ㄱ 신청: 해당 과세기간의 10월 1일부터 12월 31일까지 납세지지정신청서를 사업장 관할세무서장에게 제출하여야 한다. 이러한 신청이 있는 경우 관할지방국세청장(새로 지정할 납세지와 종전의 납세지의 관할지방국세청장이 다를 때에는 국세청장)은 다음의 경우를 제외하고 사업장을 납세지로 지정하여야 한다.

ⓐ 해당 사업장을 관할하는 세무서의 관할구역 외에 다른 사업장이 있는 경우

ⓑ 사업장의 이동이 빈번하거나 그 밖의 사유로 사업장을 납세지로 하는 것이 적당하지 않다고 국세청장이 인정하는 경우

ㄴ 통지: 신청을 받은 관할지방국세청장은 다음연도 2월 말까지❶ 지정 여부를 서면으로 통지하여야 하며 통지하지 않은 경우 신청한 사업장이 납세지로 지정된 것으로 본다.

② 정부직권에 의한 납세지 지정: 해당 과세기간의 과세표준확정신고 · 납부기간개시일 전에 이를 서면으로 통지하여야 한다. 다만, 중간예납 또는 수시부과의 사유가 있는 때에는 그 납기개시 15일 전에 통지하여야 한다.

(3) 납세지 지정취소

① 납세지의 지정사유가 소멸한 경우 국세청장 또는 관할지방국세청장은 납세지의 지정을 취소하여야 한다.

② 취소된 경우 그 취소 전에 한 소득세에 관한 신고 · 신청 · 청구 · 납부 기타 행위의 효력에는 영향을 미치지 아니한다.

3. 납세지의 변경❷

거주자나 비거주자는 납세지가 변경된 경우 변경된 날부터 15일 이내에 그 변경 후의 납세지 관할세무서장에게 신고하여야 한다. 다만, 주소지 변동으로 「부가가치세법」에 따른 사업자등록정정을 한 경우에는 납세지의 변경신고를 한 것으로 본다.

❶ 법인세와 비교
「법인세법」상 납세지 지정 통지기간은 법인의 사업연도 종료일로부터 45일 이내에 하여야 한다.

❷ 납세지 변경
변경신고를 하지 않더라도 소득세는 주소지를 이전하면 자동적으로 납세지도 이전된다. 법인세는 변경신고를 하지 않으면 종전의 납세지를 법인의 납세지로 한다.

6 종합소득세 계산구조

1. 종합소득세 계산구조

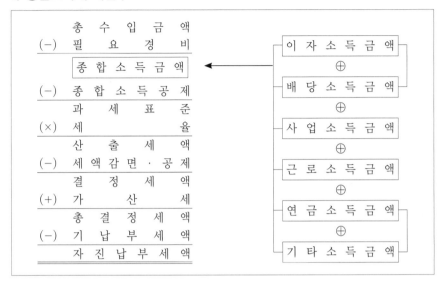

2. 소득금액의 계산구조

01 법인세의 사업연도와 소득세의 과세기간에 대한 설명으로 옳지 않은 것은?

2022년 9급

① 법인의 최초 사업연도의 개시일은 내국법인의 경우 설립등기일로 한다.
② 사업연도 신고를 하여야 할 법인이 그 신고를 하지 아니하는 경우에는 매년 1월 1일부터 12월 31일까지를 그 법인의 사업연도로 한다.
③ 소득세의 과세기간은 신규사업개시자의 경우 사업개시일부터 12월 31일까지로 하며, 폐업자의 경우 1월 1일부터 폐업일까지로 한다.
④ 사업연도를 변경하려는 법인은 그 법인의 직전 사업연도 종료일부터 3개월 이내에 납세지 관할 세무서장에게 이를 신고하여야 한다.

01
소득세의 과세기간은 사업의 개시 및 폐업에 영향을 받지 않으므로 1월 1일부터 12월 31일을 과세기간으로 한다.

02 「소득세법」상 납세의무에 대한 설명으로 옳지 않은 것은?

2021년 9급

① 주된 공동사업자에게 합산과세되는 경우 그 합산과세되는 소득금액에 대해서는 주된 공동사업자의 특수관계인은 손익분배비율에 해당하는 그의 소득금액을 한도로 주된 공동사업자와 연대하여 납세의무를 진다.
② 외국법인의 국내지점 또는 국내영업소는 원천징수한 소득세를 납부할 의무를 진다.
③ 공동으로 소유한 자산에 대한 양도소득금액을 계산하는 경우에는 해당 자산을 공동으로 소유하는 거주자가 연대하여 납세의무를 진다.
④ 피상속인의 소득금액에 대해서 과세하는 경우에는 그 상속인이 납세의무를 진다.

02
공동으로 소유한 자산에 대한 양도소득금액을 계산하는 경우에는 해당 자산을 공동으로 소유하는 거주자가 연대하여 납세의무를 지지 않는다.

정답 01 ③ 02 ③

03 「세법」상 납세의무에 대한 설명으로 옳지 않은 것은? 2018년 7급

① 사업 목적이 비영리이며 사업상 독립적으로 재화를 공급하는 개인사업자는 부가가치세를 납부할 의무가 있다.

② 법인이 아닌 법인 아닌 단체는 국내에 주사무소 또는 사업의 실질적관리장소를 둔 경우에는 1거주자로, 그 밖의 경우에는 1비거주자로 보아 소득세법을 적용한다.

③ 원천징수되는 소득으로서 종합소득과세표준에 합산되지 아니하는 소득이 있는 자는 그 원천징수되는 소득세의 납세의무를 지지 아니한다.

④ 내국법인 중 국가와 지방자치단체에 대하여는 법인세를 부과하지 아니한다.

03
원천징수되는 소득으로서 종합소득과세표준에 합산되지 아니하는 소득이 있는 자는 그 원천징수되는 소득세의 납세의무를 진다.

04 「소득세법」상 주소와 거주자 여부 판정에 대한 설명으로 옳지 않은 것은? 2015년 7급

① 내국법인의 국외사업장에 파견된 직원은 비거주자로 본다.

② 국외에 근무하는 자가 외국국적을 가진 자로서 국내에 생계를 같이하는 가족이 없고 그 직업 및 자산상태에 비추어 다시 입국하여 주로 국내에 거주하리라고 인정되지 아니하는 때에는 국내에 주소가 없는 것으로 본다.

③ 국내에 거주하는 개인이 계속하여 183일 이상 국내에 거주할 것을 통상 필요로 하는 직업을 가진 때에는 국내에 주소를 가진 것으로 본다.

④ 외국을 항행하는 선박 또는 항공기의 승무원의 경우 그 승무원과 생계를 같이하는 가족이 거주하는 장소 또는 그 승무원이 근무기간 외의 기간 중 통상 체재하는 장소가 국내에 있는 때에는 당해 승무원의 주소는 국내에 있는 것으로 본다.

04
내국법인의 국외사업장에 파견된 직원은 거주자로 본다.

05 「소득세법」상 납세의무자 및 납세지에 관한 설명으로 옳지 않은 것은? 2013년 9급

① 신탁재산에 귀속되는 소득은 그 신탁의 이익을 받을 수익자(수익자가 사망한 경우에는 그 상속인)에게 귀속되는 것으로 본다.

② 비거주자의 국내사업장이 둘 이상 있는 경우 소득세의 납세지는 각각의 사업장 소재지로 한다.

③ 국내원천소득이 있는 비거주자는 소득세를 납부할 의무를 진다.

④ 원천징수하는 자가 법인인 경우 원천징수하는 소득세의 납세지는 그 법인의 본점 또는 주사무소의 소재지로 한다(그 법인의 지점 등이 독립채산제에 따라 독자적으로 회계 사무를 처리하는 경우 제외).

05
비거주자의 국내사업장이 둘 이상 있는 경우 소득세의 납세지는 주된 국내사업장의 소재지로 하고, 국내사업장이 없는 경우에는 국내원천소득이 발생하는 장소로 한다.

정답 03 ③ 04 ① 05 ②

06 「소득세법」상 총칙 규정에 대한 설명으로 옳지 않은 것은? 2012년 9급

① 소득세의 납세의무자(원천징수납부의무자 제외)는 거주자와 비거주자로서 국내원천소득이 있는 개인으로 구분한다.
② 거주자의 종합소득에는 「국민연금법」에 따라 지급받는 일시금액을 포함한다.
③ 소득세의 과세기간은 1월 1일부터 12월 31일까지로 한다.
④ 거주자의 소득세 납세지는 그 주소지로 하되, 주소지가 없는 경우에는 그 거소지로 한다.

06
「국민연금법」에 따라 지급받는 일시금액은 퇴직소득으로 분류과세한다.

07 「소득세법」상 납세의무의 범위에 대한 설명으로 옳지 않은 것은? 2012년 7급

① 피상속인의 소득금액에 대한 소득세로서 상속인에게 과세할 것과 상속인의 소득금액에 대한 소득세는 구분하여 계산하여야 하며, 피상속인의 소득금액에 대해서 과세하는 경우에는 그 상속인이 납세의무를 진다.
② 원천징수되는 소득(이자소득, 배당소득 등)으로서 종합소득 과세표준을 계산할 때 합산되지 아니하는 소득이 있는 자는 그 원천징수되는 소득세에 대해서 납세의무를 진다.
③ 신탁업을 경영하는 자는 각 과세기간의 소득금액 계산할 때 신탁재산에 귀속되는 소득과 그 밖의 소득을 구분하여 경리하여야 한다.
④ 신탁재산에 귀속되는 소득은 그 신탁의 이익을 받을 수익자(수익자가 사망한 경우에는 그 위탁자)에게 귀속되는 것으로 본다.

07
신탁재산에 귀속되는 소득은 그 신탁의 이익을 받을 수익자(수익자가 사망하는 경우에는 그 상속인)에게 귀속되는 것으로 본다.

08 다음 「소득세법」과 관련된 내용 중 옳은 것으로만 묶어진 것은? 2008년 9급

> ㄱ. 대한민국 국적을 가진 자는 모두 우리나라에서 소득세를 납부할 의무가 있다.
> ㄴ. 소득세는 원칙적으로 순자산증가설을 기초로 과세소득의 범위를 규정하고 있다.
> ㄷ. 거주자에 대한 소득세의 납세지는 원칙적으로 소득이 발생한 장소를 관할하는 세무서이다.
> ㄹ. 배당세액공제는 이중과세를 방지하기 위한 제도이다.
> ㅁ. 퇴직소득과 양도소득은 종합소득에 포함되지 않으며, 분류과세된다.
> ㅂ. 외국에서 납부한 세금은 원칙적으로 우리나라에서 공제가 허용되지 아니한다.

① ㄱ, ㄴ, ㅁ, ㅂ
② ㄴ, ㄷ, ㄹ, ㅁ
③ ㄷ, ㄹ, ㅂ
④ ㄹ, ㅁ

08
옳은 것은 ㄹ, ㅁ이다.

✔ 오답체크
ㄱ. 거주자 및 비거주자의 구분은 국적에 상관없다.
ㄴ. 소득세는 소득원천설과 열거주의에 따라 과세하는 것이 원칙이다.
ㄷ. 거주자에 대한 소득세의 납세지는 원칙적으로 거주자의 주소지나 거소지를 관할하는 세무서이다.
ㅂ. 외국에서 납부한 세금은 원칙적으로 우리나라에서 공제가 허용된다.

09 「소득세법」상 원천징수하는 소득세의 납세지에 관한 설명으로 옳지 않은 것은? 2007년 9급

① 원천징수하는 자가 거주자로서 사업장이 없는 경우에는 그 거주자의 주소지 또는 거소지를 납세지로 한다.
② 원천징수하는 자가 비거주자로서 주된 국내사업장에서 원천징수를 하는 경우에는 그 비거주자의 주된 국내사업장의 소재지를 납세지로 한다.
③ 소득세를 원천징수하는 자가 법인인 경우에는 그 법인의 대표자의 주소지 또는 거소지를 납세지로 한다.
④ 납세조합이 그 조합원의 원천징수대상이 아닌 근로소득에 대한 소득세를 매월 징수하는 경우 그 납세조합의 소재지를 납세지로 한다.

09
해당 법인의 본점 또는 주사무소로 한다. 다만, 독립채산제의 경우에는 그 사업장으로 한다.

10 소득세법령상 거주자와 비거주자에 관한 설명으로 옳지 않은 것은?

2023년 9급

① 거주자나 내국법인의 국외사업장 또는 해외현지법인(내국법인이 발행주식총수 또는 출자지분의 100분의 100을 직접 또는 간접 출자한 경우에 한정한다) 등에 파견된 임원 또는 직원이나 국외에서 근무하는 공무원은 거주자로 본다.

② 비거주자는 국내에 거소를 둔 기간이 183일이 되는 날에 거주자가 된다.

③ 국내에 거소를 둔 기간은 입국하는 날부터 출국하는 날까지로 한다.

④ 국내에 거소를 두고 있던 개인이 출국 후 다시 입국한 경우에 생계를 같이하는 가족의 거주지나 자산소재지등에 비추어 그 출국목적이 관광, 질병의 치료 등으로서 명백하게 일시적인 것으로 인정되는 때에는 그 출국한 기간도 국내에 거소를 둔 기간으로 본다.

10
국내에 거소를 둔 기간은 입국하는 날의 다음날부터 출국하는 날까지로 한다.

02 이자 · 배당소득

1 이자소득

1. 이자소득의 범위

이자소득은 해당 과세기간에 발생한 다음의 소득으로 한다.

(1) 채권 또는 증권의 이자와 할인액[1]

① 국가나 지방자치단체가 발행한 채권 또는 증권의 이자와 할인액

② 내국법인이 발행한 채권 또는 증권의 이자와 할인액

③ 외국법인의 국내지점 또는 국내영업소에서 발행한 채권 또는 증권의 이자와 할인액

④ 외국법인이 발행한 채권 또는 증권의 이자와 할인액

> **➕ 심화 | 국채의 이자소득**
>
> 1. 국채 · 산업금융채권 · 정책금융채권 · 예금보험기금채권 · 예금보험기금상환기금채권 · 한국은행통화안정증권을 공개시장에서 통합발행하는 경우 해당 채권의 할인액은 소득세를 과세하지 않는다.
> 2. 국가가 발행하는 채권으로서 그 원금이 물가에 연동되는 채권의 경우 그 채권의 원금증가분은 채권의 이자 및 할인액으로 보지 않으나 2015.1.1. 이후 발행되는 채권으로부터 지급받는 분부터는 이자소득으로 과세한다.

(2) 예금이자

① 국내에서 받는 예금(적금 · 부금 · 예탁금 및 우편대체를 포함)의 이자

② 국외에서 받는 예금의 이자

③ 「상호저축은행법」에 따른 신용계 또는 신용부금으로 인한 이익

(3) 채권 또는 증권의 환매조건부 매매차익

① 채권 또는 증권의 매매차익은 과세대상이 아니지만 환매조건부 매매차익의 경우 이자소득으로 과세하고 있다.

② 환매조건부 매매차익이란 금융회사 등이 환매기간에 따른 사전약정이율을 적용하여 환매수 또는 환매도하는 조건으로 매매하는 채권 또는 증권의 매매차익을 말한다.

(4) 10년 미만 저축성 보험의 보험차익

① 최초의 보험료 납입일부터 만기일 또는 중도해지일까지의 기간이 10년 미만으로 피보험자의 사망 · 질병 · 부상 기타 신체상의 상해로 인하여 받거나 자산의 손괴로 인하여 받는 보험이 아니어야 한다.

➊ 할인액

할인액은 채권 할인 취득 시 액면가액과 취득가액의 차이를 말한다.

② 보험료를 계산함에 있어서 보험계약기간 중에 보험계약에 의하여 받은 배당금 등은 납입보험료에서 차감하되, 그 배당금 등으로 납입할 보험료를 상계한 경우에는 배당금 등을 받아 보험료를 납입한 것으로 본다.

> ⊞ **심화** | **이자소득 과세대상에서 제외되는 저축성 보험차익**
>
> 1. 계약기간이 10년 이상이고 계약자 1명당 납입보험료가 1억 원(아래 2.와 3.의 금액 제외)이하인 경우
> 2. 계약기간이 10년 이상이고 다음 요건을 모두 갖춘 월납입식 저축성보험인 경우
>   ① 최초납입일로부터 납입기간이 5년 이상인 월적립식 보험계약일 것
>   ② 최초납입일부터 매월 납입하는 기본보험료가 균등하고, 기본보험료의 선납기간이 6개월 이내일 것
>   ③ 계약자 1명당 매월 납입하는 보험료합계액이 150만 원 이하일 것
> 3. 55세 이후 연금형태로 수령하는 종신형 연금보험인 경우

> ⌐ **참고**
>
> **보장성 보험차익**
> 1. **원칙**: 소득세과세대상에 해당하지 않는다(사망·부상 등 신체상 상해 및 자산의 멸실 등 보험차익).
> 2. **예외**: 사업용 자산의 손실로 인한 보험차익은 사업소득의 총수입금액에 산입한다.

❶ 직장공제회 초과반환금

직장공제회 초과반환금은 1999년 1월 1일 이후 최초로 직장공제회에 가입하고 퇴직·탈퇴로 인하여 받는 반환금부터 과세된다.

📖 **기출 OX**

근로자가 퇴직하거나 탈퇴하여 그 규약에 따라 직장공제회로부터 받는 반환금에서 납입공제료를 뺀 직장공제회 초과반환금은 이자소득으로 과세된다. (○)

14. 7급

❷

상업어음할인료는 비영업대금의 이익에 해당한다.

❸

금융회사가 아닌 거주자가 자금을 대여하고 받는 이익으로 P2P 투자 이자소득은 14%로 한다.

▶ P2P 투자 이자소득: 자금을 대출받으려는 차입자와 자금을 제공하려는 투자자를 온라인을 통하여 중개하는 자로서 관련 법률에 따라 금융위원회에 등록하거나 금융위원회로부터 인·허가를 받는 등 이용자 보호를 위한 일정 요건을 갖춘 자를 통하여 지급받는 이자소득을 말한다.

(5) 직장공제회 초과반환금❶

① 공제회에서 퇴직 또는 탈퇴로 받는 반환금이 납입한 금액을 초과하는 경우 그 초과금액에 대하여 이자소득으로 과세한다.

② 또는 반환금을 분할하여 지급하는 경우 그 지급하는 기간 동안 추가로 발생하는 이익도 이자소득으로 과세한다.

③ 직장공제회 초과반환금은 종합과세하지 않고 분리과세하며 산출세액 계산은 연분연승법에 따라 계산한다(퇴직소득산출세액계산과 유사).

> **직장공제회 초과반환금 산출세액**
> $$= \left(\begin{array}{l} \text{직장공제회} \\ \text{초과반환금} \end{array} - \begin{array}{l} \text{기본} \\ \text{공제} \end{array} - \begin{array}{l} \text{납입연수} \\ \text{공제} \end{array} \right) \times \frac{1}{\text{납입연수}} \times \text{기본세율} \times \text{납입연수}$$

(6) 비영업대금의 이익❷

① 비영업대금의 이익이란 대금업을 표방하지 아니하는 거주자가 타인에게 금전을 빌려주고 그 대가를 받는 것을 말한다. 대금업을 대외적으로 표방하고 불특정다수인을 상대로 금전을 대여하는 경우는 사업소득으로 본다.

② 비영업대금의 이익에 대한 원천징수세율은 25%❸로 한다.

(7) 소기업 · 소상공인 공제부금에서 발생하는 소득

거주자가 「중소기업협동조합법」에 따른 법에 정한 소기업 · 소상공인 공제에 가입하여 납부하는 공제부금에서 발생하는 소득은 사유에 따라 다음과 같이 과세한다.

① 법정사유❶로 지급받는 경우

　㉠ 2015.12.31. 이전 가입자는 이자소득으로 과세한다.

$$이자소득 = 공제금 - 납입액$$

　㉡ 2016.1.1. 이후 가입자는 퇴직소득으로 과세한다.

$$퇴직소득 = 공제금 - \begin{matrix} 실제\ 소득공제받은\ 금액을 \\ 초과하여\ 납입한\ 금액의\ 누계액 \end{matrix}$$

② 법정사유가 발생하기 전에 지급받은 경우: 법정사유가 아닌 임의적으로 해지한 경우에는 기타소득으로 과세한다.

$$기타소득 = 환급금 - \begin{matrix} 실제\ 소득공제받은\ 금액을 \\ 초과하여\ 납입한\ 금액의\ 누계액 \end{matrix}$$

> **참고**
>
> **소기업 · 소상공인 공제부금에 대한 소득공제:** Min(①, ②)
>
> 1. 공제부금납부액
> 2. 한도
> 　① 사업소득금액이 4,000만 원 이하인 경우: 500만 원
> 　② 사업소득금액이 4,000만 원 초과 1억 원 이하인 경우: 300만 원
> 　③ 사업소득금액이 1억 원 초과인 경우: 200만 원

(8) 위 (1)~(7)의 소득과 유사한 소득으로서 금전 사용에 따른 대가로서의 성격이 있는 것(채권대차거래 등)

거주자가 일정기간 후에 같은 종류로서 같은 양의 채권을 반환받는 조건으로 채권을 대여하고 해당 채권의 차입자로부터 지급받는 해당 채권에서 발생하는 이자에 상당하는 금액은 이자소득으로 한다.

(9) 파생금융상품 이자

위 (1)~(8) 중 어느 하나에 해당하는 소득을 발생시키는 거래 또는 행위와 파생상품이 결합된 경우 해당 파생상품의 거래 또는 행위로부터의 이익으로서 법에 정한 요건을 충족하는 것은 이자소득으로 과세한다.

　예 예금이자와 선물환차익이 결합된 외화스왑예금에서 발생한 이익

---

❶ 법정사유

법정사유는 다음 중 어느 하나에 해당하는 사유를 말한다.

1. 소기업 · 소상공인이 폐업 또는 해산 (법인에 한함)한 때
2. 공제 가입자가 사망한 때
3. 법인의 대표자의 지위에서 공제에 가입한 자가 그 법인의 대표자가 지위를 상실한 때
4. 만 60세 이상으로 공제부금 불입월수가 120개월 이상인 공제가입자가 공제금의 지급을 청구한 때
5. 해지 전 6개월 이내에 다음 중 어느 하나의 사유가 발생하는 경우
　① 천재 · 지변의 발생
　② 공제가입자의 해외이주
　③ 공제가입자의 3개월 이상의 입원 치료 또는 요양을 요하는 상해 · 질병의 발생
　④ 중소기업중앙회의 해산

2. 이자소득으로 보지 않는 소득

(1) 사업소득 관련 금액

① 매입에누리와 매입할인

② 물건을 판매하고 대금결제방법에 따라 추가로 지급받는 금액

③ 외상매출금이나 미수금의 지급기일을 연장하여 주고 추가로 지급받는 금액❶

④ 장기할부조건으로 판매함으로써 현금거래 또는 통상적인 대금의 결제방법에 의한 거래의 경우보다 추가로 지급받는 금액❷

(2) 손해배상금과 손해배상금에 대한 법정이자

① 계약의 위약 또는 해약을 원인으로 하는 것: 기타소득

② ① 외의 것: 소득세 과세대상에서 제외

3. 비과세 이자소득

「신탁업법」에 따른 공익신탁의 이익에 대하여 이자소득으로 과세하지 않는다. 공익신탁이란 학술, 종교, 예술 등 공익목적으로 하는 신탁을 말한다.

4. 이자소득의 계산

(1) 계산구조

> 이자소득금액
> = 이자소득 총수입금액(이자소득 – 비과세소득 – 분리과세소득)❸

(2) 비영업대금의 이익 계산 특례

비영업대금의 이익 중 해당 과세기간에 발생한 비영업대금의 이익에 대하여 과세표준확정신고 전에 해당 비영업대금이 채무자의 파산·강제집행·형의 집행·사업의 폐지·사망·실종 또는 행방불명으로 회수할 수 없는 채권에 해당하여 채무자 또는 제3자로부터 원금 및 이자의 전부 또는 일부를 회수할 수 없는 경우에는 원금부터 회수한 것으로 보아 회수한 금액에서 원금을 먼저 차감하여 계산한다.

---

❶

외상매출금이나 미수금이 소비대차로 전환되어 받는 소득은 이자소득으로 본다(비영업대금의 이익).

❷

당초 계약내용에 의하여 매입가액이 확정된 후 그 대금의 지급지연으로 실질적인 소비대차로 전환되어 발생하는 이자는 이자소득으로 본다.

▶ 소비대차: 「민법」상의 용어로 당사자 일방이 금전 기타 대체물의 소유권을 상대방에게 이전할 것을 약정하고 상대방은 그 와 같은 종류·품질 및 수량으로 반환할 것을 약정함으로써 성립하는 계약을 말한다.

❸

이자소득에서 필요경비는 인정하지 않는다.

5. 이자소득의 수입시기

구분	수입시기
(1) 채권 또는 증권의 이자와 할인액	① 무기명의 경우: 그 지급을 받은 날 ② 기명의 경우: 약정에 의한 지급일
(2) 보통예금·정기예금·적금 또는 부금의 이자	① 원칙: 실제로 이자를 지급받는 날 ② 원본전입 특약이 있는 이자: 원본전입일 ③ 해약으로 지급되는 이자: 그 해약일 ④ 계약기간을 연장하는 경우: 그 연장하는 날 ⑤ 정기예금 연결 정기적금의 경우 정기예금의 이자: 정기예금 또는 정기적금이 해약되거나 정기적금의 저축기간이 만료되는 날
(3) 통지예금의 이자	인출일
(4) 채권 또는 증권의 환매조건부 매매차익	① 원칙: 약정에 의한 채권 또는 증권의 환매수일 또는 환매도일 ② 기일 전에 환매수 또는 환매도 하는 경우: 그 환매수일 또는 환매도일
(5) 저축성보험의 보험차익	① 원칙: 보험금 또는 환급금의 지급일 ② 기일 전에 해지시: 해지일
(6) 직장공제회 초과반환금	약정에 따른 공제반환금의 지급일
(7) 비영업대금의 이익	① 원칙: 약정에 따른 이자지급일 ② 약정이 없거나 약정일 전에 지급받는 경우 또는 회수불능채권으로서 총수입금액계산에서 제외하였던 이자를 지급받는 경우: 그 이자지급일
(8) 채권 등의 보유기간 이자 등 상당액	해당 채권 등의 매도일 또는 이자 등의 지급일
(9) 그 밖에 금전 사용에 따른 대가로서의 성격이 있는 이자와 할인액	① 원칙: 약정에 따른 상환일 ② 기일 전에 상환시: 그 상환일
(10) 파생금융상품이자	
(11) 이자소득이 발생하는 상속재산이 상속되거나 증여되는 경우	상속개시일 또는 증여일
(12) 소기업·소상공인 공제부금에서 발생하는 소득	실제로 지급받은 날

2 배당소득

1. 배당소득의 범위

배당소득은 해당 과세기간에 발생한 다음의 소득으로 한다.

(1) 내국법인으로부터 받는 이익이나 잉여금의 배당 또는 분배금

(2) 외국법인으로부터 받는 이익이나 잉여금의 배당 또는 분배금

(3) 법인으로 보는 단체로부터 받는 배당 또는 분배금

(4) 의제배당(「법인세법」상 의제배당과 일부 제외하고 동일)

(5) 인정배당(「법인세법」에 따라 배당으로 소득처분된 금액)

(6) 국내 또는 국외에서 받는 집합투자기구로부터의 이익

(7) 간주배당(「국제조세조정에 관한 법률」 조세피난방지세제에 따라 특정외국법인의 배당 가능한 유보소득 중 내국인이 배당받은 것으로 간주된 금액)

(8) 국내 또는 국외에서 받는 파생결합증권 또는 파생결합사채로부터의 이익

(9) 출자공동사업자의 배당소득

(10) 위 (1) ~ (9)와 유사한 소득으로서 수익분배의 성격이 있는 것(유형별 포괄주의)
   ① 문화펀드 등 신종펀드의 배당
   ② 거주자가 일정기간 후에 같은 종류로서 같은 양의 주식을 반환하는 조건으로 주식을 대여하고 해당 주식의 차입자로부터 지급받는 해당 주식에서 발생하는 배당에 상당하는 금액

(11) 배당소득을 발생시키는 거래 · 행위와 파생상품이 결합된 경우 해당 파생상품의 거래 · 행위로부터의 이익

(12) 법인과세 신탁재산(「법인세법」에 따라 내국법인으로 보는 신탁재산)으로부터 받는 배당금 또는 분배금

2. 의제배당

법인세와 동일하다. 다만, 다음의 차이가 있다.

(1) 단기소각주식 특례에서 수령시 의제배당으로 과세하지 않은 무상주의 범위에 주식발행초과금의 자본전입으로 인한 무상주는 제외한다.

(2) 감자 · 퇴사 · 탈퇴 등으로 인한 의제배당에서 주주가 소액주주이고 해당 주식을 보유한 주식의 수가 다수이거나 해당 주식의 빈번한 거래 등에 따라 해당 주식을 취득하기 위하여 소요된 금액의 계산이 불분명한 경우에는 액면가액을 취득가액으로 본다.

3. 출자공동사업자의 배당소득

(1) 의의

출자공동사업자란 다음의 어느 하나에 해당하지 아니한 자로서 공동사업의 경영에 참여하지 아니하고 출자만 하는 자를 말한다.
   ① 공동사업에 성명 또는 상호를 사용하게 한 자
   ② 공동사업에서 발생한 채무에 대하여 무한책임을 부담하기로 약정한 자

(2) 배당소득

   ① 공동사업에서 발생한 소득금액 중 경영에 참가하지 않고 출자만 하는 공동사업자가 받는 손익분배비율에 상당하는 금액은 배당소득으로 과세한다.
   ② 출자공동사업자의 원천징수세율은 25%를 적용한다.

4. 집합투자기구로부터의 이익

(1) 소득의 구분

① 학술·종교·자선 등 공익신탁의 이익: 비과세 소득에 해당한다.

② 국내 또는 국외에서 받는 집합투자기구로부터의 이익: 배당소득으로 과세된다.

③ 확정급여형 퇴직연금제도의 보험차익과 신탁계약의 이익 또는 분배금: 사업소득 총수입금액에 해당한다.❶

④ 위 외의 경우 신탁의 이익: 「신탁법」 규정에 의하여 수탁자에게 이전되거나 그 밖에 처분된 재산권에서 발생하는 소득의 내용별로 구분한다.

(2) 집합투자기구로부터의 이익

① 개념: 국내 또는 국외에서 받는 대통령령으로 정하는 집합투자기구로부터의 이익을 말한다.

> **참고**
>
> **대통령령으로 정하는 집합투자기구**
>
> 다음의 요건을 모두 갖춘 집합투자기구를 말한다. 단, 국외에서 설정된 집합투자기구는 아래의 요건을 갖추지 않는 경우에도 대통령령이 정하는 집합투자기구로 본다.
> 1. 「자본시장과 금융투자업에 관한 법률」에 따른 집합투자기구일 것
> 2. 해당 집합투자기구의 설정일부터 매년 1회 이상 결산·분배할 것
> 3. 금전으로 위탁받아 금전으로 환급할 것

② 과세대상: 법규에 의한 각종 보수·수수료 등을 빼고 계산한다. 집합투자기구로부터의 이익에는 집합투자기구가 직접 또는 집합투자증권에 투자하여 취득한 증권으로서 다음 중 어느 하나에 해당하는 증권(상장지수증권에 투자한 경우에는 그 상장지수증권의 지수 구성 기초자산에 해당하는 증권) 또는 장내파생상품의 거래나 평가로 인한 손익은 과세대상에 포함하지 않는다.

    ㉠ 증권시장에 상장된 증권(채권 및 외국법령에 따라 설립된 외국 집합투자기구의주식 또는 수익증권을 제외)

    ㉡ 벤처기업의 주식 또는 출자지분

    ㉢ ㉠의 증권을 대상으로 하는 장내파생상품

5. 파생결합증권 또는 파생결합사채로부터의 이익

국내 또는 국외에서 받는 다음의 파생결합증권 또는 파생결합사채로부터의 이익은 배당소득에 해당한다.

(1) 「자본시장과 금융투자업에 관한 법률」에 따른 파생결합증권으로부터 발생한 이익

> **예** 주가연계증권(ELS), 주가 외 기타자산 연계증권(DLS), 금·은의 가격에 따라 수익이 결정되는 골드·실버뱅킹 등

❶
근로자를 위하여 납입한 확정급여형 퇴직연금부담금을 사업소득의 필요경비에 산입하므로 그에 대응하는 신탁의 이익은 사업소득 총수입금액에 산입한다.

(2) 파생결합증권 중 상장지수증권(ETN)을 계좌간 이체, 계좌의 명의변경, 상장지수증권의 실물양도의 방법으로 거래하여 발생한 이익. 다만, 증권시장에서 거래되는 주식의 가격만을 기반으로 하는 지수의 변화를 그대로 추척하는 것을 목적으로 하는 상장지수증권을 계좌간 이체, 계좌의 명의변경, 상장지수증권의 실물양도의 방법으로 거래하여 발생한 이익은 제외한다.

(3) 「상법」에 따른 파생결합사채로부터 발생한 이익

6. 비과세

「신탁업법」에 따른 공익신탁의 이익에 대하여 과세하지 않는다.

7. 배당소득금액의 계산

$$배당소득금액 = 배당소득\ 총수입금액^{❶} + 귀속법인세(Gross-up\ 금액)$$

8. Gross-up(귀속법인세) 제도

(1) 취지

① 법인단계에서 법인세가 과세된 소득을 주주에게 배당하면 주주는 다시 소득세를 부담하게 된다. 이러한 경우 같은 소득에 대하여 법인세와 소득세를 이중으로 과세하는 문제가 발생한다. 이러한 이중과세문제를 해결하기 위하여 Gross-up 제도를 두고 있다.

② 배당소득에 대하여 과세된 법인세 상당액(귀속법인세)을 배당소득 총수입금액에 가산하여 소득세를 계산한 다음 그 귀속법인세를 소득세 산출세액에서 공제(배당세액공제)하는 방식이다.

(2) Gross-up 계산

$$Gross-up\ 금액 = 배당소득\ 총수입금액 \times 11\%$$

> **참고**
>
> **Gross-up(그로스업) 계산구조**
>
> $$그로스업\ 금액 = \left(배당소득 \times \frac{1}{1 - 법인세율(10\%)}\right) \times 법인세율(10\%)$$
> $$= 배당소득 \times \frac{10\%}{1 - 10\%}$$
> $$= 배당소득 \times 11\%$$

(3) Gross-up 적용요건

다음의 모든 요건을 충족하는 배당소득의 경우 Gross-up을 적용한다.

① 내국법인으로부터 받은 배당일 것

② 법인세가 과세된 소득을 재원으로 지급받은 배당일 것

③ 종합과세대상 배당소득이면서 기본세율적용분일 것

(4) Gross-up이 적용되지 않는 배당소득

① 외국법인으로부터 받는 배당

② 출자공동사업자의 배당

③ 집합투자기구로부터의 이익

④ 다음의 의제배당

  ㉠ 자기주식소각이익의 자본전입(소각 당시 시가가 취득가액을 초과하거나 소각일로부터 2년 내 자본전입한 것)

  ㉡ 법인이 자기주식을 보유한 경우에 과세되지 않은 잉여금을 자본금에 전입함으로서 그 법인 외의 주주의 지분비율이 증가한 경우

  ㉢ 토지에 대한 재평가(1%) 적립금의 자본전입

⑤ 소득공제를 받는 유동화전문회사, 「조세특례제한법」상 동업기업과세특례를 받는 동업기업으로부터 받는 일정한 배당

⑥ 다음의 세액감면을 적용받는 법인으로부터 받는 일정한 배당

  ㉠ 법인의 공장 및 본사를 수도권 밖으로 이전하는 경우 법인세 감면

  ㉡ 외국인투자 및 증자에 대한 법인세 감면

  ㉢ 제주첨단과학기술단지 입주기업, 제주투자진흥지구 또는 제주자유무역지역입주기업에 대한 법인세 감면

⑦ 파생결합증권·파생결합사채로부터의 이익, 유사배당, 파생금융상품배당

⑧ 분리과세 배당소득과 종합과세기준금액(2,000만 원)을 초과하지 않는 배당소득

⑨ 법인과세 신탁재산(「법인세법」에 따라 내국법인으로 보는 신탁재산)으로부터 받는 배당금 또는 분배금

9. 배당소득의 수입시기

구분	수입시기
일반적인 배당	잉여금 처분결의일(단, 무기명주식의 배당은 그 지급을 받은 날)
인정배당	법인의 해당 사업연도의 결산확정일
간주배당	특정외국법인의 해당 사업연도 종료일의 다음날부터 60일이 되는 날
집합투자기구로부터의 이익	집합투자기구로부터의 이익을 지급받은 날(단, 원본전입의 특약이 있는 분배금은 원본에 전입된 날로 함)

파생결합증권 또는 파생결합사채로부터의 이익	그 이익을 지급받은 날(단, 원본전입의 특약이 있는 분배금은 원본에 전입된 날로 함)
의제배당(법인세와 동일)	① 감자 · 퇴사 · 탈퇴로 인한 의제배당: 자본감소결의일, 퇴사 · 탈퇴일 ② 잉여금 자본전입에 따른 의제배당: 잉여금 자본전입 결의일 ③ 해산으로 인한 의제배당: 잔여재산가액확정일 ④ 합병으로 인한 의제배당: 합병등기일 ⑤ 분할로 인한 의제배당: 분할등기일
출자공동사업자의 배당소득	과세기간종료일
유사배당 및 파생결합상품의 배당	그 지급을 받은 날

참고

동업기업 과세특례

1. 동업기업의 과세특례는 인적회사(합명회사 · 합자회사)의 경우에 출자자간의 신뢰를 바탕으로 구성된 단체이고 공동사업에서 얻은 소득의 분배를 위한 하나의 도관으로 공동사업이 구성되어 있다고 볼 수 있다. 물적회사(주식회사 · 유한회사)의 경우는 법인단계에서 법인세가 과세되고 주주 등에게 소득이 귀속될 때 이중과세를 조정하기 위해 Gross – up 제도를 두고 있다. 인적회사 등의 경우는 공동사업에서 과세하지 않고 그 소득을 동업자에게 배분하여 소득세 또는 법인세만을 과세하는 방법이다.
2. 동업기업에 대하여는 「소득세법」 및 「법인세법」에 따른 그 과세소득에 대한 소득세 및 법인세를 부과하지 않는다. 그 대신에 동업자는 배분받은 동업기업의 소득에 대하여 소득세 또는 법인세를 납부할 의무를 가진다.
3. 따라서 동업기업의 경우 법인단계에서 과세되지 않고 소득을 배분 후에 배분받은 자(법인 또는 개인)에 따라 과세되므로 이중과세를 조정할 필요가 없다.

3 과세방법

1. 개념

(1) 금융소득(이자소득과 배당소득)의 과세방법은 금융소득의 합계액이 기준금액(2천만 원) 초과 여부에 따라 달라진다.

(2) 금융소득의 합계액이 기준금액 미달시 원천징수로 납세의무가 종결되며 기준금액 초과시에는 종합소득세 기본세율(6~45%)로 다른 소득과 합산하여 과세된다.

2. 금융소득의 구분

(1) 비과세

① 공익신탁의 이익

② 개인종합자산관리계좌에서 받는 200만 원(또는 400만 원)까지의 이자 · 배당(「조세특례제한법」)

③ 2015년까지 가입한 재형저축의 이자·배당(「조세특례제한법」)

④ 2012년까지 가입한 장기주택마련저축의 이자·배당(「조세특례제한법」)

(2) 무조건분리과세

① 의의: 무조건분리과세란 금융소득이 2,000만 원 초과 여부에 상관없이 항상 원천징수로 납세의무가 종결되는 것을 말한다.

② 무조건분리과세 대상

㉠ 소득을 지급받는 자의 실지 명의가 확인되지 않는 소득은 45%로 원천징수한다(금융실명거래 및 비밀보장에 관한 법률이 적용되는 경우는 90%[1] 원천징수).

㉡ 법원보관금의 이자소득: 「민사집행법」에 따른 부동산경매를 위하여 법원에 납부한 보증금 및 경락대금에서 발생하는 이자소득은 14%로 원천징수한다.

㉢ 1거주자로 보는 법인이 아닌 단체가 얻은 이자·배당소득: 법인으로 보는 단체 외의 법인이 아닌 단체 중 수익을 구성원에게 배분하지 않는 단체로서 단체명을 표기하여 금융거래를 하는 경우에는 금융회사 등이 이자·배당을 지급할 때 14%로 원천징수한다. 각 구성원에게 소득이 귀속되지 않으므로 종합과세하거나 개인별로 합산하지 않고 분리과세로 종결한다.

㉣ 직장공제회 초과반환금: 직장공제회 초과반환금은 연분연승법에 따라 계산하며 종합소득하지 않고 기본세율을 적용하여 분리과세로 종결된다.

> ### 참고
> **장기채권이자**
> 10년 이상 장기채권이자는 무조건분리과세 대상에서 제외되었다.
> 1. **2012.12.31. 이전 발행분**: 30% 분리과세 신청이 가능하다.
> 2. **2013.1.1.~2017.12.31. 발행분**: 3년 지난 후 발생하는 이자와 할인액에 대하여 30%로 분리과세 신청이 가능하다.
> 3. **2018.1.1. 이후 발행분**: 조건부 종합과세 대상이다(14% 원천징수).

(3) 무조건종합과세

① 의의: 무조건종합과세란 기준금액(2,000만 원) 이하인 경우에도 무조건종합과세하는 것이다.

② 무조건종합과세 대상

㉠ 국내에서 원천징수하지 않은 국외금융소득은 무조건종합과세 대상이다. 다만, 외국법인이 발행한 채권·증권에서 발생한 금융소득을 거주자에게 지급 시 국내에서 그 지급을 대리하거나 위탁받은 자가 있다면 그 자를 원천징수의무자로 본다. 이 경우는 국내에서 원천징수가 이루어진 것으로 본다.

[1] 비실명금융소득
원천징수의무자가 금융실명거래 및 비밀보장에 관한 법률에 따른 이자 및 배당소득에 대하여 고의 또는 중대한 과실 없이 90%가 아닌 14%의 세율로 원천징수한 경우에는 해당 계좌의 실질소유자가 소득세 원천징수 부족액(원천징수납부 등 납부지연가산세 포함)을 납부하여야 한다.

ⓛ 국내금융소득 중 원천징수되지 않은 소득은 무조건종합과세 대상이다.

ⓒ 출자공동사업자(경영에 참여하지 아니하고 출자만 하는 출자공동사업자)의 배당소득은 무조건종합과세 대상이다. 출자공동사업자의 배당은 기준금액(2,000만 원) 계산시에는 제외하고 산출세액 계산시에도 금융소득 외의 다른 소득으로 본다(원천징수세율 25%).

(4) 조건부종합과세

비과세 · 무조건분리과세 · 무조건종합과세를 제외한 나머지 금융소득을 말한다. 조건부종합과세 대상과 무조건종합과세 대상(출자공동사업자의 배당 제외)의 합계금액이 2,000만 원을 초과하는 경우에는 조건부종합과세 대상도 종합과세를 한다. 그러나 2,000만 원 이하인 경우 조건부종합과세는 분리과세로 종결되고 합산하지 않는다.

구분	대상	원천징수세율
무조건분리과세	직장공제회 초과반환금	기본세율
	비실명 이자 · 배당소득	42%(90%)
	법원보관금의 이자소득	14%
	1거주자로 보는 법인격 없는 단체가 금융회사 등으로부터 받은 이자 · 배당소득	14%
조건부종합과세	• 무조건종합과세 + 조건부종합과세 > 2,000만 원 ⇨ 종합과세 • 무조건종합과세 + 조건부종합과세 ≤ 2,000만 원 ⇨ 분리과세 ▶ 합계액 계산시 출자공동사업자에 대한 배당과 귀속법인세는 제외한다.	14% (비영업 대금의 이익은 25% 또는 14%)
무조건종합과세	국내에서 원천징수되지 않은 국외에서 받은 이자 · 배당	–
	국내에서 지급받은 이자 · 배당 중 원천징수되지 않은 소득	–
	출자공동사업자의 배당소득	25%

3. 과세방법

(1) 금융소득이 기준금액을 초과하는 경우

조건부종합과세와 무조건종합과세의 합계액(이때 출자공동사업자 배당과 귀속법인세는 제외)이 2,000만 원을 초과하는 경우에는 다음과 같이 과세한다.

① 조건부종합과세와 무조건종합과세의 합계액 중 2,000만 원 초과금액에 대하여는 기본세율을 적용하고 2,000만 원까지는 14%의 세율을 적용한다.

② 산출세액 계산방법은 다음과 같다.

산출세액 Max(㉠, ㉡)

㉠ 일반산출세액 = 2,000만 원 × 14% + $\left(\dfrac{종합소득}{과세표준} - 2,000만\ 원\right) \times \dfrac{기본}{세율}$

❶㉡ 비교산출세액 = $\dfrac{금융소득}{총수입금액} \times 14\%^❶ + \left(\dfrac{종합소득}{과세표준} - \dfrac{금융소득}{금액}\right) \times \dfrac{기본}{세율}$

비영업대금의 이익 25%

③ 위 ②의 표에서 금융소득금액은 귀속법인세가 포함된 금액이며 금융소득 총수입금액은 귀속법인세가 포함되지 않은 금액이다.

④ 일반산출세액과 비교산출세액을 비교하여 큰 금액으로 하는 것은 최소한 원천징수세율에 해당하는 세액은 징수하겠다는 것을 의미한다. 종합과세가 되어 오히려 세율이 낮아지는(기본세율은 6%부터 과세) 경우가 발생할 수 있기 때문이다.

(2) 금융소득이 기준금액 이하인 경우

조건부종합과세와 무조건종합과세의 합계액(출자공동사업자 배당과 귀속법인세는 제외)이 2,000만 원 이하인 경우는 다음과 같이 과세한다.

① 조건부종합과세대상은 원천징수로 분리과세하며 무조건종합과세대상은 기준금액에 상관없이 다른 소득과 합산하여 종합과세한다.

② 산출세액 계산방법은 다음과 같다.

산출세액 = $\dfrac{금융소득}{총수입금액} \times 14\%^❶ + \left(\dfrac{종합소득}{과세표준} - \dfrac{금융소득}{금액}\right) \times 기본세율$

(3) 금융소득 구성순서

기준금액을 초과하여 종합과세되는 경우 2,000만 원 초과분만을 종합과세하는 것이 아니라 전체 금액을 종합과세 대상으로 한다. 전체 금액이 종합과세 대상으로 포함된다 하더라도 2,000만 원까지는 14%의 세율을 적용하고 있기 때문에 기본세율은 2,000만 원 초과분부터 적용된다.

이자소득 → Gross – up이 적용되지 않는 배당소득 → Gross – up 적용대상 배당소득

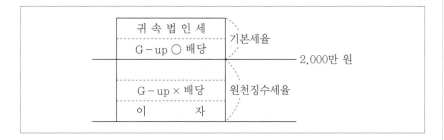

기출문제

01
소득세법령상 이자소득의 수입시기에 대한 설명으로 옳지 않은 것은?

2021년 9급

① 채권등으로서 무기명인 것의 이자는 그 지급을 받은 날로 한다.
② 비영업대금의 이익으로서 약정에 의한 이자지급일 전에 이자를 지급받는 경우에는 그 이자지급일로 한다.
③ 이자소득이 발생하는 상속재산이 상속되는 경우에는 실제 지급일로 한다.
④ 저축성보험의 보험차익(기일전에 해지하는 경우 제외)은 보험금 또는 환급금의 지급일로 한다.

01
이자소득이 발생하는 상속재산이 상속되는 경우에는 상속개시일을 수입시기로 한다.

02
소득세법령상 출자공동사업자에 대한 설명으로 옳지 않은 것은? 2020년 7급

① 출자공동사업자가 있는 공동사업의 경우에는 공동사업장을 1거주자로 보아 공동사업장별로 그 소득금액을 계산한다.
② 출자공동사업자의 배당소득 수입시기는 그 지급을 받은 날로 한다.
③ 출자공동사업자의 배당소득은 부당행위계산부인의 규정이 적용되는 소득이다.
④ 출자공동사업자의 배당소득에 대해서는 100분의 25의 원천징수세율을 적용한다.

02
출자공동사업자의 배당소득 수입시기는 해당 과세기간의 종료일로 한다.

03
「소득세법」상 이자소득에 해당하지 않는 것은?

2014년 9급

① 내국법인이 발행한 채권 또는 증권의 이자와 할인액
② 대금업을 영위하는 자가 영리를 목적으로 금전을 대여하고 받은 이자
③ 국가나 지방자치단체가 발행한 채권 또는 증권의 이자와 할인액
④ 비영업대금의 이익

03
대금업을 영위하는 자가 영리를 목적으로 금전을 대여하고 받은 이자는 사업소득에 해당한다.

정답 01 ③ 02 ② 03 ②

04 「소득세법」상 이자소득에 관한 설명으로 옳지 않은 것은?   2014년 7급

① 근로자가 퇴직하거나 탈퇴하여 그 규약에 따라 직장공제회로부터 받는 반환금에서 납입공제료를 뺀 직장공제회 초과반환금은 이자소득으로 과세된다.

② 공동사업에서 발생한 소득금액 중 출자공동사업자의 손익분배비율에 해당하는 금액은 이자소득으로 과세된다.

③ 이자소득을 발생시키는 거래 또는 행위와 이를 기초로 한 파생상품이 결합된 경우 해당 파생상품의 거래 또는 행위로부터의 이익은 이자소득으로 과세된다.

④ 거주자가 일정기간 후에 같은 종류로서 같은 양의 채권을 반환받는 조건으로 채권으로 대여하고 해당 채권의 차입자로부터 지급받는 해당 채권에서 발생하는 이자에 상당하는 금액은 이자소득에 포함된다.

04
공동사업에서 발생한 소득금액 중 출자공동사업자의 손익분배비율에 해당하는 금액은 배당소득으로 과세된다.

05 「소득세법」상 배당소득의 수입시기에 대한 설명으로 옳지 않은 것은?

2014년 9급

① 집합투자기구로부터의 이익: 이익을 지급받기로 약정된 날
② 법인이 해산으로 인하여 소멸한 경우의 의제배당: 잔여재산의 가액이 확정된 날
③ 출자공동사업자의 배당: 과세기간 종료일
④ 「법인세법」에 의하여 처분된 배당: 당해 법인의 당해 사업연도의 결산확정일

05
집합투자기구로부터의 이익: 이익을 받는 날 또는 특약에 의한 원본전입일

06 「소득세법」상 이자소득, 배당소득의 과세에 관한 설명으로 옳은 것은?

2010년 9급

① 이자소득금액 또는 배당소득금액을 계산할 때 필요경비에 산입할 금액은 해당 과세기간의 총수입금액에 대응하는 비용으로서 일반적으로 용인되는 통상적인 것의 합계액으로 한다.
② 금융회사 등이 환매기간에 따른 사전약정이자율을 적용하여 환매수 또는 환매도하는 조건으로 매매하는 채권·증권의 매매차익은 이자소득에 해당된다.
③ 공동사업에서 발생하는 소득금액 중 출자공동사업자에 대한 손익분배비율에 상당하는 금액은 100분의 25의 세율로 원천징수하고 분리과세한다.
④ 직장공제회 초과반환금은 분리과세하는 것이 원칙이나 기준금액을 초과하는 경우에는 종합과세한다.

06

✓ 오답체크
① 이자소득금액 또는 배당소득금액을 계산할 때에는 필요경비는 인정되지 않는다.
③ 공동사업에서 발생하는 소득금액 중 출자공동사업자에 대한 손익분배비율에 상당하는 금액은 100분의 25의 세율로 원천징수하고 무조건 종합과세한다.
④ 직장공제회 초과반환금은 기준금액 초과 여부에 관계없이 무조건 분리과세한다.

07 「소득세법」상 배당소득에 관한 설명으로 옳지 않은 것은?

2008년 7급

① 「국제조세조정에 관한 법률」상 특정 외국법인의 배당 가능한 유보소득 중 거주자에게 귀속될 금액은 배당소득으로 본다.
② 공동사업에서 발생하는 소득금액 중 공동사업에 성명 또는 상호를 사용하게 한 자에 대한 손익분배비율에 상당하는 금액은 배당소득으로 보고 종합과세한다.
③ 주식의 소각이나 자본의 감소로 인하여 주주가 취득하는 금전 기타 재산의 가액이 주주가 당해 주식을 취득하기 위하여 소요된 금액을 초과하는 금액은 배당소득에 해당된다.
④ 법인이 이익 또는 잉여금의 처분에 의한 배당소득을 그 처분을 결정한 날부터 3월이 되는 날까지 지급하지 아니한 때에는 그 3월이 되는 날에 배당소득을 지급한 것으로 본다.

07
공동사업에서 발생하는 소득금액 중 공동사업에 성명 또는 상호를 사용하게 한 자에 대한 손익분배비율에 상당하는 금액은 사업소득으로 보고 종합과세한다.

정답 06 ② 07 ②

08 소득세법령상 이자소득과 배당소득의 과세방법에 대한 설명으로 옳지 않은 것은?

2023년 9급

① 대통령령으로 정하는 실지명의가 확인되지 아니하는 배당소득은 분리과세배당소득이며, 원천징수세율은 30%를 적용한다.

② 법인으로 보는 단체 외의 단체 중 수익을 구성원에게 배분하지 아니하는 단체로서 단체명을 표기하여 금융거래를 하는 단체가 금융회사 등으로부터 받는 배당소득은 분리과세배당소득이며, 원천징수세율은 14%를 적용한다.

③ 직장공제회 초과반환금은 분리과세이자소득이며, 원천징수세율은 기본세율을 적용한다.

④ 「민사집행법」 제113조 및 같은 법 제142조에 따라 법원에 납부한 보증금 및 경락대금에서 발생하는 이자소득은 분리과세이자소득이며, 원천징수세율은 14%를 적용한다.

08
대통령령으로 정하는 실지명의가 확인되지 아니하는 배당소득은 분리과세배당소득이며, 원천징수세율은 45%를 적용한다.

03 사업소득

1 사업소득

1. 사업소득의 범위[1]

사업소득은 해당 과세기간에 발생한 다음의 소득을 과세대상으로 한다.

(1) 농업(작물재배업 중 곡물 및 기타식량작물 재배업은 제외) · 임업 및 어업에서 발생하는 소득

(2) 광업에서 발생하는 소득

(3) 제조업에서 발생하는 소득

(4) 전기 · 가스 · 증기 및 수도사업에서 발생하는 소득

(5) 하수 · 폐기물처리, 원료재생 및 환경복원업에서 발생하는 소득

(6) 건설업에서 발생하는 소득

(7) 도매 및 소매업에서 발생하는 소득

(8) 운수업에서 발생하는 소득

(9) 숙박 및 음식점업에서 발생하는 소득

(10) 출판 · 영상 · 방송통신 및 정보서비스업에서 발생하는 소득

(11) 금융 및 보험업에서 발생하는 소득

(12) 부동산업 및 임대업에서 발생하는 소득. 다만, 「공익사업을 위한 토지 등의 취득 및 보상에 관한 법률」에 따른 공익사업과 관련하여 지역권[2] · 지상권[3]을 설정하거나 대여함으로써 발생하는 소득은 제외한다.

(13) 전문 · 과학 및 기술서비스업(연구개발업은 제외. 단, 계약에 따라 대가를 받는 경우는 사업소득에 해당)에서 발생하는 소득

(14) 사업시설관리 및 사업지원서비스업에서 발생하는 소득

(15) 교육서비스업(「유아교육법」에 따른 유치원, 「초 · 중등교육법」 및 「고등교육법」에 따른 학교, 사업주가 근로자의 직업능력의 개발 · 향상을 위하여 설치 · 운영하는 직업능력개발훈련시설, 노인 학교는 제외)에서 발생하는 소득

(16) 보건업 및 사회복지서비스업(「사회복지사업법」에 따른 사회복지사업과 「노인장기요양보험법」에 따른 장기요양사업은 제외)에서 발생하는 소득

(17) 예술 · 스포츠 및 여가 관련 서비스업에서 발생하는 소득

(18) 협회 및 단체(한국표준산업분류의 중분류에 따른 협회 및 단체는 제외), 수리 및 기타 개인서비스업에서 발생하는 소득

(19) 가구 내 고용활동에서 발생하는 소득

---

[1] 전자상거래 등에서의 소비자보호에 관한 법률에 따라 통신판매중개를 하는 자를 통하여 물품 또는 장소를 대여하고 500만 원 이하의 사용료로서 받은 금품에 해당하여 기타소득으로 원천징수하거나 과세표준확정신고를 하는 경우에는 기타소득으로 한다.

[2] 지역권
일정한 목적을 위하여 타인의 토지를 자기 토지의 편익에 이용하는 권리를 말한다.

[3] 지상권
타인의 토지에 건물 기타 공작물이나 수목을 소유하기 위하여 그 토지를 사용하는 물권을 말한다.

(20) 복식부기의무자가 사업용 유형자산❶을 양도함으로써 발생하는 소득. 다만, 양도소득에 해당하는 토지 또는 건물(건물에 부속된 시설물과 구축물을 포함)의 양도로 발생하는 소득은 제외한다.

(21) (1)부터 (20)까지의 규정에 따른 소득과 유사한 소득으로서 영리를 목적으로 자기의 계산과 책임하에 계속적·반복적으로 행하는 활동을 통하여 얻는 소득

> **참고**
>
> **간편장부대상자와 복식부기의무자**
>
> **1. 개념**
> ① 사업자는 소득금액을 계산할 수 있도록 증명서류 등을 갖추어 놓고 그 사업에 관한 모든 거래 사실이 객관적으로 파악될 수 있도록 복식부기에 따라 장부에 기록·관리하여야 한다.
> ② 업종·규모 등을 고려하여 업종별 일정 규모 미만의 사업자가 간편장부를 갖춰 놓고 그 사업에 관한 거래 사실을 성실히 기재한 경우에는 장부를 비치·기록한 것으로 본다.
> ③ 업종별 일정 규모 미만의 사업자는 '간편장부대상자'라 하고, 간편장부대상자 외의 사업자는 '복식부기의무자'라 한다.
>
> **2. 간편장부대상자의 범위**
> ① 간편장부대상자
> ㉠ 해당 과세기간에 신규로 사업을 개시한 사업자
> ㉡ 직전 과세기간의 수입금액의 합계액이 법소정 금액에 미달하는 사업자
> ⓐ 도매 및 소매업 등: 3억 원
> ⓑ 제조업 등: 1억 5천만 원
> ⓒ 부동산임대업 등: 7천 500만 원
> ② 무조건 복식부기의무자에 해당하는 경우
> ㉠ 의료업·수의업·약사
> ㉡ 변호사업·심판변론인업·변리사업·법무사업·공인회계사업·세무사업 등 법에 열거된 전문자격사업, 그 밖에 이와 유사한 사업서비스업으로서 기획재정부령이 정하는 것을 영위하는 사업자

2. 비과세 소득

사업소득 중 다음에 해당하는 소득은 과세하지 않는다.

(1) 논·밭을 작물 생산에 이용하게 함으로써 발생하는 소득❷

(2) 1개의 주택을 소유하는 자의 주택임대소득(기준시가 12억 원 초과 주택❸과 국외소재주택 제외)

> **⊞ 심화 | 주택수 판단**
>
> 1개 주택 여부를 판단하기 위한 주택수는 다음과 같이 계산한다.
> **1. 다가구주택**: 1개의 주택으로 보되, 구분등기된 경우 각각을 1개의 주택으로 본다.
> **2. 공동소유주택**: 지분이 가장 큰 사람의 소유로 계산한다(지분이 가장 큰 사람이 2명 이상인 경우에는 각각의 소유로 본다. 다만, 그들이 합의하여 그들 중 1명을 해당 주택의 임대수입의 귀속자로 정한 경우에는 그의 소유로 계산). 다만, 다음 중 어느 하나에 해당하는 사람은 해당 공동소유하는 주택을 소유하는 것으로 계산되지 않은 경우라도 그 사람의 소유로 계산한다.
> ① 해당 공동소유하는 주택을 임대하여 얻은 수입금액이 연간 6백만 원 이상인 사람❹
> ② 해당 공동소유하는 주택의 기준시가가 12억 원을 초과하는 경우로서 그 주택의 지분을 30%를 초과하여 보유하는 사람(과세기간종료일 또는 해당 주택의 양도일 기준으로 판단함)

❶ **사업용 유형자산**

사업용 유형자산은 차량 및 운반구, 공구, 기구, 비품, 선박, 항공기, 기계 및 장치, 동물과 식물, 그 밖에 이와 유사한 유형자산 등 감가상각자산을 말한다(단, 건설기계는 2018.1.1. 이후 취득하여 2020.1.1. 이후 양도한 경우에 한정한다).

❷
논·밭의 작물생산에 이용하도록 하면서 발생하는 임대소득은 과세하지 않지만 작물생산이 아닌 다른 목적(주차장 등)에 이용하는 경우는 과세한다.

❸ **기준시가 12억 원 초과 주택**

과세기간종료일 또는 해당 주택의 양도일의 기준시가가 12억 원을 초과하는 주택을 말한다.

❹
공동소유자의 수입금액은 해당 공동소유하는 주택에서 발생한 주택임대소득에 대한 전체 수입금액(해당 공동소유자가 지분을 소유한 기간에 발생한 것에 한정하며 간주임대료는 제외함)에 해당 공동소유자가 소유한 해당 주택의 지분율을 곱한 금액을 말한다.

🏛 **기출 OX**

1개의 주택을 소유하는 자의 주택임대소득에 대하여는 소득세를 과세하지 아니하나, 대통령령에서 정하는 고가주택의 임대소득은 비과세 대상에서 제외한다. (○)

07. 9급

3. 임차 또는 전세받은 주택을 전대하거나 전전세하는 경우: 임차인 또는 전세받은 자의 주택으로 한다.
4. 본인과 배우자가 각각 주택을 소유한 경우: 합산하여 계산한다. 다만, 공동소유하는 주택 하나에 대하여 본인과 배우자가 각각 소유하는 주택으로 계산되는 경우 다음에 따라 본인과 배우자 중 1인의 주택으로 보아 합산한다.
   ① 본인과 배우자 중 지분이 더 큰 사람의 소유로 계산
   ② 본인과 배우자의 지분이 같은 경우, 그들 중 1인을 해당 주택의 임대수입의 귀속자로 합의하여 정할 때에는 그의 소유로 계산

(3) 농어가부업소득

농·어민이 부업으로 영위하는 축산·고공품 제조·민박·음식물판매·특산물제조·전통차제조·양어 및 그 밖에 이와 유사한 활동에서 발생한 소득 중 다음의 농가부업소득에 대하여는 소득세를 과세하지 아니한다.

① 농어가부업규모의 축산에서 발생하는 소득
② ① 외의 소득으로 소득금액의 합계액이 연 3,000만 원 이하인 소득(3,000만 원을 초과하는 경우는 3,000만 원까지 비과세)

(4) 전통주의 제조에서 발생하는 소득

다음에 해당하는 주류를 수도권 밖의 읍·면지역에서 제조함으로써 발생하는 소득으로서 소득금액의 합계액이 연 1,200만 원 이하인 것에 대하여는 소득세를 과세하지 아니한다(소득금액이 연 1,200만 원 초과시 전액을 과세).

① 농어업경영체 또는 농림수산식품부장관이 추천하는 자가 스스로 생산하는 경우
② 전통문화의 전수·보전에 필요하다고 인정되는 경우
③ 농림수산식품부장관이 추천하는 주류

(5) 조림기간 5년 이상인 임지의 임목의 벌채 또는 양도로 발생하는 소득

조림기간 5년 이상인 임지의 임목의 벌채 또는 양도로 발생하는 소득으로서 연 600만 원 이하의 소득금액에 대하여는 소득세를 과세하지 아니한다(연 600만 원을 초과하는 경우 600만 원까지는 비과세).

(6) 작물재배업

작물재배업에서 발생하는 소득으로서 해당 과세기간의 수입금액의 합계액이 10억 원 이하의 금액은 소득세를 과세하지 아니한다(수입금액 10억 원을 초과하는 금액은 과세).

(7) 어로어업소득

연근해어업과 내수면어업에서 발생하는 소득으로서 해당 과세기간의 소득금액의 합계액이 5,000만 원 이하인 소득(5,000만 원 초과시 5,000만 원까지 비과세)

2 사업소득금액 계산[1]

1. 계산

사업소득금액은 해당 과세기간의 총수입금액에서 이에 사용된 필요경비를 공제한 금액으로 하며, 필요경비가 총수입금액을 초과하는 경우 그 초과하는 금액을 결손금이라 한다.

> 사업소득금액 = 사업소득 총수입금액[2] − 필요경비

2. 총수입금액

(1) 총수입금액 산입

① 매출액(매출환입액·매출에누리·매출할인금액[3]을 제외한 금액)

② 거래상대방으로부터 받는 장려금

③ 관세환급금 등 필요경비로 지출한 세액이 환입 또는 환입될 금액

④ 사업과 관련된 자산수증이익 또는 채무면제이익

⑤ 확정급여형 퇴직연금제도의 보험차익과 신탁계약의 이익 또는 분배금

⑥ 사업과 관련하여 해당 사업용 자산의 손실로 인하여 취득하는 보험차익

⑦ 거주자가 재고자산 또는 임목을 가사용으로 소비하거나 종업원 또는 타인에게 지급한 경우 그 소비 또는 지급한 때의 가액에 해당하는 금액(「부가가치세법」의 개인적 공급과 사업상 증여)

⑧ 화폐성 외화자산 또는 부채의 상환차익

⑨ 복식부기의무자가 사업용 유형자산(양도소득에 해당하는 토지와 건물은 제외)을 양도함으로써 발생하는 소득

⑩ 기타 사업관련 수입금액

(2) 총수입금액 불산입

① 소득세 또는 개인지방소득세를 환급받거나 환급받을 금액 중 다른 세액에 충당한 금액

② 자산수증이익[4] 또는 채무면제이익 중 이월결손금(발생연도 제한 없음) 보전에 충당한 금액

③ 거주자의 사업소득금액을 계산할 때 이전 과세기간으로부터 이월된 소득금액

④ 농업·임업·어업·광업 또는 제조업을 경영하는 거주자가 자기가 채굴·포획·양식·수확 또는 채취한 농산물·포획물·축산물·임산물·수산물·광산물, 토사석이나 자기가 생산한 제품을 자기가 생산하는 다른 제품의 원재료 또는 제조용 연료로 사용한 경우 그 사용된 부분에 상당하는 금액

---

[1] 분리과세대상 주택임대소득

1. 주거용 건물임대업에서 발생한 수입금액의 합계액이 2,000만 원을 초과하는 경우는 종합과세한다. 다만, 2,000만 원 이하인 자의 주택임대소득은 분리과세할 수 있다.

2. 사업자가 공동사업자인 경우에는 공동사업장에서 발생한 주택수입금액의 합계액을 손익분배비율에 의하여 공동사업자에게 분배한 수입금액을 합산한 금액으로 한다.

[2]

사업소득 총수입금액
= 사업소득 − 비과세소득

[3]

외상매출금을 결제하는 경우의 매출할인금액은 거래상대방과의 약정에 의한 지급기일(지급기일이 정하여져 있지 않은 경우에는 지급한 날)이 속하는 과세기간의 총수입금액 계산에 있어서 이를 차감한다.

[4] 자산수증이익

복식부기의무자가 보조금 관리에 관한 법률 등 관련 법률에 따라 지급받은 국고보조금 등은 제외한다.

⑤ 건설업을 경영하는 거주자가 자기가 생산한 물품을 자기가 도급받은 건설 공사의 자재로 사용한 경우 그 사용된 부분에 상당하는 금액

⑥ 전기·가스·증기 및 수도사업을 경영하는 거주자가 자기가 생산한 전력·가스·증기 또는 수돗물을 자기가 경영하는 다른 사업의 동력·연료 또는 용수로 사용한 경우 그 사용한 부분에 상당하는 금액

⑦ 개별소비세 및 주세의 납세의무자인 거주자가 자기의 총수입금액으로 수입하였거나 수입할 금액에 따라 납부하였거나 납부할 개별소비세 및 주세 (다만, 원재료·연료·그 밖의 물품을 매입·수입 또는 사용함에 따라 부담하는 세액은 제외)

⑧ 국세환급가산금·지방세환급가산금 및 그 밖의 과오납금의 환급금 이자

⑨ 부가가치세의 매출세액

⑩ 석유판매업자의 환급세액

⑪ 사업용 유형자산 처분이익(복식부기의무자의 사업용 유형자산 처분이익은 제외)

⑫ 사업용 유형자산을 내용연수의 경과로 폐기처분하는 경우 잔존가액과 처분가액과의 차익

⑬ 사업용 유형·무형자산을 임의로 평가(공신력 있는 감정기관의 평가를 포함)하여 그 평가차익을 장부에 계상하는 경우

3. 필요경비

사업소득의 각 과세기간의 총수입금액에 대응하는 필요경비는 다음과 같다.

(1) 필요경비산입

① 판매한 상품 또는 제품에 대한 원료의 매입가격(매입에누리 및 매입할인금액을 제외)과 그 부대비용

② 판매한 상품 또는 제품의 보관료·포장비·운반비·판매장려금 및 판매수당 등 판매와 관련한 부대비용(판매장려금 및 판매수당의 경우 사전약정 없이 지급하는 경우를 포함)

③ 부동산의 양도 당시의 장부가액(건물건설업과 부동산 개발 및 공급업의 경우만 해당)

④ 임업의 경비

⑤ 종업원의 급여(직접 종사하는 배우자, 부양가족은 포함하며 대표자에 대한 급여는 제외)

⑥ 사업용 자산에 대한 비용

⑦ 사업용 자산(그 사업에 속하는 일부 유휴시설을 포함)의 현상유지를 위한 수선비

⑧ 사업용 자산의 관리비와 유지비

⑨ 사업용 자산에 대한 임차료

⑩ 사업용 자산의 손해보험료

⑪ 사업과 관련이 있는 제세공과금(외국납부세액공제를 적용하지 않는 경우의 외국소득세액을 포함함)

⑫ 「근로자퇴직급여 보장법」에 따라 사용자가 부담하는 부담금

⑬ 「국민건강보험법」, 「고용보험법」 및 「노인장기요양보험법」에 의하여 사용자로서 부담하는 보험료 또는 부담금

⑭ 「국민건강보험법」 및 「노인장기요양보험법」에 의한 직장가입자로서 부담하는 사용자 본인의 보험료

⑮ 「국민건강보험법」 및 「노인장기요양보험법」에 따른 지역가입자로서 부담하는 사용자 본인의 보험료

⑯ 단체순수보장성보험 및 단체환급부보장성보험의 보험료

⑰ 총수입금액을 얻기 위하여 직접 사용된 부채에 대한 지급이자

⑱ 사업용 유형 · 무형자산의 감가상각비

⑲ 자산의 평가차손

⑳ 대손금(부가가치세 매출세액의 미수금으로서 회수할 수 없는 것 중 대손세액공제를 받지 아니한 것을 포함)

㉑ 거래수량 또는 거래금액에 따라 상대편에게 지급하는 장려금 기타 이와 유사한 성질의 금액

㉒ 종업원을 위하여 직장체육비 · 직장문화비 · 가족계획사업지원비 · 직원회식비 등으로 지출한 금액

㉓ 업무와 관련이 있는 해외시찰 · 훈련비

㉔ 「영유아보육법」에 의하여 설치된 직장어린이집의 운영비

㉕ 광물의 탐광을 위한 지질조사 · 시추 또는 갱도의 굴진을 위하여 지출한 비용과 그 개발비

㉖ 광고 · 선전을 목적으로 견본품 · 달력 · 수첩 · 컵 · 부채 기타 이와 유사한 물품을 불특정다수인에게 기증하기 위하여 지출한 비용[특정인에게 기증한 물품(개당 3만 원 이하의 물품은 제외)의 경우에는 연간 5만 원 이내의 금액에 한정]

㉗ 영업자가 조직한 단체로서 법인이거나 주무관청에 등록된 조합 또는 협회에 지급하는 일반회비

㉘ 복식부기의무자가 사업용 유형자산의 양도가액을 총수입금액에 산입한 경우 해당 사업용 유형자산의 양도 당시 장부가액(감가상각비 중 업무사용금액에 해당하지 않는 금액이 있는 경우에는 그 금액을 차감한 금액)

㉙ 간이과세자가 납부한 부가가치세

㉚ 다음 중 어느 하나에 해당하는 기금에 출연하는 금품

    ㉠ 해당 사업자가 설립한 사내근로복지기금

    ㉡ 해당 사업자가 설립한 공동근로복지기금

    ㉢ 협력중소기업이 설립한 사내근로복지기금

    ㉣ 협력중소기업간에 공동으로 설립한 공동근로복지기금

(2) 필요경비불산입

① 소득세(세액공제를 적용하는 외국소득세액을 포함)와 개인지방소득세 소득분

② 벌금·과료(통고처분에 따른 벌금 또는 과료에 해당하는 금액을 포함)와 과태료

③ 「국세징수법」이나 그 밖에 조세에 관한 법률에 따른 가산금과 강제징수비

④ 조세에 관한 법률에 따른 징수의무의 불이행으로 인하여 납부하였거나 납부할 세액(가산세를 포함)

⑤ 사업자가 가사와 관련하여 지출하였음이 확인되는 경우

⑥ 각 과세기간에 계상한 감가상각자산의 감가상각비로서 대통령령으로 정하는 바에 따라 계산한 금액을 초과하는 금액

⑦ 자산의 평가차손(저가법 재고, 파손·부패 재고, 천재·지변·화재 등으로 인한 유형자산의 평가차손은 인정)

⑧ 반출하였으나 판매하지 아니한 제품에 대한 개별소비세 또는 주세의 미납액. 다만, 제품가액에 그 세액 상당액을 더한 경우는 제외한다.

⑨ 부가가치세의 매입세액. 다만, 사업자에게 귀책사유가 없는 매입세액불공제액과 부가가치세 간이과세자가 납부한 부가가치세액은 제외

⑩ 차입금 중 건설자금에 충당한 금액 이자

⑪ 채권자가 불분명한 차입금의 이자, 건설자금에 충당한 차입금의 이자, 초과인출금에 대한 지급이자, 사업자가 업무와 무관한 자산을 취득하기 위하여 차입한 금액에 대한 지급이자

⑫ 법령에 따라 의무적으로 납부하는 것이 아닌 공과금이나 법령에 따른 의무의 불이행 또는 금지·제한 등의 위반에 대한 제재로서 부과되는 공과금

⑬ 각 과세기간에 지출한 경비 중 대통령령으로 정하는 바에 따라 직접 그 업무와 관련이 없다고 인정되는 금액

⑭ 선급비용

⑮ 업무와 관련하여 고의 또는 중대한 과실로 타인의 권리를 침해한 경우에 지급되는 손해배상금

3 부동산임대업의 소득금액

1. 소득금액 범위

부동산임대업에서 발생하는 소득은 사업소득으로 분류되나 일반사업소득과 부동산임대업은 결손금 공제방법에서 차이가 발생한다. 따라서 사업소득 내에서 부동산임대업의 소득금액은 구분하여 계산하여야 하며 그 범위는 다음과 같다.

(1) 부동산 또는 부동산상의 권리를 대여하는 사업[1](공익사업과 관련된 지역권과 지상권의 대여는 기타소득으로 과세)

(2) 공장재단[2] 또는 광업재단[3]을 대여하는 사업

(3) 광업권[4]자 · 조광권[5]자 · 덕대[6]가 채굴 시설과 함께 광산을 대여하는 사업[7]

2. 소득금액 계산

(1) 총수입금액

부동산임대업의 경우도 사업소득이므로 일반사업소득의 총수입금액과 필요경비의 범위를 따른다.

> 총수입금액 = 임대료 + 간주임대료 + 관리비수입 + 보험차익

① **임대료**: 부동산의 임대로 발생하는 임대료를 말한다. 부동산을 임대하고 미리 받은 임대료(선세금)는 다음과 같이 안분하여 계산한다.

$$선세금 \ 총수입금액 = 선세금 \times \frac{각 \ 과세기간의 \ 해당 \ 월수[8]}{계약기간의 \ 월수[8]}$$

② **간주임대료**

㉠ 대상: 주업이나 차입금과다 여부와 상관없이 부동산을 임대하는 자는 간주임대료를 계산하여야 한다. 다만, 주택과 그 부수토지의 임대는 제외한다.

㉡ 간주임대료 계산

ⓐ 추계 외의 경우(주택과 그 부수토지의 임대는 제외)

$$간주임대료 = \left(\begin{matrix} 해당 \ 과세기간의 \\ 보증금 \ 등의 \ 적수 \end{matrix} - \begin{matrix} 임대용 \ 부동산의 \\ 건설비 \ 상당액 \ 적수 \end{matrix} \right) \times \frac{1}{365} \times$$
$$\begin{matrix} 정기예금 \\ 이자율 \end{matrix} - \begin{matrix} 해당 \ 과세기간의 \ 임대사업부분에서 \\ 발생한 \ 금융수익의 \ 합계액 \end{matrix}$$

㉮ 적수란 매일의 임대보증금 잔액을 합산한 것을 말한다. 건설비상당액은 건축물의 취득가액을 말하며 토지가액과 감가상각누계액은 제외한다.

[1]
부동산의 등기 여부에 불문하고 부동산 임대소득으로 과세된다.

[2] 공장재단
공장에 속하는 토지와 공작물 · 기계 · 기구 · 기타 부속물 및 권리의 일부 또는 전부로써 이루어진 재단을 말한다.

[3] 광업재단
광물을 채굴 · 취득하기 위하여 각종 설비 및 부속되는 사업의 설비로 구성된 재단을 말한다.

[4] 광업권
광구에서 등록을 한 광물과 이와 동일광산 중에 부존하는 다른 광물을 채굴 및 취득하는 권리를 말한다.

[5] 조광권
타인의 광구에서 광물을 채굴하고 취득하는 권리를 말한다.

[6] 덕대
광업권자로부터 광물의 채굴에 관한 권리를 임차 받은 사람을 말한다.

[7]
광업권자 등이 자본적 지출이나 수익적 지출을 제공하고 덕대나 분덕대로부터 분철료를 받는 경우는 일반사업소득으로 과세한다.
▶ 분덕대: 덕대로부터 다시 채굴권을 임차한 사람
▶ 채굴권: 광물을 채굴하고 취득하는 권리

[8]
월수는 계약기간개시일이 속하는 달이 1개월 미만인 경우는 1개월로 하고 계약종료일이 속하는 달이 1개월 미만인 경우에는 산입하지 않는다(초월산입 말월불산입).

ⓑ 차감하는 금융수익의 합계액은 장부나 증빙서류에 의하여 확인되는 임대보증금으로 취득한 자산으로부터 발생하는 수입이자·할인료 및 배당금을 말한다(법인세와 달리 신주인수권처분이익과 유가증권처분이익은 차감하지 않음).

ⓑ 추계신고 또는 추계조사결정하는 경우(주택과 그 부수토지의 임대는 제외)

$$간주임대료 = \frac{해당\ 과세기간의}{보증금\ 등의\ 적수} \times \frac{1}{365} \times 정기예금이자율$$

ⓒ 관리비

ⓐ 부동산을 임대하고 임대료 외에 유지비와 관리비 등의 명목으로 지급받는 금액이 있는 경우 그 유지비와 관리비를 총수입금액에 산입한다.

ⓑ 다만, 전기료·수도료 등의 공공요금은 총수입금액에 산입하지 아니하되 공공요금의 명목으로 지급받은 금액이 실제 공공요금 납부액을 초과할 때는 그 초과금액을 총수입금액에 산입한다.

ⓓ 주택의 임대보증금 등에 대한 특례: 거주자가 3주택❶ 이상을 소유하고 주택과 그 부수토지를 임대하고 받은 보증금 등의 합계액이 3억 원을 초과하는 경우에는 간주임대료를 총수입금액으로 계산한다.

> 📥 **심화** | **주택의 간주임대료 계산**
>
> **1. 추계의 경우**
>
> | (보증금 − 3억 원❷)의 적수 × 60% × 정기예금이자율 × 1/365 |
> | --- |
>
> **2. 추계 외의 경우**
>
> | (보증금 − 3억 원❷)의 적수 × 60% × 정기예금이자율 × 1/365 − 금융수익 |
> | --- |

④ 「소득세법」과 법인세의 차이

1. 가사관련경비

가사관련경비란 다음에 해당하는 것을 말하며 필요경비로 산입하지 않는다.

(1) 사업자가 가사와 관련하여 지출하였음이 확인되는 경비

직계존비속에게 주택을 무상으로 사용하게 하고 직계존비속이 해당 주택에 실제로 거주하는 경우에는 부당행위계산으로 보지 않으나 주택에 관련된 경비는 가사와 관련하여 지출된 경비로 본다.

❶ **3주택**

3주택을 판단할 때 주거용으로 사용되는 면적이 1호 또는 1세대당 40m² 이하인 주택으로 해당 과세기간의 기준시가가 2억 원 이하인 주택은 주택 수에서 제외한다.

❷

3억 원을 차감할 때 보증금을 받은 주택이 2주택 이상인 경우에는 보증금의 적수가 가장 큰 주택의 보증금부터 순차적으로 차감한다.

(2) 초과인출금이자

사업용 자산의 합계액이 부채(충당금 및 준비금을 제외)의 합계액에 미달하는 경우에 그 미달하는 금액에 상당하는 부채의 지급이자로서 다음의 계산한 금액은 가사관련경비로 보아 필요경비로 산입하지 않는다.

$$지급이자 \times \frac{당해\ 과세기간중\ 부채의\ 합계액이\ 사업용\ 자산의\ 합계액을\ 초과하는\ 금액(초과인출금)의\ 적수}{당해과세기간\ 중\ 차입금의\ 적수}$$

2. 지급이자 필요경비불산입

(1) 지급이자 부인순서

법인세	소득세
① 채권자불분명 사채이자	① 채권자불분명 사채이자
② 비실명 채권·증권이자	② 건설자금이자
③ 건설자금이자	③ 초과인출금 지급이자
④ 업무무관자산 등에 대한 지급이자	④ 업무무관자산에 대한 지급이자[1]

(2) 「법인세법」과 차이

① 지급이자의 필요경비불산입 규정을 적용함에 있어서 서로 다른 이자율이 적용되는 이자가 함께 있는 경우에는 높은 이자율이 적용되는 것부터 먼저 필요경비에 산입하지 아니한다(법인세는 평균 이자율을 적용하여 손금불산입을 적용).

② 일반차입금에 대한 건설자금이자는 자본화를 할 수 없다(법인세는 일반차입금에 대한 건설자금이자를 자본화할 수 있음).

(3) 업무무관자산에 대한 지급이자 필요경비불산입

① 사업자가 그 업무와 관련없이 자산을 취득하기 위하여 차입한 금액에 대한 지급이자는 필요경비에 산입하지 않는다. 업무와 관련없는 자산을 취득하기 위하여 사용된 것이 분명한 이자는 전액 필요경비불산입한다.

② 다만, 차입금이 업무와 관련없는 자산을 취득하기 위하여 사용되었는지의 여부가 불분명한 경우에는 필요경비불산입되는 이자를 다음과 같이 계산한다.

$$필요경비불산입\ 이자 = 지급이자 \times \frac{업무무관자산의\ 적수}{차입금의\ 적수}$$

3. 유형자산 등의 처분손익

(1) 원칙

소득원천설에 따라 일시적으로 발생하는 유형자산이나 유가증권 등의 처분손익을 총수입금액이나 필요경비에 산입하지 아니한다. 다만, 유형자산이나 유가증권이 양도소득세 과세대상인 경우에는 양도소득세를 과세한다.

[1]

개인사업자 본인에 대한 업무무관가지급금은 지급이자 필요경비불산입에 해당하지 않는다(인출금에 해당).

(2) 특례

다음의 경우는 사업소득 총수입금액과 필요경비로 인정된다.

① 시설개체·기술낙후로 인한 생산설비❶의 처분손실

    ㉠ 폐기손실은 필요경비에 산입하지 않는다.

    ㉡ 생산설비의 장부가액과 처분가액의 차액(처분손실)은 필요경비에 산입할 수 있다.

② 사업의 폐지 또는 사업장의 이전으로 임대차계약에 따라 임차한 사업장의 원상회복을 위하여 시설물을 철거하는 경우의 처분손실은 필요경비에 산입할 수 있다.

③ 복식부기의무자가 사업용 유형자산의 양도가액을 총수입금액에 산입한 경우 해당 사업용 유형자산의 양도 당시 장부가액(양도소득세 과세대상 자산 제외)을 필요경비에 산입한다.

❶ **생산설비**

생산에 사용하는 설비(기계장치 등)를 말한다.

> ⊞ **심화 │ 유형자산 등의 감가상각시부인**
>
> 1. **유형자산을 처분하는 경우 감가상각시부인**: 과세기간 중에 양도하는 자산에 대해서 감가상각시부인 계산을 하여야 한다. 처분할 때까지 월수에 따라 계산하여 상각하며 1개월 미만의 월수는 1개월로 한다(법인세의 경우 양도하는 유형자산의 감가상각시부인은 하지 않음).
> 2. **양도하는 유형자산의 상각부인액**: 양도하는 유형자산에 감가상각부인이 존재하는 경우에는 추인의 과정없이 소멸한다. 단, 위 (2) 특례에 해당하는 경우에는 필요경비산입으로 추인되어 소멸한다.

---

4. 업무용 승용차 관련비용의 특례규정

(1) 적용대상

복식부기의무자

(2) 업무사용금액 계산

법인세와 달리 업무전용자동차보험 가입의무가 없으므로 다음과 같이 계산한다.

> 업무사용금액 = 업무승용차관련비용 × 업무사용비율

(3) 부동산임대업을 주업으로 하는 특정법인에 대한 규정은 소득세에서는 적용하지 않는다.

(4) 복식부기의무자, 성실신고확인대상자, 의료업·수의업·약사업 및 변호사·공인회계사·세무사업 등 전문직 사업을 영위하는 사람의 업무용 승용차 중 사업자별로 1대를 제외한(공동사업장의 경우는 1사업자로 보아 1대를 제외) 나머지 승용차는 보험에 가입한 경우 업무사용비율을 모두 비용으로 인정하며 보험가입을 하지 않은 경우에는 업무사용비율의 50%❶까지 비용으로 인정한다.

(5) 그 외 나머지 규정은 법인세와 동일하다.

❶ **업무사용비율**

1. **2023년 12월 31일까지**: 성실신고확인대상자, 의료업·수의업·약사업·전문자격사업은 업무사용비율의 50%까지 인정한다. 복식부기의무자는 업무사용비율 전부를 인정한다.
2. **2024년 1월 1일 이후**: 성실신고확인대상자, 의료업·수의업·약사업·전문자격사업 및 복식부기의무자는 업무사용비율을 전액 필요경비로 인정하지 않는다. 다만, 성실신고확인대상자, 의료업·수의업·약사업·전문자격사업 외의 복식부기의무자는 2024년과 2025년까지 업무사용비율의 50%를 필요경비로 인정한다.

5. 기부금

(1) 공제대상

사업자의 기본공제대상 배우자 및 부양가족(나이의 제한은 받지 않음)이 지급한 기부금도 해당 사업자의 기부금에 해당하므로 한도 내에서 필요경비로 산입한다. 다만, 그 배우자 및 부양가족이 다른 거주자의 기본공제를 적용받는 경우에는 그러하지 아니한다.

(2) 기부금 범위

① 특례기부금

　　㉠ 「법인세법」에 따른 특례기부금

　　㉡ 특별재난지역을 복구하기 위하여 자원봉사를 한 경우 그 용역의 가액

> 봉사일수(총봉사시간[1] ÷ 8시간)[2] × 5만 원 + 부수 유류비용 · 재료비 등 직접비용[3]

② 우리사주조합기부금(「조세특례제한법」): 우리사주조합원 외의 자가 지출하는 경우 소득금액의 30% 범위에서 필요경비에 산입하거나, 한도 범위에서 기부금세액공제로 공제한다.

> **⊞ 심화 | 우리사주조합원의 기부금**
>
> 우리사주조합원이 우리사주를 취득하기 위하여 우리사주조합에 출자하는 경우에는 해당 연도의 출자금액과 400만 원 중 적은 금액을 해당 연도의 근로소득금액에서 공제한다.

③ 일반기부금

　　㉠ 「법인세법」상 일반기부금

　　㉡ 사회환원기부신탁[4]에 신탁한 금액

　　㉢ 노동조합비 · 교원단체회비 · 공무원직장협의회회비

> **⊞ 심화 | 정치자금기부금(「조세특례제한법」)**
>
> 1. 사업자가 정당에 정치자금을 기부하는 경우 10만 원까지는 기부금액의 100/110을 세액공제(정치자금세액공제)하고 10만 원 초과분은 정치자금기부금으로 필요경비에 산입한다.
> 2. 「법인세법」에서는 정치자금기부금을 비지정기부금으로 보아 손금불산입으로 처리한다.

(3) 필요경비한도 초과액 이월공제

① 특례기부금: 10년

② 우리사주조합기부금: 이월 없음

③ 일반기부금: 10년

---

❶ 개인사업자의 경우 본인의 봉사분만 해당된다.

❷ 소수점 이하는 1일로 본다.

❸ 제공할 당시의 시가 또는 장부가액이다.

❹ **사회환원기부신탁**
위탁자의 신탁재산이 위탁자의 사망 또는 약정한 신탁계약기간의 종료로 인하여 공익법인 등에 기부될 것을 조건으로 거주자가 설정한 신탁을 말한다.

구분	한도액
정치자금기부금	기준소득금액❶ × 100%
특례기부금	
우리사주조합기부금 (우리사주조합 외의 자가 지출하는 경우)	(기준소득금액 − 정치자금 · 특례기부금 필요경비인정액) × 30%
일반기부금	㉠ 종교단체 기부금이 있는 경우 (기준소득금액 − 정치자금 · 특례 · 우리사주조합 기부금 필요경비인정액) × 10% + Min(ⓐ, ⓑ) ⓐ (기준소득금액 − 정치자금 · 특례 · 우리사주조합기부금 필요경비인정액) × 20% ⓑ 종교단체 외 일반기부금 ㉡ 종교단체 기부금이 없는 경우 (기준소득금액 − 정치자금 · 특례 · 우리사주조합 기부금 필요경비인정액) × 30%

> **참고**
>
> **현물기부금 차이**
>
> | 구분 | 법인세 | 소득세 |
> |---|---|---|
> | 특례기부금, 특수관계인 외의 자에 대한 일반기부금 | 장부가액 | Max(시가, 장부가액) |
> | 특수관계인에 대한 일반기부금, 비지정기부금 | Max(시가, 장부가액) | |

6. 기업업무추진비❷

(1) 사업장별 한도계산

2개 이상의 사업장이 있는 사업자가 사업장별로 감면을 달리 적용받아 사업장별 거래내용이 구분될 수 있도록 기록한 경우에는 다음과 같이 한도액을 계산한다.

> 각 사업장별 기업업무추진비 한도액 ① + ②
>
> ① 1,200만 원(중소기업 3,600만 원) × $\dfrac{월수}{12}$ × $\dfrac{각\ 사업장의\ 당기\ 수입금액}{각\ 사업장의\ 당기\ 수입금액\ 합산액}$
>
> ② 각 사업장의 당기 수입금액 × 적용률

(2) 중소기업 판단

중소기업의 해당 여부는 주업종(수입금액이 가장 큰 업종)에 의하여 판단하고, 월수는 가장 긴 사업장의 월수를 기준으로 한다.

(3) 수입금액

추계조사받은 사업장의 수입금액은 없는 것으로 하며 각 사업장별로 기업업무추진비가 초과와 미달이 나오는 경우 통산하지 않는다.

> **⊞ 심화 | 법인세와 차이**
>
> 1. **적격증명서류:**「법인세법」은 임직원 개인명의 신용카드를 적격증명서류로 보지 않는다. 다만, 「소득세법」은 종업원 개인명의 신용카드를 사용하여 접대하고 매출전표를 수취한 경우 업무와 관련하여 지출한 것이 확인되는 경우에는 적격증명서류로 인정된다.
> 2. **부동산임대업 등 특정법인:**「법인세법」은 부동산임대업 등 특정법인에 대하여 기업업무추진비 한도를 50%로 감소하고 있다. 하지만 「소득세법」에서는 부동산임대업 등 특정법인에 대한 기업업무추진비의 한도 감소를 적용하지 않는다.

7. 그 외 법인세와 소득세의 차이

구분	법인세	소득세
인건비	대표자인건비 손금인정	① 사업자(대표자)의 인건비는 필요경비불산입에 해당❶ ② 사업에 종사하는 가족인건비 필요경비 인정
퇴직급여충당금	대표자도 퇴직급여충당금 설정대상에 해당	사업자(대표자)와 사업에 종사하지 않는 사업자 가족은 퇴직급여충당금 설정대상에 해당하지 않음
이자·배당	익금(수입배당금익금불산입)	이자 또는 배당소득으로 과세(사업소득 총수입금액 불산입)
대손충당금	① 대여금 포함 ② 유형자산처분미수금 포함	① 대여금 제외(금융업은 제외) ② 사업의 수익과 관련없는 미수금 등은 설정대상에 해당하지 않음
일시상각충당금	① 국고보조금 ② 공사부담금 ③ 보험차익 결산조정과 신고조정 가능	① 국고보조금 ② – ③ 보험차익 결산조정만 가능
재고자산 가사용 또는 종업원·타인 제공	규정 없음(부당행위계산부인 적용시 익금산입)	① 시가: 총수입금액 산입 ② 원가: 필요경비 산입
자산수증이익	익금 인정(이월결손금보전 충당시 익금불산입)	① 사업관련 자산수증이익: 총수입금액산입 (이월결손금보전 충당시 총수입금액 불산입)❷ ② 사업무관 증여세 과세
외화자산·부채	① 환산손익 인정 ② 상환손익 인정	① 환산손익 인정하지 않음 ② 상환손익 인정
자산평가이익	법률에 의한 유형·무형자산평가증 인정	인정하지 않음

❶ 본인의 건강보험료·노인장기요양보험료

필요경비 인정(직장가입자·지역가입자 상관없음. 국민연금은 연금보험료 공제받으므로 필요경비 불산입)한다.

🏛 기출 OX

01 대손충당금과 상계한 대손금 중 회수된 금액은 그 회수한 날이 속하는 과세기간의 총수입금액에 산입한다. (○) 15. 7급

02 법인기업의 대표이사가 법인으로부터 급여를 받는 경우 그 법인기업은 대표이사에게 지급한 급여에 대하여 손비로 인정받을 수 있다. (○) 10. 7급

❷ 복식부기의무자의 국고보조금은 제외한다.

5 총수입금액과 필요경비의 귀속연도

총수입금액과 필요경비의 귀속연도는 권리의무확정주의에 따라 그 총수입금액과 필요경비가 확정된 날이 속하는 다음의 과세기간으로 한다.

구분	수입시기
상품 등의 판매	① 인도한 날 ② 건설업과 부동산개발 및 공급업의 부동산의 경우는 대금을 청산한 날. 단, 대금청산 전에 이전등기·등록하거나 사용·수익하는 경우는 그 등기·등록일 또는 사용·수익일로 한다.
상품 등의 시용판매	상대방이 구입의사를 표시한 날
상품 등의 위탁판매	수탁자가 그 위탁품을 판매하는 날
장기할부조건의 상품 등 판매	① 원칙: 인도한 날 ② 예외: 회수기일도래기준, 현재가치평가(「소득세법」에서는 중소기업의 장기할부판매에 대하여 회수기일도래기준으로 신고조정하는 것은 불가능)
금융·보험에서 발생하는 이자 및 할인액	실제로 수입된 날
자산의 임대하거나 지역권·지상권을 설정하여 발생하는 소득	① 계약 또는 관습에 따라 지급일이 정해진 것: 그 정해진 날 ② 계약 또는 관습에 따라 지급일이 정해지지 않은 것: 그 지급을 받은 날 ③ 임대차계약 및 지역권·지상권 설정에 관한 쟁송(미지급임대료 및 미지급지역권·지상권의 설정대가의 청구에 관한 쟁송을 제외)에 대한 판결·화해 등으로 인하여 소유자 등이 받게 되어 있는 이미 경과한 기간에 대응하는 임대료상당액(지연이자와 그 밖의 손해배상금을 포함): 판결·화해 등이 있는 날. 다만, 임대료에 관한 쟁송의 경우에 그 임대료를 변제하기 위하여 공탁된 금액에 대하여는 위 ①에 따른 날로 한다.
건설·제조 기타용역의 제공	① 장기 건설 등(1년 이상): 진행기준 ② 단기 건설 등(1년 미만): 용역제공을 완료한 날(목적물을 인도하는 경우에는 목적물을 인도한 날). 단, 결산서에 계상한 경우 진행기준을 인정한다(중소기업이 단기 건설에 대하여 신고조정으로 인도기준을 적용하는 것은 인정하지 않음).
인적용역의 제공	용역대가를 지급받기로 한 날 또는 용역제공을 완료한 날 중 빠른 날. 다만, 연예인 및 직업운동 선수 등이 계약기간 1년을 초과하는 일신전속계약에 대한 대가를 일시에 받는 경우에는 계약기간에 따라 해당 대가를 균등하게 안분한 금액을 각 과세기간종료일에 수입한 것으로 하며, 월수의 계산은 해당 계약기간의 개시일이 속하는 달이 1개월 미만인 경우는 1개월로 하고 해당 계약기간의 종료일이 속하는 달이 1개월 미만인 경우에는 이를 산입하지 않는다.

무인판매기에 의한 판매	무인판매기에서 현금을 인출하는 때
어음의 할인	그 어음의 만기일(다만, 만기 전에 어음을 양도하는 경우에는 그 양도일로 함)
위에 해당하지 않는 자산의 매매	대금을 청산한 날, 소유권이전등기·등록일, 사용수익일 중 빠른 날로 한다.
금전등록기를 설치·사용한 사업자	영수증을 작성·교부할 수 있는 사업자가 금전등록기를 설치·사용한 경우에는 위 규정에도 불구하고 해당 과세기간에 수입한 금액의 합계액에 따라 총수입금액을 계산할 수 있다.

사례로 이해 UP

인적용역의 제공

연예인 甲이 2022년 10월 21일 A사와 2년 전속계약을 하고, 용역대가 24억 원을 계약체결일에 일시에 지급받은 경우 총수입금액
1. 2022년 사업소득 총수입금액: 24억 원 × 3/24 = 3억 원
2. 2023년 사업소득 총수입금액: 24억 원 × 12/24 = 12억 원
3. 2024년 사업소득 총수입금액: 24억 원 × 9/24 = 9억 원

6 금전 외의 것을 수입하는 경우 총수입금액의 계산

거주자의 각 소득에 대한 총수입금액의 계산은 해당 과세기간에 수입하였거나 수입할 금액의 합계액으로 한다. 이 경우 금전 외의 것을 수입할 때에는 그 수입금액을 그 거래당시의 가액에 의하여 계산한다.

1. 제조업자·생산업자 또는 판매업자로부터 그 제조·생산 또는 판매하는 물품을 인도받은 때

그 제조업자·생산업자 또는 판매업자의 판매가액

2. 제조업자·생산업자 또는 판매업자가 아닌 자로부터 물품을 인도받은 때

시가

3. 법인으로부터 이익배당으로 받은 주식

액면가액

4. 주식의 발행법인으로부터 신주인수권을 받은 때

신주인수권에 의하여 납입한 날의 신주가액에서 당해 신주의 발행가액을 공제한 금액

5. 그 밖의 경우

「법인세법」상 부당행위계산의 부인여부 판정시 기준이 되는 시가

7 사업소득의 과세방법

1. 사업소득에 대한 원천징수

(1) 원천징수 대상소득

사업소득에 대하여는 원천징수를 하지 않지만 부가가치세가 면세되는 다음의 인적용역의 경우는 수입금액의 3%를 원천징수를 하고 있다.

① 의료보건용역

② 저술가·작곡가 등 일정한 자가 직업상 제공하는 인적용역(접대부·댄서와 이와 유사한 용역은 5%의 세율로 원천징수함)❶

(2) 원천징수의무자❷

(1)의 소득을 지급하는 자로서 다음에 해당하는 자로 한정한다.

① 개인사업자

② 법인, 국가·지방자치단체·지방자치단체조합, 법인으로 보는 단체

(3) 원천징수세액

원천징수의무자는 원천징수대상 사업소득을 지급하는 경우 다음의 세액을 원천징수하여 그 징수일(지급일)이 속하는 달의 다음달 10일까지 납부하여야 한다.

> 사업소득에 대한 원천징수세액 = 수입금액 × 3%(봉사료의 경우 5%)

2. 사업소득에 대한 연말정산

(1) 사업소득 중 간편장부대상자에 해당하는 보험모집인과 방문판매원·후원방문판매원 그리고 음료품배달원에 한하여 연말정산을 할 수 있다. 다만, 방문판매원·후원방문판매원, 음료품배달원의 경우에는 원천징수의무자가 사업장 관할세무서장에게 연말정산신청을 하는 경우에만 해당한다.

(2) 원천징수의무자는 해당 과세기간의 다음 연도 2월분의 사업소득을 지급할 때(2월분의 사업소득을 2월 말일까지 지급하지 않거나 2월분의 사업소득이 없는 경우에는 2월 말일로 함)또는 해당 사업자와의 거래계약을 해지하는 달의 사업소득을 지급할 때에 추가로 납부하여야 할 세액에 대하여 원천징수한다.

3. 봉사료에 대한 원천징수

봉사료란 사업자(법인을 포함)가 다음에 해당하는 용역을 제공하고 그 공급가액과 함께 용역을 제공하는 자의 봉사료를 계산서·세금계산서·영수증 또는 신용카드 매출전표 등에 그 공급가액과 구분하여 적는 경우로서 그 구분하여 적은 봉사료금액이 공급가액의 100분의 20을 초과하는 경우의 봉사료를 말한다.

❶
계약기간 3년 이하의 거주자인 외국인 직업운동가는 20%를 원천징수한다.

❷ 원천징수의무자
원천징수의무는 일반개인, 개인사업자, 법인, 국가·지방자치단체·지방자치단체조합, 법인으로 보는 단체 등 소득을 지급하는 자는 원천징수의무가 있다. 다만, 사업소득의 지급자가 원천징수하는 경우에는 일반개인에게는 원천징수의무를 지지 않도록 하고 있다.

(1) 음식 · 숙박용역

(2) 안마시술소 · 이용원 · 스포츠마사지업소 및 그 밖에 이와 유사한 장소에서 제공하는 용역

(3) 과세유흥장소에서 제공하는 용역

4. 납세조합징수

(1) 개념

납세조합은 「소득세법」에서 정한 일정한 자들이 납세의 편의를 도모하기 위하여 조직한 단체를 말한다.

(2) 납세조합을 조직할 수 있는 거주자

① 농 · 축 · 수산물 판매업자(복식부기의무자는 제외)

② 노점상인

③ 기타 국세청장이 필요하다고 인정하는 사업자

④ 원천징수제외대상 근로소득이 있는 자

(3) 납세조합의 조직

납세조합을 조직하고자 하는 자는 법에 정한 요건을 갖추어 납세조합 관할세무서장을 거쳐 지방국세청장의 승인을 얻어야 한다.

(4) 징수 · 납부

① 납세조합은 소득세를 징수할 때 각 조합원의 매월분 소득에 12를 곱한 금액에 종합소득공제를 적용한 금액에 기본세율을 적용하여 계산한 세액의 12분의 1을 매월분의 소득세로 하여 세액공제와 납세조합공제를 적용한 금액을 징수한다. 이 경우에 1개월 미만의 끝수가 있을 때에는 1개월로 본다.

② 사업자가 조직한 납세조합이 그 조합원에 대한 매월분의 소득세를 징수할 때에는 그 세액의 5%에 해당하는 금액을 공제하고 징수한다(납세조합공제).

③ 공제하는 금액은 연 100만 원(해당 과세기간이 1년 미만이거나 해당 과세기간의 근로제공기간이 1년 미만인 경우에는 100만 원에 해당 과세기간의 월수 또는 해당 과세기간의 근로제공월수를 곱하고 이를 12로 나누어 산출한 금액을 말한다)을 한도로 한다.

④ 납세조합은 징수한 매월분의 소득세를 징수일이 속하는 달의 다음달 10일까지 납세조합 관할세무서, 한국은행 또는 체신관서에 납부하여야 한다.

01

「소득세법」상 사업소득으로 과세되는 소득유형으로 옳지 않은 것은?

2015년 9급

① 가구 내 고용활동에서 발생하는 소득
② 연예인이 사업 활동과 관련하여 받는 전속계약금
③ 공익사업 관련 지역권을 대여함으로써 발생하는 소득
④ 계약에 따라 그 대가를 받고 연구 또는 개발 용역을 제공하는 연구개발업에서 발생하는 소득

01
공익사업 관련 지역권·지상권의 설정과 대여함으로써 발생하는 소득은 기타소득은 해당한다.

02

「소득세법」상 소득의 종류가 나머지와 다른 것은?

2007년 7급

① 법령의 규정에 따른 공동사업에서 발생한 소득금액 중 출자공동사업자에 대한 손익분배비율에 상당하는 금액
② 금융업자가 대출과 관련하여 받는 이자
③ 가사서비스업에서 발생하는 소득
④ 운수업 및 통신업에서 발생하는 소득

02
법령의 규정에 따른 공동사업에서 발생한 소득금액 중 출자공동사업자에 대한 손익분배비율에 상당하는 금액은 배당소득으로 과세한다.

✔ 오답체크

②, ③, ④ 사업소득에 해당한다.

03

「소득세법」상 거주자가 과세기간에 지급하였거나 지급할 금액 중 사업소득금액을 계산할 때 필요경비에 산입하지 않는 것은 모두 몇 개인가?

2013년 9급

| ㄱ. 업무와 관련하여 중대한 과실로 타인의 권리를 침해한 경우에 지급되는 손해배상금 |
| ㄴ. 조세에 관한 법률에 따른 징수의무의 불이행으로 인하여 납부하였거나 납부할 금액 |
| ㄷ. 부가가치세 간이과세자가 납부한 부가가치세액 |
| ㄹ. 선급비용 |
| ㅁ. 법령에 따른 의무의 불이행에 대한 제재로서 부과되는 공과금 |

① 2개
② 3개
③ 4개
④ 5개

03
필요경비불산입 항목은 4개(ㄱ, ㄴ, ㄹ, ㅁ)이다.

✔ 오답체크

ㄷ. 부가가치세 간이과세자가 납부한 부가가치세액을 제외하고 모두 필요경비불산입 항목에 해당한다.

정답 01 ③ 02 ① 03 ③

04 법인기업과 개인기업의 세법상 차이에 관한 설명으로 옳지 않은 것은?

2010년 7급

① 개인기업의 소득에 대하여는 종합소득세가 과세되나, 법인기업에 대해서는 법인세가 과세된다.

② 개인기업이 기계장치를 폐기하는 경우에는 그 폐기손실을 필요경비로 산입할 수 있다.

③ 법인기업의 대표이사가 법인으로부터 급여를 받는 경우 그 법인기업은 대표이사에게 지급한 급여에 대하여 손비로 인정받을 수 있다.

④ 법인기업의 경우 사업용 유형자산(부동산 포함)을 양도하여 얻은 이익이 있는 경우 법인세가 과세되며, 또 일부 부동산에 대하여서는 양도소득에 대한 법인세도 추가하여 과세된다.

04
개인기업이 시설개체 · 기술낙후 사유로 인한 생산설비인 기계장치를 폐기하는 경우에 그 폐기시에는 필요경비로 산입되지 않고 처분시에 처분가액과 장부가액의 차액을 필요경비로 산입할 수 있다.

05 「소득세법」상 사업소득의 총수입금액에 포함되지 않는 것은?   2009년 9급

① 사업과 관련하여 당해 사업용 자산의 손실로 인하여 취득하는 보험차익

② 관세환급금 등 필요경비로 지출된 세액이 환입되었거나 환입될 경우에 그 금액

③ 이월결손금의 보전에 충당된 자산수증이익

④ 거래상대방으로부터 받는 장려금

05
이월결손금에 보전하는 금액은 총수입금액에 산입하지 아니한다.

06 「소득세법」상 대손충당금에 대한 설명으로 옳지 않은 것은?   2015년 7급

① 필요경비에 산입하는 대손충당금은 해당 과세기간종료일 현재의 외상매출금 · 미수금, 그 밖에 사업과 관련된 채권의 합계액(채권 잔액)의 100분의 1에 상당하는 금액과 채권 잔액에 대손실적률을 곱하여 계산한 금액 중 적은 금액으로 한다.

② 대손충당금과 상계한 대손금 중 회수된 금액은 그 회수한 날이 속하는 과세기간의 총수입금액에 산입한다.

③ 대손실적률은 당해 과세기간의 대손금을 직전과세기간 종료일 현재의 채권 잔액으로 나누어 계산한다.

④ 「소득세법」에 따라 필요경비에 산입한 대손충당금의 잔액은 다음 과세기간의 소득금액을 계산할 때 총수입금액에 산입한다.

06
필요경비에 산입하는 대손충당금은 해당 과세기간종료일 현재의 외상매출금 · 미수금, 그 밖에 사업과 관련된 채권의 합계액(채권 잔액)의 100분의 1에 상당하는 금액과 채권 잔액에 대손실적률을 곱하여 계산한 금액 중 큰 금액으로 한다.

07 소득세법령상 제조업을 영위하는 복식부기의무자인 거주자 甲의 2023년도 사업소득금액의 계산에 대한 설명으로 옳은 것은? (단, 소득세를 최소화한다고 가정한다)

2022년 7급

① 2023년 말 현재 외상매출금 100,000,000원과 금전소비대차거래로 인한 대여금 30,000,000원의 합계액 130,000,000원에 대해 100분의 1과 대손실적률 100분의 2를 곱하여 계산한 금액 중 큰 금액인 2,600,000원을 대손충당금으로 필요경비에 산입하였다.

② 2023년 중 사업용 유형자산에 대한 자본적 지출에 해당하는 수선비 5,000,000원을 필요경비로 계상하면서 이 금액 중 상각범위액을 초과하는 금액 1,000,000원을 필요경비에 산입하지 아니하였다.

③ 2023년 9월 중 재고자산(매입가격 1,200,000원, 시가 1,800,000원)을 가사용으로 소비하였으므로 시가 1,800,000원을 총수입금액에 산입하고 매입가격 1,200,000원을 필요경비에 산입하였다.

④ 2023년에 「국민건강보험법」에 의한 직장가입자로서 부담하는 사용자 본인 甲의 보험료 3,000,000원과 甲의 사업장에서 근무하는 아들 乙에 대한 「국민건강보험법」, 「고용보험법」에 의하여 사용자로서 부담하는 보험료 2,500,000원이 지출되었으나 아들 乙에 대한 보험료 2,500,000원만을 필요경비에 산입하였다.

07

✓ 오답체크

① 대여금은 사업소득이 아닌 이자소득이 발생하는 채권으로 대손충당금 설정대상에 해당하지 않는다.

② 수선비 금액이 600만 원에 미달하므로 즉시상각의제를 적용하지 않고 비용으로 인정된다. 따라서 상각범위액의 초과액과 상관없이 필요경비로 인정된다.

④ 사용자 甲 본인에 대한 건강보험료도 필요경비에 해당된다.

정답 07 ③

04 근로소득·연금소득·기타소득

1 근로소득

1 범위

근로소득은 해당 과세기간에 발생한 다음의 소득으로 한다.

1. 근로를 제공함으로써 받는 봉급·급료·보수·세비·임금·상여·수당과 이와 유사한 성질의 급여

2. 법인의 주주총회·사원총회 또는 이에 준하는 의결기관의 결의에 따라 상여로 받는 소득

3. 「법인세법」에 따라 상여로 처분된 금액(인정상여)

4. 퇴직함으로써 받는 소득으로서 퇴직소득에 속하지 아니하는 소득

5. 종업원 등 또는 대학의 교직원 또는 대학과 고용관계 있는 학생이 지급받는 직무발명보상금●(퇴직 후에 지급받는 경우는 기타소득으로 과세). 직무발명보상금이란 다음과 같다.

(1) 종업원·법인의 임원 또는 공무원이 사용자·법인 또는 국가나 지방자치단체로부터 받는 보상금

(2) 대학의 교직원 또는 대학과 고용관계 있는 학생이 소속 대학에 설치된 산학협력단으로부터 받는 보상금

2 근로소득에 포함되는 것

근로소득에는 다음의 소득이 포함되는 것으로 한다.

1. 기밀비(판공비를 포함)·교제비 기타 이와 유사한 명목으로 받는 것으로서 업무를 위하여 사용된 것이 분명하지 아니한 급여

2. 종업원이 받는 공로금·위로금·개업축하금·학자금·장학금(종업원의 수학 중인 자녀가 사용자로부터 받는 학자금·장학금을 포함) 기타 이와 유사한 성질의 급여

3. 근로수당·가족수당·전시수당·물가수당·출납수당·직무수당 기타 이와 유사한 성질의 급여

4. 보험회사·투자매매업자 또는 투자중개업자 등의 종업원이 받는 집금수당과 보험가입자의 모집, 증권매매의 권유 또는 저축을 권장하여 받는 대가, 그 밖에 이와 유사한 성질의 급여

📖 기출 OX

임원이 퇴직함으로써 받는 소득 중 퇴직소득에 속하지 아니하는 소득은 근로소득에 해당한다. (○)   12. 9급

● 직무발명보상금

「발명진흥법」에 따라 직무발명으로 받는 다음의 보상금을 말한다.
1. 「발명진흥법」에 따른 종업원 등이 사용자등으로부터 받는 보상금
2. 대학의 교직원이 소속대학에 설치된 「산업교육진행 및 산학연혁력촉진에 관한 법률」에 따른 산학협력단으로부터 받는 보상금

5. 급식수당·주택수당·피복수당 기타 이와 유사한 성질의 급여

6. 주택을 제공받음으로써 얻는 이익

7. 종업원이 주택(주택에 부수된 토지를 포함)의 구입·임차에 소요되는 자금을 저리 또는 무상으로 대여받음으로써 얻는 이익

8. 기술수당·보건수당 및 연구수당, 그 밖에 이와 유사한 성질의 급여

9. 시간외근무수당·통근수당·개근수당·특별공로금 기타 이와 유사한 성질의 급여

10. 여비의 명목으로 받는 연액 또는 월액의 급여

11. 벽지수당·해외근무수당 기타 이와 유사한 성질의 급여

12. 종업원이 계약자이거나 종업원 또는 그 배우자 기타의 가족을 수익자로 하는 보험·신탁 또는 공제와 관련하여 사용자가 부담하는 보험료·신탁부금 또는 공제부금

13. 「법인세법」에 따라 손금에 산입되지 아니하고 지급받는 퇴직급여

14. 휴가비 기타 이와 유사한 성질의 급여

15. 퇴직보험·퇴직일시금신탁·보험계약 또는 신탁계약이 해지되는 경우 종업원에게 귀속되는 환급금. 다만, 종업원이 당해 환급금을 지급받는 때에 퇴직금을 미리 정산하여 지급받는 경우에는 그러하지 아니하다.

16. 계약기간 만료 전 또는 만기에 종업원에게 귀속되는 단체환급부보장성보험의 환급금

$$근로소득 = 단체환급부보장성보험의 \ 환급금 \times \frac{납입보험료 \ 중 \ 연 \ 70만 \ 원 \ 이하 \ 금액 \ 합계액}{납입보험료 \ 합계액}$$

17. 법인의 임원 또는 종업원이 당해 법인 또는 당해 법인과 특수관계에 있는 법인으로부터 부여받은 주식매수선택권을 당해 법인 등에서 근무하는 기간 중 행사함으로써 얻은 이익(주식매수선택권 행사 당시의 시가와 실제 매수가액과의 차액을 말하며, 주식에는 신주인수권을 포함)

+ 심화 | 주식매수선택권 행사시점에 따른 소득구분

구분	소득
근무기간 중에 주식매수선택권을 행사하여 얻은 이익	근로소득
퇴직 후에 주식매수선택권을 행사하거나 고용관계 없이 부여받은 주식매수선택권을 행사하여 얻은 이익	기타소득

18. 「공무원수당 등에 관한 규정」 등에 따라 공무원에게 지급되는 직급보조비

19. 공무원이 국가 또는 지방자치단체로부터 공무 수행과 관련하여 받는 상금과 부상

3 근로소득에 포함되지 않는 것

1. 사업자가 그 종업원에게 지급한 경조금 중 사회통념상 타당하다고 인정되는 범위 내의 금액

2. 퇴직급여로 지급되기 위하여 적립되는 급여(근로자가 적립금액 등을 선택할 수 없고 사업장 내의 모든 근로자에게 적용되는 퇴직연금 적립규칙을 설정하고 그 방법을 적용하는 경우로 한정)

> ➕ **심화 │ 퇴직급여로 지급되기 위하여 적립하는 급여의 적립요건**
>
> 다음의 요건을 모두 충족하는 적립방법을 말한다.
> 1. 「근로자퇴직급여 보장법」에 따른 퇴직급여제도의 가입 대상이 되는 근로자(임원을 포함) 전원이 적립할 것
> 2. 적립할 때 근로자가 적립금액을 임의로 변경할 수 없는 적립방식을 설정하고 그에 따라 적립할 것
> 3. 2.의 적립방식이 「근로자퇴직급여 보장법」에 따른 퇴직연금규약·확정기여형퇴직연금규약 또는 「과학기술인공제회법」에 따른 퇴직연금급여사업을 운영하기 위하여 과학기술인공제회와 사용자가 체결하는 계약에 명시되어 있을 것
> 4. 사용자가 퇴직연금계좌에 적립할 것

4 비과세 근로소득

1. 학자금[1]

「초·중등교육법」 및 「고등교육법」에 따른 학교(외국에 있는 이와 유사한 교육기관을 포함)와 「근로자직업능력 개발법」에 따른 직업능력개발훈련시설의 입학금·수업료·수강료, 그 밖의 공납금 중 다음의 요건을 갖춘 학자금(해당 과세기간에 납입할 금액을 한도로 함)을 말한다.

(1) 당해 근로자가 종사하는 사업체의 업무와 관련 있는 교육·훈련을 위하여 받는 것일 것

(2) 당해 근로자가 종사하는 사업체의 규칙 등에 의하여 정하여진 지급기준에 따라 받는 것일 것[2]

(3) 교육·훈련기간이 6월 이상인 경우 교육·훈련 후 당해 교육기간을 초과하여 근무하지 아니하는 때에는 지급받은 금액을 반납할 것을 조건으로 하여 받는 것일 것

2. 실비변상적 성질의 급여

(1) 일직료·숙직료 또는 여비로서 실비변상 정도의 금액

(2) 월 20만 원 이내의 자가운전보조금[종업원이 자산의 차량(부부 공동 명의 차량 포함) 또는 종업원이 본인의 명의로 임차한 차량을 종업원이 직접 운전하여 사용자의 업무수행에 이용하고 시내출장 등에 소요된 실제여비를 받는 대신에 그 소요경비를 당해 사업체의 규칙 등에 의하여 정하여진 지급기준에 따라 받는 금액 중 월 20만 원 이내의 금액]

❶ 학자금

근로자 본인에 대한 학자금에 한하여 비과세를 적용한다. 근로자 가족에 대한 학자금은 해당 요건을 충족할 수 없으므로 과세한다.

❷

사내근로복지기금으로부터 받은 학자금은 고용관계에 따라 받은 금액이 아니므로 근로소득으로 과세하지 않는다. 또한 증여세 비과세 대상에 해당된다.

(3) 법령 · 조례에 의하여 제복을 착용하여야 하는 자가 받는 제복 · 제모 및 제화

(4) 병원 · 시험실 · 금융회사 등 · 공장 · 광산에서 근무하는 사람 또는 특수한 작업이나 역무에 종사하는 사람이 받는 작업복이나 그 직장에서만 착용하는 피복

(5) 「선원법」의 규정에 의한 선원 및 해원(연 240만 원 이내의 초과근로수당에 대한 비과세규정을 적용받는 자와 국외근로대가로 비과세되는 자를 제외)이 받는 월 20만 원 이내의 승선수당, 경찰공무원이 받는 함정근무수당 · 항공수당 및 소방공무원이 받는 함정근무수당 · 항공수당 · 화재진화수당

(6) 광산근로자가 받는 입갱수당 및 발파수당

(7) 다음에 해당하는 자가 받는 연구보조비 또는 연구활동비 중 월 20만 원 **이내의 금액**

① 「유아교육법」, 「초 · 중등교육법」 및 「고등교육법」에 따른 학교 및 이에 준하는 학교(특별법에 따른 교육기관을 포함)의 교원

② 「특정연구기관 육성법」의 적용을 받는 연구기관, 특별법에 따라 설립된 정부출연연구기관, 「지방자치단체출연 연구원의 설립 및 운영에 관한 법률」에 따라 설립된 지방자치단체출연연구원에서 연구활동에 직접 종사하는 자(대학교원에 준하는 자격을 가진 자에 한함) 및 직접적으로 연구활동을 지원하는 자로서 기획재정부령으로 정하는 자

③ 중소기업 또는 벤처기업의 기업부설연구소와 연구개발전담부서(중소기업 또는 벤처기업에 설치하는 것으로 한정)에서 연구활동에 직접 종사하는 자

(8) 방송 · 뉴스통신 · 신문(일반일간신문 · 특수일간신문 및 인터넷신문을 말하며, 해당 신문을 경영하는 기업이 직접 발행하는 정기간행물을 포함)을 경영하는 언론기업 및 방송채널 사용사업에 종사하는 기재(해당 언론기업 및 방송채널사용사업에 상시 고용되어 취재활동을 하는 논설위원 및 만화가를 포함)가 취재활동과 관련하여 받는 취재수당 중 월 20만 원 이내의 금액. 이 경우 취재수당을 급여에 포함하여 받는 경우에는 월 20만 원에 상당하는 금액을 취재수당으로 본다.

(9) 근로자가 기획재정부령이 정하는 벽지에 근무함으로 인하여 받는 월 20만 원 이내의 벽지수당

(10) 근로자가 천재 · 지변 기타 재해로 인하여 받는 급여

(11) 법령 등에 따른 의무 지방이전기관 종사자에게 한시적으로 지급되는 월 20만 원 이내의 이주수당

(12) 종교관련 종사자가 소속 종교단체의 규약 또는 소속 종교단체의 의결기구의 의결 · 승인 등을 통하여 결정된 지급 기준에 따라 종교 활동을 위하여 통상적으로 사용할 목적으로 지급받은 금액 및 금품

(13) 국가 · 지방자치단체가 지급하는 보육교사의 처우개선을 위하여 지급하는 근무환경개선비, 사립유치원 수석교사 · 교사 인건비, 진료과목별 전문의의 수급균형을 유도하기 위하여 전공의에게 지급하는 수련보조 수당

(14) **다음의 기타 실비변상적인 성질의 급여**

① 「선원법」에 의하여 지급하는 식료

② 특수분야에 종사하는 군인이 받는 낙하산강하위험수당 · 수중파괴작업위험수당 · 잠수부위험수당 · 고전압위험수당 · 폭발물위험수당 · 항공수당 · 비무장지대근무수당 · 전방초소근무수당 · 함정근무수당 및 수륙양용궤도차량승무수당, 특수분야에 종사하는 경찰공무원이 받는 경찰특수전술업무수당과 경호공무원이 받는 경호수당

3. 국외 또는 북한지역에서 근로를 제공하고 받는 급여

(1) 국외 또는 북한지역에서 근로를 제공(원양어업선박 또는 국외 등을 항행하는 선박이나 항공기에서 근로를 제공하는 것을 포함)하고 받는 보수 중 월 100만 원[원양어업 선박, 국외 등을 항행하는 선박, 국외 등의 건설현장(설계 및 감리업무 포함) 등에서 근로를 제공하고 받는 보수의 경우에는 월 300만 원 이내의 금액

(2) 공무원(재외공관 행정직원 포함), 한국관광공사, 한국국제협력단의 종사자가 국외 등에서 근무하고 받는 수당 중 해당 근로자가 국내에서 근무할 경우에 지급받을 금액상당액을 초과하여 받는 금액 중 실비변상적 성격의 급여로서 기획재정부장관과 협의하여 고시하는 금액

4. 사용자 부담 보험금[1]

「국민건강보험법」, 「고용보험법」 또는 「노인장기요양보험법」에 따라 국가 · 지방자치단체 또는 사용자가 부담하는 보험료

5. 생산직 근로자 등이 받는 시간 외 근무수당

생산직 및 그 관련 직에 종사하는 근로자 중 월정액급여가 210만 원 이하이고 직전 과세기간의 총급여액이 3,000만 원 이하인 근로자(일용근로자를 포함)로서 연장근로 · 야간근로 또는 휴일근로를 하여 통상임금에 더하여 받는 급여(시간외 근무수당) 중 다음의 금액을 한도로 비과세한다.

(1) 연장근로 · 야간근로 또는 휴일근로를 하여 통상임금에 더하여 받는 급여 중 연 240만 원 이하의 금액(광산근로자 및 일용근로자의 경우에는 해당 급여총액)

(2) 근로자가 「선원법」에 의하여 받는 생산수당(비율급으로 받는 경우에는 월 고정급을 초과하는 비율급) 중 연 240만 원 이내의 금액

❶
사용인 부담분까지 사용자가 대납하는 경우는 근로자가 그 대납액을 급여로 받아서 납부한 것으로 본다.

❶ 식사 · 식사대

1. 식사 기타 음식물과 식사대를 동시에 제공받는 경우에는 식사 기타 음식물 은 비과세에 해당하고 식사대는 전액 을 과세한다.
2. 둘 이상의 회사로부터 식사대를 받은 경우에는 합산하여 월 20만 원 이하 까지 비과세한다.

❷

자녀수에 무관하게 10만 원을 공제한다.

6. 식사 또는 식사대❶

(1) 근로자가 사내급식 또는 이와 유사한 방법(식권 등)으로 제공받는 식사 기타 음식물

(2) 식사 기타 음식물(식권 등)을 제공받지 아니하는 근로자가 받는 월 20만 원 이하 의 식사대

7. 출산 · 보육수당❷

근로자 또는 그 배우자의 출산이나 6세 이하(해당 과세기간개시일을 기준으로 판 단) 자녀의 보육과 관련하여 사용자로부터 받는 급여로서 월 10만 원 이내의 금액

8. 기타

(1) 복무 중인 병(兵)이 받는 급여

(2) 근로소득에 해당하는 직무발명보상금으로 연 500만 원 이하의 금액

(3) 장학금 중 대학생이 근로를 대가로 지급받는 장학금(대학에 재학하는 학생에 한함)

(4) 「국군포로의 송환 및 대우 등에 관한 법률」에 따른 국군포로가 받는 보수 및 퇴직일시금

(5) 법률에 따라 동원된 사람이 그 동원 직장에서 받는 급여

(6) 복리후생적 성질의 급여

① 다음 중 어느 하나에 해당하는 사람이 사택을 제공받음으로써 얻는 이익이다.

    ㉠ 주주 또는 출자자가 아닌 임원

    ㉡ 소액주주❶(주식총액의 1% 미만을 보유)인 임원

    ㉢ 임원이 아닌 종업원

    ㉣ 국가 또는 지방자치단체로부터 근로소득을 지급받는 사람

② 중소기업의 종업원이 주택(주택에 부수된 토지를 포함)의 구입·임차에 소요되는 자금을 저리 또는 무상으로 대여 받음으로써 얻는 이익

③ 종업원이 계약자이거나 종업원 또는 그 배우자 및 그 밖의 가족을 수익자로 하는 보험·신탁 또는 공제와 관련하여 사용자가 부담하는 보험료·신탁부금 또는 공제부금 중 다음의 금액

    ㉠ 단체순수보장성보험과 단체환급부보장성보험의 보험료 중 연 70만 원 이하의 금액

    ㉡ 임직원의 고의(중과실을 포함) 외의 업무상 행위로 인한 손해의 배상청구를 보험금의 지급사유로 하고 임직원을 피보험자로 하는 보험의 보험료

④ 공무원이 국가 또는 지방자치단체로부터 공무 수행과 관련하여 받는 상금과 부상 중 연 240만 원 이내의 금액

(7) 법률에 따라 받는 다음의 급여

① 「산업재해보상보험법」에 따라 수급권자가 받는 요양급여, 휴업급여, 장해급여, 간병급여, 유족급여, 유족특별급여, 장해특별급여, 장의비 또는 근로의 제공으로 인한 부상·질병·사망과 관련하여 근로자나 그 유족이 받는 배상·보상 또는 위자의 성질이 있는 급여

② 「근로기준법」 또는 「선원법」에 따라 근로자·선원 및 그 유족이 받는 요양보상금, 휴업보상금, 상병보상금, 일시보상금, 장해보상금, 유족보상금, 행방불명보상금, 소지품 유실보상금, 장의비 및 장제비

③ 「고용보험법」에 따라 받는 실업급여, 육아휴직 급여, 육아기 근로시간 단축 급여, 출산전후휴가 급여 등, 「제대군인 지원에 관한 법률」에 따라 받는 전직지원금

④ 「국가공무원법」·「지방공무원법」에 따른 공무원 또는 「사립학교교직원 연금법」·「별정우체국법」을 적용받는 사람이 관련 법령에 따라 받는 육아휴직수당

⑤ 「국민연금법」에 따라 받는 반환일시금(사망으로 받는 것만 해당) 및 사망일시금

---

❶
해당 법인의 「법인세법」상 지배주주와 특수관계가 없는 주주로서 주식총액의 1% 미만을 보유한 주주를 소액주주라고 한다.

⑥ 「공무원연금법」, 「군인연금법」, 「사립학교교직원 연금법」 또는 「별정우체국법」에 따라 받는 요양비 · 요양일시금 · 장해보상금 · 사망조위금 · 사망보상금 · 유족보상금 · 유족일시금 · 유족연금일시금 · 유족연금부가금 · 유족연금특별부가금 · 재해부조금 · 재해보상금 또는 신체 · 정신상의 장해 · 질병으로 인한 휴직기간에 받는 급여

(8) 외국정부(외국의 지방자치단체와 연방국가인 외국의 지방정부를 포함) 또는 국제기관에서 근무하는 사람으로서 대한민국 국민이 아닌 사람이 받는 급여. 다만, 그 외국정부가 그 나라에서 근무하는 우리나라 공무원의 급여에 대하여 소득세를 과세하지 아니하는 경우만 해당한다.

(9) 「국가유공자 등 예우 및 지원에 관한 법률」 또는 「보훈보상대상자 지원에 관한 법률」에 따라 받는 보훈급여금 · 학습보조비

(10) 「전직대통령 예우에 관한 법률」에 따라 받는 연금

(11) 작전임무를 수행하기 위하여 외국에 주둔 중인 군인 · 군무원이 받는 급여

(12) 종군한 군인 · 군무원이 전사(전상으로 인한 사망을 포함. 이하 같음)한 경우 그 전사한 날이 속하는 과세기간의 급여

5 근로소득금액 계산

1. 계산구조

근로소득금액
=총급여액(근로소득 - 비과세소득 - 일용근로자 분리과세) - 근로소득공제

2. 근로소득공제

(1) 상용근로자

총급여액	근로소득공제액(한도: 2,000만 원)
500만 원 이하	총급여액 × 70%
500만 원 초과 1,500만 원 이하	350만 원+500만 원 초과액의 40%
1,500만 원 초과 4,500만 원 이하	750만 원+1,500만 원 초과액의 15%
4,500만 원 초과 1억 원 이하	1,200만 원+4,500만 원 초과액의 5%
1억 원 초과	1,475만 원+1억 원 초과액의 2%

① 근로소득공제는 과세기간이 1년 미만이거나 근로기간이 1년 미만인 경우에도 월할계산하지 않는다.

② 총급여액은 비과세소득을 제외한 금액이며 2인 이상으로부터 근로소득을 받는 사람에 대하여는 그 근로소득의 합계액을 총급여액으로 하여 위 표에 따라 계산한 근로소득공제액을 총급여액에서 공제한다.

(2) 일용근로자[1]

① 공제액: 일용근로자에 대한 근로소득공제는 일 15만 원으로 한다.

② 일용근로자의 범위: 근로를 제공한 날 또는 시간에 따라 근로대가를 계산하여 받는 사람으로서 근로계약에 따른 동일한 고용주에게 3개월 이상(건설공사 종사자는 1년, 하역작업 종사자는 근로기간에 제약 없음) 계속하여 고용되어 있지 아니한 사람을 말한다.

6 근로소득의 수입시기

근로소득의 수입시기는 다음에 따른 날로 한다.

1. 급여

근로를 제공한 날[2]

2. 잉여금처분에 의한 상여

당해 법인의 잉여금처분결의일

3. 인정상여

해당 사업연도 중의 근로를 제공한 날. 이 경우 월평균금액을 계산한 것이 2년도에 걸친 때에는 각각 해당 사업연도 중 근로를 제공한 날로 한다.

4. 「소득세법」에 따른 임원 퇴직소득금액 한도초과액

지급받거나 지급받기로 한 날

7 근로소득의 과세방법

1. 원천징수대상 근로소득

(1) 매월분 원천징수

원천징수의무자가 매월분의 근로소득을 지급할 때에는 근로소득 간이세액표에 따라 소득세를 원천징수하여 징수일이 속하는 달의 다음달 10일까지 원천징수 관할세무관서 · 한국은행 또는 체신관서에 납부하여야 한다.

(2) 연말정산

원천징수의무자는 다음에 해당할 때에는 연말정산을 하여 소득세를 원천징수한다.

① 해당 과세기간의 다음연도 2월분 근로소득을 지급할 때(2월분의 근로소득을 2월 말일까지 지급하지 않거나 2월분의 근로소득이 없는 경우에는 2월 말일로 함)

② 퇴직자가 퇴직하는 달의 근로소득을 지급할 때

❶ 일용근로자

일용근로자란 근로를 제공한 날 또는 시간에 따라 근로대가를 계산하거나 근로를 제공한 날 또는 시간의 근로성과에 따라 급여를 계산하여 받는 사람으로서 다음에 규정된 사람을 말한다.

1. 건설공사에 종사하는 자로서 다음의 자를 제외한 자
   ① 동일한 고용주에게 계속하여 1년 이상 고용된 자
   ② 다음의 업무에 종사하기 위하여 통상 동일한 고용주에게 계속하여 고용되는 것
   ㉠ 작업준비를 하고 노무에 종사하는 자를 직접 지휘 · 감독하는 업무
   ㉡ 작업현장에서 필요한 기술적인 업무, 사무, 타자 · 취사 · 경비 등의 업무
   ㉢ 건설기계의 운전 또는 정비업무
2. 하역작업에 종사하는 자(항만 근로자를 포함)로서 다음의 자를 제외한 자
   ① 통상 근로를 제공한 날에 근로대가를 받지 아니하고 정기적으로 근로대가를 받는 자
   ② 다음의 업무에 종사하기 위하여 통상 동일한 고용주에게 계속하여 고용되는 자
   ㉠ 작업준비를 하고 노무에 종사하는 자를 직접 지휘 · 감독하는 업무
   ㉡ 주된 기계의 운전 또는 정비업무
3. 1.과 2. 외의 업무에 종사하는 자로서 근로계약에 따라 동일한 고용주에게 3월 이상 계속하여 고용되어 있지 아니한 자

❷

도급 기타 이와 유사한 계약에 의하여 급여를 받는 경우에 해당 과세기간의 과세표준확정신고기간 개시일 전에 해당 급여가 확정되지 아니한 때에는 그 확정된 날로 한다. 다만, 그 확정된 날 전에 실제로 받은 금액은 그 받은 날로 한다.

(3) 연말정산 후 확정신고

① 근로소득 외에 다른 종합소득이 있는 경우에는 근로소득과 다른 종합소득을 합산하여 확정신고를 하여야 한다.

② 근로소득 외에 다른 종합소득이 없는 경우에는 연말정산으로 납세의무가 종결되므로 확정신고를 하지 않을 수 있다.

(4) 일용직근로자의 원천징수

원천징수의무자가 일용근로자의 근로소득을 지급할 때에는 그 근로소득에 근로소득공제를 적용한 금액에 원천징수세율을 적용하여 계산한 산출세액에서 근로소득세액공제를 적용한 소득세를 원천징수한다. 일용직근로자는 소득의 크기에 상관없이 종합과세대상에 해당하지 않는다. 따라서 원천징수로서 납세의무가 종결되는 분리과세대상에 해당한다.

> 원천징수세액
> = [일급여액 − 근로소득공제(일 15만 원)] × 6% − 근로소득세액공제●

🗳 **기출 OX**

법령으로 정하는 일용근로자의 근로소득은 원천징수는 하지만 종합소득 과세표준을 계산할 때 합산하지는 않는다. (○)   15. 9급

❶
산출세액의 55%를 공제하면 세액공제금액의 한도는 없다.

> **사례로 이해 UP** ↗
>
> **일용직근로자의 1일 원천징수세액**
>
> 일용직근로자가 200,000원을 받는 경우 1일 원천징수세액
> ⇨ (200,000 − 150,000) × 6% × (1 − 55%) × 1일 = 1,350

2. 원천징수 제외대상 근로소득

(1) 원천징수 제외대상 근로소득 범위

① 외국기관 또는 우리나라에 주둔하는 국제연합군(미군은 제외)으로부터 받는 근로소득

② 국외에 있는 비거주자 또는 외국법인(국내지점 또는 국내영업소는 제외)으로부터 받는 근로소득. 다만, 다음 어느 하나에 해당하는 소득은 제외한다.

  ㉠ 비거주자의 국내사업장과 외국법인의 국내사업장의 국내원천소득금액을 계산할 때 필요경비 또는 손금으로 계상되는 소득

  ㉡ 국외에 있는 외국법인(국내지점 또는 국내영업소는 제외)으로부터 받는 근로소득 중 「소득세법」에 따라 소득세가 원천징수되는 파견근로자의 소득

(2) 과세방법

원천징수대상이 되지 아니하므로 종합과세대상이다. 다만, 해당 소득이 있는 근로자가 납세조합을 조직한 경우에는 납세조합이 원천징수와 연말정산을 행하는데 이 경우에는 연말정산으로 납세의무가 종결되므로 다른 종합소득이 없는 경우에는 확정신고하지 아니할 수 있다.

> **참고** ─
>
> **연말정산**
>
> 1. **개념:** 일정 소득의 지급자가 해당 과세기간의 1월부터 12월까지의 소득을 지급할 때마다 원천징수 후 다음연도 2월(공적연금 1월)에 해당과세기간의 1년간 소득지급액에 대하여 정산하는 것이다.
>
> 2. **대상**
>   ① 간편장부대상자인 보험모집인 · 방문판매원 · 음료품배달원 · 후원방문판매원에 대한 사업소득
>   ② 근로소득
>   ③ 공적연금소득
>   ④ 종교인소득
>
> 3. **절차**
>
> | | 총 급 여 액 | |
> |---|---|---|
> | (−) | 근 로 소 득 공 제 | |
> | | 근 로 소 득 금 액 | |
> | (−) | 종 합 소 득 공 제 | |
> | | 과 세 표 준 | |
> | (×) | 세   율 | |
> | | 산 출 세 액 | |
> | (−) | 세 액 공 제 | |
> | | 결 정 세 액 | ⋯ 총 납부하여야 할 세액 |
> | (−) | 기 납 부 세 액 | ⋯ 매월 원천징수한 세액 |
> | | 추 가 징 수 세 액 | |
> | | (또는 환급세액) | |

2 연금소득

1 연금소득의 범위

연금소득은 해당 과세기간에 발생한 다음의 소득으로 한다.

1. 공적연금소득

(1) 「국민연금법」에 따라 받는 각종 연금

(2) 「공무원연금법」, 「군인연금법」, 「사립학교교직원 연금법」 또는 「별정우체국법」에 따라 받는 각종 연금

(3) 「국민연금과 직역연금의 연계에 관한 법률」에 따라 받는 연계노령연금 · 연계퇴직연금

2. 사적연금소득

(1) 다음에 해당하는 금액을 그 소득의 성격에도 불구하고 연금계좌에서 연금형태로 인출(이하 '연금수령'이라 하며, 연금수령 외의 인출은 '연금외수령'이라 함)하는 경우 연금소득으로 과세한다.

① 이연퇴직소득

② 납입시 연금계좌세액공제를 받은 연금계좌납입액

③ 운용수익(연금계좌의 운용실적에 따라 증가된 금액)

④ 그 밖에 연금계좌에 이체 또는 입금되어 해당 금액에 대한 소득세가 이연된 소득으로서 대통령령으로 정하는 소득

(2) 위 ①의 금액을 연금으로 수령하면 연금소득으로 과세하고 연금외수령한 경우에는 퇴직소득으로 과세한다. ②와 ③을 재원으로 받는 소득은 연금으로 수령하면 연금소득으로 과세하고, 연금외수령한 경우에는 기타소득으로 과세한다.

⊞ **심화** | **이연퇴직소득**

퇴직할 때 받는 소득으로 다음에 사유로 원천징수되지 않은 소득을 말한다.
1. 퇴직일 현재 연금계좌에 있거나 연금계좌로 지급되는 경우
2. 퇴직하여 퇴직소득을 지급받은 날부터 60일 이내에 연금계좌에 입금되는 경우

✎ **참고**

연금소득 과세체계

구분		납입연도	수령연도	
			연금수령	연금외수령
공적연금		전액 소득공제	연금소득	퇴직소득
사적연금	이연퇴직소득	과세이연		퇴직소득
	세액공제받은 금액	세액공제		기타소득
	운용수익	과세이연		기타소득

---

2 연금소득금액

연금소득금액＝총연금액 － 연금소득공제

1. 총연금액

연금소득의 합계액을 말한다. 다만, 연금소득에서 제외되는 소득과 비과세 연금소득은 포함하지 않는다.

2. 연금소득공제

연금소득이 있는 거주자에 대하여는 해당 과세기간에 받은 총연금액(분리과세연금소득은 제외)에서 다음 표에 규정된 금액을 공제한다. 다만, 공제액이 900만 원을 초과하는 경우에는 900만 원을 공제한다.

총연금액	공제액
350만 원 이하	총연금액
350만 원 초과 700만 원 이하	350만 원 + (350만 원을 초과하는 금액의 40%)
700만 원 초과 1,400만 원 이하	490만 원 + (700만 원을 초과하는 금액의 20%)
1,400만 원 초과	630만 원 + (1,400만 원을 초과하는 금액의 10%)

3. 공적연금소득

공적연금소득은 2002년 1월 1일 이후에 납입된 연금보험료 및 사용자부담금 또는 2002년 1월 1일 이후 근로의 제공을 기초로 하여 받는 금액에 대하여만 연금소득으로 과세한다. 공적연금소득을 연금수령시에는 연금소득으로, 연금외로 수령시에는 퇴직소득으로 과세한다.

공적연금소득[1] = 과세기준금액 – 과세제외기여금

(1) 과세기준금액(과세기준일 2002년 1월 1일)

$$국민연금과 연계노령연금[2] = 연금수령액 \times \frac{과세기준일\ 이후\ 납입기간의\ 환산소득[3]누계액}{총납입기간의\ 환산소득[3]누계액}$$

(2) 과세제외기여금

과세기준일 이후에 연금보험료공제를 받지 못하고 납입한 기여금 또는 개인부담금을 말한다. 과세제외기여금이 있는 경우에는 과세기준금액에서 과세제외기여금을 뺀 금액을 공적연금소득으로 한다. 이 경우 과세제외기여금이 과세기준금액을 초과하는 경우 초과액은 그 다음 과세기간의 과세기준금액에서 차감한다.

4. 사적연금소득

(1) 연금보험료 납입요건

연금계좌의 가입자는 다음의 요건을 갖추어 연금보험료를 납입할 수 있다.

① 연간 1,800만 원 이내(연금계좌가 2개 이상인 경우에는 그 합계액)의 금액을 납입할 것. 이 경우 해당 과세기간 이전의 연금보험료는 납입할 수 없으나, 보험계약의 경우에는 최종납입일이 속하는 달의 말일부터 3년 2월이 경과하기 전에는 그동안의 연금보험료를 납입할 수 있다.

② 연금수령개시 신청일 이후에는 연금보험료를 납입하지 않을 것

---

[1] 공적연금소득

공적연금소득을 지급하는 자가 연금소득의 일부 또는 전부를 지연하여 지급하면서 지연지급에 따른 이자를 함께 지급하는 경우 해당 이자는 공적연금소득으로 한다.

[2]

그 외 공적연금은 환산소득누계액이 아닌 납입월수로 계산한다.

[3] 환산소득

「국민연금법」에 따라 가입자의 가입기간 중 매년의 기준소득월액을 보건복지부장관이 고시하는 연도별 재평가율에 따라 연금수급 개시 전년도의 현재가치로 환산한 금액을 말한다.

> **참고**
>
> **연금계좌의 범위**
>
> 다음 중 어느 하나에 해당하는 계좌를 말한다.
> 1. **연금저축계좌**: 금융회사 등과의 신탁계약·집합투자증권 중개계약·보험계약에 따라 연금저축이라는 명칭으로 설정하는 계좌를 말한다.
> 2. **퇴직연금계좌**: 퇴직연금을 지급받기 위하여 설정하는 다음 중 어느 하나의 퇴직연금계좌를 말한다.
>   ① 「근로자퇴직급여 보장법」에 따른 확정기여형 퇴직연금제도에 따라 설정하는 계좌 및 개인형퇴직연금제도에 따라 설정하는 계좌
>   ② 「과학기술인공제회법」에 따른 퇴직연금급여를 지급받기 위하여 설정하는 계좌
>   ③ 근로자퇴직급여보장법의 중소기업퇴직연금기금제도에 따라 설정하는 계좌

(2) 연금수령과 연금외수령

① 연금수령요건: 다음의 요건을 모두 갖추거나 의료목적·천재지변이나 그 밖의 부득이한 사유 등 법에 정한 요건을 갖추어 인출하는 것을 말한다.

　㉠ 가입자가 55세 이후 연금계좌취급자에게 연금수령 개시를 신청한 후 인출할 것

　㉡ 연금계좌의 가입일부터 5년이 경과된 후에 인출할 것. 다만, 이연퇴직소득이 연금계좌에 있는 경우에는 그러하지 아니한다.

　㉢ 과세기간개시일(연금수령개시신청일이 속하는 과세기간에는 연금수령개시신청일) 현재 다음의 연금수령한도 이내에서 인출할 것(의료목적이나 부득이한 사유로 인한 인출한 금액은 인출한 금액에 포함하지 않음)

$$연금수령한도^{❶} = \frac{연금계좌의\ 평가액}{(11 - 연금수령연차^{❷})} \times 120\%$$

❶ 연금수령한도

연금수령한도를 초과하여 인출하는 경우 그 초과 금액은 연금외수령한 것으로 본다.

❷ 연금수령연차

최초로 연금수령할 수 있는 날이 속하는 과세기간을 기산연차로 하여 그 다음 과세기간을 누적 합산한 연차를 말하며, 연금수령연차가 11년 이상인 경우에는 그 계산식을 적용하지 아니한다. 다만, 다음의 어느 하나에 해당하는 경우의 기산연차는 다음을 따른다.
1. 2013년 3월 1일 전에 가입한 연금계좌(2013년 3월 1일 전에 「근로자퇴직급여 보장법」에 따른 확정급여형 퇴직연금제도에 가입한 사람이 퇴직하여 퇴직소득 전액이 새로 설정된 연금계좌로 이체되는 경우를 포함)의 경우: 6년차
2. 배우자가 연금계좌를 승계한 경우
　⇨ 사망일 당시 피상속인의 연금수령연차

> **참고**
>
> **의료목적이나 부득이한 사유**
>
> 1. **의료목적인출**: 위 연금수령요건 중 ㉠과 ㉡의 요건을 충족한 연금계좌 가입자가 의료비세액공제대상 의료비(본인을 위한 의료비에 한정)를 연금계좌에서 인출하기 위하여 해당 의료비를 지급한 날부터 6개월 이내에 기획재정부령으로 정하는 증명서류를 연금계좌취급자에게 제출하는 경우. 이 경우 1명당 하나의 연금계좌만 의료비연금계좌로 지정(해당 연금계좌의 연금계좌취급자가 지정에 동의하는 경우에 한정)하여 인출할 수 있다.
> 2. **부득이한 사유의 인출**: 다음 중 어느 하나의 사유가 발생하여 연금계좌에서 인출하려는 사람은 해당 사유가 확인된 날부터 6개월 이내에 그 사유를 확인할 수 있는 서류를 갖추어 연금계좌를 취급하는 금융회사 등에게 제출하는 경우
>   ① 천재지변
>   ② 연금계좌 가입자의 사망 또는 해외이주(다만, 이연퇴직소득을 해외이주에 해당하는 사유로 인출하는 경우에는 해당 퇴직소득을 연금계좌에 입금한 날로부터 3년 이후 해외이주하는 경우에 한하여 연금수령으로 봄)
>   ③ 연금계좌 가입자 또는 그 부양가족(기본공제대상자에 한정)의 질병·부상으로 3개월 이상의 요양이 필요한 경우
>   ④ 연금계좌 가입자가 「채무자 회생 및 파산에 관한 법률」에 따른 파산선고 또는 개인회생절차개시의 결정을 받은 경우

⑤ 연금계좌취급자의 영업정지, 영업 인·허가의 취소, 해산결의 또는 파산선고를 말한다.

⑥ 「재난 및 안전관리 기본법」의 재난(특별재난지역으로 선포된 지역의 재난)으로 인해 가입자가 15일 이상의 입원 치료가 필요한 피해를 입은 경우

② **연금외수령:** 연금수령 외의 인출을 연금외수령이라고 한다. 연금외수령하는 경우 과세이연된 퇴직소득인 경우에는 퇴직소득으로, 그 외에는 기타소득으로 본다.

(3) 연금계좌의 인출순서

① 연금계좌에서 일부 금액이 인출되는 경우에는 다음 순서에 따라 인출되는 것으로 본다. 다만, 인출된 금액이 연금수령한도를 초과하는 경우에는 연금수령분이 먼저 인출되고, 그 다음으로 연금외수령분이 인출되는 것으로 본다.

ㄱ 과세제외금액(과세제외금액은 연금계좌세액공제를 받지 못한 금액)

ㄴ 이연퇴직소득

ㄷ 그 밖에 연금계좌에 있는 금액(연금계좌 납입액 중 세액공제받은 불입액과 연금계좌의 운용실적에 따라 증가된 금액)

② 연금계좌의 운용에 따라 연금계좌에 있는 금액이 원금에 미달하는 경우 연금계좌에 있는 금액은 원금의 인출순서와 반대의 순서로 차감된 후의 금액으로 본다.

> **참고**
>
> **연금계좌의 이체**
>
> 1. 연금계좌에 있는 금액이 연금수령이 개시되기 전의 다른 연금계좌로 이체되는 경우에는 이를 인출로 보지 아니한다. 다만, 다음의 어느 하나에 해당하는 경우에는 인출로 본다.
>   ① 연금저축계좌와 퇴직연금계좌 상호간에 이체되는 경우
>   ② 2013년 3월 1일 이후에 가입한 연금계좌에 있는 금액이 2013년 3월 1일 전에 가입한 연금계좌로 이체되는 경우
>   ③ 퇴직연금계좌에 있는 일부 금액이 이체되는 경우
> 2. 1.의 ①에도 불구하고 다음의 어느 하나에 해당하는 경우에는 인출로 보지 아니한다.
>   ① 연금수령요건을 갖춘 연금저축계좌의 가입자가 개인형퇴직연금계좌로 전액을 이체(연금수령이 개시된 경우를 포함)하는 경우
>   ② 연금수령요건을 갖춘 개인형퇴직연금계좌의 가입자가 연금저축계좌로 전액을 이체(연금수령이 개시된 경우를 포함)하는 경우

3 연금소득과세방법

1. 원천징수

(1) 공적연금

① **간이세액표에 따른 원천징수:** 원천징수의무자가 공적연금소득을 지급할 때에 연금소득 간이세액표를 기준으로 원천징수하여 그 징수일이 속하는 달의 다음달 10일까지 납부하여야 한다.

② **연말정산:** 해당 과세기간의 다음연도 1월분 연금소득을 지급할 때(해당 과세기간 중에 사망한 경우에는 사망일이 속하는 달의 다음다음달 말일까지)에 연말정산을 하여야 한다.

(2) 사적연금

① 연령 및 소득유형에 따라 차등적용된다. 다음의 연령과 소득유형을 동시에 충족하면 낮은 세율을 적용한다.

연령 및 유형		세율
연령	70세 미만	5%
	70세 이상 80세 미만	4%
	80세 이상	3%
소득유형	사망할 때까지 연금수령하는 종신계약의 연금소득	4%

② 이연퇴직소득을 연금수령하는 경우 연금소득

  ㉠ 연금 실제 수령연차가 10년 이하인 경우: 연금외수령 원천징수세율의 70%

  ㉡ 연금 실제수령연차가 10년을 초과하는 경우: 연금외수령 원천징수세율의 60%

2. 종합과세와 분리과세

(1) 원칙

연금소득은 원칙적으로 종합소득과세표준에 합산하여 과세한다. 다만, 공적연금소득만 있고 종합소득이 없는 자는 과세표준확정신고를 하지 않아도 된다.

(2) 예외 – 사적연금

① 무조건분리과세

  ㉠ 이연퇴직소득을 연금으로 수령하는 경우

  ㉡ 세액공제받은 연금계좌납입액과 운용실적에 따라 증가된 금액을 의료목적·천재지변이나 그 밖의 부득이한 사유로 인출하는 연금소득

② 선택적 분리과세: 위 무조건분리과세 외의 사적연금이 1,200만 원 이하인 경우에는 납세의무자의 선택에 따라 합산하지 않고 분리과세를 선택할 수 있다.

4 연금소득의 수입시기

1. 공적연금소득

공적연금관련법에 따라 연금을 지급받기로 한 날

2. 연금계좌에서 받는 연금소득

연금을 수령한 날

3. 그 밖의 연금소득

해당 연금을 지급받는 날

5 비과세 연금소득

1. 「국민연금법」, 「공무원연금법」, 「군인연금법」, 「사립학교교직원 연금법」, 「별정우체국법」 또는 「국민연금과 직역연금의 연계에 관한 법률」에 따라 받는 유족연금 · 장애연금 · 장해연금 · 상이연금 · 연계노령유족연금 또는 연계퇴직유족연금

2. 「산업재해보상보험법」에 따라 받는 각종 연금

3. 「국군포로의 송환 및 대우 등에 관한 법률」에 따른 국군포로가 받는 연금

3 기타소득

1 기타소득의 범위

기타소득은 이자소득 · 배당소득 · 사업소득 · 근로소득 · 연금소득 · 퇴직소득 및 양도소득 외의 소득으로서 다음으로 열거된 것으로 한다. ❶

1. 상금 · 현상금 · 포상금 · 보로금 또는 이에 준하는 금품

2. 복권 · 경품권, 그 밖의 추첨권에 당첨되어 받는 금품

3. 「사행행위 등 규제 및 처벌 특례법」에서 규정하는 행위(적법 또는 불법 여부는 고려하지 않음)에 참가하여 얻은 재산상의 이익

4. 「한국마사회법」에 따른 승마투표권, 「경륜 · 경정법」에 따른 승자투표권, 「전통소싸움경기에 관한 법률」에 따른 소싸움경기투표권 및 「국민체육진흥법」에 따른 체육진흥투표권의 구매자가 받는 환급금(발생 원인의 적법 또는 불법 여부는 고려하지 않음)

5. 저작자 또는 실연자 · 음반제작자 · 방송사업자 외의 자가 저작권 또는 저작인접권의 양도 또는 사용의 대가로 받는 금품. 이는 저작권 또는 저작인접권을 상속 · 증여 또는 양도받은 자가 그 저작권 또는 저작인접권을 타인에게 양도하거나 사용하게 하고 받는 대가를 말한다. ❷

6. 다음의 자산 또는 권리의 양도 · 대여 또는 사용의 대가로 받는 금품

(1) 영화필름

(2) 라디오 · 텔레비전방송용 테이프 또는 필름

(3) 그 밖에 (1) 및 (2)와 유사한 것으로서 대통령령으로 정하는 것

❶
하나의 소득이 기타소득과 그 외 소득의 범위에 중복되는 경우에는 기타소득 외의 소득으로 보아 과세한다.

기출 OX
「사행행위 등 규제 및 처벌 특례법」에서 규정하는 사행행위에 참가하여 얻는 재산상 이익은 사행행위가 불법적인 경우에도 기타소득으로 과세한다. (○) 15. 9급

❷
저작자 본인에게 귀속되는 저작권의 사용대가가 사업성이 있으면 사업소득으로 과세한다.

● 점포임차권

점포임차권은 거주자가 사업소득이 발생하는 점포를 임차하여 점포임차인으로서의 지위를 양도함으로써 얻는 경제적 이익을 말한다.

❷

토지 · 건물과 함께 양도하는 법에 따른 이축권은 양도소득에 해당된다[다만, 해당 이축권 가액을 감정평가업자가 감정한 가액이 있는 경우 그 가액(감정한 가액이 2 이상인 경우에는 그 감정한 가액의 평균액)을 구분하여 신고하는 경우는 기타소득으로 함].

🏛 기출 OX

01 토지와 함께 영업권을 양도하는 경우 그 대가로 받는 금품은 기타소득으로 본다. (×)   10. 9급

▶ 양도소득에 해당한다.

02 전세권의 대여로 발생하는 소득은 사업소득이 되고, 공익사업 관련 지역권 또는 지상권의 대여로 받는 금품은 기타소득이 된다. (○)   06. 7급

❸

계약의 위약 또는 해약으로 인한 위약금과 배상금외의 배상금(교통사고배상금 등)은 과세대상이 아니다.

7. 광업권 · 어업권 · 산업재산권 · 산업정보, 산업상 비밀, 상표권 · 영업권(점포임차권❶을 포함), 토사석의 채취허가에 따른 권리, 지하수의 개발 · 이용권, 그 밖에 이와 유사한 자산이나❷ 권리를 양도하거나 대여하고 그 대가로 받는 금품

> ⊞ **심화** | **영업권 양도**
>
> 토지 · 건물 · 부동산에 관한 권리와 함께 양도하는 영업권의 양도로 인한 소득은 양도소득에 해당한다.

8. 물품(유가증권을 포함) 또는 장소를 일시적으로 대여하고 사용료로서 받는 금품

9. 「공익사업을 위한 토지 등의 취득 및 보상에 관한 법률」에 따른 공익사업과 관련하여 지역권 · 지상권(지하 또는 공중에 설정된 권리를 포함)을 설정하거나 대여하고 받는 금품

10. 계약의 위약 또는 해약으로 인하여 받는 위약금 · 배상금❸ 또는 부당이득 반환시 지급받는 이자

> ⊞ **심화** | **위약금과 배상금 중 기타소득에 해당하는 것**
>
> 1. 주택을 분양함에 있어 사업주체가 승인기한 내에 입주를 시키지 못하여 입주자가 받는 지체상금
> 2. 퇴직금 지급청구소송을 제기하여 퇴직금과 지급지연 손해배상금을 받는 경우에 있어서 당해 지급지연 손해배상금
> 3. 부동산 매매계약 후 계약 불이행으로 인하여 일방 당사자가 받은 위약금 또는 해약금

> ⟨ **참고**
>
> **위약금과 배상금**
> 1. **개념**: 위약금과 배상금이란 재산권에 관한 계약의 위약 또는 해약으로 받는 손해배상(보험금을 지급할 사유가 발생하였음에도 불구하고 보험금 지급이 지체됨에 따라 받는 손해배상을 포함)으로서 그 명목 여하에 불구하고 본래의 계약의 내용이 되는 지급 자체에 대한 손해를 넘는 손해에 대하여 배상하는 금전 또는 그 밖의 물품의 가액을 말한다. 이 경우 계약의 위약 또는 해약으로 반환받은 금전 등의 가액이 계약에 따라 당초 지급한 총금액을 넘지 아니하는 경우에는 지급 자체에 대한 손해를 넘는 금전 등의 가액으로 보지 아니한다.
> 2. **기타소득에 해당하지 않는 것**: 계약의 위약 또는 해약으로 인하여 타인의 신체의 자유 또는 명예를 해하거나 기타 정신상의 고통 등을 가한 것과 같이 재산권 외의 손해에 대한 배상 또는 위자료로서 받는 금액은 기타소득으로 과세하지 않는다.

11. 유실물의 습득 또는 매장물의 발견으로 인하여 보상금을 받거나 새로 소유권을 취득하는 경우 그 보상금 또는 자산

12. 소유자가 없는 물건의 점유로 소유권을 취득하는 자산

13. 거주자 · 비거주자 또는 법인의 대통령령으로 정하는 특수관계인이 그 특수관계로 인하여 그 거주자 · 비거주자 또는 법인으로부터 받는 경제적 이익으로서 급여 · 배당 또는 증여로 보지 아니하는 금품

14. 슬롯머신(비디오게임을 포함) 및 투전기, 슬롯머신 등을 이용하는 행위에 참가하여 받는 당첨금품 · 배당금품 또는 이에 준하는 금품

15. 문예 · 학술 · 미술 · 음악 또는 사진에 속하는 창작품(「신문 등의 자유와 기능 보장에 관한 법률」에 따른 정기간행물에 게재하는 삽화 및 만화와 우리나라의 창작품 또는 고전을 외국어로 번역하거나 국역하는 것을 포함)에 대한 원작자로서 받는 소득으로서 다음의 어느 하나에 해당하는 것

(1) 원고료

(2) 저작권사용료인 인세

(3) 미술 · 음악 또는 사진에 속하는 창작품에 대하여 받는 대가

16. 재산권에 관한 알선수수료

17. 사례금

18. 소기업 · 소상공인 공제부금의 해지일시금(법정사유 외의 사유로 해지된 경우)

19. 다음에 해당하는 인적용역을 일시적으로 제공하고 받는 대가

(1) 고용관계 없이 다수인에게 강연을 하고 강연료 등 대가를 받는 용역

(2) 라디오 · 텔레비전방송 등을 통하여 해설 · 계몽 또는 연기의 심사 등을 하고 보수 또는 이와 유사한 성질의 대가를 받는 용역

(3) 변호사 · 공인회계사 · 세무사 · 건축사 · 측량사 · 변리사 · 그 밖에 전문적 지식 또는 특별한 기능을 가진 자가 그 지식 또는 기능을 활용하여 보수 또는 그 밖의 대가를 받고 제공하는 용역

(4) 그 밖에 고용관계 없이 수당 또는 이와 유사한 성질의 대가를 받고 제공하는 용역

20. 「법인세법」에 따라 기타소득으로 처분된 소득

21. 연금계좌에 납입한 보험료 중 세액공제받은 금액과 연금계좌 운용실적에 따라 증가된 금액을 그 소득의 성격에 불구하고 연금외수령한 소득

22. 퇴직 전에 부여받은 주식매수 선택권을 퇴직 후에 행사하거나 고용관계 없이 주식매수선택권을 부여받아 이를 행사함으로써 얻는 이익. 고용관계에서 행사시 근로소득에 포함된다.

23. 뇌물

24. 알선수재 및 배임수재에 의하여 받는 금품

25. 개당 · 점당 또는 조당 양도가액이 6,000만 원 이상인 서화 · 골동품의 양도로 발생하는 소득. 다만, 양도일 현재 생존해 있는 국내원작자의 작품은 제외한다.

26. 종교인소득(단, 종교인소득에 대하여 근로소득으로 원천징수하거나 과세표준 확정신고한 경우에는 근로소득으로 봄)

1. 소득금액

> **가상자산기타소득금액**
> = 총수입금액 − 필요경비

가상자산을 양도함으로써 발생하는 소득에 대한 기타소득금액을 산출하는 경우에는 먼저 거래한 것부터 순차적으로 양도된 것으로 본다.

2. 과세방법: 원천징수를 하지 않고 분리과세 한다. 따라서 분리과세 가상자산소득은 그 결정세액을 종합소득결정세액에 가산하여 확정신고납부하여야 한다.

> **가상자산결정세액**
> = (가상자산소득금액 − 250만 원)
> × 20%

3. 과세최저한: 가상자산소득금액이 250만 원 이하인 경우에는 과세하지 않는다.

4. 필요경비
양도하는 가상자산의 실제 취득가액과 부대비용을 필요경비로 한다(2023.1.1. 전에 이미 보유하고 있던 가상자산의 취득가액은 2022.12.31. 당시의 시가와 그 자산의 취득가액 중 큰 금액으로 함).

---

27. 전자상거래 등에서의 소비자보호에 관한 법률에 따라 통신판매중개를 하는 자를 통하여 물품 또는 장소를 대여하고 500만 원 이하의 사용료로서 받은 금품

28. 종업원 등 또는 대학의 교직원이 퇴직한 후에 지급받거나 대학의 학생이 산학협력단으로부터 받는 직무발명보상금

29. 특정금융거래정보의 보고 및 이용 등에 관한 법률에 따른 가상자산❶을 양도하거나 대여함으로써 발생하는 소득(2025.1.1 시행)

2 비과세 기타소득

1. 「국가유공자 등 예우 및 지원에 관한 법률」 또는 「보훈보상대상자 지원에 관한 법률」에 따라 받는 보훈급여금·학습보조비 및 「북한이탈주민의 보호 및 정착지원에 관한 법률」에 따라 받는 정착금·보로금과 그 밖의 금품

2. 「국가보안법」에 따라 받는 상금과 보로금

3. 「상훈법」에 따른 훈장과 관련하여 받는 부상이나 그 밖에 국가·지방자치단체로부터 받는 상금과 부상 등 대통령령이 정하는 상금과 부상

4. 종업원 등 또는 대학의 교직원이 퇴직한 후에 지급받거나 대학의 학생이 산학협력단으로부터 받는 직무발명보상금으로서 연 500만 원(해당 과세기간에 근로소득에서 비과세되는 금액이 있는 경우에는 500만 원에서 해당 금액을 차감한 금액으로 함) 이하의 금액

5. 「국군포로의 송환 및 대우 등에 관한 법률」에 따라 국군포로가 받는 정착금과 그 밖의 금품

6. 「문화재보호법」에 따라 국가지정문화재로 지정된 서화·골동품의 양도로 발생하는 소득

7. 서화·골동품을 박물관 또는 미술관에 양도함으로써 발생하는 소득

8. 종교인 소득 중 비과세 소득

9. 법령·조례에 따른 위원회 등의 보수를 받지 않는 위원(학술원 및 예술원의 회원을 포함함) 등이 받는 수당

10. 공무원 제안 규정에 따라 채택된 제안의 제안자가 받는 부상

11. 국가 또는 지방자치단체로부터 받는 상금과 부상(공무원이 국가 또는 지방자치단체로부터 공무수행과 관련하여 받는 상금과 부상을 제외함)

3 기타소득금액 계산

1. 계산구조

> 기타소득금액 = 기타소득 총수입금액(비과세 · 분리과세 제외) − 필요경비

2. 필요경비

(1) 일반적인 경우

기타소득 총수입금액에 대응하여 지출된 비용으로서 입증된 금액을 필요경비로 하며, 해당 과세기간 전의 총수입금액에 대응하는 비용으로서 그 과세기간에 확정된 것에 대하여는 그 과세기간 전에 필요경비로 계상하지 아니한 것만 그 과세기간의 필요경비로 본다.

① 승마투표권 · 승자투표권 · 소싸움경기투표권 · 체육진흥투표권의 구매자가 받는 환급금에 대하여는 그 구매자가 구입한 적중된 투표권의 단위투표금액을 필요경비로 한다.

② 슬롯머신 등의 당첨금품 등에 대하여는 그 당첨금품 등의 당첨 당시에 슬롯머신 등에 투입한 금액을 필요경비로 한다.

(2) 총수입금액의 일정률을 필요경비로 하는 경우

다음의 어느 하나에 해당하는 기타소득에 대하여는 거주자가 받은 금액의 80%(또는 90%) 또는 60%에 상당하는 금액을 필요경비로 한다. 다만, 실제 소요된 필요경비가 80%(또는 90%) 또는 60%에 상당하는 금액을 초과하면 그 초과하는 금액도 필요경비에 산입한다.

필요경비	대상
총수입금액의 90%	① 서화 · 골동품의 양도로 발생하는 소득이 1억 원 이하인 경우: 90% ② 서화 · 골동품의 양도로 발생하는 소득이 1억 원 초과하는 경우 　㉠ 1억 원까지: 90% 　㉡ 1억 원 초과분: 80%(단, 보유기간이 10년 이상인 경우에는 90%)
총수입금액의 80%	① 공익법인이 주무관청의 승인을 받아 시상하는 상금 및 부상과 다수가 순위 경쟁하는 대회에서 입상자가 받는 상금 및 부상 ② 계약의 위약 또는 해약으로 인하여 받는 위약금과 배상금 중 주택입주지체상금

총수입금액의
60%
	① 공익사업 관련 지역권·지상권을 설정 또는 대여하고 받는 금품
	② 다음의 인적용역을 일시적으로 제공하고 지급받는 대가
	  ㉠ 고용관계 없이 다수인에게 강연을 하고 강연료 등 대가를 받는 용역
	  ㉡ 라디오·텔레비전방송 등을 통하여 해설·계몽 또는 연기의 심사 등을 하고 보수 또는 이와 유사한 성질의 대가를 받는 용역
	  ㉢ 변호사·공인회계사·세무사·건축사·측량사·변리사· 그 밖에 전문적 지식 또는 특별한 기능을 가진 자가 그 지식 또는 기능을 활용하여 보수 또는 그 밖의 대가를 받고 제공하는 용역
	  ㉣ 그 밖에 고용관계 없이 수당 또는 이와 유사한 성질의 대가를 받고 제공하는 용역
	③ 문예·학술·미술·음악 또는 사진에 속하는 창작품(「신문 등의 자유와 기능보장에 관한 법률」에 따른 정기간행물에 게재하는 삽화 및 만화와 우리나라의 창작품 또는 고전을 외국어로 번역하거나 국역하는 것을 포함)에 대한 원작자로서 받는 소득으로서 다음의 어느 하나에 해당하는 것
	  ㉠ 원고료
	  ㉡ 저작권사용료인 인세
	  ㉢ 미술·음악 또는 사진에 속하는 창작품에 대하여 받는 대가
	④ 광업권·어업권·산업재산권·산업정보, 산업상 비밀, 상표권·영업권(점포 임차권을 포함), 토사석의 채취허가에 따른 권리, 지하수의 개발·이용권, 그 밖에 이와 유사한 자산이나 권리를 양도하거나 대여하고 그 대가로 받는 금품
	⑤ 「전자상거래 등에서의 소비자보호에 관한 법률」에 따라 통신판매중개를 하는 자를 통하여 물품 또는 장소를 대여하고 500만 원 이하의 사용료로서 받은 금품

(3) 서화·골동품의 양도로 발생하는 소득

① 원칙: 서화·골동품의 양도로 발생하는 소득은 기타소득으로 본다.

② 예외: 다음 중 어느 하나에 해당하는 경우에는 사업소득으로 한다.

  ㉠ 서화·골동품의 거래를 위하여 사업장 등 물적시설(인터넷 등 정보통신망을 이용한 가상의 시설을 포함함)을 갖춘 경우

  ㉡ 서화·골동품을 거래하기 위한 목적으로 사업자등록을 한 경우

4 기타소득의 과세방법

1. 원천징수

기타소득을 지급하는 자는 그 소득을 지급할 때에 다음의 금액을 원천징수하여 그 징수일이 속하는 달의 다음달 10일까지 납부하여야 한다.

구분	원천징수세액
일반적인 경우	기타소득금액[1] × 20%[2]
소기업·소상공인 공제부금의 해지 일시금	기타소득금액 × 15%
특정봉사료 지급금액[3]	기타소득금액 × 5%
세액공제받은 연금계좌납입액과 운용실적에 따라 증가된 금액을 연금계좌에서 연금외수령하는 소득	기타소득금액 × 15%
계약의 위약 또는 해약으로 받은 위약금과 배상금(계약금이 위약금과 배상금으로 대체되는 경우에만 해당한다)	원천징수하지 않음
뇌물·알선수재·배임수재	

2. 과세방법

기타소득의 경우 원천징수 후 확정신고를 하여야 하지만 분리과세대상 소득에 대하여는 합산하지 않고 원천징수로 납세의무가 종결된다.

구분	대상
무조건분리과세	다음의 소득은 합산하지 않고 원천징수로 종결한다. ① 복권 및 복권기금법에서 규정하는 복권의 당첨금 ② 승마투표권·승자투표권·소싸움 경기투표권·체육진흥투표권의 구매자가 받는 환급금 ③ 슬롯머신 등의 당첨금 등 ④ 세액공제받은 연금계좌납입액과 운용실적에 따라 증가된 금액을 연금계좌에서 연금외수령한 기타소득 ⑤ 서화·골동품의 양도로 발생하는 소득 ⑥ 가상자산소득 ⑦ 위와 유사한 소득으로서 기획재정부령으로 정하는 소득
무조건종합과세	뇌물·알선수재 및 배임수재에 따라 받은 금품
조건부 과세	① 비과세, 무조건분리과세, 무조건종합과세를 제외한 기타소득금액을 조건부 과세 대상으로 한다. ② 조건부 과세의 금액이 300만 원 이하인 경우에는 조건부과세 금액을 분리과세 선택할 수 있다. ③ 조건부 과세의 금액이 300만 원을 초과하는 경우에는 전액을 종합과세 한다. ④ 계약금 등이 위약금으로 대체된 금액은 분리과세가 되더라도 확정신고를 하여야 하며 그 기타소득에 대한 결정세액은 기타소득금액에 20%의 세율을 적용하여 계산한 금액으로 한다.

[1] 기타소득금액

기타소득금액은 필요경비를 차감한 금액이다.

[2]

복권당첨금, 승마투표권·승자투표권·소싸움경기투표권·체육진흥투표권의 구매자가 받는 환급금, 슬롯머신 등에서 받은 당첨금품 등의 금액이 3억 원을 초과하는 경우는 3억 원 초과분 금액의 30%를 원천징수한다.

[3] 특정봉사료 지급금액

특정봉사료 지급금액은 사업자가(법인 포함)가 음식·숙박용역, 안마시술소·이용원·스포츠마사지업소 및 그 밖에 이와 유사한 장소에서 제공하는 용역, 과세유흥장소에서 용역을 제공하고 그 대가를 받을 때 봉사료를 함께 받아 접대부·댄서 이와 유사한 용역을 제공하는 자에 대한 봉사수입을 해당 소득자에게 지급하는 금액을 말한다. 이러한 특정봉사료를 지급받는 자는 사업성이 있으면 사업소득으로 과세되며 사업성이 없으면 기타소득으로 과세한다.

5 기타소득의 과세최저한

기타소득이 다음의 어느 하나에 해당하면 그 소득에 대한 소득세를 과세하지 아니한다.

1. 건별로 승마투표권 등의 권면에 표시된 금액의 합계액이 10만 원 이하이고 다음의 어느 하나에 해당하는 경우

(1) 적중한 개별투표당 환급금이 10만 원 이하인 경우

(2) 단위투표금액당 환급금이 단위투표금액의 100배 이하이면서 적중한 개별투표당 환급금이 200만 원 이하인 경우

2. 슬롯머신 등의 당첨금품 및 복권당첨금이 건별로 200만 원 이하인 경우❶

3. 해당 과세기간 가상자산소득금액이 250만 원 이하인 경우

4. 그 밖의 기타소득금액이 건별로 5만 원 이하인 경우❷

6 기타소득의 수입시기

구분	수입시기
일반적인 기타소득	그 지급을 받은 날
「법인세법」에 따라 처분된 기타소득	해당 법인의 해당 사업연도 결산확정일
광업권 · 어업권 · 산업재산권 및 산업정보, 산업상 비밀, 상표권 · 영업권(점포임차권을 포함), 토사석의 채취허가에 따른 권리, 지하수의 개발 · 이용권, 그 밖에 이와 유사한 자산이나 권리를 양도하고 그 대가로 받은 금품❸	대금청산일 · 인도일 · 사용수익일 중 빠른 날. 다만, 대금을 청산하기 전에 자산을 인도 또는 사용수익하였으나 대금이 확정되지 아니한 경우에는 그 대금지급일
계약금이 위약금 · 배상금으로 대체되는 경우의 기타소득	계약의 위약 또는 해약이 확정된 날
연금계좌에서 연금외수령한 기타소득	연금외수령한 날

7 종교인소득

1. 소득구분

(1) 개념

종교인소득은 종교관련 종사자가 종교의식을 집행하는 등 종교관련종사자❹로서의 활동과 관련하여 종교단체(종교관련 종사자가 소속된 단체)로부터 받은 소득을 말한다.

(2) 소득구분

① 종교인소득은 기타소득에 해당한다. 다만, 종교인소득에 대하여 근로소득으로 원천징수하거나 근로소득으로 과세표준 확정신고를 한 경우에는 해당 소득을 근로소득으로 본다.

② 종교관련종사자가 현실적인 퇴직을 원인으로 종교단체로부터 지급받는 소득은 퇴직소득에 해당한다.

③ 종교관련종사자가 그 활동과 관련하여 현실적인 퇴직 이후에 종교단체로부터 정기적 또는 부정기적으로 지급받는 소득으로서 현실적인 퇴직을 원인으로 종교단체로부터 지급받는 소득에 해당하지 아니하는 소득은 기타소득에 포함한다.

2. 필요경비

(1) 기타소득

> 기타소득금액＝총수입금액(비과세 제외) − 필요경비

필요경비는 아래 표에 따른 금액과 실제로 소요된 필요경비 중 큰 금액으로 한다.

종교관련종사자가 받은 금액	필요경비
2천만 원 이하	받은 금액의 80%
2천만 원 초과 4천만 원 이하	1,600만 원＋(2천만 원 초과하는 금액의 50%)
4천만 원 초과 6천만 원 이하	2,600만 원＋(4천만 원 초과하는 금액의 30%)
6천만 원 초과	3,200만 원＋(6천만 원 초과하는 금액의 20%)

(2) 근로소득

근로소득에 해당하는 경우에는 총급여에서 근로소득공제를 차감하여 계산한다.

3. 비과세

(1) 교육비

종교관련종사자가 소속된 종교단체의 종교관련종사자로서의 활동과 관련있는 교육·훈련을 위하여 받는 다음의 어느 하나에 해당하는 학교 또는 시설의 입학금·수업료·수강료 또는 그 밖의 공납금

① 「초·중등교육법」에 따른 학교(외국에 있는 이와 유사한 교육기관을 포함)

② 「고등교육법」에 따른 학교(외국에 있는 이와 유사한 교육기관을 포함)

③ 「평생교육법」에 따른 평생교육시설

(2) 다음 어느 하나에 해당하는 식사 또는 식사대

① 소속 종교단체가 종교관련종사자에게 제공하는 식사나 그 밖의 음식물

② 식사나 그 밖의 음식물을 제공받지 아니하는 종교관련 종사자가 소속 종교단체로부터 받는 월 20만 원 이하의 식사대

(3) **실비변상적 성질의 지급액**

　① 일직료 · 숙직료 및 그 밖에 이와 유사한 성격의 급여

　② 여비로서 실비변상 정도의 금액

　③ 월 20만 원 이내의 자가운전보조금

(4) 종교관련종사자가 소속 종교단체의 규약 또는 소속 종교단체의 의결기구의 의결 · 승인 등을 통하여 결정된 지급 기준에 따라 종교 활동을 위하여 통상적으로 사용할 목적으로 지급받은 금액 및 물품(종교활동비)

(5) 종교관련종사자가 천재 · 지변이나 그 밖의 재해로 인하여 받는 지급액

(6) **보육급여**

　종교관련종사자 또는 그 배우자의 출산이나 6세 이하(해당 과세기간 개시일 기준으로 판단) 자녀의 보육과 관련하여 종교단체로부터 받는 금액으로서 월 10만 원 이내의 금액

(7) 종교관련종사자가 사택을 제공받아 얻은 이익

4. 원천징수

(1) 원천징수 납부

　① 원천징수의무자가 소득세를 원천징수할 때 종교인소득에 대하여는 종교인소득 간이세액표 해당란의 세액을 기준으로 원천징수한다(근로소득에 해당하는 경우에는 근로소득 간이세액표에 따라 원천징수).

　② 원천징수의무자는 원천징수한 소득세를 그 징수일이 속하는 달의 다음달 10일까지 원천징수 관할세무서 · 한국은행 또는 체신관서에 납부하여야 한다.

　③ 다만, 관할세무서장으로부터 원천징수세액을 매 반기별로 납부할수 있도록 승인을 받거나 국세청장이 정하는 바에 따라 지정을 받은 자는 그 징수일이 속하는 반기의 마지막 달의 다음달 10일까지 납부할 수 있다. 이 경우 상시인원 규모에 상관없이 반기별납부가 가능하다.

(2) 예외

　종교인소득(근로소득을 포함)을 지급하는 자는 소득세의 원천징수를 하지 아니할 수 있다. 이 경우 종교인소득을 지급받은 자는 종합소득 확정신고에 따라 종합소득 과세표준을 신고하여야 한다.

5. 연말정산

해당 과세기간의 다음연도 2월분의 종교인소득을 지급할 때(2월분의 종교인소득을 2월 말일까지 지급하지 아니하거나 2월분의 종교인소득이 없는 경우에는 2월 말일) 또는 해당 종교관련종사자와의 소속관계가 종료되는 달의 종교인소득을 지급할 때 해당 과세기간의 종교인소득에 대하여 원천징수(연말정산)한다.

6. 지급명세서 제출

(1) 종교인 소득을 지급하는 자는 지급명세서를 그 지급일이 속하는 과세기간의 다음연도 3월 10일(휴업·폐업 또는 해산한 경우에는 휴업일·폐업일 또는 해산일이 속하는 달의 다음다음달 말일)까지 원천징수 관할세무서장, 지방국세청장 또는 국세청장에게 제출하여야 한다.

(2) 다만, 비과세되는 종교인소득(비과세소득 중 종교활동비는 제외)에 대하여는 지급명세서 제출이 면제된다.

7. 과세대상 구분

(1) 기타소득

① 종교단체에서 원천징수 및 연말정산을 한 경우는 조건부종합과세 대상인 기타소득에 해당한다.

② 종교단체에서 원천징수 및 연말정산을 하지 않은 경우는 무조건종합과세인 기타소득에 해당한다.

(2) 근로소득

근로소득 과세방법에 따라 과세한다.

8. 종교단체의 장부확인

(1) 구분기장

종교단체는 소속 종교관련종사자에게 지급한 금액 및 물품(비과세 근로소득 및 비과세 종교인소득에 해당하는 금액 및 물품을 포함)과 그 밖에 종교활동과 관련하여 지출한 비용을 구분하여 기록·관리하여야 한다.

(2) 질문조사

① 종교단체가 소속 종교관련종사자에게 지급한 금액 및 물품과 그 밖에 종교 활동과 관련하여 지출한 비용을 정당하게 구분하여 기록·관리하는 경우 세무에 종사하는 공무원은 질문·조사할 때 종교단체가 소속 종교관련종사자에게 지급한 금액 및 물품 외에 그 밖에 종교 활동과 관련하여 지출한 비용을 구분하여 기록·관리한 장부 또는 서류에 대하여는 조사하거나 그 제출을 명할 수 없다.

② 세무에 종사하는 공무원은 종교인소득에 관한 신고내용에 누락 또는 오류가 있어 질문·조사권을 행사하려는 경우에는 미리 「국세기본법」에 따른 수정신고를 안내하여야 한다.

01 「소득세법」상 근로소득공제 및 근로소득세액공제에 대한 설명으로 옳지 않은 것은?

2022년 9급

① 근로소득이 있는 거주자에 대해서는 총급여액에서 근로소득 공제를 적용하여 근로소득금액을 계산한다.

② 일용근로자에게는 1일 15만 원의 근로소득공제를 적용한다(다만, 총급여액이 공제액에 미달하는 경우에는 그 총급여액을 공제액으로 한다).

③ 근로소득이 있는 거주자에 대해서는 그 근로소득에 대한 종합소득산출세액에서 근로소득세액공제하되 한도가 있다.

④ 일용근로자의 근로소득에 대해서 원천징수를 하는 경우에는 근로소득세액공제를 적용하지 아니한다.

01
일용근로자의 경우도 근로소득세액공제를 적용한다.

02 소득세법령상 거주자의 총수입금액의 수입시기로 옳지 않은 것은? 2022년 9급

① 잉여금의 처분에 의한 배당 – 잉여금 처분결의일

② 금융보험업에서 발생하는 이자 및 할인액 – 실제로 수입된 날

③ 임원의 퇴직소득금액 중 한도초과금액 – 지급받거나 지급받기로 한 날

④ 공적연금소득 – 해당 연금을 지급받은 날

02
공적연금의 수입시기는 연금을 지급받기로 한 날로 한다.

03 소득세법령상 거주자의 연금소득에 대한 설명으로 옳지 않은 것은?

2019년 9급

① 공적연금 관련법에 따라 받는 각종 연금도 연금소득에 해당한다.

② 연금소득금액은 해당 과세기간의 총연금액에서 법령에 따른 연금소득공제를 적용한 금액으로 한다.

③ 연금소득공제액이 9백만 원을 초과하는 경우에는 9백만 원을 공제한다.

④ 공적연금소득만 있는 자는 다른 종합소득이 없는 경우라 하더라도 과세표준확정신고를 하여야 한다.

03
공적연금소득만 있는 자는 연말정산으로 과세가 종결되므로 다른 종합소득이 없는 경우에는 신고를 하지 않아도 된다.

정답 01 ④ 02 ④ 03 ④

04 「소득세법」상 소득의 구분에 대한 설명으로 옳은 것은? 2016년 7급

① 전세권의 대여로 발생하는 소득은 사업소득이 되고, 공익사업 관련 지역권 또는 지상권의 대여로 받는 금품은 기타소득이 된다.

② 알선수재에 의하여 받는 금품은 기타소득이 되고, 재산권에 관한 알선수수료는 사업소득이 된다.

③ 퇴직 전에 부여받은 주식매수선택권을 퇴직 후에 행사함으로써 얻는 이익은 근로소득이 되고, 고용관계 없이 주식매수선택권을 부여받아 이를 행사함으로써 얻은 이익은 기타소득이 된다.

④ 슬롯머신을 이용하는 행위에 계속적으로 참가하여 받는 당첨금품은 사업소득이 되고, 일시적으로 참가하여 받는 당첨금품은 기타소득이 된다.

04

✔ 오답체크

② 알선수재에 의하여 받는 금품은 기타소득이 되고, 재산권에 관한 알선수수료도 기타소득에 해당한다.

③ 퇴직 전에 부여받은 주식매수선택권을 재직 중에 행사함으로써 얻는 이익은 근로소득이 되나, 퇴직 후에 행사함으로써 얻는 이익 및 고용관계 없이 주식매수선택권을 부여받아 이를 행사함으로써 얻은 이익은 기타소득이 된다.

④ 슬롯머신을 이용하는 행위에 참가하여 받는 당첨금품은 기타소득에 해당한다.

05 「소득세법」상 근로소득에 대한 설명으로 옳지 않은 것은? 2015년 9급

① 판공비 명목으로 받는 것으로서 업무를 위하여 사용된 것이 분명하지 아니한 급여는 근로소득으로 과세한다.

② 주주인 임원이 법령으로 정하는 사택을 제공받음으로서 얻는 이익이지만 근로소득으로 과세하지 않는 경우도 있다.

③ 근로자가 사내급식의 방법으로 제공받는 식사는 월 20만 원 한도로 근로소득에서 비과세한다.

④ 법령으로 정하는 일용근로자의 근로소득은 원천징수는 하지만 종합소득 과세표준을 계산할 때 합산하지는 않는다.

06 소득세법령상 거주자 갑의 2023년 귀속 소득 자료에 의해 종합과세되는 기타소득금액을 계산하면? (단, 필요경비의 공제요건은 충족하며, 주어진 자료 이외의 다른 사항은 고려하지 않는다) 2022년 9급

- 산업재산권의 양도로 인해 수령한 대가 300만 원(실제 소요된 필요경비는 150만 원임)
- 문예 창작품에 대한 원작자로서 받는 원고료 300만 원(실제 소요된 필요경비는 100만 원임)
- 고용관계 없이 다수인에게 일시적으로 강연을 하고 받은 강연료 400만 원(실제 소요된 필요경비는 100만 원임)
- ㈜한국의 종업원으로서 퇴직한 후에 수령한 직무발명 보상금 400만 원(실제 소요된 필요경비는 없음)

① 360만 원
② 400만 원
③ 600만 원
④ 800만 원

06
산업재산권, 원고료, 강연료의 실제 필요경비가 최소 필요경비인 60% 금액보다 작으므로 기타소득의 60%를 필요경비로 차감한다. 직무발명보상금은 500만 원을 비과세하므로 과세되는 금액은 없다.
120만 원＋120만 원＋160만 원＝400만 원이다.

07 「소득세법」상 기타소득에 대한 설명으로 옳지 않은 것은? 2015년 9급

① 사업용 자산인 부동산과 함께 영업권을 양도하여 받는 영업권 양도이익은 기타소득으로 과세한다.
② 저작자 외의 자가 저작권 사용의 대가로 받는 금품은 기타소득으로 과세한다.
③ 「사행행위 등 규제 및 처벌 특례법」에서 규정하는 사행행위에 참가하여 얻는 재산상 이익은 사행행위가 불법적인 경우에도 기타소득으로 과세한다.
④ 공무원이 직무와 관련하여 받는 뇌물은 기타소득으로 과세한다.

07
사업용 자산과 함께 양도하는 영업권은 양도소득으로 과세한다.

08 「소득세법」상 소득의 수입시기에 대한 설명으로 옳지 않은 것은? 2015년 9급

① 기타소득으로 과세되는 미술·음악 또는 사진에 속하는 창작품에 대한 대가로 원작자가 받는 소득의 경우에는 그 지급을 받는 날을 수입시기로 한다.

② 「법인세법」에 따라 발생한 인정상여가 임원 등에 대한 근로소득으로 과세되는 경우에는 해당 법인의 결산확정일을 그 수입시기로 한다.

③ 법인의 해산으로 주주 등이 법인의 잔여재산을 분배받은 것이 의제배당이 되어 배당소득으로 과세하는 경우에는 그 잔여재산가액이 확정된 날을 수입시기로 한다.

④ 사업소득으로 과세되는 상품의 위탁판매로 인한 소득의 경우에는 수탁자가 그 위탁품을 판매하는 날을 수입시기로 한다.

09 「소득세법」상 종합소득금액에 합산되는 기타소득금액은 얼마인가?

2014년 9급

- 복권 당첨금: 8,000,000원
- 분실물 습득 보상금: 4,000,000원
- 교통사고 손해보상금: 2,500,000원
- 위약금 중 주택입주지체상금: 2,000,000원(필요경비는 1,500,000원)

① 1,200,000원

② 1,300,000원

③ 4,400,000원

④ 4,500,000원

09
- 복권 당첨금: 분리과세
- 분실물 습득 보상금: 4,000,000원
- 교통사고 손해보상금: 과세대상 아님
- 주택입주지체상금:
  2,000,000 × (1−80%)=400,000원

10 「소득세법」상 소득의 구분에서 종합소득을 구성하는 것만을 모두 고른 것은?

2013년 9급

> ㄱ. 이자소득
> ㄴ. 양도소득
> ㄷ. 근로소득
> ㄹ. 기타소득
> ㅁ. 퇴직소득
> ㅂ. 연금소득

① ㄱ, ㄴ
② ㄴ, ㄷ, ㄹ
③ ㄷ, ㅁ, ㅂ
④ ㄱ, ㄷ, ㄹ, ㅂ

10

종합소득을 구성하는 것은 ㄱ, ㄷ, ㄹ, ㅂ이다.

✓ 오답체크

ㄴ. 양도소득, ㅁ. 퇴직소득은 분류과세 대상에 해당한다.

---

11 「소득세법」상 근로소득에 포함되는 것을 모두 고르면?

2013년 7급

> ㄱ. 식사 기타 음식물을 사내급식 또는 이와 유사한 방법으로 제공받지 아니하는 근로자가 받는 월 10만 원 이하의 식사대
> ㄴ. 판공비를 포함한 기밀비·교제비 기타 이와 유사한 명목으로 받는 것으로서 업무를 위하여 사용된 것이 분명하지 아니한 급여
> ㄷ. 계약기간 만료 전 또는 만기에 종업원에게 귀속되는 단체환급부보장성 보험의 환급금
> ㄹ. 임직원의 고의(중과실 포함) 외의 업무상 행위로 인한 손해의 배상청구를 보험금의 지급 사유로 하고 임직원을 피보험자로 하는 보험의 보험료를 사용자가 부담하는 보험료
> ㅁ. 퇴직 전에 부여받은 주식매수선택권을 퇴직 후에 행사하거나 고용관계 없이 주식매수선택권을 부여받아 이를 행사함으로써 얻는 이익

① ㄱ, ㄴ
② ㄴ, ㄷ
③ ㄷ, ㄹ
④ ㄹ, ㅁ

11

근로소득에 포함되는 것은 ㄴ, ㄷ이다.

✓ 오답체크

ㄱ. 식사 기타 음식물을 사내급식 또는 이와 유사한 방법으로 제공받지 아니하는 근로자가 받는 월 10만 원 이하의 식사대는 비과세에 해당한다.

ㄹ. 임직원의 고의(중과실 포함) 외의 업무상 행위로 인한 손해의 배상청구를 보험금의 지급 사유로 하고 임직원을 피보험자로 하는 보험의 보험료를 사용자가 부담하는 보험료는 과세대상에 해당하지 않는다.

ㅁ. 퇴직 전에 부여받은 주식매수선택권을 퇴직 후에 행사하거나 고용관계 없이 주식매수선택권을 부여받아 이를 행사함으로써 얻는 이익은 기타소득에 해당한다.

12 「소득세법」상 비과세소득으로 옳지 않은 것은?　　　2013년 7급

① 기초생활수급자인 휴학생이 대학으로부터 받는 근로장학금
②「국민건강보험법」, 「고용보험법」에 따라 사용자가 부담하는 보험료
③ 서화·골동품을 박물관 또는 미술관에 양도함으로써 발생하는 소득
④ 경찰청장이 정하는 바에 따라 범죄신고자가 받는 보상금

12
기초생활수급자인 대학생이 근로를 대가로 대학으로부터 지급받는 근로장학금은 재학생에 한하여 비과세를 적용한다.

13 「소득세법」상 소득에 대한 설명으로 옳지 않은 것은?　　　2012년 9급

① 뇌물, 알선수재 및 배임수재에 의하여 받는 금품과 같은 위법소득은 기타소득에 해당한다.
② 주식소각에 의하여 주주가 받는 금액 중 출자에 소요된 금액을 초과하는 금액은 배당소득에 해당한다.
③ 임원이 퇴직함으로써 받는 소득 중 퇴직소득에 속하지 아니하는 소득은 근로소득에 해당한다.
④ 법인으로 보는 단체로부터 받은 분배금은 이자소득에 해당한다.

13
법인으로 보는 단체로부터 받은 분배금은 배당소득에 해당한다.

14 「소득세법」상 소득세의 과세대상소득에 대한 설명으로 옳지 않은 것은?　　　2010년 9급

① 연예인 및 직업운동선수 등이 사업활동과 관련하여 받는 전속계약금은 기타소득이다.
② 주식의 소각 또는 자본감소로 인하여 주주가 취득하는 금전의 가액이 주주가 그 주식을 취득하기 위하여 사용한 금액을 초과하는 금액은 배당소득에 해당한다.
③ 임원이 주택의 구입에 소요되는 자금을 저리로 대여받음으로써 얻는 이익은 근로소득에 해당한다.
④ 대통령령으로 정하는 일용근로자의 근로소득의 금액은 종합소득 과세표준을 계산할 때 합산하지 아니한다.

14
연예인 및 직업운동선수 등이 사업활동과 관련하여 받는 전속계약금은 사업소득에 해당한다.

정답　12 ①　13 ④　14 ①

15 「소득세법」상 기타소득에 관한 설명으로 옳지 않은 것은? 2010년 9급

① 토지와 함께 영업권을 양도하는 경우 그 대가로 받는 금품은 기타소득으로 본다.

② 뇌물과 알선수재 및 배임수재에 따라 받은 금품은 기타소득에 해당한다.

③ 계약의 위약 또는 해약으로 인하여 받는 위약금과 배상금 중 주택입주지체상금의 필요경비 산입액은 거주자가 받은 금액의 100분의 80에 상당하는 금액과 실제 소요된 필요경비 중 큰 금액으로 한다.

④ 「한국마사회법」에 따른 승마투표권의 구매자가 받는 환급금에 대해서는 그 구매자가 구입한 적중된 투표권의 단위투표 금액을 필요경비로 한다.

16 「소득세법」상 종합소득에 관한 설명으로 옳은 것은? 2009년 7급

① 공장재단 또는 광업재단의 대여로 인하여 발생하는 소득은 기타소득으로 한다.

② 주식의 소각이나 자본의 감소로 인하여 주주가 취득하는 금전 기타 재산의 가액이 주주가 당해 주식을 취득하기 위하여 소요된 금액을 초과하는 금액은 배당소득에 해당한다.

③ 종합소득 과세표준은 「소득세법」의 규정에 따라 계산한 이자소득금액·배당소득금액·사업소득금액·근로소득금액·연금소득금액과 기타소득금액을 합계한 금액으로 한다.

④ 종업원이 받는 공로금·위로금·개업축하금·학자금 기타 이와 유사한 성질의 급여는 「소득세법」상 기타소득의 범위에 포함된다.

15

토지와 함께 영업권을 양도하는 경우 그 대가로 받는 금품은 양도소득으로 과세한다.

16

✓ 오답체크

① 공장재단 또는 광업재단의 대여로 인하여 발생하는 소득은 사업소득으로 한다.

③ 종합소득 과세표준은 「소득세법」의 규정에 따라 계산한 이자소득금액·배당소득금액·사업소득금액·근로소득금액·연금소득금액과 기타소득금액을 합계한 금액에서 종합소득공제를 차감하여 계산한다.

④ 종업원이 받는 공로금·위로금·개업축하금·학자금 기타 이와 유사한 성질의 급여는 「소득세법」상 근로소득의 범위에 포함된다.

정답 15 ① 16 ②

17 다음은 소득세법령상 거주자인 생산직 근로자 甲의 2023년 3월 분 근로소득 자료이다. 甲의 비과세 근로소득의 합계액은?

2022년 7급

항목	금액	비고
월정액 급여	2,500,000원	–
식사대	200,000원	해당 사업체는 식사 및 기타 음식물을 제공하지 않음
출산수당	300,000원	배우자의 출산으로 해당 사업체에서 지급 받음
자가운전		
보조금	300,000원	甲 소유의 차량을 직접 운전하여 사용자의 업무수행에 이용하고 시내출장 등에 소요된 실제 여비를 받는 대신에 그 소요경비를 해당 사업체의 규칙 등으로 정하여진 지급기준에 따라 받는 금액임
연장근로수당	200,000원	「근로기준법」에 따른 연장근로수당으로 통상임금에 더해 받은 급여임
계	3,500,000원	–

① 300,000원
② 400,000원
③ 500,000원
④ 600,000원

18 소득세법령상 거주자의 기타소득 중 최소 80% 이상의 필요경비를 인정받을 수 있는 것만을 모두 고르면?

2022년 7급

ㄱ. 「소득세법」 제21조 제1항 제10호에 따른 위약금과 배상금 중 주택입주 지체상금
ㄴ. 산업재산권을 양도하거나 대여하고 그 대가로 받는 금품
ㄷ. 「공익법인의 설립·운영에 관한 법률」의 적용을 받는 공익법인이 주무관청의 승인을 받아 시상하는 상금
ㄹ. 「법인세법」 제67조에 따라 기타소득으로 처분된 소득

① ㄱ, ㄷ
② ㄱ, ㄹ
③ ㄴ, ㄷ
④ ㄴ, ㄹ

17

비과세 금액
200,000(식사대) + 100,000(출산수당) + 200,000(자가운전보조금) = 500,000
(생산직 근로자 갑의 월정액 급여가 210만 원을 초과하므로 연장근로수당은 비과세에 해당하지 않는다)

18

✓ 오답체크

ㄴ. 산업재산권의 양도 및 대여로 받는 금품은 60%를 필요경비로 한다.
ㄹ. 소득처분 기타소득은 일정률을 필요경비로 하는 대상에 해당하지 않는다.

19 소득세법령상 거주자의 소득의 종류에 대한 설명으로 옳지 않은 것은?

2023년 9급

① 법인의 임원 또는 종업원이 해당 법인으로부터 부여받은 주식매수선택권을 해당 법인에서 근무하는 기간 중 행사함으로써 얻은 이익(주식매수선택권 행사 당시의 시가와 실제 매수가액과의 차액을 말하며, 주식에는 신주인수권을 포함한다)은 근로소득에 해당한다.

② 「공익사업을 위한 토지 등의 취득 및 보상에 관한 법률」 제4조에 따른 공익사업과 관련하여 지역권·지상권(지하 또는 공중에 설정된 권리를 포함한다)을 설정하거나 대여함으로써 발생하는 소득은 사업소득에 해당한다.

③ 기밀비(판공비를 포함한다)·교제비 기타 이와 유사한 명목으로 받는 것으로서 업무를 위하여 사용된 것이 분명하지 아니한 급여는 근로소득에 해당한다.

④ 「사행행위 등 규제 및 처벌특례법」에서 규정하는 행위(적법 또는 불법 여부는 고려하지 아니한다)에 참가하여 얻은 재산상의 이익은 기타소득에 해당한다.

19

「공익사업을 위한 토지 등의 취득 및 보상에 관한 법률」 제4조에 따른 공익사업과 관련하여 지역권·지상권(지하 또는 공중에 설정된 권리를 포함한다)을 설정하거나 대여함으로써 발생하는 소득은 기타소득에 해당한다.

1 부당행위계산의 부인

1. 개념

납세지 관할세무서장 또는 지방국세청장은 배당소득(출자공동사업자가 손익분배 비율에 따라 받는 배당소득만 해당)·사업소득·기타소득 및 양도소득이 있는 거주자의 행위 또는 계산이 그 거주자와 특수관계인과의 거래로 인하여 그 소득에 대한 조세 부담을 부당하게 감소시킨 것으로 인정되는 경우에는 그 거주자의 행위 또는 계산과 관계없이 해당 과세기간의 소득금액을 계산할 수 있다.

2. 특수관계인

「국세기본법」상에 따른 특수관계인(친족·경제적 연관·경영지배 관계 등)을 말한다.

3. 조세의 부당감소

조세 부담을 부당하게 감소시킨 것으로 인정되는 경우는 다음의 어느 하나에 해당하는 경우로 한다. 아래 (1)부터 (3)까지 및 (5)[(1)부터 (3)까지에 준하는 행위만 해당]는 시가와 거래가액의 차액이 3억 원 이상이거나 시가의 5%에 상당하는 금액 이상인 경우만 해당한다.

(1) 특수관계인으로부터 시가보다 높은 가격으로 자산을 매입하거나 특수관계인에게 시가보다 낮은 가격으로 자산을 양도한 경우

(2) 특수관계인에게 금전이나 그 밖의 자산 또는 용역을 무상 또는 낮은 이율 등으로 대부하거나 제공한 경우. 다만, 직계존비속에게 주택을 무상으로 사용하게 하고 직계존비속이 그 주택에 실제 거주하는 경우는 제외한다.❶

(3) 특수관계인으로부터 금전이나 그 밖의 자산 또는 용역을 높은 이율 등으로 차용하거나 제공받는 경우

(4) 특수관계인으로부터 무수익자산을 매입하여 그 자산에 대한 비용을 부담하는 경우

(5) 그 밖에 특수관계인과의 거래에 따라 해당 과세기간의 총수입금액 또는 필요경비를 계산할 때 조세의 부담을 부당하게 감소시킨 것으로 인정되는 경우

기출 OX
「소득세법」상 부당행위계산의 부인규정은 실제 소요된 필요경비가 인정되는 소득에만 적용되는 것이 원칙이므로 이자소득이나 근로소득에 대해서는 적용되지 아니한다. (○)　　10. 7급

❶ 직계존비속에게 주택을 무상으로 제공하는 경우만 부당행위계산의 부인규정을 적용하지 않으므로 형제·자매나 사업용 건물의 경우는 부당행위계산의 부인규정을 적용한다. 또한 직계존비속에게 주택을 무상으로 사용하게 하고 직계존비속이 그 주택에 실제 거주하는 경우 해당 주택에서 발생하는 비용은 가사관련 경비로 보아 주택임대사업자의 필요경비로 차감하지 않는다.

⊞ **심화** | **부당행위계산의 부인 효과**

1. 부당행위계산의 부인을 적용받더라도 특수관계인과의 거래에 대한 사법상 법률효과에는 영향을 미치지 않는다.
2. 부당행위계산의 부인 대상이 되는 것은 시가로 재계산을 하는 것이며 「조세범 처벌법」상의 조세포탈범에 해당하지 않는다.

2 공동사업의 경우 소득금액계산 특례

1. 공동사업 소득금액계산 대상

사업소득이 발생하는 사업을 공동으로 경영하고 그 손익을 분배하는 공동사업(경영에 참여하지 아니하고 출자만 하는 출자공동사업자가 있는 공동사업을 포함)의 경우에는 해당 사업을 경영하는 공동사업장을 1거주자로 보아 공동사업장별로 그 소득금액을 계산한다.

2. 공동사업 소득금액의 분배

(1) 원칙 – 손익분배비율

공동사업에서 발생한 소득금액은 해당 공동사업을 경영하는 공동사업자(출자공동사업자를 포함)간에 약정된 손익분배비율(약정된 손익분배비율이 없는 경우에는 지분비율)에 의하여 분배되었거나 분배될 소득금액에 따라 각 공동사업자별로 분배한다.

(2) 예외 – 공동사업합산과세

① 개념: 거주자 1인과 그의 특수관계인❶이 공동사업자에 포함되어 있는 경우로서 손익분배비율을 거짓으로 정하는 등 사유가 있는 경우에는 그 특수관계인의 소득금액은 주된 공동사업자의 소득금액으로 본다.

⊞ **심화** | **손익분배비율을 거짓으로 정하는 등의 사유**

1. 공동사업자가 제출한 신고서와 첨부서류에 기재한 사업의 종류, 소득금액내역, 지분율, 약정된 손익분배비율 및 공동사업자간의 관계 등이 사실과 현저하게 다른 경우
2. 공동사업자의 경영참가, 거래관계, 손익분배비율 및 자산·부채 등의 재무상태 등을 감안할 때 조세를 회피하기 위하여 공동으로 사업을 경영하는 것이 확인되는 경우

② 주된 공동사업자

㉠ 손익분배비율이 큰 공동사업자

㉡ 손익분배비율이 같은 경우에는 공동사업소득 외의 종합소득금액이 많은 자

㉢ 공동사업소득 외의 종합소득금액이 같은 경우에는 직전과세기간의 종합소득금액이 많은 자

④ 직전과세기간의 종합소득금액이 같은 경우에는 해당 사업에 대한 종합소득과세표준을 신고한 자. 다만, 공동사업자 모두가 해당 사업에 대한 종합소득과세표준을 신고하였거나 신고하지 아니한 경우에는 납세지 관할세무서장이 정하는 자로 한다.

③ 공동사업합산과세 대상소득: 공동사업장에서 발생하는 사업소득에 한정하여 공동사업합산과세를 적용하므로 공동사업장에서 발생하는 이자소득이나 배당소득은 합산하여 과세하지 않는다.

3. 신고 및 납부

(1) 신고 · 납부

공동사업에서 발생한 소득금액 중 공동사업자 각자에게 분배된 소득금액을 각자의 종합소득금액에 합산하여 신고 · 납부한다.

(2) 공동사업장의 세액 등의 배분

① 원천징수세액: 공동사업장에서 발생한 소득금액에 대하여 원천징수된 세액은 각 공동사업자의 손익분배비율에 따라 배분한다.

② 가산세: 공동사업장 관련 지급명세서 제출불성실가산세 등(장부의 기록 · 보관 불성실가산세[1]는 제외)은 각 공동사업자의 손익분배비율로 배분한다. 다만, 장부의 기록 · 보관 불성실가산세, 무신고가산세, 과소신고 · 초과환급신고가산세 및 납부지연가산세는 의무를 이행하지 않은 각 거주자에게 부과하는 것이므로 손익분배비율로 배분하는 것이 아니다.

[+] 심화 | 공동사업장 관련 가산세

다음의 가산세는 공동사업자의 손익분배비율로 배분한다.
1. 지급명세서 제출불성실가산세
2. 계산서불성실 가산세
3. 영수증수취명세서 관련 가산세
4. 사업장현황신고 불성실가산세
5. 공동사업장등록 불성실가산세
6. 사업용계좌 관련 가산세
7. 신용카드거부 가산세
8. 현금영수증 관련 가산세
9. 원천징수납부 불성실가산세

---

(3) 연대납세의무

① 공동사업: 공동사업에서 발생한 소득금액은 각 공동사업자의 손익분배비율에 따라 분배하여 각 거주자별로 납세의무를 지는 것이 원칙이다.

[1]
장부의 기록 · 보관 불성실가산세는 산출세액이 없는 공동사업장에서 계산할 수 없으므로 각 공동사업자가 배분받은 소득에 대한 산출세액으로 무기장가산세를 계산한다.

② **공동사업합산과세:** 공동사업합산과세 규정에 따라 주된 공동사업자에게 합산과세되는 경우 그 합산과세되는 소득금액은 주된 공동사업자의 특수관계인이 그의 손익분배비율에 해당하는 그의 소득금액을 한도로 주된 공동사업자와 연대하여 납세의무를 진다.

(4) 기타사항

① 공동사업장을 1사업자로 보아 장부의 비치 · 기록의무, 사업자등록 및 고유번호의 부여 등에 관한 규정을 적용한다.

② 공동사업장에서 발생한 결손금은 각 공동사업자별로 분배되어 그들의 다른 소득금액과 통산하며, 그 과세기간에 공제하지 못한 결손금은 각 공동사업자별로 이월되어 다음 과세기간 이후의 소득금액에서 이월결손금으로 공제받게 된다.

③ 공동사업장에서 발생하는 소득금액의 결정 · 경정은 대표공동사업자의 주소지 관할세무서장이 한다. 다만, 국세청장이 중요하다고 인정하는 것에 대하여는 사업장 관할세무서장 또는 주소지 관할지방국세청장이 한다.

3 결손금 및 이월결손금의 공제

1. 결손금 개념

결손금이란 사업자의 총수입금액을 초과하여 필요경비가 발생하는 경우 그 초과금액을 말한다. 결손금은 사업소득에서 발생한 것(주거용 건물 임대업 포함)과 부동산임대업(주거용 건물 임대업 제외)에서 발생한 결손금으로 구분하여 서로 다른 방법으로 소득에서 공제하고 있다.

2. 공제방법

(1) 결손금 공제

① 사업자가 비치 · 기록한 장부에 의하여 해당 과세기간의 부동산임대업 이외의 사업소득금액(주거용 건물 임대업 포함)을 계산할 때 발생한 결손금은 그 과세기간의 종합소득과세표준을 계산할 때 근로소득금액 · 연금소득금액 · 기타소득금액 · 이자소득금액 · 배당소득금액에서 순서대로 공제한다.

② 다음의 부동산임대업(주거용 건물 임대업 제외)에서 발생한 결손금은 종합소득 과세표준을 계산할 때 다른 종합소득에서 공제하지 아니한다.

　㉠ 부동산 또는 부동산상의 권리를 대여하는 사업. 다만, 공익사업 관련 지역권 등의 권리를 대여하는 사업은 제외한다.

　㉡ 공장재단 또는 광업재단을 대여하는 사업

　㉢ 채굴에 관한 권리를 대여하는 사업

(2) 이월결손금 공제

이월결손금은 사업소득의 구분에 따라 다음과 같이 공제한다. 그리고 국세부과의 제척기간이 지난 후에 그 제척기간 이전 과세기간의 이월결손금이 확인된 경우 그 이월결손금은 공제하지 아니한다.

① 부동산임대업(주거용 건물 임대업 제외): 부동산임대업(주거용 건물 임대업 제외)에서 발생한 이월결손금은 15년(2020년 이후 발생분)간 이월하여 부동산임대업(주거용 건물 임대업 제외)의 소득금액에서만 공제한다.

② 부동산임대업(주거용 건물 임대업 제외) 이외의 사업소득

    ㉠ 부동산임대업(주거용 건물 임대업 제외) 이외의 사업소득에서 발생한 이월결손금은 해당 이월결손금이 발생한 과세기간의 종료일부터 15년 (2020년 이후 발생분) 이내에 끝나는 과세기간의 소득금액을 계산할 때 사업소득금액 · 근로소득금액 · 연금소득금액 · 기타소득금액 · 이자소득금액 및 배당소득금액의 순서대로 공제한다.

    ㉡ 이월결손금을 공제할 때 먼저 발생한 과세기간의 이월결손금부터 순서대로 공제한다.

(3) 이월결손금 공제배제

소득금액에 대하여 추계신고(비치 · 기록한 장부와 증명서류에 의하지 아니한 신고)를 하거나 추계조사결정하는 경우에는 적용하지 아니한다. 다만, 천재지변이나 그 밖의 불가항력으로 장부나 그 밖의 증명서류가 멸실되어 추계신고를 하거나 추계조사결정을 하는 경우에는 그러하지 아니하다.

(4) 금융소득에서의 공제

결손금 및 이월결손금을 공제할 때 세액계산을 하는 경우 종합과세되는 배당소득 또는 이자소득이 있으면 그 배당소득 또는 이자소득 중 원천징수세율을 적용받는 부분은 결손금 또는 이월결손금의 공제대상에서 제외된다. 그리고 종합과세를 적용받는 배당소득 또는 이자소득 중 기본세율을 적용받는 금융소득에 대하여는 사업자가 그 소득금액의 범위에서 공제 여부 및 공제금액을 결정할 수 있다.

(5) 공제순서

결손금 및 이월결손금을 공제할 때 해당 과세기간에 결손금이 발생하고 이월결손금이 있는 경우에는 다음 순서에 따라 소득금액에서 공제한다.

① 부동산임대업 이외의 사업소득과 주거용 건물 임대업의 결손금

② 부동산임대업 이외의 사업소득과 주거용 건물 임대업의 이월결손금

③ 부동산임대업의 이월결손금(주거용 건물 임대업 제외)

(6) 결손금의 소급공제

① 개념: 중소기업을 경영하는 거주자가 그 중소기업의 사업소득금액을 계산할 때 해당 과세기간의 이월결손금(부동산임대업에서 발생한 이월결손금은 제외❶)이 발생한 경우에는 직전 과세기간의 그 중소기업의 사업소득에 부과된 소득세액을 한도로 하여 계산한 결손금 소급공제세액을 환급신청할 수 있다. 이 경우 소급공제한 이월결손금에 대하여 그 이월결손금을 공제받은 금액으로 본다.

② 절차

⊙ 결손금 소급공제세액을 환급받으려는 자는 과세표준확정신고기한까지 납세지 관할세무서장에게 환급을 신청하여야 한다.

⊙ 납세지 관할세무서장이 소득세의 환급신청을 받은 경우에는 지체 없이 환급세액을 결정하여 환급하여야 한다.

⊙ 결손금이 발생한 경우 해당 과세기간의 다른 종합소득에서 공제하고 남은 결손금을 이월공제하거나 소급공제할 수 있다.

③ 요건: 해당 거주자가 신고기한까지 결손금이 발생한 과세기간과 그 직전 과세기간의 소득에 대한 소득세의 과세표준 및 세액을 각각 신고한 경우에만 적용한다.

④ 추징: 납세지 관할세무서장은 소득세를 환급받은 자가 다음의 어느 하나에 해당하는 경우에는 그 환급세액과 이자상당액을 그 이월결손금이 발생한 과세기간의 소득세로서 징수한다. 다만, 이월결손금 중 일부만 소급공제 받은 경우에는 소급공제 받지 아니한 결손금이 먼저 감소된 것으로 본다.

⊙ 결손금이 발생한 과세기간에 대한 소득세의 과세표준과 세액을 경정함으로써 이월결손금이 감소된 경우

⊙ 결손금이 발생한 과세기간의 직전 과세기간에 대한 종합소득과세표준과 세액을 경정함으로써 환급세액이 감소된 경우

⊙ 중소기업 요건을 갖추지 아니하고 환급을 받은 경우

4 상속의 경우 구분

1. 상속인은 피상속인의 소득금액에 대한 소득세의 납세의무를 진다. 이 경우 피상속인의 소득금액에 대한 소득세로서 상속인에게 과세할 것과 상속인의 소득금액에 대한 소득세는 구분하여 계산하여야 한다.

2. 연금계좌의 가입자가 사망하였으나 그 배우자가 연금외수령 없이 해당 연금계좌를 상속으로 승계하는 경우에는 해당 연금계좌에 있는 피상속인의 소득금액은 상속인의 소득금액으로 보아 소득세를 계산한다. 연금계좌를 승계받은 배우자는 추후 연금수령시에는 연금소득으로, 연금외수령시에는 퇴직소득이나 기타소득으로 과세된다.

5 채권 등에 대한 소득금액계산

1. 개념

거주자가 채권 등의 발행법인으로부터 해당 채권 등에서 발생하는 이자 또는 할인액을 지급받거나 해당 채권 등을 매도하는 경우에는 거주자에게 그 보유기간별로 귀속되는 이자 등 상당액을 해당 거주자의 이자소득으로 보아 소득금액을 계산한다.

2. 이자상당액에 대한 원천징수

채권 등의 발행법인으로부터 이자 등을 지급받기 전에 중도에 매도하는 경우 채권의 보유기간 이자 등 상당액에 대하여 다음과 같이 원천징수하도록 규정하고 있다.

(1) 개인이 개인에게 매도하는 경우는 원천징수의무가 없다.

(2) 개인이 법인에게 매도하는 경우는 매수하는 법인이 매도하는 개인의 보유기간의 이자상당액에 대하여 원천징수한다.

(3) 법인이 개인 또는 다른 법인에게 매도하는 경우는 매도하는 법인이 자신의 보유기간의 이자상당액에 대하여 원천징수한다.

6 중도해지로 인한 이자소득계산

종합소득과세표준 확정신고 후 예금 또는 신탁계약의 중도해지로 이미 지난 과세기간에 속하는 이자소득금액이 감액된 경우 그 중도해지일이 속하는 과세기간의 종합소득금액에 포함된 이자소득금액에서 그 감액된 이자소득금액을 뺄 수 있다. 다만, 「국세기본법」에 따라 과세표준 및 세액의 경정을 청구한 경우에는 그러하지 아니하다.

01 「소득세법」상 공동사업에 대한 소득금액 계산과 납세의무의 범위에 대한 설명으로 옳은 것은?

2021년 7급

① 사업소득이 발생하는 사업을 공동으로 경영하고 그 손익을 분배하는 공동사업의 경우에는 공동사업장을 1거주자로 보아 공동사업장별로 그 소득금액을 계산한다.

② 공동사업에서 발생한 소득금액은 해당 공동사업을 경영하는 각 거주자 간에 약정된 손익분배비율이 있더라도 지분비율에 의하여 분배되었거나 분배될 소득금액에 따라 각 공동사업자별로 분배한다.

③ 거주자 1인과 그의 특수관계인이 공동사업자에 포함되어 있는 경우 그 특수관계인의 소득금액은 손익분배비율이 큰 공동사업자의 소득금액으로 본다.

④ 주된 공동사업자에게 합산과세되는 경우 그 합산과세되는 소득금액에 대해서는 주된 공동사업자의 특수관계인은 공동사업소득금액 전액에 대하여 주된 공동사업자와 연대하여 납세의무를 진다.

02 「소득세법」상 부당행위계산부인규정의 적용대상 소득으로 옳은 것만을 모두 고르면?

2021년 9급

> ㄱ. 양도소득
> ㄴ. 기타소득
> ㄷ. 사업소득
> ㄹ. 공동사업에서 발생한 소득금액 중 출자공동사업자의 손익분배비율에 해당하는 금액

① ㄱ, ㄹ   ② ㄱ, ㄴ, ㄷ
③ ㄴ, ㄷ, ㄹ   ④ ㄱ, ㄴ, ㄷ, ㄹ

01

✔ 오답체크

② 약정된 손익분배비율에 따라 배분하며 손익분배비율이 없는 경우에 지분비율에 따라 배분한다.
③ 특수관계인이 있다고 하여 공동사업합산과세를 적용하는 것은 아니므로 합산하여 과세하지 않는다.
④ 주된 공동사업자의 특수관계인인 손익분배비율에 해당하는 소득금액을 한도로 연대하여 납부할 의무가 있다.

02

ㄱ, ㄴ, ㄷ, ㄹ 모두 부당행위계산의 부인대상 소득에 해당된다.

정답 01 ① 02 ④

03 「소득세법」상 거주자의 결손금 및 이월결손금의 공제에 대한 설명으로 옳은 것으로만 묶은 것은? (단, 이월결손금은 세법상 공제 가능하고, 국세부과의 제척기간이 지난 후에 그 제척기간 이전 과세기간의 이월결손금이 확인된 경우가 아니며, 추계신고·추계조사결정하는 경우에도 해당하지 않는다)

2020년 7급

> ㄱ. 사업자(부동산임대업은 제외하되 주거용 건물 임대업은 포함)가 비치·기록한 장부에 의하여 해당 과세기간의 사업소득금액을 계산할 때 발생한 결손금은 그 과세기간의 종합소득과세표준을 계산할 때 근로소득금액·연금소득금액·기타소득금액·이자소득금액·배당소득금액에서 순서대로 공제한다.
> ㄴ. 부동산임대업(주거용 건물 임대업 포함)에서 발생한 이월결손금은 해당 과세기간의 부동산임대업의 소득금액에서만 공제한다.
> ㄷ. 결손금 및 이월결손금을 공제할 때 종합과세되는 배당소득 또는 이자소득이 있으면 그 배당소득 또는 이자소득 중 기본세율을 적용받는 부분에 대해서는 사업자가 그 소득금액의 범위에서 공제 여부 및 공제금액을 결정할 수 있다.
> ㄹ. 결손금 및 이월결손금을 공제할 때 해당 과세기간에 결손금이 발생하고 이월결손금이 있는 경우에는 그 과세기간의 이월결손금을 먼저 소득금액에서 공제한다.

① ㄱ, ㄴ   ② ㄱ, ㄷ

③ ㄴ, ㄹ   ④ ㄷ, ㄹ

03

옳은 것은 ㄱ, ㄷ이다.

✔ 오답체크

ㄴ. 주거용건물 임대업의 이월결손금은 다른 소득에서 공제할 수 있다.
ㄹ. 결손금과 이월결손금이 있는 경우에는 결손금을 먼저 공제한다.

04 소득세법령상 공동사업에 대한 거주자의 소득세 납세의무에 대한 설명으로 옳지 않은 것은?

2018년 9급

① 공동사업자가 과세표준확정신고를 하는 때에는 과세표준확정신고서와 함께 당해 공동사업장에서 발생한 소득과 그 외의 소득을 구분한 계산서를 제출하여야 한다.
② 특수관계자 아닌 자와 공동사업을 경영하는 경우 그 사업에서 발생한 소득금액은 공동사업을 경영하는 각 거주자 간에 약정된 손익분배비율의 존재 여부와 관계없이 지분비율에 의하여 분배되었거나 분배될 소득금액에 따라 각 공동사업자별로 분배한다.
③ 공동사업에 관한 소득금액이 소득세법 제43조 제3항에 따른 주된 공동사업자에게 합산과세되는 경우 그 합산과세되는 소득금액에 대해서는 주된 공동사업자의 특수관계인은 법률 규정에 따른 손익분배비율에 해당하는 그의 소득금액을 한도로 주된 공동사업자와 연대하여 납세의무를 진다.
④ 공동사업에서 발생한 소득금액 중 법령에서 정하는 바에 따라 출자공동사업자에게 분배된 금액은 배당소득으로 과세한다.

04
공동사업에서 발생하는 소득금액은 손익분배비율에 따라 분배하고 손익분배비율이 없는 경우에 지분비율에 따라 배분한다.

05 「소득세법」상 부당행위계산부인 대상이 되는 소득을 모두 고르면?

2013년 7급

ㄱ. 이자소득
ㄴ. 양도소득
ㄷ. 퇴직소득
ㄹ. 사업소득
ㅁ. 기타소득
ㅂ. 연금소득

① ㄱ, ㄴ, ㅂ　　　　② ㄱ, ㄷ, ㅁ
③ ㄴ, ㄹ, ㅁ　　　　④ ㄷ, ㄹ, ㅂ

05
대상이 되는 소득은 ㄴ, ㄹ, ㅁ이다. 사업소득, 기타소득, 출자공동사업자의 배당, 양도소득이 대상이 된다.

06 「소득세법」상 특수관계인인 甲과 乙간의 거래내용이다. 甲의 소득금액계산에 있어 부당행위계산의 부인 대상으로 옳지 않은 것은? 2011년 9급

① 甲은 乙에게 시가 5억 원의 토지를 6억 원에 양도하였다.
② 甲은 乙로부터 무수익자산을 5억 원에 매입하여 그 유지비용을 매년 3억 씩 부담하고 있다.
③ 甲은 乙로부터 정상적 요율이 4억 원인 용역을 제공받고 5억 원을 지불하였다.
④ 甲은 乙로부터 시가 6억 원의 토지를 9억 원에 매입하였다.

06
부당행위계산부인 규정은 특수관계인으로부터 고가매입 또는 저가양도에 의하여 부당한 조세감소를 가져오는 경우에 적용하는 것이므로 조세증가를 가져오는 고가 양도에 해당하는 ①은 제외된다.

07 「소득세법」상 공동사업에 대한 설명으로 옳지 않은 것은? 2011년 9급

① 공동사업의 경우에는 해당 사업을 경영하는 장소를 1거주자로 보아 공동사업자별로 각각 그 소득금액을 계산한다.
② 공동사업의 출자공동사업자에게 분배된 소득금액은 배당소득으로 보고 무조건 종합과세한다.
③ 공동사업장에 대해서는 당해 공동사업장을 1사업자로 보아 장부기장 및 사업자등록에 관한 규정을 적용한다.
④ 공동사업장에서 발생한 소득금액에 대하여 원천징수된 세액은 각 공동사업자의 손익분배 비율에 따라 배분한다.

07
공동사업의 경우에는 해당 사업을 경영하는 장소를 1거주자로 보아 공동사업장별로 각각 그 소득금액을 계산한다.

08 「소득세법」상 결손금 소급공제에 의한 환급에 관한 설명으로 옳지 않은 것은?

2011년 7급

① 환급규정은 해당 거주자가 과세표준 확정신고기한까지 결손금이 발생한 과세기간과 그 직전 과세기간의 소득에 대한 소득세의 과세표준 및 세액을 각각 신고한 경우에만 적용한다.

② 납세지 관할세무서장은 소득세를 환급한 후 결손금이 발생한 과세기간에 대한 소득세의 과세표준과 세액을 경정함으로써 이월결손금이 감소된 경우에는 환급세액 중 그 감소된 이월결손금에 상당하는 세액을 법령으로 정하는 바에 따라 그 이월결손금이 발생한 과세기간의 소득세로서 징수한다.

③ 중소기업을 경영하는 거주자가 그 중소기업의 사업소득금액을 계산할 때 해당 과세기간의 이월결손금(부동산임대업에서 발생한 이월결손금 포함)이 발생한 경우에는 이를 소급공제하여 직전과세기간의 그 중소기업의 사업소득에 대한 종합소득세액을 환급신청할 수 있다.

④ 소급공제한 이월결손금에 대해서 이월결손금의 이월공제 규정을 적용할 때에는 그 이월결손금을 공제받은 금액으로 본다.

08

부동산임대업에서 발생한 이월결손금은 결손금 소급공제를 할 수 없다.

---

09 소득세 과세표준의 산정에 관한 설명으로 옳은 것은?

2010년 7급

① 「소득세법」상 부당행위계산의 부인규정은 실제 소요된 필요경비가 인정되는 소득에만 적용되는 것이 원칙이므로 이자소득이나 근로소득에 대해서는 적용되지 아니한다.

② 사업소득이 발생하는 점포의 임차인으로서의 지위를 양도함으로써 얻는 경제적 이익인 점포임차권을 양도하고 받은 대가는 양도소득으로 분류된다.

③ 총연금액이 연 1,200만 원인 납세자의 사적연금소득은 원천징수에 의하여 소득세 납세의무가 종결되기 때문에 종합과세 대상이 될 수 없다.

④ 근로자를 수익자로 하여 사업자가 불입하여 발생한 확정급여형 퇴직연금의 운용수익은 당해 사업자의 이자소득으로 본다.

09

✔ 오답체크

② 사업소득이 발생하는 점포의 임차인으로서의 지위를 양도함으로써 얻는 경제적 이익인 점포임차권을 양도하고 받은 대가는 기타소득으로 분류된다.

③ 사적연금소득(무조건 분리과세 제외)이 연 1,200만 원 이하인 납세자의 사적연금소득은 납세자가 분리과세나 종합과세 중 하나를 선택할 수 있다.

④ 근로자를 수익자로 하여 사업자가 불입하여 발생한 확정급여형 퇴직연금의 운용수익은 당해 사업자의 사업소득으로 본다.

10 「소득세법」상 부당행위계산 부인에 관한 설명으로 옳은 것은? 2010년 7급

① 특수관계인에게 시가가 50억 원인 자산을 48억 원에 양도하는 경우 부당행위계산 부인의 요건을 충족한다.

② 거주자인 갑이 거주자인 그의 아들 을에게 시가 10억 원인 제품을 7억 원에 판매한 경우 과세관청은 을에 대하여 매입가액을 10억 원으로 하여 세법을 적용한다.

③ 거주자인 병이 거주자인 그의 동생 정에게 주택을 무상으로 사용하게 하고 정이 당해 주택에 실제 거주하는 경우에는 조세의 부담을 부당하게 감소시킨 것으로 인정하는 때에 해당되지 않는다.

④ 부당행위계산부인 규정은 당사자간에 약정한 법률행위의 효과를 부인하거나 기존 법률행위의 변경·소멸을 가져오게 할 수 없다.

① 시가와 거래가액과의 차액이 3억 원 이상이거나 시가의 5% 이상이여야 한다. 시가와의 차액이 2억으로 50억 원 5%인 2억 5천만 원에 미달하므로 부당행위계산부인을 적용하지 않는다.

② 거주자인 갑이 거주자인 그의 아들 을에게 시가 10억 원인 제품을 7억 원에 판매한 경우 과세관청은 을에 대하여 매입가액을 7억 원으로 하여 세법을 적용한다.

③ 직계존비속에게 주택을 무상으로 사용하게 하고 직계존비속이 해당 주택에 실제 거주하는 경우에는 부당행위계산부인 규정을 적용하지 않는다. 형제자매는 직계존비속에 해당하지 않으므로 부당행위계산부인 대상이 된다.

11 「소득세법」상 결손금소급공제에 대한 설명으로 옳지 않은 것은? 2009년 9급

① 법령 소정의 중소기업을 영위하는 거주자(부동산임대업 제외)는 이월결손금이 발생한 경우 결손금 소급공제에 의한 세액환급을 신청할 수 있다.

② 사업소득(부동산임대업 제외)에서 발생한 결손금이 결손금 소급공제의 대상이 된다.

③ 결손금 소급공제는 거주자가 결손금이 발생한 과세기간과 그 직전 과세기간의 소득에 대한 소득세의 과세표준 및 세액을 각각 신고한 경우에 한하여 적용된다.

④ 결손금 소급공제에 의하여 환급을 받았다 하더라도 동일한 결손금을 이월하여 공제할 수 있다.

결손금 소급공제에 의하여 환급을 받은 경우 동일한 결손금을 이월하여 공제할 수 없다.

10 ④   11 ④

05 소득금액계산의 특례 **779**

12 「소득세법」상 과세소득금액을 계산함에 있어서 결손금의 통산방법을 설명한 것으로 옳지 않은 것은?

2008년 9급

① 사업소득(부동산임대업 제외) 및 주거용 건물 임대업에서 발생한 결손금은 근로소득금액, 연금소득금액, 기타소득금액, 이자소득금액, 배당소득금액에서 순차로 공제한다.

② 사업소득(부동산임대업 제외) 및 주거용 건물 임대업의 결손금을 다른 종합소득금액에서 공제하고 남은 경우에는 양도소득금액에서 공제한다.

③ 부동산임대사업소득(주거용 건물 임대업 제외)에서 발생한 결손금은 다른 종합소득금액에서 공제할 수 없다.

④ 부동산임대사업소득(주거용 건물 임대업 제외)에서 발생한 이월결손금은 당해 이월결손금이 발생한 연도의 종료일부터 15년 이내에 종료하는 과세기간의 소득금액을 계산함에 있어서 먼저 발생한 연도의 이월결손금부터 순차로 부동산임대사업소득금액에서 공제한다.

12
종합소득에서 공제할 수 있으며, 분류과세되는 양도소득금액에서는 공제되지 않는다.

13 「소득세법」상 공동사업에 대한 소득금액계산에 관한 설명으로 옳지 않은 것은?

2007년 9급

① 부동산임대사업소득 또는 일반사업소득이 발생하는 사업을 공동으로 경영하고 그 손익을 분배하는 공동사업의 경우에는 공동사업장을 1거주자로 보아 공동사업장별로 그 소득금액을 계산한다.

② 공동사업에서 발생한 소득금액은 공동사업자간에 약정된 손익분배비율(약정된 손익분배비율이 없는 경우에는 지분비율)에 의하여 분배되었거나 분배될 소득금액에 따라 각 공동사업자별로 분배한다.

③ 거주자 1인과 그와 법령에서 정하는 특수관계에 있는 자가 공동사업자에 포함되어 있는 경우로서 손익분배비율을 허위로 정하는 등 법령이 정하는 사유가 있는 때에는 당해 특수관계인의 소득금액은 주된 공동사업자의 소득금액으로 본다.

④ 공동사업장의 소득금액을 계산하는 경우 기업업무추진비 한도액, 일반기부금 한도액 계산은 공동사업에 출자한 공동사업자별로 각각 계산한다.

13
공동사업장의 소득금액을 계산하는 경우 기업업무추진비 한도액, 일반기부금 한도액 계산은 공동사업자별이 아닌 공동사업장을 1거주자로 보아 계산한다.

정답 12 ② 13 ④

06 종합소득과세표준의 계산

1 계산구조

> 종합소득과세표준 = 종합소득금액 − 종합소득공제

2 종합소득공제

1. 인적공제

(1) 기본공제

(2) 추가공제

2. 그 외 공제

(1) 특별소득공제

(2) 연금보험료공제

(3) 주택담보노후연금 이자비용공제

(4) 신용카드 등의 사용금액에 대한 소득공제

(5) 그 밖의 소득공제

3 인적공제

1. 기본공제

종합소득이 있는 거주자(자연인만 해당[1])에 대하여는 다음의 어느 하나에 해당하는 사람의 수에 1명당 연 150만 원을 곱하여 계산한 금액을 그 거주자의 해당 과세기간의 종합소득금액에서 공제한다. 소득금액요건에서 공제대상자의 연간 소득금액[2]이 100만 원을 초과하더라도 총급여액 500만 원 이하의 근로소득만 있는 경우에는 소득금액의 요건을 충족한 것으로 한다.

(1) 해당 거주자(본인)

(2) 거주자의 배우자로서 연간 소득금액이 없거나 연간 소득금액의 합계액이 100만 원 이하인 사람(총급여액 500만 원 이하의 근로소득만 있는 경우 포함)

(3) 거주자(그 배우자를 포함)와 생계를 같이 하는 다음의 어느 하나에 해당하는 부양가족(장애인에 해당하는 경우에는 나이의 제한을 받지 않음)으로서 연간 소득금액의 합계액이 100만 원 이하인 사람(총급여액 500만 원 이하의 근로소득만 있는 경우 포함)

[1]
자연인만 대상이므로 법인 아닌 단체는 인적공제를 받을 수 없다.

[2] 연간 소득금액

연간 소득금액은 종합소득금액(비과세·분리과세 제외), 퇴직소득금액 및 양도소득금액을 의미한다.

①

직계존속이 재혼한 경우에는 그 배우자로서 해당 거주자의 직계존속과 혼인(사실혼 제외) 중임이 증명되는 사람과 거주자의 직계존속이 사망한 경우에는 해당 직계존속의 사망일 전날에 혼인(사실혼 제외) 중임이 증명되는 사람을 포함한다.

②

거주자의 배우자가 재혼한 경우로서 해당 배우자가 종전의 배우자와의 혼인(사실혼 제외) 중에 출산한 자를 포함한다.

③

「아동복지법」에 따라 보호기간이 연장된 경우로서 20세 이하인 위탁아동을 포함한다.

④

직전과세기간에 소득공제를 받지 못한 경우에는 해당 위탁아동에 대한 직전과세기간의 위탁기간을 포함하여 계산한다.

① 거주자의 직계존속**①**으로서 60세 이상인 사람

② 거주자의 직계비속**②**과 입양자로서 20세 이하인 사람. 이 경우 해당 직계비속 또는 입양자와 그 배우자가 모두 장애인에 해당하는 경우에는 그 배우자를 포함한다.

③ 거주자의 형제자매로서 20세 이하 또는 60세 이상인 사람

④ 「국민기초생활 보장법」에 따른 수급권자

⑤ 「아동복지법」에 따른 가정위탁을 받아 양육하는 아동**③**(해당 과세기간 6개월 이상 직접 양육한 위탁아동**④**)

2. 추가공제

기본공제대상자 중 다음의 어느 하나에 해당하는 경우에는 거주자의 해당 과세기간 종합소득금액에서 기본공제 외에 해당 금액을 추가로 공제한다. 추가공제는 요건에 충족하면 중복 적용이 가능하다. 다만, 아래 (3)과 (4)에 모두 해당하는 경우에는 (4)를 적용한다.

(1) 경로우대자공제

부양가족 중 70세 이상인 사람이 있는 경우 1명당 연 100만 원을 공제한다.

(2) 장애인공제

부양가족 중에 장애인이 있는 경우 1명당 연 200만 원을 공제한다. 장애인의 범위는 다음과 같다.

① 「장애인복지법」에 의한 장애인

② 「국가유공자 등 예우 및 지원에 관한 법률」에 의한 상이자 및 이와 유사한 자로서 근로능력이 없는 자

③ 항시 치료를 요하는 중증환자

(3) 부녀자공제

해당 거주자(해당 과세기간의 종합소득금액이 3천만 원 이하인 거주자로 한정)가 배우자가 없는 여성으로서 기본공제대상자인 부양가족이 있는 세대주이거나 배우자가 있는 여성인 경우 연 50만 원을 공제한다.

(4) 한부모소득공제

해당 거주자가 배우자가 없는 사람으로서 기본공제대상자인 직계비속 또는 입양자가 있는 경우 연 100만 원을 공제한다.

> 🔲 **심화** | **배우자가 사망한 경우**
>
> 해당 과세기간에 배우자가 사망한 경우로서 연말정산시 기본공제대상자로 배우자를 기본공제 신청한 경우에는 한부모 소득공제를 적용받을 수 없다.

3. 공제한도

인적공제의 합계액이 종합소득금액을 초과하는 경우 그 초과하는 공제액은 없는 것으로 한다.

4. 생계를 같이하는 부양가족

(1) 생계를 같이하는 부양가족은 주민등록표의 동거가족으로 해당 거주자의 주소 또는 거소에서 현실적으로 생계를 같이 하는 사람으로 한다. 다만, 배우자, 직계비속·입양자는 동거 여부에 상관없이 항상 생계를 같이하는 자로 본다.

(2) 거주자 또는 동거가족이 취학·질병의 요양, 근무상 또는 사업상의 형편 등으로 본래의 주소 또는 거소에서 일시 퇴거한 경우에도 일정한 사유에 해당할 때에는 생계를 같이 하는 사람으로 본다.

(3) 거주자의 부양가족 중 거주자(그 배우자를 포함)의 직계존속이 주거 형편에 따라 별거하고 있는 경우에는 생계를 같이 하는 사람으로 본다.

5. 공제대상 판정시기

(1) 공제대상 배우자·공제대상 부양가족·공제대상 장애인 또는 공제대상 경로우대자에 해당하는지 여부의 판정은 해당 과세기간의 종료일 현재의 상황에 따른다. 다만, 과세기간종료일 전에 사망한 사람 또는 장애가 치유된 사람에 대하여는 사망일 전날 또는 치유일 전날의 상황에 따른다.

(2) 적용대상 나이가 정하여진 경우에는 해당 과세기간 중에 해당 나이에 해당하는 날이 있는 경우에 공제대상자로 본다.

6. 중복으로 기본공제대상이 되는 경우

거주자의 배우자 또는 부양가족이 다른 거주자의 부양가족에 해당하는 경우에는 어느 한 거주자의 종합소득금액에서 공제한다.

(1) **공제대상자가 신고서에 기재된 경우**: 공제대상가족이 동시에 다른 거주자의 공제대상가족에 해당하는 경우에는 소득·세액공제신고서에 기재된 바에 따라 그 중 1인의 공제대상가족으로 한다.

(2) **둘 이상의 거주자가 기본공제대상자로 신고한 경우**: 둘 이상의 거주자가 공제대상가족을 서로 자기의 공제대상가족으로 하여 신고서에 적은 경우 또는 누구의 공제대상가족으로 할 것인지를 알 수 없는 경우에는 다음의 기준에 따른다.

   ① 거주자의 공제대상배우자가 다른 거주자의 공제대상부양가족에 해당하는 때에는 공제대상배우자로 한다.

② 거주자의 공제대상부양가족이 다른 거주자의 공제대상부양가족에 해당하는 때에는 직전과세기간에 부양가족으로 인적공제를 받은 거주자의 공제대상 부양가족으로 한다. 다만, 직전과세기간에 부양가족으로 인적공제를 받은 사실이 없는 때에는 해당 과세기간의 종합소득금액이 가장 많은 거주자의 공제대상부양가족으로 한다.

③ 거주자의 추가공제대상자가 다른 거주자의 추가공제대상자에 해당하는 때에는 기본공제를 받는 거주자의 추가공제대상자로 한다.

7. 중도에 사망 또는 출국한 경우

(1) 해당 과세기간의 중도에 사망하였거나 외국에서 영주하기 위하여 출국한 거주자의 공제대상 가족으로서 상속인 등 다른 거주자의 공제대상 가족에 해당하는 사람에 대하여는 피상속인 또는 출국한 거주자의 공제대상 가족으로 한다.

(2) 피상속인 또는 출국한 거주자에 대한 인적공제액이 소득금액을 초과하는 경우에는 그 초과하는 부분은 상속인 또는 다른 거주자의 해당 과세기간의 소득금액에서 공제할 수 있다.

8. 공제한도

해당 과세기간의 합산과세되는 종합소득금액이 공제액에 미달하는 경우에는 그 종합소득금액을 공제액으로 한다.

4 특별소득공제

특별소득공제는 근로소득이 있는 거주자가 신청한 경우에 한하여 적용하며 해당 과세기간의 근로소득금액에서 공제한다.

1. 보험료공제

근로소득이 있는 거주자(일용근로자는 제외)가 해당 과세기간에 「국민건강보험법」, 「고용보험법」 또는 「노인장기요양보험법」에 따라 보험료를 지급한 경우 그 금액을 해당 과세기간의 근로소득금액에서 공제한다.

2. 주택자금공제❶

근로소득이 있는 거주자(일용직 근로자는 제외)는 다음의 금액을 해당 과세기간의 근로소득에서 공제한다.

> Min(①, 연 400만 원) 또는 Min(①+②, ③)
>
> ① (주택청약저축 납입액 + 주택임차차입금원리금상환액) × 40%
>
> ② 장기주택저당차입금 이자상환액
>
> ③ 차입금의 상환기간이 15년 이상인 경우 연 500만 원❷

---

❶ 주택임차차입금원리금상환액소득공제 및 장기주택저당차입금이자상환액소득공제

다음의 요건을 모두 갖춘 외국인 거주자를 포함한다.
1. 다음 중 어느 하나에 해당하는 사람일 것
   ① 「출입국관리법」에 따라 등록한 외국인
   ② 「재외동포의 출입국과 법적 지위에 관한 법률」에 따라 국내거소신고를 한 외국국적동포
2. 배우자, 거주자와 같은 주소 또는 거소에서 생계를 같이하는 거주자와 그 배우자의 직계존비속(그 배우자를 포함) 및 형제자매가 주택청약종합저축 납입액 소득공제, 주택임차차입금 원리금 상환액 소득공제 및 장기주택저당차입금 이자상환액 소득공제를 받지 않았을 것

❷
1. 상환기간 15년 이상＋고정금리＋비거치식 분할상환: 1,800만 원
2. 상환기간 15년 이상＋고정금리 또는 비거치식 분할상환: 1,500만 원
3. 상환기간 10년 이상＋고정금리 또는 비거치식 분할상환: 300만 원

5 연금보험료공제

1. 종합소득이 있는 거주자가 연금보험료(공적연금 관련법에 따른 기여금 또는 개인부담금)를 납입한 경우에는 해당 과세기간의 종합소득금액에서 그 과세기간에 납입한 연금보험료를 공제한다. 이러한 연금보험료는 납입한 연금보험료를 전액 공제한다.

2. 다만, 공제금액이 종합소득금액을 초과하는 경우 그 초과하는 금액은 연금보험료를 받지 않은 것으로 본다.

6 주택담보노후연금 이자비용공제

연금소득이 있는 거주자가 주택담보노후연금을 받은 경우에는 그 받은 연금에 대하여 해당 과세기간에 발생한 이자비용 상당액을 해당 과세기간 연금소득금액에서 공제한다. 이 경우 공제할 이자 상당액이 200만 원을 초과하는 경우에는 200만 원을 공제하고, 연금소득금액을 초과하는 경우 그 초과금액은 없는 것으로 한다.

7 종합소득공제의 배제

1. 분리과세이자소득 · 분리과세배당소득 · 분리과세연금소득과 분리과세기타소득만이 있는 자에 대하여는 종합소득공제를 적용하지 아니한다.

2. 종합소득과세표준확정신고를 하여야 할 자가 소득공제서류를 제출하지 아니한 경우에는 기본공제 중 거주자 본인에 대한 것과 표준세액공제만을 공제한다. 다만, 종합소득과세표준확정신고 여부와 관계없이 그 서류를 나중에 제출한 경우에는 그러하지 아니하다.

3. 수시부과결정의 경우에는 기본공제 중 거주자 본인에 대한 것만을 공제한다.

4. 비거주자의 경우는 인적공제 중 비거주자 본인 외의 자에 대한 공제와 특별소득공제 · 자녀세액공제 · 특별세액공제는 적용되지 않는다.

8 소득세 소득공제의 종합한도

거주자의 종합소득에 대한 소득세를 계산할 때 「소득세법」상 소득공제(주택자금공제)와 「조세특례제한법」상 소득공제를 적용할 때 공제액의 합계액이 2,500만 원을 초과하는 경우 초과하는 금액은 없는 것으로 본다.

9 공동사업합산과세 소득공제 특례

공동사업합산과세의 경우 주된 사업자와 특수관계에 있는 자가 지출한 다음의
금액은 주된 공동사업자의 소득에 합산과세되는 소득금액의 한도에서 주된 공동사
업자가 지출한 것으로 보아 주된 공동사업자가 공제받을 수 있다.

1. 연금보험료공제

2. 연금계좌세액공제

3. 「조세특례제한법」에 따른 소득공제

> **참고**
>
> **「조세특례제한법」상 소득공제**
>
> 1. **신용카드 사용금액 소득공제**
>   ① **적용대상**: 근로소득자(일용근로자는 제외)의 신용카드 등을 총급여액의 25%를 초과하여 사
>   용하는 경우 그 초과액에 대하여 소득공제를 한다. 본인 외에도 배우자, 기본공제대상자인
>   직계존비속 · 입양자(배우자와 직계존비속 · 입양자의 소득금액 100만 원 이하인 자)의 사
>   용액도 대상금액에 해당한다.
>   ② **공제배제**
>   ㉠ **보험료 등**: 국민건강보험료, 노인장기요양보험료, 고용보험료, 국민연금보험료, 보험계약
>   의 보험료 또는 공제료
>   ㉡ **교육비 등**: 「유아교육법」, 「초 · 중등교육법」, 「고등교육법」 또는 특별법에 의한 학교(대학
>   원을 포함) 및 「영유아보육법」에 의한 어린이집에 납부하는 수업료 · 입학금 · 보육비용
>   기타 공납금
>   ㉢ **세금 · 공공요금 등**: 정부 또는 지방자치단체에 납부하는 국세 · 지방세, 전기료 · 수도료 ·
>   전화료(정보사용료 · 인터넷이용료 등을 포함) · 아파트관리비 · 텔레비전시청료(종합유선
>   방송의 이용료를 포함) 및 도로통행료
>   ㉣ 상품권 등 유가증권 구입비
>   ㉤ 리스료(자동차대여사업의 자동차대여료를 포함)
>   ㉥ 국외 신용카드사용액
>   ㉦ 취득세 또는 등록에 대한 등록면허세가 부과되는 재산의 구입비용(신차 · 중고차 구입[1])
>   ㉧ 국가 · 지방자치단체 또는 지방자치단체조합(의료기관 및 보건소는 제외)에 지급하는 사
>   용료 · 수수료 등의 대가
>   ㉨ 차입금 이자상환액, 증권거래수수료 등 금융 · 보험용역과 관련한 지급액, 수수료, 보증
>   료 및 이와 비슷한 대가
>   ㉩ 정당(후원회 및 각 급 선거관리위원회를 포함)에 신용카드 · 직불카드 · 기명식선불카드 ·
>   직불전자지급수단 · 기명식선불전자지급수단 또는 기명식전자화폐로 결제하여 기부하는
>   정치자금(정치자금세액공제를 적용받은 경우에 한함)
>   ㉪ 세액공제를 적용받은 월세액
>   ㉫ 위장카드가맹점에서 교부받은 매출전표
>   ㉬ 물품 또는 용역의 거래 없이 신용카드 등을 교부받거나 실제 매출금액을 초과하여 신용
>   카드 등의 매출전표를 교부받는 행위
>
> > ※ 중복적용대상
> > ⓐ 의료비세액공제
> > ⓑ 초등학교 취학 전 아동의 학원 · 체육시설 등의 수강료와 교복구입비 등 교육비세액공제

❶
중고차 구입금액의 10%를 공제적용금
액에 포함한다.

③ 신용카드 등 공제대상 사용액

    ㉠ **전통시장 사용액**: 전통시장과 전통시장 구역 안의 법인 또는 사업자에게 사용

    ㉡ **대중교통 이용액**: 대중교통이용 금액

    ㉢ **도서 · 공연비 사용액**: 해당 과세연도의 총급여액이 7천만 원 이하인 경우로 도서 또는 문화예술공연비 지출분

    ㉣ **직불카드 등 사용액**: 현금영수증 · 직불카드 · 기명식선불카드 · 직불전자지급수단 · 기명식선불전자지급수단 · 기명식전자화폐의 사용액

    ㉤ **신용카드**: 전통시장사용분, 대중교통이용분, 도서 · 공연비 사용액을 제외한 금액

2. 소기업 · 소상공인 공제부금에 대한 소득공제

Min(①, ②)

① 공제부금납부액

② 한도

사업소득금액 또는 근로소득금액	소득공제 한도
4천만 원 이하	500만 원
4천만 원 초과 1억 원 이하	300만 원
1억 원 초과	200만 원

소기업 · 소상공인 공제부금에 대한 소득공제액은 해당 연도의 사업소득금액에서 공제하며 법인의 대표자로서 해당 과세기간의 총급여액이 7,000만 원 이하인 거주자의 경우에는 근로소득금액에서 공제한다.

3. 우리사주조합에 대한 출연금의 소득공제

Min(①, ②)

① 해당 과세기간의 우리사주조합에 대한 출연금액

② 400만 원(1,500만 원❶)

❶
벤처기업 등 우리사주조합원의 경우 1,500만 원으로 계산한다.

01 「소득세법」상 거주자의 종합소득공제에 대한 설명으로 옳은 것만을 모두 고르면?

2021년 7급

> ㄱ. 기본공제대상자가 70세 이상인 경우 1명당 연 100만 원을 추가로 공제한다.
> ㄴ. 거주자의 직계존속은 나이와 소득에 관계없이 기본공제 대상자가 된다.
> ㄷ. 분리과세이자소득, 분리과세배당소득, 분리과세연금소득과 분리과세기타소득만이 있는 자에 대해서는 종합소득공제를 적용하지 아니한다.
> ㄹ. 주택담보노후연금에 대해서 발생한 이자비용 상당액은 연금소득금액을 초과하지 않는 범위에서 300만 원을 연금소득금액에서 공제한다.

① ㄱ, ㄴ
② ㄱ, ㄷ
③ ㄴ, ㄹ
④ ㄷ, ㄹ

01

옳은 것은 ㄱ, ㄷ이다.

✓ 오답체크

ㄴ. 직계존속은 나이와 소득요건을 충족한 경우 공제대상으로 한다.
ㄹ. 주택담보노후연금이자비용은 200만 원을 한도로 공제한다.

---

02 「소득세법」에 따라 다음 자료를 이용하여 2023년 종합소득공제액을 계산할 때 인적공제의 합계액은? [단, 공제대상임을 증명하는 서류는 정상적으로 제출하였고, 부양가족은 모두 당해 과세연도 종료일 현재(모친은 사망일 현재) 주거형편상 별거 중, 연령은 당해 과세연도 종료일 현재이고 모친은 사망일 현재임]

2016년 7급

부양가족	연령	소득현황	비고
본인(남성)	51세	총급여액 5천만 원	
배우자	48세	총급여액 1천만 원	장애인
아들	18세		장애인
딸	13세		
모친	72세		당해연도 12월 1일 사망

① 900만 원
② 1,050만 원
③ 1,100만 원
④ 1,250만 원

02

1. 기본공제
4명 × 1,500,000원=6,000,000원
(본인, 아들, 딸, 모친이 기본공제 대상에 해당함. 배우자는 소득요건을 충족하지 못하였으므로 공제대상에 해당하지 않음)
2. 추가공제
· 장애인(아들) 2,000,000원
· 경로우대(모친) 1,000,000원
⇨ 총공제액
6,000,000+3,000,000
=9,000,000원

정답 01 ② 02 ①

03 「소득세법」상 거주자를 대상으로 하는 종합소득공제에 대한 설명으로 옳지 않은 것은?

2015년 7급

① 분리과세 이자소득, 분리과세 배당소득, 분리과세 연금소득과 분리과세 기타소득만이 있는 자에 대해서는 종합소득공제를 적용하지 아니한다.

② 종합소득공제 중 인적공제의 합계액이 종합소득금액을 초과하는 경우 그 초과하는 공제액은 없는 것으로 한다.

③ 수시부과 결정(「소득세법」 제82조)의 경우에는 기본공제 중 거주자 본인에 대한 분(分)만을 공제한다.

④ 둘 이상의 거주자가 공제대상 가족을 서로 자기의 공제대상 가족으로 하여 신고서에 적은 경우에는 먼저 신고한 거주자의 공제대상 가족으로 한다.

03
둘 이상의 거주자가 공제대상 가족을 서로 자기의 공제대상 가족으로 하여 신고서에 적은 경우에는 다음의 기준에 따른다.

> 1. 거주자의 공제대상 배우자가 다른 거주자의 공제대상 부양가족에 해당하는 때에는 공제대상 배우자로 한다.
> 2. 거주자의 공제대상 부양가족이 다른 거주자의 공제대상 부양가족에 해당하는 때에는 직전 과세기간에 부양가족으로 인적공제를 받은 거주자의 공제대상 부양가족으로 한다. 직전 과세기간에 공제받은 자가 없는 경우에는 해당 과세기간의 소득금액이 많은 자가 공제받는다.

04 거주자인 근로자 甲(일용근로자 아님)이 2023년 초 근로소득세액의 연말정산을 위한 소득·세액공제를 신청할 때 적용할 소득공제 및 세액공제 중 甲의 총급여액에 의해 영향을 받을 수 있는 공제항목으로만 묶인 것은?

2011년 7급

① 교육비세액 공제, 추가공제 중 장애인 공제

② 교육비세액 공제, 신용카드 등 사용금액에 대한 소득공제

③ 의료비세액 공제, 자녀세액공제

④ 의료비세액 공제, 신용카드 등 사용금액에 대한 소득공제

04
의료비세액 공제는 총급여의 3%를 초과하여야 공제가 가능하며 신용카드 등 사용금액에 대한 소득공제는 총급여의 25%를 초과 사용하여야 공제할 수 있다.

05 「소득세법」상 소득공제에 대한 설명으로 옳지 않은 것은?

2007년 9급

① 「소득세법」상 인적공제의 합계액이 종합소득금액을 초과하는 경우 그 초과하는 공제액은 없는 것으로 한다.

② 거주자의 부양가족 중 거주자(그 배우자 포함)의 직계존속이 주거의 형편에 따라 별거하고 있는 경우에도 이를 생계를 같이하는 자로 본다.

③ 「소득세법」은 20세 이상 60세 이하인 직계존비속에 대하여는 근로능력이 있는 것으로 보아 기본공제대상에서 제외하고 있다. 다만 기본공제대상자가 장애인인 경우에는 연령제한을 받지 아니한다.

④ 한부모공제와 부녀자공제가 중복되는 경우에는 한부모공제만 적용한다.

05
「소득세법」은 20세 초과 60세 미만인 직계존비속에 대하여는 근로능력이 있는 것으로 보아 기본공제대상에서 제외하고 있다. 다만, 기본공제대상자가 장애인인 경우에는 연령제한을 받지 아니한다.

정답 03 ④ 04 ④ 05 ③

06 「소득세법」상 추가공제에 대한 설명이다. 옳지 않은 것은?

2007년 9급

본인	49세	상가임대사업소득금액	1,500만 원
배우자	47세	이자소득금액	150만 원(국외이자)
장녀	26세	근로소득금액	90만 원(장애인)
시아버지	77세	양도소득금액	100만 원
모	73세	사업소득금액	300만 원(장애인)

* 단, 이들은 성춘향씨 본인(여성)과 생계를 같이 하는 동거가족이다.

① 본인이 배우자 있는 부녀자이므로 부녀자 공제대상이다.
② 장녀에 대하여는 장애인 공제를 받을 수 있다.
③ 시아버지는 기본공제대상자가 아니므로 경로우대공제를 받을 수 없다.
④ 어머니는 사업소득금액이 300만 원이므로 기본공제를 받을 수 없다.

07 「소득세법」상 소득세의 과세방법에 관한 설명으로 옳지 않은 것은?

2007년 9급

① 피상속인의 소득금액에 대한 소득세를 상속인에게 과세할 것은 이를 상속인의 소득금액에 대한 소득세와 구분하여 계산하여야 한다.
② 개인사업자의 유가증권처분이익은 사업소득의 총수입금액에 포함하지 아니한다.
③ 퇴직으로 인하여 받는 소득으로서 퇴직소득에 속하지 않는 급여는 근로소득에 포함된다.
④ 수시부과 후 추가로 발생한 소득이 없는 경우에도 과세표준 확정신고는 하여야 한다.

06
① 본인의 종합소득금액이 3,000만 원 이하로 배우자가 있는 부녀자이므로 부녀자 공제대상에 해당한다.
② 장녀는 장애인에 해당하므로 나이는 고려하지 않는다.
④ 어머니는 소득금액 요건이 충족되지 않아 기본공제를 받을 수 없다.

✓ 오답체크

③ 본인과 배우자의 직계존비속 모두 되므로 시아버지도 기본공제대상자에 해당한다.

07
소득세를 수시부과한 후 추가로 발생한 소득이 없는 경우에는 확정신고를 하지 아니할 수 있다.

07 종합소득세액의 계산

1 산출세액

1. 산출세액계산

거주자의 종합소득에 대한 소득세는 해당 연도의 종합소득과세표준에 다음의 초과누진세율을 적용하여 계산한 세액을 종합소득산출세액으로 한다.

종합소득과세표준	기본세율
1,400만 원 이하	과세표준의 6%
1,400만 원 초과 5,000만 원 이하	84만 원 + (1,200만 원을 초과하는 금액의 15%)
5,000만 원 초과 8,800만 원 이하	624만 원 + (4,600만 원을 초과하는 금액의 24%)
8,800만 원 초과 1억 5,000만 원 이하	1,536만 원 + (8,800만 원을 초과하는 금액의 35%)
1억 5,000만 원 초과 3억 원 이하	3,706만 원 + (1억 5,000만 원을 초과하는 금액의 38%)
3억 원 초과 5억 원 이하	9,406만 원 + (3억 원을 초과하는 금액의 40%)
5억 원 초과 10억 원 이하	1억 7,406만 원 + (5억 원을 초과하는 금액의 42%)
10억 원 초과	3억 8,406만 원 + (10억 원을 초과하는 금액의 45%)

2. 세액계산특례

(1) 금융소득에 대한 세액계산 특례

금융소득금액이 2천만 원을 초과하는 경우에는 종합과세시의 산출세액과 비교산출세액(분리과세시의 산출세액)을 비교하여 큰 금액을 산출세액으로 결정한다.

(2) 금융소득에 대한 결손금 및 이월결손금 공제

① 원천징수세율을 적용받는 부분: 금융소득에서 원천징수세율을 적용받는 부분에 대하여는 결손금 또는 이월결손금을 공제할 수 없다.

② 기본세율을 적용받는 부분: 금융소득에서 기본세율을 적용받는 부분은 납세자의 선택으로 결손금 또는 이월결손금을 공제금액을 결정할 수 있다.

(3) 부동산매매업자세액계산 특례

① 특례적용대상: 부동산매매업자로서 종합소득금액 중 다음 중 어느 하나의 부동산 매매차익이 있는 자를 대상으로 한다.

㉠ 분양권

㉡ 비사업용토지

㉢ 미등기양도자산

㉣ 조정대상지역에 있는 주택으로서 1세대 2주택 이상인 경우 주택 등

ⓐ 1세대 2주택에 해당하는 주택

ⓑ 1세대가 주택과 조합원입주권을 각각 1개씩 보유한 경우의 해당 주택. 다만, 장기임대주택 등은 제외한다.

ⓒ 1세대 3주택 이상에 해당하는 주택

ⓓ 1세대가 주택과 조합원입주권을 보유한 경우로서 그 수의 합이 3 이상인 경우 해당 주택. 다만, 장기임대주택 등은 제외한다.

② 종합소득산출세액

> Max(㉠, ㉡)
> ㉠ 종합소득과세표준 × 기본세율
> ㉡ 대상부동산소득❶ × 양도소득세율 + (과세표준 - 대상부동산매매차익❷) × 기본세율

❶
부동산매매차익에서 장기보유특별공제와 양도소득기본공제(250만 원)를 차감한 금액으로 한다(미등기자산은 장기보유특별공제와 기본공제를 적용하지 않음).

❷
매매가액에서 필요경비를 차감한 금액으로 한다.

(4) 주택임대소득에 대한 세액계산 특례

① 해당 과세기간에 주거용 건물 임대업에서 발생한 수입금액의 합계액이 2,000만 원 이하인 자의 주택임대소득은 종합과세와 분리과세 중 선택할 수 있다.

> 다음 ㉠과 ㉡ 중 선택한 금액을 결정세액으로 한다.
> ㉠ 주택임대소득을 종합과세할 경우의 종합소득결정세액
> ㉡ 분리과세 주택임대소득에 대한 사업소득❸ × 14% + 분리과세 주택임대소득 외의 종합소득결정세액

② 해당 과세기간에 분리과세 주택임대소득이 있는 경우에도 종합소득 확정신고를 해야 한다(분리과세 주택임대소득만 있는 사업자의 경우에도 소득세법상 사업자등록의무가 있음).

③ 분리과세 주택임대소득만 있는 사업자가 사업자등록을 하지 않은 경우에는 주택임대수입금액의 0.2%를 미등록가산세로 부과한다.

(5) 연금소득에 대한 결정세액 계산의 특례

연금계좌에서 수령하는 사적연금소득 중 분리과세연금소득 외의 연금소득이 있는 거주자의 종합소득 결정세액은 다음의 세액 중 하나를 선택하여 적용한다.

① 종합소득 결정세액

② 다음의 세액을 더한 금액

㉠ 연금계좌에서 수령하는 사적연금소득 중 분리과세연금소득 외의 연금소득에 15%를 곱하여 산출한 금액

㉡ 위 ㉠ 외의 종합소득 결정세액

❸ 분리과세 주택임대소득 총수입금액

1. 일반적인 경우: 총수입금액 - 총수입금액 × 50% - 200만 원
2. 등록임대주택의 경우: 총수입금액 - 총 수입금액 × 60% - 400만 원
3. 등록임대주택: 다음의 요건을 모두 충족한 임대주택을 말한다.
   ① 다음 주 어느 하나에 해당하는 주택
   ㉠ 민간임대주택에 관한 특별법에 따른 임대사업자등록을 한 자가 임대 중인 공공지원민간임대주택
   ㉡ 민간임대주택에 관한 특별법에 따른 임대사업자등록을 한 자가 임대 중인 장기일반민간임대주택
   ㉢ 종전의 민간임대주택에 관한 특별법에 따른 임대사업자등록을 한자가 임대 중인 단기민간임대주택
   ② 소득세법에 따른 사업자등록을 한 사업자의 임대주택
   ③ 임대보증금 또는 임대료의 증가율이 5%를 초과하지 않을 것
4. 총수입금액에서 200만 원(또는 400만 원)을 차감하는 경우: 분리과세 주택임대소득을 제외한 해당 과세기간의 종합소득금액이 2,000만 원 이하인 경우에만 차감한다.

2 세액감면

세액감면은 특정한 소득에 대해 사후적으로 세금을 완전히 면제해 주거나 또는 일정한 비율만큼 경감해 주는 것을 말한다. 「소득세법」상의 세액감면은 다음과 같다.

1. 정부간의 협약에 따라 우리나라에 파견된 외국인이 그 양쪽 또는 한쪽 당사국의 정부로부터 받는 급여
2. 거주자 중 대한민국의 국적을 가지지 아니한 자가 선박과 항공기의 외국항행사업으로부터 얻는 소득. 다만, 그 거주자의 국적지국에서 대한민국 국민이 운용하는 선박과 항공기에 대하여도 동일한 면제를 하는 경우만 해당한다.

3 세액공제

1. 배당세액공제

거주자의 종합소득금액에 귀속법인세(Gross–up)에 해당하는 배당소득금액이 포함되어 있다면 귀속법인세를 공제하되 다음에 범위 내에서 공제한다. 배당세액공제는 법인세가 과세된 후 주주에게 배당되는 때에 다시 소득세로 과세되는 이중과세를 조정하기 위함이다.

> 배당세액공제=Min(①, ②)
> ① 배당가산액(Gross–up)
> ② 한도=종합소득산출세액－비교산출세액

2. 기장세액공제

(1) 공제대상자

간편장부대상자가 종합소득 과세표준 확정신고를 할 때 복식부기에 따라 기장하여 소득금액을 계산하고 재무상태표·손익계산서와 그 부속서류, 합계잔액시산표 및 조정계산서를 제출하는 경우에는 해당 장부에 의하여 계산한 사업소득금액이 종합소득금액에서 차지하는 비율을 종합소득 산출세액에 곱하여 계산한 금액의 20%에 해당하는 금액을 종합소득 산출세액에서 공제한다. 다만, 공제세액이 100만 원을 초과하는 경우에는 100만 원을 공제한다.

(2) 계산

> 기장세액공제=Min(①, ②)
> ① 종합소득산출세액 × 기장된 사업소득금액/종합소득금액 × 20%
> ② 한도=100만 원

(3) 공제배제대상

다음의 어느 하나에 해당하는 경우에는 기장세액공제를 적용하지 아니한다.

① 비치 · 기록한 장부에 의하여 신고하여야 할 소득금액의 20% 이상을 누락하여 신고한 경우

② 기장세액공제와 관련된 장부 및 증명서류를 해당 과세표준확정신고기간 종료일부터 5년간 보관하지 아니한 경우. 다만, 천재지변 등의 부득이한 사유에 해당하는 경우에는 그러하지 아니하다.

3. 외국납부세액공제

(1) 외국납부세액 공제방법

① 거주자의 종합소득금액 또는 퇴직소득금액에 국외원천소득이 합산되어 있는 경우로서 그 국외원천소득에 대하여 외국에서 외국소득세액을 납부하였거나 납부할 것이 있을 때에는 공제대상세액을 해당 과세기간의 종합소득산출세액 또는 퇴직소득산출세액에서 공제할 수 있다.

② 외국소득세액을 종합소득 산출세액에서 공제하는 경우 외국정부에 납부하였거나 납부할 외국소득세액이 해당 과세기간의 공제한도금액을 초과하는 경우 그 초과하는 금액은 해당 과세기간의 다음 과세기간부터 10년 이내에 끝나는 과세기간(이하 '이월공제기간'이라 함)으로 이월하여 그 이월된 과세기간의 공제한도금액 내에서 공제받을 수 있다. 다만, 외국정부에 납부하였거나 납부할 외국소득세액을 이월공제기간 내에 공제받지 못한 경우 그 공제받지 못한 외국소득세액은 이월공제기간의 종료일 다음 날이 속하는 과세기간의 소득금액을 계산할 때 필요경비에 산입할 수 있다.

(2) 이월공제

세액공제방법을 적용할 때 외국정부에 납부하였거나 납부할 외국소득세액이 공제한도를 초과하는 경우 그 초과하는 금액은 해당 과세기간의 다음 과세기간부터 10년 이내에 끝나는 과세기간으로 이월하여❷ 그 이월된 과세기간의 공제한도 범위에서 공제받을 수 있다.

❶ 소규모사업자

1. 신규사업개시자
2. 직전 과세기간의 사업소득의 수입금액의 합계액이 4,800만 원 미만인 사업자
3. 연말정산대상 사업소득이 있는 보험모집인 등

❷
퇴직소득과 양도소득은 이월되지 않는다.

Min(①, ②)

① 직접외국납부세액 + 의제외국납부세액(가산세 및 가산금은 제외)

② 한도❶: 산출세액 × $\dfrac{\text{국외원천소득금액}}{\text{종합소득금액}}$

(3) 세액공제대상

① 직접외국납부세액(국외에서 직접 납부한 세액)❷

② 의제외국납부세액(조세조약에 따라 감면받은 세액): 의제외국납부세액은 국외원천소득이 있는 거주자가 조세조약의 상대국에서 그 국외원천소득에 대하여 소득세를 감면받은 세액의 상당액은 그 조세조약에서 정하는 범위에서 세액공제의 대상이 되는 외국소득세액으로 본다.

(4) 국가별 한도계산

국외사업장이 둘 이상 국가에 있는 경우에는 사업자가 국가별로 구분하여 한도를 계산한다.

4. 재해손실세액공제

(1) 개념

① 사업자가 해당 과세기간에 천재지변이나 그 밖의 재해로 자산총액의 20% 이상에 해당하는 자산을 상실하여 납세가 곤란하다고 인정되는 경우에는 다음의 소득세액(사업소득에 대한 소득세액)에 그 상실된 가액이 상실 전의 자산총액에서 차지하는 비율(이하 '재해상실비율'이라 함)을 곱하여 계산한 금액(상실된 자산의 가액을 한도로 함)을 그 세액에서 공제한다. 이 경우 자산의 가액에는 토지의 가액을 포함하지 아니한다.

재해손실세액공제 Min(㉠, ㉡)

㉠ 공제대상세액 × 재해상실비율

㉡ 한도: 상실된 자산가액

② 공제대상세액은 다음의 해당하는 사업소득에 대한 소득세액을 말한다.

㉠ 재해발생일 현재 부과되지 아니한 소득세와 부과된 소득세로서 미납된 소득세액(가산금을 포함)

㉡ 재해발생일이 속하는 과세기간의 소득에 대한 소득세액

(2) 재해상실비율

$$\text{재해상실비율} = \dfrac{\text{상실된 자산가액}}{\text{상실 전의 자산총액}}$$

❶
국가별 한도방식을 적용한다.

❷
사업과 관련 있는 직접외국납부세액에 대하여 외국납부세액공제를 적용하지 않는 경우에는 외국납부세액을 사업소득에서 필요경비로 차감할 수 있다.

① **자산총액**: 토지를 제외한 사업용 자산과 타인 소유의 자산의 합계액을 말한다. 이러한 자산가액은 장부가액으로 하되 장부가 소실·분실되어 자산가액을 알 수 없는 경우에는 납세지 관할세무서장이 조사하여 재해발생일 현재의 가액(시가)에 의하여 계산한다.

② **상실된 자산가액**

ㄱ 수탁받은 자산에 대하여 보상을 하여야 하는 경우 그 금액을 포함하고 예금·받을 어음·외상매출금 등은 채권추심에 관한 증서가 멸실된 경우에도 상실된 자산의 가액에 포함하지 않는다.

ㄴ 재해자산이 보험에 가입되어 있어 보험금을 수령하더라도 상실된 자산총액을 계산할 때 그 보험금을 차감하지 않는다.

5. 근로소득세액공제

(1) 일반근로자

근로소득이 있는 거주자에 대하여는 그 근로소득에 대한 종합소득산출세액에서 다음의 금액을 공제한다.

근로소득에 대한 종합소득산출세액	공제액
130만 원 이하	산출세액의 55%
130만 원 초과	Min(①, ②) ① 715,000원 + (130만 원 초과금액의 30%) ② 한도금액

> **참고**
>
> **근로소득세액공제 한도**
>
> | 총급여액 | 공제한도 |
> |---|---|
> | 3,300만 원 이하 | 74만 원 |
> | 3,300만 원 초과 7,000만 원 이하 | Max(①, ②)
① 74만 원 − [(총급여액 − 3,300만 원) × 8/1,000]
② 66만 원 |
> | 7,000만 원 초과 | Max(①, ②)
① 66만 원 − [(총급여액 − 7,000만 원) × 1/2]
② 50만 원 |

(2) 일용근로자

① 일용근로자의 근로소득에 대하여 원천징수를 하는 경우에는 해당 근로소득에 대한 산출세액의 55%에 해당하는 금액을 그 산출세액에서 공제한다.

② 일용근로자는 한도 없이 근로소득세액공제를 적용한다.

6. 자녀세액공제

자녀세액공제가 적용되는 자녀는 종합소득이 있는 거주자의 기본공제대상자에 해당하는 자녀(입양자 및 위탁아동 포함)를 말한다.[1]

(1) 자녀 수 세액공제(8세 이상의 사람을 대상으로 함)

자녀 수	세액공제
1명	15만 원
2명	30만 원
3명 이상	30만 원 + (자녀 수 − 2명) × 30만 원

(2) 출산 · 입양 세액공제

해당 과세기간에 출산하거나 입양신고한 공제대상 자녀가 있는 경우	공제액
첫째 출산 · 입양시	30만 원
둘째 출산 · 입양시	50만 원
셋째 이상 출산 · 입양시	70만 원

7. 연금계좌세액공제

종합소득이 있는 거주자가 연금계좌에 납입한 다음의 금액을 공제한다.

> 연금계좌세액공제: [Min(①, ②) + ③]×12%(또는 15%)[2]
> ① Min(연금저축계좌납입액, 연 600만 원) + 퇴직연금계좌납입액
> ② 900만 원
> ③ Min(전환금액[3] ×10%, 300만 원[4])

다만, 다음의 금액은 공제대상에서 제외한다.

(1) 퇴직일 현재 연금계좌에 있거나 연금계좌로 지급

(2) 퇴직하여 지급받은 날부터 60일 이내에 연금계좌에 입금

(3) 연금계좌에서 다른 연금계좌로 계약을 이전함으로써 납입되는 금액

8. 특별세액공제

항목별세액공제(보험료세액공제 · 의료비세액공제 · 교육비세액공제 · 기부금세액공제)와 표준세액공제를 특별세액공제라고 한다.

(1) 근로소득이 있는 거주자

구분	공제금액
항목별세액공제 · 특별소득공제 · 월세세액공제를 신청한 경우	해당 세액공제와 소득공제
항목별세액공제 · 특별소득공제 · 월세세액공제를 신청하지 않은 경우	표준세액공제 연 13만 원 공제

[1]
자녀세액공제에 손자 · 손녀는 그 대상에 해당하지 않는다.

[2]
종합소득금액이 4,500만 원 이하인 거주자(또는 근로소득만 있는 경우에는 총급여액 5,500만 원 이하인 거주자)는 15%를 적용한다.

[3]
개인종합자산관리계좌의 계약기간이 만료된 날부터 60일 이내에 해당 계좌 잔액의 전부 또는 일부를 연금계좌로 납입한 경우 그 납입한 금액을 말한다.

[4]
직전 과세기간과 해당 과세기간에 걸쳐 납입한 경우에는 300만 원에서 직전 과세기간에 적용된 금액을 차감한 금액으로 한다.

(2) 근로소득이 없는 거주자

구분		공제금액
종합소득이 있는 거주자		기부금세액공제[1] + 표준세액공제 연 7만 원
조세특례제한법상 성실사업자	의료비 · 교육비 · 월세세액공제 신청 ○	해당 세액공제 + 기부금세액공제
	의료비 · 교육비 · 월세세액공제 신청 ×	기부금세액공제 + 표준세액공제 연 12만 원
「소득세법」상 성실사업자		기부금세액공제 + 표준세액공제 연 12만 원
성실신고확인대상사업자 (성실신고확인서 제출)		의료비 · 교육비 · 월세세액공제 + 기부금세액공제 또는 기부금세액공제 + 표준세액공제 연 7만 원(성실사업자에 해당되면 12만 원)

> **참고**
>
> **성실사업자**
> 「소득세법」상 성실사업자는 다음 1.~3.까지의 요건을 충족한 사업자를 말하고 「조세특례제한법」상 성실사업자는 1.~6.까지의 요건을 모두 충족한 사업자를 말한다.
> 1. 다음의 어느 하나에 해당하는 사업자일 것
>   ① 신용카드가맹점 및 현금영수증가맹점으로 모두 가입한 사업자. 다만, 해당 과세기간에 신용카드매출전표 및 현금영수증 발급의무 등을 위반하여 관할세무서장으로부터 해당 사실을 통보받은 사업자는 제외한다.
>   ② 전사적기업자원 관리설비 또는 판매시점정보관리시스템설비(POS)를 도입한 사업자
> 2. 장부를 비치 · 기장하고, 그에 따라 소득금액을 계산하여 신고할 것
> 3. 사업용계좌를 신고하고, 해당 과세기간에 사업용계좌를 사용하여야 할 금액의 3분의 2 이상을 사용할 것
> 4. 당기 수입금액을 직전 3개 과세기간의 연평균수입금액의 50%를 초과하여 신고할 것
> 5. 당기 개시일 현재 2년 이상 계속하여 사업을 영위할 것
> 6. 국세의 체납사실 등을 고려하여 일정요건에 해당할 것

> **참고**
>
> **해당 과세기간에 부양가족에 해당하지 않게 된 경우 특별세액공제**
> 과세기간 종료 전 혼인 · 이혼 · 별거 · 취업 등의 사유로 기본공제대상자에 해당하지 않게 된 경우에는 해당 사유가 발생한 날까지 지급한 금액을 공제한다.

(3) 보험료 세액공제

① **공제대상 보험료:** 근로소득이 있는 거주자(일용근로자는 제외)가 해당 과세기간에 보장성보험[2]의 보험계약에 따라 다음의 금액을 지급한 경우 해당 금액을 공제한다.

㉠ 기본공제대상자(소득요건만 충족하면 됨) 중 장애인을 피보험자 또는 수익자로 하는 장애인전용보장성보험료: 공제대상 보험료 한도 100만 원

㉡ 기본공제대상자(나이요건과 소득요건을 충족하여야 함)를 피보험자로 하는 일반 보장성보험료: 공제대상 보험료 한도 100만 원

---

❶ 기부금세액공제

사업소득만 있는 경우에는 기부금을 필요경비로 차감하여야 하므로 기부금세액공제를 적용하지 않는다. 다만, 연말정산대상 사업소득(보험모집인 등)만 있는 경우는 기부금세액공제를 적용받을 수 있다.

❷ 보장성보험

보장성보험은 만기에 환급되는 금액이 납입보험료를 초과하지 않는 보험으로 생명보험 · 손해보험 등을 말한다.

② 세액공제액

$$보험료세액공제 = 공제대상\ 보험료^{●} \times 12\%(장애인전용보험료는\ 15\%)$$

❶ 공제대상 보험료

공제대상 보험료는 기간에 상관없이 납입일을 기준으로 공제대상 보험료를 계산한다.

(4) 의료비세액공제

① 공제대상 의료비: 근로소득이 있는 거주자(일용근로자는 제외)가 기본공제대상자(나이 및 소득의 제한을 받지 않음)를 위하여 해당 과세기간에 의료비를 지급한 경우 다음의 금액을 공제한다.

  ㉠ 난임시술비(보조생식술에 소요된 비용)

  ㉡ 미숙아 및 선천성이상아를 위하여 지급한 의료비

  ㉢ 해당 거주자(본인), 과세기간 종료일 현재 65세 이상인 자, 장애인, 중증질환자, 희귀난치성질환자, 결핵환자를 위하여 지급한 의료비

  ㉣ ㉠, ㉡, ㉢의 대상자를 제외한 기본공제대상자를 위하여 지급한 의료비(일반의료비)로서 총급여액에 3% 금액을 초과하는 금액. 다만, 그 금액이 연 700만 원을 초과하는 경우에는 연 700만 원으로 한다.

② 세액공제액❷

  의료비세액공제액: ㉠ × 30% + ㉡ × 20% + (㉢ + ㉣) × 15%

  ㉠ 난임시술비(난임시술과 관련하여 처방받은 의약품 구입비용 포함)

  ㉡ 미숙아 및 선천성이상아를 위하여 지급한 의료비

  ㉢ 본인, 65세 이상, 장애인, 중증질환자, 희귀난치성질환자 또는 결핵환자

  ㉣ [위 ㉠, ㉡, ㉢외 의료비 − 총급여액(비과세 제외) × 3%]
    (한도: 700만 원)❸

❷

의료비세액공제대상인 성실사업자의 경우 사업소득금액으로 계산한다. 성실사업자의 경우 의료비세액공제는 20%를 적용하고 그 외 의료비는 15%를 적용한다.

❸

㉣의 금액이 음수인 경우 ㉢의 금액에서 차감하며 차감 후 금액이 음수인 경우 ㉡의 금액에서 차감한다. ㉡의 금액에서 차감한 금액도 음수인 경우는 ㉠의 금액에서 차감한다.

③ 의료비 범위

  ㉠ 공제대상에 해당하는 의료비: 다음에 해당하는 경우로 실손의료보험금을 지급받은 경우 그 실손의료보험금은 제외한다.

    ⓐ 진찰 · 치료 · 질병예방을 위하여 의료기관에 지급한 비용

    ⓑ 치료 · 요양을 위하여 의약품(한약을 포함)을 구입하고 지급하는 비용

    ⓒ 장애인이 보장구 및 의사 · 치과의사 · 한의사 등의 처방에 따라 의료기기를 직접 구입 또는 임차하기 위하여 지출한 비용

    ⓓ 시력보정용 안경 또는 콘택트렌즈 구입을 위하여 지출한 비용으로서 기본공제대상자 1인당 연 50만 원 이내의 금액

    ⓔ 보청기 구입을 위하여 지출한 비용

    ⓕ 「노인장기요양보험법」에 따라 실제 지출한 본인일부부담금

V

소득세법 해커스공무원 김영서 세법 기본서

⑨ 해당 과세기간의 총급여액이 7천만 원(사업자는 사업소득금액 6천만 원) 이하인 근로자가 산후조리원 및 요양의 대가로 지급하는 비용으로서 출산 1회당 200만 원 이내의 금액

ⓛ 공제대상이 아닌 의료비

ⓐ 미용·성형수술을 위한 비용

ⓑ 건강증진을 위한 의약품 구입비용

ⓒ 국외소재 의료기관에 지급한 의료비

사례로 이해 UP

의료비세액공제

총급여액의 3% 금액은 4,000,000원이라고 가정한다.

1. 난임시술비: 3,000,000원
2. 본인의료비: 2,000,000원
3. 그 외 의료비: 1,000,000원

⇨ $3,000,000 \times 30\% + [2,000,000 + (1,000,000 - 4,000,000)] \times 15\% = 600,000$원

---

(5) 교육비세액공제

근로소득이 있는 거주자(일용직근로자는 제외)가 그 거주자와 기본공제대상자(나이의 제한을 받지 않음)를 위하여 해당 과세기간에 교육비를 지급한 경우 다음의 금액을 공제한다. 다만, 소득세 또는 증여세가 비과세되는 교육비[1]는 공제하지 아니한다.

① **일반교육비 세액공제**: 기본공제대상자인 배우자·직계비속·형제자매·입양자 및 위탁아동을 위하여 지급한 교육비를 공제한다.

> 교육비세액공제: Min(㉠, ㉡) × 15%
>
> ㉠ 교육비 지출액 − 소득세·증여세가 비과세되는 장학금·학자금 수령액
>
> ㉡ 한도
>
> ⓐ 본인: 한도 없음
>
> ⓑ 부양가족(배우자·직계비속·형제자매·입양자 및 위탁아동)
>
> ㉮ 초등학교 취학전 아동, 초·중·고등학생 1명당 연 300만 원
>
> ㉯ 대학생 1명당 연 900만 원

❶
사내근로복지기금으로부터 받은 장학금, 재학 중인 학교로부터 받은 장학금, 근로자인 학생이 직장으로부터 받은 장학금 등은 소득세 또는 증여세를 과세하지 않는다.

교육비 공제대상	공제대상자	
	본인	가족
초등학교 취학 전 아동의 유치원 교육비	○	○
초등학교 취학 전 아동의 영유아보육시설 · 학원 및 체육시설 교육비❶	×	○
「초 · 중등교육법」에 따른 학교교육비	○	○
「고등교육법」에 따른 대학 · 전문대학 교육비	○	○
대학원 교육비	○	×
「평생교육법」에 따라 고등학교졸업 이하의 학력이 인정되는 학교형태의 평생교육시설 · 전공대학의 명칭을 사용할 수 있는 평생교육시설 · 원격대학 · 학위취득과정의 교육비	○	○
국외교육기관 교육비❷	○	○
법에 따른 학자금대출의 원리금 상환에 지출한 교육비❸	○	×

❶
초등학교 취학 전 아동의 학원 및 체육시설 교육비는 다음의 요건을 모두 충족한 교육비를 공제한다.
1. 학원, 체육시설업자가 운영하는 체육시설, 국가, 지방자치단체 또는 청소년수련시설로 허가 · 등록된 시설을 운영하는 자가 운영하는 체육시설에 지급하는 수강료일 것
2. 학원 또는 체육시설에서 월단위로 실시하는 교습과정(1주 1회 이상 실시하는 과정에 한함)의 교습을 받고 지출한 수강료일 것

❷ 국외교육기관
국외교육기관은 국외에 소재하는 교육기관으로서 우리나라의 유치원, 「초 · 중등교육법」 또는 「고등교육법」에 따른 학교를 말한다.

❸
기본공제대상자인 배우자나 부양가족이 학자금 대출을 받아 지급하는 교육비는 거주자 본인의 교육비세액공제를 받을 수 없다.

> **참고**

법에 따른 학자금대출

1. 학자금대출범위
   ① 「한국장학재단 설립 등에 관한 법률」에 따른 취업 후 상환 학자금 대출과 일반 상환 학자금 대출
   ② 「농어업인 삶의 질 향상 및 농어촌지역 개발촉진에 관한 특별법 시행령」에 따른 농어촌 출신 대학생의 학자금 융자지원 사업을 통한 학자금대출
   ③ 「한국주택금융공사법」에 따라 한국주택금융공사가 금융기관으로부터 양수한 학자금 대출
   ④ 위 규정과 유사한 대출로 기획재정부령으로 정하는 대출
2. 원리금 상환액에서 다음의 금액은 제외
   ① 학자금 대출의 원리금 상황의 연체로 인하여 추가로 지급하는 금액
   ② 학자금 대출의 원리금 중 감면받거나 면제받은 금액
   ③ 학자금 대출의 원리금 중 지방자치단체 또는 공공기관 등으로부터 학자금을 지원받아 상환한 금액

> ⊞ **심화 | 공제대상 교육비**

1. 수업료 · 입학금 · 보육비용 · 수강료 및 그 밖의 공납금
2. 학교 · 유치원 · 어린이집 · 학원 및 체육시설(초등학교 취학 전 아동에 한함)에 지급한 급식비, 「초 · 중등교육법」에 따른 학교(초등학교 · 공민학교, 중학교 · 고등공민학교, 고등학교 · 고등기술학교, 특수학교 등)에서 구입한 교과서대, 교복구입비(중 · 고등학생에 한하며 1명당 연 50만 원을 한도로 함)
3. 학교 · 유치원 · 어린이집 · 학원 및 체육시설(초등학교 취학 전 아동에 한함)에서 실시하는 학교 · 방과 후 과정 수업료 및 특별활동비(학교 내 구입 도서구입비와 학교 외에서 구입한 초 · 중 · 고등학교 방과 후 수업 도서 구입비 포함)
4. 「초 · 중등교육법」에 따른 학교에서 교육과정으로 실시하는 현장체험학습에 지출한 비용(초 · 중 · 고등학교의 학생만 해당하며 학생 1명당 연 30만 원을 한도로 함)
5. 대학수학능력시험 응시를 위하여 지급한 교육비, 고등교육법에 따른 입학전형료

② **직업능력개발훈련비 세액공제:** 근로자 본인을 위하여 직업능력훈련시설에서 실시하는 직업능력개발훈련을 위하여 지급한 수강료 전액을 공제대상으로 한다. 다만, 지원금 등을 받는 경우에는 이를 뺀 금액으로 한다.

직업능력개발훈련비 세액공제: (수강료 − 수강 지원금) × 15%

③ **장애인특수교육비 세액공제:** 기본공제대상자인 장애인(나이와 소득의 제한을 받지 않음)을 위하여 다음의 어느 하나에 해당하는 자에게 지급하는 특수교육비는 전액 공제대상에 해당한다. 다만, 지원금 등을 받는 경우에는 이를 뺀 금액으로 한다.

ㄱ. 사회복지시설 및 비영리법인

ㄴ. 장애인의 기능향상과 행동발달을 위한 발달재활서비스를 제공하는 기관(과세기간종료일 현재 18세 미만인 경우)

ㄷ. ㄱ의 시설 또는 법인과 유사한 것으로서 외국에 있는 시설 또는 법인

장애인특수교육비 세액공제: (교육비 − 국가 등 지원금) × 15%

(6) 기부금 세액공제

① 기부금 공제대상

ㄱ. 사업소득만 있는 자는 기부금세액공제를 적용하지 않는다. 다만, 간편장부대상자에 해당하는 보험모집인 등 연말정산대상사업자는 기부금세액공제를 받을 수 있다.

ㄴ. 거주자가 지출한 기부금뿐만 아니라 기본공제대상자(나이제한을 받지 않음)에 해당하는 거주자의 배우자 및 부양가족(다른 거주자의 기본공제를 적용받은 자는 제외)이 지급한 기부금도 거주자의 기부금에 포함한다.

② 공제대상 기부금 계산

> 공제대상 기부금
> = Min(특례기부금, 한도액) + Min(우리사주조합기부금, 한도액) + Min(일반기부금, 한도액) − 필요경비에 산입한 기부금

❶
'종합소득금액+사업소득금액 계산시 기부금필요경비 산입액 − 원천징수세율 적용 금융소득'이다.

구분	한도액
특례기부금	기준소득금액❶ × 100%
우리사주조합기부금	(기준소득금액 − 정치자금 · 특례기부금) × 30%
일반기부금	ㄱ. 종교단체 기부금이 있는 경우 (기준소득금액 − 정치자금 · 특례 · 우리사주조합기부금) × 10% + Min(ⓐ, ⓑ) ⓐ (기준소득금액 − 정치자금 · 특례 · 우리사주조합기부금) × 20% ⓑ 종교단체 외 일반기부금 ㄴ. 종교단체 기부금이 없는 경우 (기준소득금액 − 정치자금 · 특례 · 우리사주조합기부금) × 30%

③ 세액공제액

> 기부금세액공제: Min(㉠, ㉡)
>
> ㉠ ⓐ+ⓑ
>
>   ⓐ 공제대상 기부금 중 1천만 원 이내 금액 × 15%
>
>   ⓑ 공제대상 기부금 중 1천만 원 초과 금액 × 30%
>
> ㉡ 한도: 종합소득 산출세액 – 필요경비에 산입한 기부금이 있는 경우 사업소득 산출세액[1]

(7) 특별세액공제액의 한도

① 보험료세액공제, 의료비세액공제, 교육비세액공제의 합계 세액공제액은 해당 과세기간의 근로소득에 대한 종합소득산출세액을 한도로 공제한다.

② ① 외의 세액공제액 및 기부금세액공제액은 해당 과세기간의 종합소득산출세액을 한도로 공제한다.

참고

「조세특례제한법」상 세액공제

1. 월세세액공제

① 요건: 과세기간종료일 현재 무주택세대주(세대주가 월세세액공제, 주택자금공제를 받지 않는 경우에는 세대의 구성원)로서 총급여액 7천만 원 이하인 근로자(종합소득금액 6천만 원 초과자 제외)가 국민주택규모의 주택을 임차하기 위하여 월세액을 지급하는 경우 월세세액공제를 적용받을 수 있다.

② 공제액

Min(㉠, ㉡) × 12%(또는 15%[2])

㉠ 월세액

㉡ 한도: 750만 원

2. 정치자금세액공제

① 요건: 정당(후원회 및 선거관리위원회)에 기부한 정치자금을 그 대상으로 한다.

② 공제액

㉠ 10만 원까지의 정치자금 × $\dfrac{100}{110}$

㉡ 10만 원을 초과하는 정치자금 × 15%(10만 원 초과분 정치자금이 3,000만 원을 초과하면 그 초과분의 25%)

참고

전자계산서 발급 전송에 대한 세액공제

1. **공제대상:** 직전연도 사업장별 총수입금액이 3억 원 미만인 개인사업자가 전자계산서를 2022.7.1.부터 2024.12.31.까지 전자계산서를 발급(발급일의 다음 날까지 전자계산서 발급명세를 국세청장에게 전송하는 경우로 한정함)하는 경우

2. **공제한도:** 연 100만 원

3. **공제금액:** 발급건수 당 200원

[1] 사업소득 산출세액

$$= 종합소득\ 산출세액 \times \dfrac{사업소득금액}{종합소득금액}$$

[2] 당기 총급여액이 5,500만 원 이하인 근로소득이 있는 근로자(당기 종합소득금액 4,500만 원 초과자는 제외)는 12%를 적용한다.

4 기납부세액

1. 개념

종합소득금액에 대한 확정신고 이전에 세수의 조기확보 및 세원관리 등의 목적으로 과세기간 중에도 소득세를 미리 징수 또는 납부하는 중간예납 · 원천징수 · 수시부과 · 토지 등 매매차익 예정신고와 같은 절차를 두고 있다.

2. 원천징수세액

(1) 대상소득

국내에서 거주자나 비거주자에게 다음의 어느 하나에 해당하는 소득을 지급하는 자는 그 거주자나 비거주자에 대한 소득세를 원천징수하여야 한다.

원천징수 대상	세율
이자소득	① 일반적인 이자 14% ② 비영업대금의 이익 25%(또는 14%) ③ 비실명이자 45%(90%) ④ 직장공제회초과반환금 기본세율
배당소득	① 일반적인 배당소득 14% ② 출자공동사업자의 배당 25% ③ 비실명배당 42%(90%)
원천징수대상 사업소득 (면세 의료보건용역과 인적용역)	수입금액 3%
근로소득	근로소득간이세액표
연금소득	공적연금 간이세액표, 사적연금 차등적용
기타소득	소득금액 20%
특정봉사료	수입금액 5%
퇴직소득	기본세율

(2) 납부

① 원칙: 원천징수의무자는 그 징수일이 속하는 달의 다음달 10일까지 원천징수 관할세무서 · 한국은행 또는 체신관서에 납부하여야 한다.

② 반기별납부

ⓒ 대상

ⓐ 직전연도(신규로 사업을 개시한 사업자의 경우 신청일이 속하는 반기)의 상시고용인원의 평균수가 20인 이하인 경우 원천징수의무자 (금융 · 보험업자는 제외)로서 원천징수세액을 반기별로 납부할 수 있도록 승인받거나 지정받은 자는 그 징수일이 속하는 반기의 마지막 달의 다음달 10일까지 납부할 수 있다.

ⓑ 종교단체[1]

❶ 종교단체

종교단체는 인원수에 상관없이 반기별 납부를 할 수 있다.

ⓛ 반기별 납부 제외: 다음의 경우는 원천징수세액에 대한 반기별납부를 할 수 없으므로 지급시기의제일의 다음달 10일까지 납부하여야 한다.
　ⓐ 「법인세법」에 따라 배당·상여 및 기타소득으로 소득처분된 금액에 대한 원천징수세액
　ⓑ 「국제조세조정에 관한 법률」상 이전가격세제 및 과소자본세제에 따라 처분된 배당소득에 대한 원천징수세액
　ⓒ 비거주 연예인 등의 용역제공과 관련된 원천징수절차 특례규정에 따른 원천징수세액

(3) 원천징수 면제

다음에 해당하는 경우에는 원천징수를 하지 아니한다.

① 원천징수의무자가 소득세가 과세되지 않거나 면제되는 소득을 지급하는 때
② 소득 발생 후 지급되지 아니함으로써 소득세가 원천징수되지 아니한 소득이 이미 종합소득에 합산되어 소득세가 과세된 후(이미 신고되어 납부한) 그 소득을 실제로 지급하는 때

(4) 소액부징수

원천징수세액이 1,000원 미만인 경우와 납세조합의 징수세액이 1,000원 미만인 경우 해당 소득세는 징수하지 않는다. 다만, 이자소득금액의 경우는 1,000원 미만일지라도 징수한다.

➕ 심화 | 원천징수시기에 관한 특례(지급시기 의제)

다음의 경우는 실제 이자소득을 지급하지 않았지만 지급한 것으로 보아 원천징수를 하여야 한다.

구분	지급시기
잉여금처분에 따른 배당·상여	잉여금처분결의일부터 3개월이 되는 날 ▶ 다만, 잉여금처분에 의한 배당·상여는 그 처분이 11월 1일부터 12월 31일까지의 사이에 결정된 경우 다음연도 2월 말일까지 그 배당·상여를 지급하지 아니한 경우에는 2월 말일에 지급한 것으로 본다.
이자소득	① 금융회사 등이 매출 또는 중개하는 어음, 전자단기사채 등, 은행 및 상호저축은행이 매출하는 표지어음으로서 보관통장으로 거래되는 것(은행이 매출한 표지어음의 경우에는 보관통장으로 거래되지 아니하는 것도 포함)의 이자와 할인액(다만, 어음 및 전자단기사채 등이 한국예탁결제원에 발행일부터 만기일까지 계속하여 예탁된 경우에는 해당 어음 및 전자단기사채 등의 이자와 할인액을 지급받는 자가 할인매출일에 원천징수하기를 선택한 경우만 해당): 할인매출하는 날 ② 외국법인 또는 비거주자가 비거주자에게 지급하는 소득으로서 지급하는 외국법인·국내사업장의 손금 또는 필요경비에 산입되는 것: 당해 소득을 지급하는 외국법인 또는 비거주자의 당해 사업연도 또는 과세기간의 소득에 대한 과세표준의 신고기한의 종료일(신고기한을 연장한 경우에는 그 연장한 기한의 종료일) ③ 직장공제회 반환금을 분할하여 지급하는 경우 납입금 초과이익: 납입금 초과이익을 원본에 전입하는 뜻의 특약에 따라 원본에 전입된 날 ④ 위 외의 이자소득: 총수입금액의 수입시기

동업기업으로부터 배분받은 이자·배당·기타소득	동업기업의 과세기간종료 후 3개월이 되는 날까지 지급하지 아니한 소득은 해당 동업기업의 과세기간종료 후 3개월이 되는 날
출자공동사업자의 배당소득	과세기간종료 후 3개월이 되는 날까지 지급하지 아니한 소득은 과세기간 종료 후 3개월이 되는 날
연말정산대상이 되는 사업소득·근로소득·퇴직소득	① 1월부터 11월까지의 소득을 해당 과세기간 12월 31일까지 지급하지 않은 경우: 12월 31일 ② 12월분의 소득을 다음연도 2월 말일까지 지급하지 않은 경우: 다음연도 2월 말일
배당·상여·기타소득으로 소득처분된 소득❶	① 법인세 과세표준을 결정 또는 경정하는 경우: 소득금액변동통지서를 받은 날 ② 법인세 과세표준을 신고하는 경우: 그 신고일 또는 수정신고일

3. 중간예납

(1) 대상자

종합소득이 있는 거주자가 중간예납의무를 진다. 다만, 종합소득이 있는 거주자라도 다음의 경우는 중간예납의무를 지지 않는다.

① 일정한 소득만 있는 자

   ㉠ 이자소득·배당소득·근로소득·연금소득 또는 기타소득(사업소득이 있는 자가 중간예납대상에 해당)

   ㉡ 사업소득 중 속기·타자 등 한국표준산업분류상 사무지원 서비스업에서 발생하는 소득만 있는 자

   ㉢ 사업소득 중 수시부과하는 소득

   ㉣ 분리과세 주택임대소득이 있는 거주자

   ㉤ 그 밖에 특정한 소득만 있는 자

② 신규사업개시자: 해당 과세기간의 개시일 현재 사업자가 아닌 자로서 그 과세기간 중 신규로 사업을 시작한 자는 중간예납의무를 지지 않는다.

(2) 중간예납세액 납부방법❷

① 원칙 – 고지·징수

   ㉠ 중간예납세액 결정: 1월 1일부터 6월 30일까지의 기간을 중간예납기간으로 하여 직전과세기간의 종합소득에 대한 소득세로서 납부하였거나 납부하여야 할 세액(중간예납기준액)의 2분의 1에 해당하는 중간예납세액으로 결정하여야 한다. 다만, 1,000원 미만의 단수가 있을 때에는 그 단수금액은 버린다.

   $$중간예납세액 = 중간예납기준액❸ \times 1/2$$

---

❶

1. 해당 소득처분을 받은 자(배당 등의 소득처분 받은 자)의 수입시기는 다음과 같다.
   ① 상여: 근로제공일
   ② 배당, 기타소득: 결산확정일

2. 「법인세법」에 따라 배당·상여 또는 기타소득 처분으로 인하여 소득금액이 변동되어 추가로 납부할 소득세가 있는 경우에는 소득금액변동통지서 수령일이 속하는 달의 다음다음달 말일까지 추가신고하면 확정신고기한 내 신고한 것으로 보아 가산세를 부과하지 않는다. 추가신고한 자가 추가납부할 세액이 있는 경우에는 추가신고기한까지 그 세액을 납부해야 한다. 추가신고기한까지 납부한 경우 과세표준확정신고기한까지 납부한 것으로 보아 가산세를 부과하지 않는다.

❷

납세조합이 중간예납기간 중 그 조합원의 소득에 대한 소득세를 매월 징수하여 납부한 경우에는 그 소득에 대한 중간예납을 하지 아니한다.

❸ 중간예납기준액

'직전과세기간의 중간예납세액 + 확정신고납부세액 + 정부결정에 의한 추가납부세액(가산세 포함) + 기한후신고납부세액 및 수정신고추가납부세액(가산세 포함) − 환급세액'이다.

ⓛ **고지서 발급 및 징수**: 납세지 관할세무서장은 중간예납세액을 납부하여야 할 거주자에게 11월 1일부터 11월 15일까지의 기간에 중간예납세액의 납부고지서를 발급하여 11월 30일까지 그 세액을 징수하여야 한다.

② **예외 – 신고 · 납부**: 다음의 경우는 중간예납세액을 신고 · 납부할 수 있으며 이러한 신고를 한 경우에는 납세지 관할세무서장의 중간예납세액의 결정은 없는 것으로 본다.

　ⓐ **신고납부 선택**: 중간예납추계액이 중간예납기준액의 30%에 미달하는 경우에는 11월 1일부터 11월 30일까지의 기간에 중간예납추계액을 중간예납세액으로 하여 납세지 관할세무서장에게 신고할 수 있다.

　ⓑ **신고납부 강제**: 직전 과세기간의 납부세액이 없는 복식부기의무자가 중간예납기간에 사업소득이 있는 경우에는 중간예납추계액을 중간예납세액으로 하여 11월 1일부터 11월 30일까지의 기간에 납세지 관할세무서장에게 신고하여야 한다.

> 중간예납추계액(1/1~6/30까지 계산한 소득세)
> = (중간예납기간의 종합소득금액 × 2 – 이월결손금 – 종합소득공제) × 기본세율 × 1/2 – 중간예납세액의 감면세액 · 공제세액 – 중간예납기간의 기납부세액(원천징수세액 · 수시부과세액 · 토지 등 매매차익예정신고산출세액)

(3) 중간예납세액 분납

① 중간예납세액이 1,000만 원을 초과하는 경우에는 분납규정을 준용하여 납부할 세액의 일부를 납부기한이 지난 후 2개월 이내에 분납할 수 있다.

② 납세지 관할세무서장은 해당 과세기간의 다음연도 1월 1일부터 1월 15일까지의 기간에 그 분할납부할 수 있는 세액을 납부할 세액으로 하는 납부고지서를 발급하여야 한다.

(4) 소액부징수

중간예납세액이 50만 원 미만인 경우는 그 세액을 징수하지 아니한다.

4. 수시부과세액

(1) 개념

조세수입의 확보를 위하여 일정한 사유가 있는 때에 해당 과세기간의 사업개시일부터 그 사유발생일까지를 수시부과기간으로 하여 수시로 소득세를 부과하는 제도를 말한다.

❶
수시부과하는 경우에는 해당세액 및 수입금액에 대해서 「국세기본법」상 무신고가산세와 과소신고가산세를 적용하지 아니한다.

(2) 수시부과사유

① 사업부진이나 그 밖의 사유로 장기간 휴업 또는 폐업 상태에 있는 때로서 소득세를 포탈할 우려가 있다고 인정되는 경우

② 그 밖에 조세를 포탈할 우려가 있다고 인정되는 상당한 이유가 있는 경우

③ 관할세무서장 또는 지방국세청장은 주소·거소 또는 사업장의 이동이 빈번하다고 인정되는 지역의 납세의무가 있는 자

(3) 효과❶

수시부과된 소득도 확정신고시 종합소득에 포함하여 신고하되 수시부과세액은 기납부세액으로 공제한다. 다만, 소득세를 수시부과한 후 추가로 발생한 소득이 없는 경우에는 확정신고를 하지 않을 수 있다.

5. 토지 등 매매차익예정신고 산출세액

(1) 예정신고 대상

부동산매매업자는 토지 또는 건물의 매매차익과 그 세액을 매매일이 속하는 달의 말일부터 2개월이 되는 날까지 납세지 관할세무서장에게 신고하여야 하며, 납세지 관할세무서장·한국은행 또는 체신관서에 납부하여야 한다. 예정신고는 토지 등의 매매차익이 없거나 매매차손이 발생하였을 때에도 또한 같다.

(2) 결정방법 및 통지

납세지 관할세무서장은 토지 등 매매차익예정신고 또는 납부를 한 자에 대하여는 그 신고 또는 신고납부를 한 날부터 1월 내에 매매차익예정신고를 하지 않는 자에게 즉시 매매차익과 세액을 결정하고 서면으로 통지하여야 한다.

(3) 신고효과

예정신고된 소득도 확정신고시 종합소득에 포함하여 신고하고 그 세액은 기납부세액으로 공제한다.

6. 납세조합의 징수

(1) 납세조합

다음 중 어느 하나에 해당하는 거주자는 납세조합 관할세무서를 거쳐 지방국세청장의 승인으로 납세조합을 조직할 수 있다.

① 농·축·수산물 판매업자, 노점상인, 기타 국세청장이 필요하다고 인정하는 사업자. 다만, 농·축·수산물 판매업자 중 복식부기의무자는 제외한다.

② 국외 근로소득이 있는 자[국제연합군(미군 제외), 외국법인(국내지점·국내영업소 제외)]

(2) 징수납부

납세조합은 조합원의 사업소득 또는 국외 근로소득에 대한 소득세를 매월 징수하여 그 징수일이 속하는 달의 다음달 10일까지 납부하여야 한다.

01 소득세법령상 원천징수에 대한 설명으로 옳은 것은? 2021년 7급

① 원천징수의무자는 소득세가 과세되지 아니하거나 면제되는 소득에 대해서도 원천징수를 하여야 한다.

② 법인세 과세표준을 결정 또는 경정하는 경우 「법인세법」에 따라 소득처분되는 배당에 대하여는 소득금액변동통지서를 받은 날에 그 배당소득을 지급한 것으로 보아 소득세를 원천징수한다.

③ 직전 연도의 상시고용인원이 30명인 원천징수의무자는 그 징수일이 속하는 반기의 마지막 달의 다음 달 10일까지 원천징수세액을 납부할 수 있다.

④ 직장공제회 초과반환금에 대한 원천징수세율은 100분의 14이다.

01

✓ 오답체크

① 비과세 소득에 대하여는 원천징수를 하지 않는다.

③ 직전 연도 상시고용인원이 20명 이하인 경우 반기별 납부를 할 수 있다.

④ 직장공제회초과반환금은 기본세율을 적용한다.

02 「소득세법」상 세액공제에 대한 설명으로 옳지 않은 것은? 2020년 7급

① 간편장부대상자가 과세표준확정신고를 할 때 복식부기에 따라 기장하여 소득금액을 계산하고 「소득세법」에 따른 서류를 제출하는 경우에는 해당 장부에 의하여 계산한 사업소득금액이 종합소득금액에서 차지하는 비율을 종합소득 산출세액에 곱하여 계산한 금액의 100분의 20에 해당하는 금액(다만, 공제세액이 100만 원을 초과하는 경우에는 100만 원으로 한다)을 종합소득 산출세액에서 공제한다.

② 종합소득이 있는 거주자가 해당 과세기간에 출산하거나 입양 신고한 공제대상자녀가 둘째인 경우에는 연 50만 원을 종합소득산출세액에서 공제한다.

③ 일용근로자의 근로소득에 대해서 원천징수를 하는 경우에는 해당 근로소득에 대한 산출세액의 100분의 55에 해당하는 금액을 그 산출세액에서 공제한다.

④ 근로소득이 있는 거주자에 한하여 특별세액공제를 적용하므로 근로소득이 없는 거주자로서 종합소득이 있는 사람은 특별세액공제를 적용받을 수 없다.

02

특별세액공제는 표준세액공제와 항목별 세액공제를 말하며 종합소득이 있는 거주자는 표준세액을 공제한다. 또한 기부금세액공제는 근로소득이 없는 자도 공제대상에 해당된다.

03 소득세법령상 국내에서 거주자에게 발생한 소득의 원천징수에 대한 설명으로 옳지 않은 것은?

2019년 9급

① 원천징수의무자가 국내에서 지급하는 이자소득으로서 소득세가 과세되지 아니하는 소득을 지급할 때에는 소득세를 원천징수하지 아니한다.

② 내국인 직업운동가가 직업상 독립된 사업으로 제공하는 인적용역의 공급에서 발생하는 소득의 원천징수세율은 100분의 3이다.

③ 법인세 과세표준을 결정 또는 경정할 때 익금에 산입한 금액을 배당으로 처분한 경우에는 법인세 과세표준 신고일 또는 수정신고일에 그 배당소득을 지급한 것으로 보아 소득세를 원천징수한다.

④ 근로소득을 지급하여야 할 원천징수의무자가 1월부터 11월까지의 근로소득을 해당 과세기간의 12월 31일까지 지급하지 아니한 경우에는 그 근로소득을 12월 31일에 지급한 것으로 보아 소득세를 원천징수한다.

03

법인세 과세표준을 결정 또는 경정할 때 익금에 산입한 금액을 배당으로 처분한 경우에는 소득금액변동통지서를 받은 날에 그 배당소득을 지급한 것으로 본다.

04 「소득세법」과 「법인세법」상에 공통으로 해당하는 세액공제액으로 옳은 것은?

2016년 7급

① 배당세액공제와 재해손실세액공제

② 기장세액공제와 외국납부세액공제

③ 근로소득세액공제와 재해손실세액공제

④ 재해손실세액공제와 외국납부세액공제

04

✓ 오답체크

①, ②, ③ 배당세액공제, 기장세액공제 및 근로소득세액공제는 「소득세법」에만 해당하는 세액공제이다.

05 「소득세법」상 종합소득공제 및 세액공제에 대한 설명으로 옳은 것은?

2011년 9급

① 직계비속이 해당 과세기간 중 20세가 된 경우에는 기본공제대상이 될 수 없다.

② 기본공제대상자가 아닌 자도 추가공제 대상자가 될 수 있다.

③ 사업소득이 있는 거주자의 기본공제대상자에 해당하는 자녀(7세 이상)가 3명일 경우 자녀세액공제로 60만 원을 공제받을 수 있다.

④ 해당 과세기간 중 장애가 치유되어 해당 과세기간에는 장애인이 아닌 경우 추가공제(장애인 공제)를 적용받을 수 없다.

06 소득세법령상 소득세 원천징수에 대한 설명으로 옳은 것은? (단, 원천징수의 면제·배제 등 원천징수의 특례는 고려하지 않는다)

2022년 7급

① 국내에서 거주자에게 배당소득을 지급하는 자는 소득세 원천징수의무를 지지만, 비거주자에게 배당소득을 지급하는 자는 원천징수의무를 지지 않는다.

② 직전 연도의 상시고용인원이 20명 이하인 원천징수의무자는 「국제조세조정에 관한 법률」 제13조 또는 제22조에 따라 처분된 배당소득에 대한 원천징수세액을 그 징수일이 속하는 반기의 마지막 달의 다음 달 10일까지 납부할 수 있다.

③ 외국인 직업운동가가 한국표준산업분류에 따른 스포츠 클럽 운영업 중 프로스포츠구단과의 계약(계약기간이 3년 이하인 경우로 한정함)에 따라 용역을 제공하고 받는 소득에 대한 원천징수세율은 100분의 10으로 한다.

④ 원천징수의무자가 공적연금소득을 지급할 때에는 연금소득 간이세액표에 따라 소득세를 원천징수한다.

08 퇴직소득세

❶
공적연금 관련법에 따른 일시금의 퇴직
소득은 2002년 1월 1일 이후에 납입된
연금 기여금 및 사용자 부담금을 기초
로 하거나 2002년 1월 1일 이후 근로
의 제공을 기초로 하여 받은 일시금으
로 한다.

1 퇴직소득 범위

퇴직소득은 해당 과세기간에 발생한 다음의 소득으로 한다.

1. 공적연금 관련법에 따라 받는 일시금❶
2. 사용자 부담금을 기초로 하여 현실적인 퇴직을 원인으로 지급받는 소득
3. 공적연금 관련법에 따른 일시금을 지급하는 자가 퇴직소득의 일부 또는 전부를 지연하여 지급하면서 지연지급에 대한 이자를 함께 지급하는 경우 해당 이자
4. 「과학기술인공제회법」에 따라 지급받는 과학기술발전장려금
5. 「건설근로자의 고용개선 등에 관한 법률」에 따라 지급받는 퇴직공제금
6. 종교관련 종사자가 현실적인 퇴직을 원인으로 종교단체로부터 지급받는 소득

> **➕ 심화 | 퇴직판정 특례**
>
> 1. 현실적인 퇴직을 판단할 때 다음 중 하나에 해당하는 사유가 발생하였으나 퇴직급여를 실제로 받지 아니한 경우에는 퇴직으로 보지 않을 수 있다.
>   ① 종업원이 임원이 된 경우
>   ② 법인의 합병·분할 등 조직변경 또는 사업양도 또는 직·간접으로 출자관계에 있는 법인으로의 전출 또는 동일한 고용주의 다른 사업장으로의 전출이 이루어진 경우
>   ③ 법인의 상근임원이 비상근임원이 된 경우
>   ④ 비정규직 근로자에서 정규직 근로자로 전환된 경우
> 2. 계속근무기간 중에 다음 중 하나에 해당하는 사유로 퇴직급여를 미리 지급받는 경우(임원인 근로소득자를 포함)에는 그 지급받은 날에 퇴직한 것으로 본다.
>   ① 「근로자퇴직급여 보장법 시행령」에 정하는 퇴직급여 중간정산을 인정하는 사유에 해당하는 경우
>   ② 「근로자퇴직급여 보장법」에 따라 퇴직연금제도가 폐지되는 경우

2 비과세퇴직소득

비과세 퇴직소득의 범위는 비과세 근로소득과 같이 규정되어 있다.

3 퇴직소득금액 계산

1. 퇴직소득금액은 해당 과세기간에 발생한 퇴직소득 금액의 합계액(비과세소득의 금액은 제외)으로 한다. 다만, 임원의 퇴직소득금액(공적연금 관련법에 따라 받는 일시금을 제외하며, 2011년 12월 31일에 퇴직하였다고 가정할 때 지급받을 퇴직소득금액이 있는 경우에는 그 금액을 뺀 금액)이 다음 계산식에 따라 계산한 금액을 초과하는 경우에는 그 초과하는 금액은 근로소득으로 본다.

한도액: A + B

A: 2019.12.31.부터 소급하여 3년[1] 동안 지급받은 총급여[2]의 연평균 환산액

$$\times \frac{1}{10} \times \frac{2012.1.1.부터~2019.12.31.까지의~근무기간^{[3]}}{12} \times 3$$

B: 퇴직일부터 소급하여 3년[4] 동안 지급받은 총급여액[2]의 연평균 환산액

$$\times \frac{1}{10} \times \frac{2020.1.1.이후~근무기간^{[3]}}{12} \times 2$$

2. 계산식을 적용할 때 근무기간은 개월 수로 계산하며, 1개월 미만의 기간이 있는 경우에는 이를 1개월로 본다.

4 과세방법

1. 원천징수

원천징수의무자가 퇴직소득을 지급할 때에는 그 퇴직소득과세표준에 원천징수세율을 적용하여 계산한 소득세를 징수한다. 이 경우 원천징수하는 퇴직소득의 원천징수세액은 퇴직소득의 결정세액이므로 퇴직소득만 있는 경우 별도의 확정신고 없이 원천징수로 과세가 종결된다.

2. 과세이연

거주자의 퇴직소득이 다음의 어느 하나에 해당하는 경우에는 해당 퇴직소득에 대한 소득세를 연금외수령하기 전까지 원천징수하지 아니한다. 이 경우 소득세가 이미 원천징수된 경우 해당 거주자는 원천징수세액에 대한 환급을 신청할 수 있다.

(1) 퇴직일 현재 연금계좌에 있거나 연금계좌로 지급되는 경우

(2) 퇴직하여 지급받은 날부터 60일 이내에 연금계좌에 입금되는 경우

3. 원천징수 특례

(1) 퇴직소득을 지급하여야 할 원천징수의무자가 1월부터 11월까지의 사이에 퇴직한 사람의 퇴직소득을 해당 과세기간의 12월 31일까지 지급하지 아니한 경우에는 그 퇴직소득을 12월 31일에 지급한 것으로 보아 소득세를 원천징수한다.

(2) 원천징수의무자가 12월에 퇴직한 사람의 퇴직소득을 다음연도 2월 말일까지 지급하지 아니한 경우에는 그 퇴직소득을 다음연도 2월 말일에 지급한 것으로 보아 소득세를 원천징수한다.

4. 확정신고

퇴직소득에 대한 원천징수세액만 있는 경우에는 확정신고를 하지 아니할 수 있다.

[1]

2012.1.1.부터 2019.12.31.까지의 근무기간이 3년 미만인 경우에는 해당 근무기간으로 한다(근무기간이 1개월 미만인 경우에는 1개월로 함).

[2]

1. 근로소득에 해당하는 근로의 제공으로 받는 봉급·상여·수당 등과 주주총회 등 의결기관의 결의에 따라 받는 소득을 말한다(비과세, 인정상여, 퇴직으로 받는 소득으로 퇴직소득에 해당하지 않는 소득, 직무발명보상금은 제외).

2. 총급여에는 근무기간 중 해외현지법인에 파견되어 국외에서 지급받는 급여를 포함한다(다만, 정관 또는 정관의 위임에 따른 임원 급여지급규정이 있는 법인의 주거보조비, 교육비수당, 의료보험료, 해외체재비, 자동차임차료 및 실의료비 및 이와 유사한 급여로서 임원이 국내에서 근무할 경우 국내에서 지급받는 금액을 초과하여 받는 금액은 제외).

[3]

1개월 미만의 기간은 1개월로 한다.

[4]

2020.1.1.부터 퇴직한 날까지의 근무기간이 3년 미만인 경우에는 해당 근무기간으로 한다(근무기간이 1개월 미만인 경우에는 1개월로 함).

기출 OX

퇴직하여 지급받은 날부터 60일 이내에 연금계좌에 입금되는 경우에는 해당 퇴직소득에 대한 소득세를 연금외수령하기 전까지 원천징수하지 아니한다. (○)

14. 7급

5 퇴직소득산출세액 계산

$$
\begin{array}{ll}
& \text{퇴직소득금액} \\
(-) & \text{근속연수공제} \\
\hline
& (A) \times \dfrac{1}{\text{근속연수}} \times 12 = \text{환산급여} \\
& \qquad\qquad (-)\ \text{환산급여공제} \\
\hline
& \text{과세표준} \times \text{기본세율} \times \dfrac{1}{12} \times \text{근속연수} = \text{산출세액}
\end{array}
$$

1. 근속연수 공제는 근속연수(1년 미만의 기간이 있는 경우에는 이를 1년으로 봄)에 따라 정한 다음의 금액을 말한다. 해당 과세기간의 퇴직소득금액이 근속연수공제금액에 미달하는 경우에는 그 퇴직소득금액을 공제액으로 한다.

근속연수	공제액
5년 이하	100만 원 × 근속연수
5년 초과 10년 이하	500만 원 + 200만 원 × (근속연수 − 5년)
10년 초과 20년 이하	1,500만 원 + 250만 원 × (근속연수 − 10년)
20년 초과	4,000만 원 + 300만 원 × 근속연수 − 20년)

2. 환산급여에 따라 다음의 환산급여공제를 적용한다.

환산급여	공제액
8백만 원 이하	환산급여의 100%
8백만 원 초과 7천만 원 이하	8백만 원 + 8백만 원 초과분의 60%
7천만 원 초과 1억 원 이하	4천 520만 원 + 7천만 원 초과분의 55%
1억 원 초과 3억 원 이하	6천 170만 원 + 1억 원 초과분의 45%
3억 원 초과	1억 5천 170만 원 + 3억 원 초과분의 35%

6 수입시기

퇴직소득의 수입시기는 퇴직을 한 날로 한다. 다만, 「국민연금법」에 따른 일시금과 「건설근로자의 고용개선 등에 관한 법률」에 따라 지급하는 퇴직공제금의 경우에는 소득을 지급받는 날로 한다.

7 퇴직소득세의 정산

1. 정산대상

퇴직자가 퇴직소득을 지급받을 때 이미 지급받은 다음의 퇴직소득에 대한 원천징수영수증을 원천징수의무자에게 제출하는 경우 원천징수의무자는 퇴직자에게 이미 지급된 퇴직소득과 자기가 지급할 퇴직소득을 합계한 금액에 대하여 정산한 소득세를 징수하여야 한다.

(1) 해당 과세기간에 이미 지급받은 퇴직소득

(2) 근로제공을 위해 사용자와 체결하는 계약으로 사용자가 같은 하나의 계약에서 이미 지급받은 퇴직소득

2. 정산방법

정산하는 퇴직소득세는 이미 지급된 퇴직소득과 자기가 지급할 퇴직소득을 합계한 금액에 대하여 퇴직소득세액을 계산한 후 이미 지급된 퇴직소득에 대한 세액을 뺀 금액으로 한다. 퇴직소득세를 정산하는 경우의 근속연수는 이미 지급된 퇴직소득에 대한 근속연수와 지급할 퇴직소득의 근속연수를 합산한 월수에서 중복되는 기간의 월수를 뺀 월수에 따라 계산한다.

01 현행 「소득세법」상 퇴직소득세의 특징으로 옳지 않은 것은? 2014년 7급

① 거주자의 퇴직소득에 대한 소득세는 해당 과세기간의 퇴직소득 과세표준에 기본세율을 적용하여 계산한 금액을 12로 나눈 금액에 근속연수를 곱하여 계산한 금액으로 한다.

② 퇴직하여 지급받은 날부터 60일 이내에 연금계좌에 입금되는 경우에는 해당 퇴직소득에 대한 소득세를 연금외수령하기 전까지 원천징수하지 아니한다.

③ 퇴직소득 과세표준을 계산하는 경우, 퇴직소득금액에서 근속연수에 따라 계산한 금액을 공제한다.

④ 퇴직소득은 종합소득에 속하나, 종합소득 과세표준에 합산하지 않고 분리과세한다.

01
퇴직소득은 종합소득에 속하지 않으므로 종합소득 과세표준에 합산하지 않고 분류과세한다.

02 「소득세법」상 총칙 규정에 대한 설명으로 옳지 않은 것은? 2012년 9급

① 소득세의 납세의무자(원천징수납부의무자 제외)는 거주자와 비거주자로서 국내원천소득이 있는 개인으로 구분한다.

② 거주자의 종합소득에는 공적연금 관련법에 따라 받는 일시금을 포함한다.

③ 소득세의 과세기간은 1월 1일부터 12월 31일까지로 한다.

④ 거주자의 소득세 납세지는 그 주소지로 하되, 주소지가 없는 경우에는 그 거소지로 한다.

02
공적연금 관련법에 따라 받는 일시금은 종합소득이 아닌 퇴직소득으로 분류한다.

09 양도소득세

1 개념

양도[1]란 자산에 대한 등기 또는 등록과 관계없이 매도, 교환, 법인에 대한 현물출자, 대물변제, 수용, 부담부증여, 경매 등으로 인하여 그 자산이 유상으로 사실상 이전되는 것을 말한다. 이 경우 부담부증여에 있어서 증여자의 채무를 수증자가 인수하는 경우에는 증여가액 중 그 채무액에 상당하는 부분은 그 자산이 유상으로 사실상 이전되는 것으로 본다.

> **참고**
>
> **부담부증여**
> 1. 수증자가 증여자의 일정한 채무를 부담하는 조건으로 증여를 받는 증여계약을 부담부증여라고 한다.
> 2. 부담부증여에서 수증자의 채무인수액은 유상거래로 보아 양도소득세를 부과한다.

❶ 양도

개인이 사업적으로 양도하는 경우에는 사업소득으로 과세된다. 무상으로 자산을 이전하는 것은 증여세(영리법인은 법인세로 과세) 또는 상속세의 과세대상이 된다.

2 양도소득의 범위

구분	자산
1그룹 부동산 등	① 토지와 건물 ② 부동산에 관한 권리 　㉠ 부동산을 이용할 수 있는 권리 　　ⓐ 지상권 　　ⓑ 전세권 　　ⓒ 등기된 부동산임차권 　㉡ 부동산을 취득할 수 있는 권리(아파트당첨권·토지상환채권 등) ③ 기타자산 　㉠ 토지, 건물, 부동산에 관한 권리와 함께 양도하는 영업권 　㉡ 특정시설물이용권 　㉢ 법정주식A, B 　㉣ 토지·건물과 함께 양도하는 법에 따른 이축권[다만, 해당 이축권 　　가액을 감정평가업자가 감정한 가액이 있는 경우 그 가액(감정한 　　가액이 2 이상인 경우에는 그 감정한 가액의 평균액)을 구분하여 　　신고하는 경우는 기타소득으로 함]
2그룹 주식(신주인수권 및 증권예탁증권 포함)	① 주권상장주식 　㉠ 대주주 양도 　㉡ 대주주 외의 자가 증권시장에서 거래하지 않는 것(단, 주식의 　　포괄적교환·이전 또는 주식의 포괄적교환·이전에 대한 주 　　식매수청구권 행사로 양도하는 주식 제외)

❶

코스닥 200선물 · 옵션, KRX300선물, 섹터지수선물, 배당지수선물 등 모든 주가지수와 관련된 장내파생상품 · 장외파생상품을 포함한다.

❷

일정한 수익권은 다음과 같다.
1. 「자본시장과 금융투자업에 관한 법률」에 따른 수익권 또는 수익증권
2. 「자본시장과 금융투자업에 관한 법률」에 따른 투자신탁의 수익권 또는 수익증권으로서 해당 수익권 또는 수익증권의 양도로 발생하는 소득이 배당소득으로 과세되는 수익권 또는 수익증권
3. 신탁의 이익을 받을 권리에 대한 양도로 발생하는 소득이 배당소득으로 과세되는 수익권 또는 수익증권
4. 위탁자의 채권자가 채권담보를 위하여 채권 원리금의 범위 내에서 선순위 수익자로서 참여하고 있는 경우 해당 수익권. 이 경우 신탁 수익자명부 변동상황명세서를 제출해야 한다.

	② 비상장주식[단, 대주주가 아닌 자가 장외시장(K-OTC)에서 장외매매거래로 양도하는 중소 · 중견기업의 주식 제외]
	③ 다음에 해당하는 국외주식 등
	   ㉠ 외국법인이 발행한 주식 등
	   ㉡ 내국법인이 발행한 주식 등으로 해외증권시장에 상장된 것

3그룹 파생상품❶ (해외파생상품 포함)	① 코스피200선물 ② 코스피200옵션 ③ 미니코스피200선물, 미니코스피200옵션 ④ 코스피200 주식워런트증권(ELW)
4그룹 신탁수익권	신탁의 이익을 받을 권리(「자본시장과 금융투자업에 관한 법률」에 따른 수익증권 및 투자신탁의 수익권 등 일정한 수익권은 제외❷)의 양도로 발생하는 소득. 다만, 신탁 수익권의 양도를 통하여 신탁재산에 대한 지배 · 통제권이 사실상 이전되는 경우는 신탁재산 자체의 양도로 본다.

1. 토지와 건물

토지(「공간정보의 구축 및 관리 등에 관한 법률」에 따라 지적공부에 등록하여야 할 지목에 해당하는 것) 또는 건물(건물에 부속된 시설물과 구축물을 포함)의 양도로 발생하는 소득에 대하여 양도소득세를 과세한다.

2. 부동산에 관한 권리

다음의 어느 하나에 해당하는 부동산에 관한 권리의 양도로 발생하는 소득을 대상으로 한다.

(1) 부동산을 취득할 수 있는 권리

   ① 건물이 완성되는 때에 그 건물과 이에 딸린 토지를 취득할 수 있는 권리

   ② 토지상환채권 · 주택상환채권

   ③ 부동산매매계약을 체결한 자가 계약금만 지급한 상태에서 양도하는 권리

(2) 지상권

(3) 전세권과 등기된 부동산임차권

⊞ 심화 | 지상권과 부동산임차권

1. 지상권
  ① 지상권의 대여: 기타소득
  ② 지상권의 양도: 양도소득
2. 부동산임차권
  ① 등기된 부동산임차권: 양도소득
  ② 등기되지 않은 부동산임차권: 점포임차권의 양도는 기타소득에 해당되며 그 외는 과세대상에 해당하지 않는다.

---

3. 기타자산

(1) 영업권

토지와 건물 및 부동산에 관한 권리와 함께 양도하는 영업권을 말한다(그 외의 경우는 기타소득으로 분류).[1]

(2) 특정시설물이용권[2]

이용권·회원권 및 그 밖에 그 명칭과 관계없이 시설물을 배타적으로 이용하거나 일반이용자보다 유리한 조건으로 이용할 수 있도록 약정한 단체의 구성원이 된 자에게 부여되는 시설물이용권을 말한다(법인의 주식 등을 소유하는 것만으로 시설물을 배타적으로 이용하거나 일반이용자보다 유리한 조건으로 시설물이용권을 부여받게 되는 경우 그 주식 등을 포함).

(3) 법정주식A

다음의 요건을 모두 충족하는 법인의 과점주주가 그 법인의 주식을 과점주주 외의 자에게 양도하는 경우의 해당 주식을 말한다.

구분	요건
부동산 등 비율	해당 법인의 자산총액 중 토지·건물 및 부동산에 관한 권리의 가액의 합계액이 50% 이상인 법인
지분비율	해당 법인의 주식 등의 합계액 중 주주 1인과 주권상장법인기타주주 또는 주권비상장법인기타주주가 소유하고 있는 주식 합계액이 50% 초과인 법인
양도비율[3]	해당 법인의 주식 등의 합계액 중 과점주주가 양도한 주식 등의 합계액이 50% 이상인 법인

(4) 법정주식B

다음의 요건을 모두 충족한 법인의 주식을 말하며 이러한 주식은 양도자의 지분비율이나 양도비율에 상관없이 기타자산에 해당한다. 단 1주를 보유하다가 양도하여도 기타자산에 해당한다.

구분	요건
업종	골프장·스키장·휴양콘도미니엄·전문휴양시설에 해당하는 시설을 건설 또는 취득하여 직접 경영하거나 분양 또는 임대하는 사업을 영위하는 법인
부동산 비율	해당 법인의 자산 총액 중 토지·건물·부동산에 관한 권리의 합계액이 80% 이상인 경우

> ⊞ **심화** | **주식의 양도가 법정주식과 일반주식 모두 해당하는 경우**
>
> 주식의 양도가 1그룹의 법정주식과 2그룹의 일반주식에 모두 해당하는 경우 법정주식A, B로 보아 양도소득을 계산한다.

[1] 기계장치와 함께 양도하는 영업권이나 영업권만 단독으로 양도하는 경우는 기타소득에 해당한다.

[2] **특정시설물이용권**
특정시설물이용권에는 골프회원권·콘도미니엄회원권 등이 있다.

[3] **양도비율**
과점주주가 수회에 걸쳐 양도하는 때에는 그들 중 1인이 주식을 양도하는 날부터 소급하여 3년 내에 그들이 양도한 주식을 합산한다(과점주주가 과점주주 외의 자에게 양도한 주식 등 중에서 과점주주 외의 자에게 양도하기 전에 과점주주 간에 양도되었던 주식 등을 포함).

4. 주식 또는 출자지분

다음의 어느 하나에 해당하는 주식 또는 출자지분의 양도로 발생하는 소득

(1) 주권상장법인의 주식은 다음의 주식 등(주식 또는 출자지분을 말하며, 신주
인수권과 특정 증권예탁증권을 포함)의 양도로 발생한 소득을 과세한다.

① 대주주❶가 양도하는 것

② 대주주가 아닌 자가 「자본시장과 금융투자업에 관한 법률」에 따른 증권시장
에서의 거래에 의하지 않고 양도하는 것. 다만, 「상법」에 따른 주식의 포괄적
교환·이전 또는 「상법」에 따른 주식의 포괄적 교환·이전에 대한 주식매
수청구권 행사로 양도하는 주식 등은 제외한다.

(2) 주권상장법인이 아닌 법인의 주식 등의 양도로 인한 소득은 과세대상에 해당한다.
다만, 대주주가 아닌 자가 한국금융투자협회가 행하는 장외매매거래에 의하여
양도하는 중소기업 및 중견기업의 주식 등은 제외한다.

(3) 외국법인 주식 등

외국법인이 발행하였거나 외국에 있는 시장에 상장된 주식 등으로서 다음 중
어느 하나에 해당하는 주식 등

① 외국법인이 발행한 주식 등(우리나라의 증권시장에 상장된 주식 등과 국
외의 기타자산에 해당하는 주식 등은 제외)

② 내국법인이 발행한 주식 등으로 우리나라의 증권시장과 유사한 시장으로
서 해외에 있는 증권시장에 상장된 것

⌐ 참고 ─────────

대주주❷

대주주란 다음 중 어느 하나에 해당하는 자를 말한다.

구분	2020.4.1. ~ 2024.12.31.
유가증권시장	지분율 1% 또는 시가총액 10억 원 이상
코스닥시장	지분율 2% 또는 시가총액 10억 원 이상
코넥스시장	지분율 4% 또는 시가총액 10억 원 이상
비상장주식	지분율 4% 또는 시가총액 10억 원 이상

5. 파생상품

파생상품의 거래 또는 행위로 발생하는 소득(이자소득 또는 배당소득으로 과세
하는 파생상품의 거래·행위로부터의 이익은 제외)에 대하여 양도소득세를 과세
한다. 여기서 파생상품의 범위는 다음과 같다.

(1) 장내 파생상품

장내파생상품으로서 증권시장 또는 이와 유사한 시장으로서 외국에 있는 시
장을 대표하는 종목을 기준으로 산출된 지수를 기초자산으로 하는 상품

(2) 주식워런트증권(ELW)

당사자 일방의 의사표시에 따라 위 (1)에 따른 지수의 수치의 변동과 연계하여 미리 정해진 방법에 따라 주권의 매매나 금전을 수수하는 거래를 성립시킬 수 있는 권리를 표시하는 증권

(3) 차액결제거래

장외파생상품으로 계약 체결 당시 약정가격과 계약에 따른 약정을 소멸시키는 반대거래 약정가격간의 차액을 현금으로 결제하고 계약 종료시점을 미리 정하지 않고 거래 일방의 의사표시로 계약이 종료되는 상품 등을 말한다.

(4) 해외 파생상품

해외 상품시장에서 거래되는 파생상품

(5) 장외 파생상품

장외 파생상품으로서 경제적 실질이 위 (1)에 따른 장내 파생상품과 동일한 상품

3 양도로 보지 않는 경우

다음의 경우는 유상양도로 소유권이 이전되었더라도 이를 사실상의 양도로 보지 아니한다.

1. 양도담보

양도담보의 경우 외관상 양도이지만 그 실질은 채권의 담보에 불과하므로 양도로 보지 않는다. 단, 양보담보계약을 체결한 후 그 계약을 위배하거나 채무불이행으로 인하여 해당 자산을 변제에 충당한 때에는 양도한 것으로 본다.

2. 환지처분 · 보류지

「도시개발법」이나 그 밖의 법률에 따른 환지처분❶으로 지목 · 지번이 변경되거나 보류지❷로 충당되는 경우는 양도로 보지 않는다.

(1) 해당 법률에 따른 공공용지
(2) 해당 법률에 따라 사업구역 내의 토지소유자 또는 관계인에게 그 구역 내의 토지로 사업비용을 부담하게 하는 경우의 해당 토지인 체비지

3. 지적경계선 변경을 위한 토지의 교환

다음의 요건을 모두 충족하는 토지의 교환의 경우에는 양도로 보지 않는다.

(1) 토지 이용상 불합리한 지상경계를 합리적으로 바꾸기 위하여 법률에 따라 토지를 분할하여 교환할 것
(2) (1)에 따라 분할된 토지의 전체 면적이 분할 전 토지의 전체 면적의 20%를 초과하지 않을 것

4. 법원의 확정판결에 의한 신탁해지를 원인으로 하는 소유권이전등기의 경우

❶ 환지처분

환지처분이란 「도시개발법」에 따른 도시개발사업, 「농어촌정비법」에 따른 농업생산기반 정비사업, 그 밖의 법률에 따라 사업시행자가 사업완료 후에 사업구역 내의 토지소유자 또는 관계인에게 종전의 토지 또는 건축물 대신에 그 구역 내의 다른 토지 또는 사업시행자에게 처분할 권한이 있는 건축물의 일부와 그 건축물이 있는 토지의 공유지분으로 바꾸어 주는 것(사업시행에 따라 분할 · 합병 또는 교환하는 것을 포함)을 말한다.

❷ 보류지

보류지란 사업시행자가 해당 법률에 따라 일정한 토지를 환지로 정하지 아니하고 보류한 토지를 말한다.

5. 매매원인무효의 소에 의하여 그 매매사실이 원인무효로 판시되어 환원될 경우

6. 단순분할

공동소유의 토지를 소유지분별로 단순히 분할만 하거나, 공유자 지분 변경 없이 2개 이상의 공유토지로 분할하였다가 그 공유토지를 소유지분별로 단순히 재분할한 경우. 다만, 공유지분이 변경되는 경우에는 변경되는 부분은 양도로 본다.

7. 소유자산을 경매·공매로 자기가 재취득하는 경우

8. 이혼으로 재산분할로 양도하는 경우

(1) 위자료의 대가로 부동산 등을 양도하는 경우는 양도에 해당한다.

(2) 재산분할청구에 따라 부동산 등을 양도하는 경우는 양도에 해당하지 않는다.

9. 증여추정

배우자 또는 직계존비속에게 재산을 양도한 경우로서 실제 양도거래라고 입증하지 못한 경우에는 증여로 추정된다.

10. 신탁재산

위탁자와 수탁자 간 신임관계에 기하여 위탁자의 자산에 신탁이 설정되고 그 신탁재산의 소유권이 수탁자에게 이전되는 경우로서 위탁자가 신탁 설정을 해지하거나 신탁의 수익자를 변경할 수 있는 등 신탁재산을 실질적으로 지배하고 소유하는 것으로 볼 수 있는 경우

4 비과세 양도소득

다음의 경우는 양도소득세를 과세하지 않는다. 다만, 미등기양도자산의 경우는 제외한다.

1. 파산선고에 의한 처분으로 발생하는 소득

2. 농지의 교환 또는 분합으로 인하여 발생하는 소득

다음의 어느 하나에 해당하는 농지를 교환 또는 분합하는 경우로서 교환 또는 분합하는 쌍방 토지가액의 차액이 가액이 큰 편의 4분의 1 이하인 경우를 말한다.

(1) 국가 또는 지방자치단체가 시행하는 사업으로 인하여 교환 또는 분합하는 농지

(2) 국가 또는 지방자치단체가 소유하는 토지와 교환 또는 분합하는 농지

(3) 경작상 필요에 의하여 교환하는 농지. 다만, 교환에 의하여 새로이 취득하는 농지를 3년 이상 농지소재지에 거주하면서 경작하는 경우에 한한다.

(4) 「농어촌정비법」·「농지법」·「한국농어촌공사 및 농지관리기금법」 또는 「농업협동조합법」에 의하여 교환 또는 분합하는 농지

3. 1세대 1주택의 양도

1세대 1주택(고가주택은 제외)과 주택부수토지의 양도로 발생하는 소득

4. 지적재조사에 관한 특별법에 따른 경계의 확정으로 지적공부상의 면적이 감소되어 지급받은 조정금

5 1세대 1주택과 그 부수토지의 양도로 발생하는 소득

1. 개념

(1) 1세대 1주택이란 거주자 및 그 배우자가 그들과 동일한 주소 또는 거소에서 생계를 같이 하는 가족과 함께 구성하는 1세대가 양도일 현재 국내에 1주택(고가주택❶ 제외)을 보유하고 있는 경우로서 해당 주택의 보유기간이 2년 이상인 것을 말한다.

(2) 다만, 취득 당시 조정대상지역에 있는 주택은 보유기간 2년 이상이고 그 보유기간 중 거주기간이 2년 이상인 것을 말한다.

2. 1세대 1주택 판정일

1세대 1주택 비과세의 판정은 양도일을 기준으로 한다. 2개 이상의 주택을 같은 날에 양도하는 경우에는 당해 거주자가 선택하는 순서에 따라 주택을 양도한 것으로 본다.

3. 1세대의 요건

거주자 및 그 배우자❷가 그들과 동일한 주소 또는 거소에서 생계를 같이하는 가족❸과 함께 구성하는 것을 말한다. 다만, 다음의 경우는 배우자가 없는 때에도 1세대로 본다.

(1) 해당 거주자의 나이가 30세 이상인 경우

(2) 배우자가 사망하거나 이혼한 경우

(3) 종합소득·퇴직소득 또는 양도소득이 「국민기초생활보장법」에 따른 중위소득의 40% 이상으로서 소유하고 있는 주택 또는 토지를 관리·유지하면서 독립된 생계를 유지할 수 있는 경우. 다만, 미성년자의 경우를 제외하되, 미성년자의 결혼, 가족의 사망 그 밖에 기획재정부령이 정하는 사유로 1세대의 구성이 불가피한 경우에는 그러하지 아니하다.❹

❶ 고가주택

고가주택은 양도 당시 실지거래가액의 합계액이 12억 원을 초과하는 주택 및 그 부수토지를 말한다.

❷ 거주자 및 그 배우자

배우자와 법률상 이혼을 하였으나 생계를 같이 하는 등 사실상 이혼한 것으로 보기 어려운 관계에 있는 사람은 배우자에 포함한다.

❸ 생계를 같이하는 가족

생계를 같이하는 자란 거주자 및 그 배우자의 직계존비속(그 배우자를 포함) 및 형제자매를 말한다. 또한 취학, 질병의 요양, 근무상 또는 사업상의 형편으로 본래의 주소 또는 거소에서 일시 퇴거한 사람들 포함한다.

❹

1세대를 판단함에 있어서 부부가 각각 단독세대를 구성하였을 경우에도 동일한 세대로 본다. 따라서 부부가 각각 1주택을 보유한 경우에도 1세대 2주택으로 본다.

❶ 일정배수

1. 도시지역
　① 수도권 내 토지
　　㉠ 주거지역 · 상업지역 및 공업지
　　　역 내의 토지: 3배
　　㉡ 녹지지역 내의 토지: 5배
　② 수도권 밖의 토지: 5배
2. **도시지역 밖의 토지: 10배**

4. 1주택의 요건

(1) 주택과 주택부수토지

주택은 주거를 목적으로 하는 건물을 말하고 주택정착면적의 일정배수❶를 곱한 면적 이내의 토지를 주택부수토지라고 한다. 다만, 다음의 경우는 주택으로 보지 아니한다.

① 소유하고 있던 공부상 주택인 1세대 1주택을 거주용이 아닌 영업용 건물로 사용한 경우

② 사용인이 기거를 위하여 공장에 부수된 건물을 합숙소로 사용하고 있는 경우의 당해 합숙소

③ 관광용 숙박시설인 콘도미니엄, 사무용 오피스텔

(2) 겸용주택

하나의 건물이 주택과 주택 외의 부분으로 복합되어 있는 경우와 주택에 딸린 토지에 주택 외의 건물이 있는 경우에는 그 전부를 주택으로 본다. 다만, 주택의 연면적이 주택 외의 부분의 연면적보다 적거나 같은 경우에는 주택 외의 부분은 주택으로 보지 않는다.

> ⊞ **심화 | 다가구 주택**
>
> 1. 다가구주택은 구획된 부분별로 양도하지 않고 하나의 매매단위로 하여 양도하는 경우에는 그 전체를 하나의 주택으로 본다. 이 경우 단독주택으로 보는 다가구주택의 경우에는 그 전체를 하나의 주택으로 보아 고가주택에 해당하는지 여부를 판단한다.
> 2. 다가구주택을 구획된 부분별로 양도하는 경우에는 구획된 부분을 각각 하나의 주택으로 본다.

(3) 공동소유주택의 주택수

1주택을 여러 사람이 공동으로 소유한 경우 특별한 규정이 있는 것 외에는 주택수를 계산할 때 공동소유자 각자가 그 주택을 소유한 것으로 본다.

> ⊞ **심화 | 공동상속주택**
>
> 공동상속주택(상속주택을 여러 사람이 공동으로 소유하고 있는 주택)외의 다른 주택을 양도하는 때에는 해당 공동상속주택은 해당 거주자의 주택으로 보지 아니한다. 다만, 상속지분이 가장 큰 상속인의 경우는 그러하지 아니하며 이 경우 상속지분이 가장 큰 상속인이 2인 이상인 때에는 그 2인 이상의 자 중 해당 주택에 거주하는 자, 최연장자의 순서에 따라 해당 공동상속주택을 소유한 것으로 본다.

(4) 1세대 2주택을 보유한 경우

① 원칙: 양도일 현재 1주택을 보유한 자에 대하여 비과세를 하므로 2주택을 보유한 상태에서 1주택을 양도하는 경우에는 먼저 양도한 주택에 대하여는 양도소득세를 과세한다.

② 특례(1세대 2주택 비과세): 다음의 경우에는 먼저 양도하는 주택을 1세대 1주택으로 본다.

ㄱ 일시적 1세대 2주택: 국내에 1주택을 소유한 1세대가 일시적으로 2주택이 된 경우 종전의 주택을 취득한 날로부터 1년 이상이 지난 후 다른 주택을 취득하고 그 다른 주택을 취득한 날로부터 3년 이내에 종전의 주택을 양도하는 경우

ㄴ 상속주택으로 인한 1세대 2주택: 상속받은 주택과 그 외의 일반주택(상속개시 당시 보유한 주택 또는 상속개시 당시 보유한 조합원입주권이나 분양권에 의하여 사업시행 완료 후 취득한 신축주택만 해당하며, 상속개시일부터 소급하여 2년 이내에 피상속인으로부터 증여받은 주택 또는 증여받은 조합원입주권이나 분양권에 의하여 사업시행 완료 후 취득한 신축주택은 제외)을 국내에 각각 1개씩 소유하고 있는 경우 1세대가 일반주택을 양도하는 경우

ㄷ 동거봉양을 위한 1세대 2주택: 1주택을 보유하고 있는 1세대를 구성하는 자가 1주택을 보유하고 있는 60세 이상**❶**의 직계존속을 동거봉양하기 위하여 세대를 합침으로써 1세대 2주택을 보유하게 되는 경우 합친 날부터 10년 이내에 먼저 양도하는 주택

ㄹ 혼인으로 인한 1세대 2주택: 1주택을 보유하는 자가 1주택을 보유하는 자와 혼인함으로써 1세대가 2주택을 보유하게 되는 경우 또는 1주택을 보유하고 있는 60세 이상의 직계존속(배우자의 직계존속 포함, 직계존속 중 어느 한 사람이 60세 미만인 경우를 포함)을 동거봉양하는 무주택자가 1주택을 보유하는 자와 혼인함으로써 1세대가 2주택을 보유하게 되는 경우 혼인한 날부터 5년 이내에 먼저 양도하는 주택

ㅁ 문화재 주택: 지정문화재 및 등록문화재에 해당하는 주택과 그 외의 일반주택을 국내에 각각 1개씩 소유하고 있는 1세대가 일반주택을 양도하는 경우

ㅂ 농어촌주택: 농어촌주택과 그 외의 일반주택을 국내에 각각 하나씩 소유하고 있는 1세대가 일반주택을 양도하는 경우. 다만, 농어촌주택 중 영농·영어 목적으로 취득한 귀농주택에 대하여는 그 주택을 취득한 날부터 5년 이내에 일반 주택을 양도한 경우에 한정하여 적용한다.

ㅅ 수도권 밖 소재 주택: 취학·근무상의 형편·질병의 요양·그 밖에 부득이한 사유로 취득한 수도권 밖에 소재하는 주택과 그 밖의 일반주택을 국내에 각각 1개씩 소유하고 있는 1세대가 부득이한 사유가 해소된 날부터 3년 이내에 일반주택을 양도하는 경우

❶ 1주택을 보유하고 있는 60세 이상의 직계존속

1. 60세 이상의 직계존속(배우자의 직계존속을 포함하며 직계존속 중 1명만 60세 이상이면 됨)
2. 중증질환자, 희귀난치성환자, 결핵환자로서 60세 미만의 직계존속(배우자의 직계존속 포함)

❶ 보유기간

보유기간은 해당 자산의 취득일부터 양도일까지의 기간을 말하며 거주기간은 주민등록표상의 전입일부터 전출일까지의 기간을 말한다.

5. 보유기간❶과 거주기간 요건

(1) 원칙

1세대 1주택으로 비과세가 되기 위해서는 양도일 현재 해당 주택의 보유기간이 2년 이상이어야 한다. 단, 취득 당시에 조정대상지역에 있는 주택의 경우에는 해당 주택의 보유기간이 2년 이상이고 그 보유기간 중 거주기간이 2년 이상이어야 한다.

(2) 예외

1세대가 양도일 현재 국내에 1주택을 보유하고 있는 경우로서 다음 ① ~ ③에 해당하는 경우에는 그 보유기간과 거주기간(④는 거주기간)의 제한을 받지 아니한다.

① 민간건설임대주택, 공공건설임대주택 또는 공공매입임대주택을 취득하여 양도하는 경우로서 당해 임대주택의 임차일부터 당해 주택의 양도일까지의 기간 중 세대전원이 거주(기획재정부령으로 정하는 취학 · 근무상의 형편 · 질병의 요양 · 그 밖에 부득이한 사유로 세대의 구성원 중 일부가 거주하지 못하는 경우도 포함)한 기간이 5년 이상인 경우

② 다음의 어느 하나에 해당하는 경우

ⓐ 「공익사업을 위한 토지 등의 취득 및 보상에 관한 법률」에 의한 협의매수 · 수용 및 그 밖의 법률에 의하여 수용되는 경우(양도일 또는 수용일부터 5년 이내에 양도하는 그 잔존주택 및 그 부수토지를 포함)

ⓑ 해외이주로 세대전원이 출국하는 경우. 다만, 출국일 현재 1주택을 보유하고 있는 경우로서 출국일부터 2년 이내에 양도하는 경우❷에 한한다.

ⓒ 1년 이상 계속하여 국외거주를 필요로 하는 취학 또는 근무상의 형편으로 세대전원이 출국하는 경우. 다만, 출국일 현재 1주택을 보유하고 있는 경우로서 출국일부터 2년 이내에 양도하는 경우에 한한다.❷

❷

출국일로부터 2년 이내에 양도하는 경우에 한하므로 출국 전 양도하는 경우에는 해당 규정을 적용하지 않는다.

③ 「초·중등교육법」에 따른 학교(유치원·초등학교 및 중학교를 제외) 및 「고등교육법」에 따른 학교에의 취학, 직장의 변경이나 전근 등 근무상의 형편, 1년 이상의 치료나 요양을 필요로 하는 질병의 치료 또는 요양, 「학교폭력예방 및 대책에 관한 법률」에 따른 학교폭력으로 인한 전학(같은 법에 따른 학교폭력대책자치위원회가 피해학생에게 전학이 필요하다고 인정하는 경우에 한함)으로 인하여 세대 전원이 다른 시·군으로 주거를 이전하기 위해 1년 이상 거주한 주택을 양도하는 경우

④ 거주자가 조정대상 지역의 공고가 있은 날 이전에 매매계약을 체결하고 계약금을 지급한 사실이 증빙서류에 의하여 확인되는 경우로서 해당 거주자가 속한 1세대가 계약금 지급일 현재 주택을 보유하지 않는 경우

⊞ 심화 | 조합원입주권 및 분양권❶

1. **조합원입주권 1세대 1주택 특례:** 조합원입주권을 1개 소유한 1세대가 해당 조합원입주권을 양도하는 다음의 경우는 이를 1세대 1주택으로 보아 양도소득세를 과세하지 않는다. 다만, 조합원입주권의 양도 당시의 실지거래가액의 합계액이 12억 원을 초과하는 경우에는 양도소득세를 과세한다.
   ① 양도일 현재 다른 주택 또는 분양권이 없는 경우
   ② 양도일 현재 1조합원입주권 외에 1주택을 소유한 경우로서 해당 1주택을 취득한 날부터 3년 이내에 해당 조합원입주권을 양도하는 경우
2. **1세대 1주택 제외:** 1세대가 주택(주택부수토지 포함)과 조합원입주권 또는 분양권을 보유하다가 그 주택을 양도하는 경우에는 1세대 1주택으로 보지 않는다.

---

6 취득시기 및 양도시기

1. 일반원칙 – 대금청산일

자산의 양도차익을 계산할 때 그 취득시기 및 양도시기는 대금을 청산한 날이 분명하지 아니한 경우 등 다음의 경우를 제외하고는 해당 자산의 대금을 청산한 날로 한다. 이 경우 자산의 대금에는 해당 자산의 양도에 대한 양도소득세 및 양도소득세의 부가세액을 양수자가 부담하기로 약정한 경우에는 해당 양도소득세 및 양도소득세의 부가세액은 제외한다.

2. 대금청산일 이외의 취득시기 및 양도시기

(1) 대금을 청산한 날이 분명하지 아니한 경우에는 등기부·등록부 또는 명부 등에 기재된 등기·등록접수일 또는 명의개서일

(2) 대금을 청산하기 전에 소유권이전등기(등록 및 명의 개서를 포함)를 한 경우에는 등기부·등록부 또는 명부 등에 기재된 등기접수일

(3) 장기할부조건의 경우에는 소유권이전등기(등록 및 명의개서를 포함) 접수일·인도일 또는 사용수익일 중 빠른 날

❶
1. 조합원입주권이란 「도시 및 주거환경정비법」 제74조에 따른 관리처분계획의 인가 및 「빈집 및 소규모주택 정비에 관한 특례법」에 따른 사업시행계획인가로 인하여 취득한 입주자로 선정된 지위를 말한다. 이 경우 「도시 및 주거환경정비법」에 따른 재건축사업 또는 재개발사업, 「빈집 및 소규모주택 정비에 관한 특례법」에 따른 소규모재건축사업을 시행하는 정비사업조합의 조합원으로서 취득한 것(그 조합원으로부터 취득한 것을 포함)으로 한정하며, 이에 딸린 토지를 포함한다.
2. 분양권이란 「주택법」 등 대통령령으로 정하는 법률에 따른 주택에 대한 공급계약을 통하여 주택을 공급받는 자로 선정된 지위(해당 지위를 매매 또는 증여 등의 방법으로 취득한 것을 포함)를 말한다.

🏛 기출 OX

대금을 청산하기 전에 소유권이전등기를 한 경우에는 등기부에 기재된 등기접수일로 한다. (○)   15. 7급

(4) 자기가 건설한 건축물에 있어서는 사용검사필증교부일. 다만, 사용검사 전에 사실상 사용하거나 사용승인을 얻은 경우에는 그 사실상의 사용일 또는 사용 승인일로 하고 건축허가를 받지 아니하고 건축하는 건축물에 있어서는 그 사실상의 사용일로 한다.

(5) 상속 또는 증여에 의하여 취득한 자산에 대하여는 그 상속이 개시된 날 또는 증여를 받은 날

(6) 「민법」에 의하여 부동산의 소유권을 취득하는 경우에는 당해 부동산의 점유를 개시한 날(20년간 소유의 의사로 평온·공연하게 부동산을 점유하는 자는 등기로써 그 소유권을 취득)

(7) 공익사업을 위하여 수용되는 경우에는 대금을 청산한 날, 수용의 개시일 또는 소유권이전등기접수일 중 빠른 날. 다만, 소유권에 관한 소송으로 보상금이 공탁된 경우에는 소유권 관련 소송 판결확정일

(8) 완성 또는 확정되지 아니한 자산을 양도 또는 취득한 경우로서 해당 자산의 대금을 청산한 날까지 그 목적물이 완성 또는 확정되지 아니한 경우에는 그 목적물이 완성 또는 확정된 날

(9) 환지처분으로 인하여 취득한 토지의 취득시기는 환지 전의 토지의 취득일. 다만, 교부받은 토지의 면적이 환지처분에 의한 권리면적보다 증가 또는 감소된 경우에는 그 증가 또는 감소된 면적의 토지에 대한 취득시기 또는 양도시기는 환지처분의 공고가 있는 날의 다음날로 한다.

(10) 법정주식A의 양도시기는 주주 1인과 기타주주가 주식 등을 양도함으로써 해당 법인의 주식 등의 합계액의 50% 이상이 양도되는 날. 이 경우 양도가액은 그들이 사실상 주식 등을 양도한 날의 양도가액에 의한다.

(11) 다음의 시기 이전에 취득한 경우는 다음의 날에 취득한 것으로 본다.

구분	취득시기 의제일
토지·건물·부동산에 관한 권리·기타자산	1985.1.1.
주식	1986.1.1.

7 양도소득세의 계산

1. 계산구조

```
        양   도   가   액
(−)     필   요   경   비      ⇨  취득가액 및 기타경비
        양   도   차   익
(−)     장 기 보 유 특 별 공 제   ⇨  보유기간 3년 이상인 토지 · 건물
        양   도   소   득   금   액
(−)     양 도 소 득 기 본 공 제   ⇨  연 250만 원
        양 도 소 득 과 세 표 준
(×)     세             율
        산   출   세   액
(−)     감   면   세   액
        결   정   세   액
(+)     가       산       세
        총   결   정   세   액
(−)     기   납   부   세   액
        차   감   납   부   세   액
```

2. 양도가액 및 취득가액

(1) 원칙

양도가액과 취득가액은 그 자산의 양도 당시 실제 양도가액, 취득 당시 실제 취득가액에 따른다.

⊞ 심화 | 양도가액과 취득가액 특례

1. **일괄취득 또는 일괄양도하는 경우**: 양도가액 또는 취득가액을 실지거래가액에 의하여 산정하는 경우로서 토지와 건물 등을 함께 취득하거나 양도한 경우에는 이를 각각 구분하여 기장하되, 다음의 경우에는 부가가치세의 토지와 건물의 일괄공급시 안분계산방법을 준용하여 안분계산한다.
   ① 토지와 건물 등의 가액 구분이 불분명할 때
   ② 토지와 건물 등을 구분 기장한 가액이 부가가치세 안분계산방법을 준용하여 안분계산한 가액과 30% 이상 차이가 있는 경우
2. **상속 · 증여받은 경우**: 상속개시일 또는 증여일 현재 「상속세 및 증여세법」에 따라 평가한 가액을 취득 당시 실지거래가액으로 본다.

---

(2) 실지거래가액의 추계결정 또는 경정

① **추계사유**: 양도가액 또는 취득가액을 실지거래가액에 따라 정하는 경우로서 다음의 경우는 양도가액 또는 취득가액을 추계조사하여 결정 · 경정할 수 있다.

⊙ 장부 · 매매계약서 · 영수증 그 밖의 증명서류가 없거나 그 중요한 부분이 미비하여 양도가액 또는 취득 당시의 실지거래가액의 확인이 어려운 경우

ⓛ 장부 · 매매계약서 · 영수증 그 밖의 증명서류의 내용이 허위임이 명백한 경우

② **추계결정 · 경정 방법:** 추계시 양도가액 또는 취득가액은 다음과 같이 시가에 가까운 것부터 차례로 적용한다.

⊙ **매매사례가액:** 양도일 · 취득일 전후 각 3개월 이내에 해당 자산과 동일성 · 유사성이 있는 자산의 매매사례가 있는 경우 그 가액을 말한다. 단, 상장법인의 주식에는 적용하지 않는다.

ⓛ **감정가액❶:** 양도일 · 취득일 전후 각 3개월 이내에 해당 자산에 대하여 2 이상의 감정평가업자가 평가한 것으로서 신빙성이 있는 것으로 인정되는 감정가액이 있는 경우 그 감정가액의 평균액(양도일 · 취득일 전후 각 3개월 이내인 것)을 말한다. 단, 주식에는 적용하지 않는다.

ⓒ **환산 취득가액**

ⓐ 다음의 금액을 환산취득가액으로 한다. 환산취득가액은 취득가액에 한하여 적용하며 양도가액에는 적용하지 않는다.

$$환산취득가액 = \begin{matrix} 양도\ 당시\ 실지거래가액 \cdot \\ 매매사례가액 \cdot 감정가액 \end{matrix} \times \frac{취득\ 당시\ 기준시가}{양도\ 당시\ 기준시가}$$

ⓑ 거주자가 건물을 신축 또는 증축(증축의 경우 바닥면적 합계가 85m²를 초과하는 경우에 한정)하고 그 건물의 취득일 또는 증축일로부터 5년 이내에 해당 건물을 양도하는 경우로서 감정가액 또는 환산취득가액을 그 취득가액으로 하는 경우 해당 건물의 감정가액(증축의 경우 증축한 부분에 한정) 또는 환산취득가액(증축의 경우 증축한 부분에 한정)의 5%를 양도소득 결정세액에 가산한다(양도소득 산출세액이 없는 경우에도 적용).

ⓓ **기준시가**

> **⊕ 심화 | 기준시가**
>
> 기준시가는 정부가 정하는 다음의 가액을 말한다.
> 1. **토지:** 개별공시지가
> 2. **건물:** 국세청장 고시가격
> 3. **주택:** 개별주택가격 및 공동주택가격

❶ **감정가액**
기준시가가 10억 원 이하인 자산(주식 등은 제외)의 경우에는 양도일 또는 취득일 전후 각 3개월 이내에 하나의 감정평가업자가 평가한 것으로서 신빙성이 있는 것으로 인정되는 경우 그 감정가액(감정평가기준일이 양도일 또는 취득일 전후 각 3개월 이내인 것에 한정)

③ 특별한 경우

　㉠ 양도가액

　　ⓐ 「법인세법」상 특수관계인(외국법인 포함)에게 양도한 경우로서 「법인세법」상 부당행위계산부인에 규정에 따라 양도자의 상여·배당 등으로 처분된 금액이 있는 경우 「법인세법」상 시가로 한다.

　　ⓑ 거주자가 특수관계인인 법인 외의 자에게 시가보다 높은 가격으로 양도한 경우: 「상속세 및 증여세법」의 고가양도에 따른 이익의 증여 규정에 따라 해당 거주자의 증여재산가액으로 하는 금액이 있는 경우에는 그 양도가액에서 증여재산가액을 뺀 금액을 양도 당시의 실지거래가액으로 본다.

　㉡ 취득가액

　　ⓐ 「법인세법」상 특수관계인(외국법인 포함)으로부터 취득한 경우로서 「법인세법」상 부당행위계산의 부인규정에 따라 거주자의 상여·배당 등으로 처분된 금액이 있는 경우 그 상여·배당 등으로 처분된 금액을 취득가액에 가산한다.

　　ⓑ 「상속세 및 증여세법」상 저가양수·고가양도에 따른 이익의 증여 등 규정에 의하여 상속세 및 증여세를 과세받은 경우에는 해당 상속재산가액이나 증여재산가액 또는 증·감액을 취득가액에 가산하거나 차감한다.

　　ⓒ 주식매수선택권을 행사하여 취득한 주식을 양도하는 경우 주식의 취득가액은 행사 당시 시가로 한다.

3. 양도차익 계산

(1) 양도가액과 취득가액 적용

양도가액을 실지거래가액(기준시가를 제외한 추계금액)으로 적용하는 경우에는 취득가액도 실지거래가액(기준시가를 제외한 추계금액)에 따르고 양도가액을 기준시가로 적용하는 경우에는 취득가액도 기준시가에 따른다.

(2) 필요경비

거주자의 양도차익을 계산할 때 양도가액에서 공제할 필요경비는 다음에 규정하는 것으로 한다.

① 취득가액: 취득가액에는 다음의 금액을 포함한다.

　㉠ 취득원가에는 취득부대비용❶을 가산한 금액으로 한다. 또한 현재가치할인차금을 포함하며 부당행위계산부인에 의한 시가초과액은 제외한다.

　㉡ 「부가가치세법」상 간주공급 중 면세전용 및 폐업시 잔존재화에 대하여 납부하였던 부가가치세

❶ 취득부대비용

취득부대비용으로 취득세·등록면허세는 납부영수증이 없는 경우에도 필요경비로 공제한다. 다만, 「지방세법」 등에 의하여 취득세·등록면허세가 감면된 경우의 해당 세액은 공제하지 아니한다.

ⓒ 취득에 관한 쟁송이 있는 자산에 대하여 그 소유권을 확보하기 위하여 직접 소요된 소송비용과 화해비용 등. 다만, 소송비용 등을 지출한 연도의 소득금액을 계산할 때 필요경비에 산입한 것은 제외한다.

ⓔ 당사자의 약정에 의한 대금지급방법에 따라 취득원가에 이자상당액을 가산하여 거래가액을 확정하는 경우 해당 이자상당액. 다만, 당초 약정에 의한 거래가액의 지급기일의 지연으로 인하여 추가로 발생하는 이자상당액은 취득원가에 포함하지 아니한다.

> **➕ 심화 | 개인사업자에 대한 실제취득가액 계산특례**
>
> 개인사업자가 양도자산을 보유하는 기간에 그 자산에 대한 현재가치할인차금과 감가상각비를 사업소득의 필요경비에 산입하였거나 산입할 금액이 있을 때에는 이를 취득가액에서 공제한다. 감가상각비는 실지 취득가액을 적용하지 않는 경우에도 필요경비로 산입한 금액은 취득가액에서 공제한다.

② **자본적 지출**: 자본적 지출이란 다음의 지출액으로서 그 지출에 관한 계산서, 세금계산서, 신용카드매출전표 등, 현금영수증 발급장치에 따른 현금영수증과 같은 증명서류를 수취·보관하거나 실제 지출사실이 금융거래 증명서류에 의하여 확인되는 경우를 말한다.

ⓐ 일반적인 자본적 지출액(내용연수를 증가시키거나 자산의 가치를 현실적으로 증가시키기 위하여 지출한 수선비)

ⓑ 양도자산을 취득한 후 쟁송이 있는 경우에 그 소유권을 확보하기 위하여 직접 소요된 소송비용·화해비용 등의 금액으로서 그 지출한 연도의 각 소득금액의 계산에 있어서 필요경비에 산입된 것을 제외한 금액

ⓒ 양도자산의 용도변경·개량 또는 이용편의를 위하여 지출한 비용

ⓓ 개발부담금 및 재건축부담금(개발부담금의 납부의무자와 양도자가 서로 다른 경우에는 양도자에게 사실상 배분될 개발부담금상당액)

③ **양도비용**: 양도비용은 다음의 지출액으로서 그 지출에 관한 계산서, 세금계산서, 신용카드매출전표 등, 현금영수증 발급장치에 따른 현금영수증과 같은 증명서류를 수취·보관하거나 실제 지출 사실이 금융거래 증명서류에 의하여 확인되는 경우를 말한다.

ⓐ 자산을 양도하기 위하여 직접 지출한 비용으로서 증권거래세·신고서작성비용·공증비용·인지대·소개대·매매계약에 따른 인도의무를 이행하기 위하여 양도자가 지출하는 명도비용 등❶

ⓑ 토지·건물을 취득하는 과정에서 법령 등의 규정에 따라 매입한 국민주택채권 및 토지개발채권을 만기전에 양도함으로써 발생하는 매각차손. 다만, 금융기관이 아닌 자에게 매각하는 경우는 금융기관 등에 양도할 경우 발생하는 매각차손을 한도로 한다.

ⓒ 부동산매매계약 해약으로 지급하는 위약금 등은 비용으로 공제하지 않는다.

❶ 부동산 등을 거래할 때 지급하는 중개수수료는 취득 시 지출한 것은 취득가액, 양도시 지출한 것은 양도비용에 해당한다.

④ 추계시의 필요경비개산공제: 실지 취득가액이 아닌 경우에는 다음의 필요
경비개산공제금액을 필요경비로 차감한다.

구분		필요경비개산공제액
토지와 건물		취득 당시 기준시가 × 3%(미등기자산은 0.3%)
부동산 권리	지상권, 전세권, 등기된 부동산임차권	취득 당시 기준시가 × 7%(미등기 자산은 1%)
	부동산을 취득할 수 있는 권리	
그 외 자산		취득 당시 기준시가 × 1%

> **🞢 심화 | 환산취득가액 적용하는 경우의 양도비용**
>
> 취득가액을 환산취득가액으로 하는 경우에는 1.과 2. 중 큰 금액을 필요경비로 할 수 있다.
> 1. 환산취득가액 + 필요경비개산공제
> 2. 자본적지출액 + 양도비용

> **🞢 심화 | 매매계약서 거래가액을 실제와 다르게 적은 경우**
>
> 매매계약서의 거래가액을 실지거래가액과 다르게 적은 경우 법률에 따른 양도소득세 비과세 또
> 는 감면규정을 적용할 때 다음의 금액 중에서 적은 금액을 비과세 또는 감면받을 세액에서 뺀다.
> 1. 비과세하지 않을 경우 산출세액
> 2. 실제거래가액 − 매매계약서 거래가액

4. 양도소득과세표준 계산

(1) 장기보유특별공제 대상

① 토지·건물(미등기양도자산은 제외)로서 보유기간이 3년 이상인 것

② 조합원입주권(조합원으로부터 취득한 것은 제외)에 대하여 그 자산의 양도
차익(조합원입주권을 양도하는 경우에는 관리처분계획인가 전 토지 또는
건물분의 양도차익으로 한정)

(2) 장기보유특별공제 제외대상

① 미등기자산

② 조정대상지역에 있는 주택으로 다음에 해당하는 주택

㉠ 1세대 2주택에 해당하는 주택

㉡ 1세대가 주택과 조합원입주권을 각각 1개씩 보유한 경우의 해당 주택.
다만, 대통령령으로 정하는 장기임대주택 등은 제외한다.

㉢ 1세대 3주택 이상에 해당하는 주택

㉣ 1세대가 주택과 조합원입주권을 보유한 경우로서 그 수의 합이 3 이상
인 경우 해당 주택. 다만, 대통령령으로 정하는 장기임대주택 등은 제
외한다.

📖 기출 OX

장기보유특별공제는 토지 및 건물로서
그 자산의 보유기간이 3년 이상인 것과
조합원입주권에 대해 적용한다. (○)

08. 7급

(3) 장기보유공제율

보유기간에 따라 공제율이 다르게 적용되며 다음의 경우를 제외하고 일반적인 보유기간은 해당 자산의 취득일부터 양도일까지로 한다.

① 배우자 · 직계존비속에 대한 이월과세가 적용되는 경우: 증여한 배우자 또는 직계존비속이 해당 자산을 취득한 날부터 기산한다.

② 관리처분계획인가 전 조합원입주권: 기존 건물과 그 부수토지의 취득일부터 관리처분계획인가일까지의 기간으로 한다.

⊙ 일반적인 경우

보유기간	공제율
3년 이상 4년 미만	6%
4년 이상 5년 미만	8%
5년 이상 6년 미만	10%
6년 이상 7년 미만	12%
7년 이상 8년 미만	14%
8년 이상 9년 미만	16%
9년 이상 10년 미만	18%
10년 이상 11년 미만	20%
11년 이상 12년 미만	22%
12년 이상 13년 미만	24%
13년 이상 14년 미만	26%
14년 이상 15년 미만	28%
15년 이상	30%

❶

1세대가 양도일 현재 국내에 1주택을 보유하고, 보유기간 중 거주기간이 2년 이상인 것이다.

⊙ 1세대 1주택❶: 자산의 양도차익 × (보유기간 공제율 + 거주기간 공제율)

보유기간	공제율	거주기간	공제율
–	–	2년 이상 3년 미만 (보유기간 3년 이상)	8%
3년 이상 4년 미만	12%	3년 이상 4년 미만	12%
4년 이상 5년 미만	16%	4년 이상 5년 미만	16%
5년 이상 6년 미만	20%	5년 이상 6년 미만	20%
6년 이상 7년 미만	24%	6년 이상 7년 미만	24%
7년 이상 8년 미만	28%	7년 이상 8년 미만	28%
8년 이상 9년 미만	32%	8년 이상 9년 미만	32%
9년 이상 10년 미만	36%	9년 이상 10년 미만	36%
10년 이상	40%	10년 이상	40%

(4) 양도소득 기본공제

① 적용대상: 양도소득이 있는 거주자에 대하여는 다음의 소득별로 해당 과세기간의 양도소득금액에서 각각 연 250만 원을 공제한다. 다만, 토지 · 건물 · 부동산에 관한 권리로서 미등기양도자산에 대하여는 양도소득기본공제를 적용하지 아니한다.

ⓒ 1그룹: 토지 · 건물 · 부동산에 관한 권리 · 기타자산

ⓒ 2그룹: 주식 또는 출자지분

ⓒ 3그룹: 파생상품

ⓒ 4그룹: 신탁수익권

② 공제순서

ⓒ 감면소득금액이 있는 경우에는 감면소득금액 외의 양도소득금액에서 먼저 공제한다.

ⓒ 감면소득금액 외의 양도소득금액 중에서는 해당 과세기간에 먼저 양도한 자산의 양도소득금액에서부터 순서대로 공제한다.

5. 양도소득 산출세액

구분	자산	세율
1그룹: 부동산 등	① 토지와 건물 ② 부동산에 관한 권리 　ⓒ 부동산을 이용할 수 있는 권리 　ⓒ 부동산을 취득할 수 있는 권리 ③ 기타자산 　ⓒ 토지, 건물 외 부동산에 관한 권리와 함께 양도하는 영업권 　ⓒ 특정시설물이용권 　ⓒ 법정주식A, B 　ⓒ 부동산과 함께 양도한 이축권	① 원칙 　ⓒ 분양권: 60% 　ⓒ 그 외 자산: 기본세율 ② 미등기양도자산: 70% ③ 토지 · 건물, 부동산에 관한 권리로서 보유기간이 1년 미만인 것 　ⓒ 주택(주택에 대한 토지 포함), 조합원입주권, 분양권: 70% 　ⓒ 그 외 자산: 50% ④ 토지 · 건물, 부동산에 관한 권리로서 보유기간이 1년 이상 2년 미만인 것 　ⓒ 주택(주택에 대한 토지 포함), 조합원입주권, 분양권: 60% 　ⓒ 그 외 자산: 40% ⑤ 비사업용토지: 기본세율 + 10%
2그룹: 주식	① 주권상장주식 　ⓒ 대주주 양도 　ⓒ 대주주 외의 자가 증권시장에서 거래하지 않는 것 ② 비상장주식 ③ 국외주식 등	① 원칙: 20% ② 예외 　ⓒ 중소기업주식(대주주 제외): 10% 　ⓒ 비중소기업주식으로 대주주가 1년미만 보유: 30% 　ⓒ 대주주가 양도하는 주식으로 위 ⓒ외 주식: 20%(3억 원 초과분 25%) ③ 국외주식 　ⓒ 중소기업주식: 10% 　ⓒ 중소기업 외 주식: 20%
3그룹: 파생상품	① 코스피200선물 ② 코스피200옵션 ③ 미니코스피200선물, 미니코스피200옵션 ④ 코스피200 주식워런트증권(ELW) ⑤ 차액결제거래	10%
4그룹: 신탁수익권	신탁수익권	20%(과세표준 3억 원 초과분 25%)

(1) 지정지역 내 부동산에 대한 특례세율

다음의 어느 하나에 해당하는 부동산을 양도하는 경우 기본세율(①의 비사
업용 토지는 기본세율에 10%를 더한 세율)에 10%를 더한 세율을 적용한다.
이 경우 해당 부동산 보유기간이 2년 미만인 경우에는 기본세율(①의 비사
업용 토지는 기본세율에 10%를 더한 세율)에 10%를 더한 세율을 적용하여
계산한 양도소득 산출세액과 보유기간이 2년 미만인 경우의 세율로 계산한
양도소득 산출세액 중 큰 세액을 양도소득 산출세액으로 한다.

① 지정지역에 있는 부동산으로서 비사업용 토지. 다만, 지정지역의 공고가
   있은 날 이전에 토지를 양도하기 위하여 매매계약을 체결하고 계약금을
   지급받은 사실이 증빙서류에 의하여 확인되는 경우는 제외한다.

② 그 밖에 부동산 가격이 급등하였거나 급등할 우려가 있어 부동산 가격의
   안정을 위하여 필요한 경우에 대통령령으로 정하는 부동산

(2) 다주택자의 조정대상지역 특례

다음 중 어느 하나에 해당하는 주택(이에 딸린 토지 포함)을 양도하는 경우
기본세율에 20%(아래 ③과 ④의 경우 30%)을 더한 세율을 적용한다. 이 경
우 해당 주택 보유기간이 1년 미만인 경우에는 기본세율에 20%(아래 ③과
④의 경우는 30%)를 더한 세율을 적용하여 계산한 양도소득 산출세액과 1년
미만인 경우의 해당 세율을 적용하여 계산한 양도소득 산출세액 중 큰 세액
을 양도소득 산출세액으로 한다.

① 조정대상지역에 있는 주택으로서 1세대 2주택에 해당하는 주택

② 조정대상지역에 있는 주택으로서 1세대가 주택과 조합원입주권 또는 분양 권을 각각 1개씩 보유한 경우의 해당 주택(다만, 대통령령으로 정하는 장 기임대주택 등은 제외)

③ 조정대상지역에 있는 주택으로서 1세대 3주택에 해당하는 주택

④ 조정대상지역에 있는 주택으로서 1세대가 주택과 조합원입주권 또는 분양 권을 보유한 경우로서 그 수의 합이 3 이상인 경우 해당 주택(다만, 대통 령령으로 정하는 장기임대주택 등은 제외)

6. 미등기 양도자산

(1) 대상

토지 · 건물 및 부동산에 관한 권리를 취득한 자가 그 자산 취득에 관한 등기 를 하지 아니하고 양도하는 것을 말한다. 다만, 다음의 경우는 제외한다.

① 장기할부조건으로 취득한 자산으로 계약조건에 의하여 취득 당시 등기가 불 가능한 자산

② 법률의 규정 또는 법원의 결정에 의하여 양도 당시 그 자산의 취득에 관한 등기가 불가능한 자산

③ 농지의 교환 · 분합으로 인하여 발생하는 소득에 대하여 비과세가 적용되 는 농지

④ 8년 이상 자경한 농지 및 농지의 대토에 대한 양도소득세 감면이 적용되는 농지

⑤ 「건축법」에 따른 건축허가를 받지 아니하여 등기가 불가능한 1세대 1주택

⑥ 「도시개발법」에 따른 도시개발사업이 종료되지 아니하여 토지 취득등기를 하지 아니하고 양도하는 토지

⑦ 건설업자가 「도시개발법」에 따라 공사용역 대가로 취득한 체비지를 토지 구획환지처분공고전에 양도하는 토지

(2) 미등기에 대한 불이익

① 토지 · 건물의 필요경비개산공제액의 계산에 있어서 미등기 양도자산은 0.3%를 적용한다.

② 장기보유특별공제와 양도소득기본공제를 적용하지 아니한다.

③ 산출세액계산시 70%의 세율을 적용한다.

④ 비과세와 감면규정을 적용하지 않는다.

7. 양도차손

(1) 개념

양도차손은 취득가액과 기타필요경비가 양도가액을 초과하는 경우 그 초과액을 말한다. 이러한 양도차손은 다른 양도소득에서 공제할 수 있으며 양도차손을 공제한 후 남은 금액이 있으면 이월되지 않고 소멸한다.

(2) 양도차손 공제

① 그룹별로 부동산 등과 주식·파생상품으로 구분한다.

② 각 그룹 내에서 같은 세율끼리 구분한다.

③ 각 자산별로 장기보유특별공제를 공제한 후의 양도소득금액을 계산한다.

④ 1차 통산: 양도차손이 발생한 자산과 같은 세율을 적용받는 자산의 양도소득금액에서 먼저 공제한다.

⑤ 2차 통산: 1차 통산 후 남아 있는 경우 다른 세율을 적용받는 자산의 양도소득금액에서 공제하고 다른 세율을 적용받는 자산이 2 이상인 경우에는 양도소득금액이 차지하는 비율로 안분하여 공제한다.

> 📥 **심화** | **양도차손 계산시 감면소득이 있는 경우**
>
> 양도소득금액에 감면소득이 포함되어 있는 경우에는 감면소득금액과 감면소득금액을 제외한 소득금액이 차지하는 비율로 안분하여 당해 양도차손을 공제한 것으로 보아 감면소득금액에서 당해 양도차손 해당분을 공제한 금액을 감면세액계산상 감면소득금액으로 본다.

8. 부당행위계산의 부인

(1) 개념

납세지 관할세무서장 또는 지방국세청장은 양도소득이 있는 거주자의 행위 또는 계산이 그 거주자의 특수관계인과의 거래로 인하여 그 소득에 대한 조세 부담을 부당하게 감소시킨 것으로 인정되는 경우에는 그 거주자의 행위 또는 계산과 관계없이 해당 과세기간의 소득금액을 계산할 수 있다.

(2) 증여를 통한 우회양도

① 과세요건: 거주자가 특수관계인(배우자 및 직계존비속의 경우는 제외)에게 자산을 증여한 후 그 자산을 증여받은 자가 그 증여일부터 10년 이내에 다시 타인에게 양도한 경우로서 다음 ㉠에 따른 세액이 ㉡에 따른 세액보다 적은 경우에는 증여자가 그 자산을 직접 양도한 것으로 본다. 다만, 양도소득이 해당 수증자에게 실질적으로 귀속된 경우에는 그러하지 아니하다.

㉠ 증여받은 자의 증여세(산출세액에서 공제·감면세액을 뺀 세액)와 양도소득세(산출세액에서 공제·감면세액을 뺀 결정세액)를 합한 세액

㉡ 증여자가 직접 양도하는 경우로 보아 계산한 양도소득세

② 납세의무자

    ㉠ 증여자가 직접 양도한 것으로 보는 경우에는 증여자를 양도소득에 대한 납세의무자로 한다.

    ㉡ 증여자에게 양도소득세가 과세되는 경우에는 수증자가 당초 증여받은 자산에 대하여는 증여세를 부과하지 아니한다.

    ㉢ 우회양도 규정에 따라 증여자가 자산을 직접 양도한 것으로 보는 경우 당해 양도소득에 대하여는 증여자와 수증자가 연대하여 납세의무를 진다.

③ 양도소득세 계산: 증여자의 취득시기와 증여자의 취득가액을 기준으로 하여 양도소득세를 계산한다.

9. 배우자·직계존비속을 통한 이월과세

(1) 과세요건

거주자가 양도일부터 소급하여 10년 이내에 그 배우자(양도 당시 혼인관계가 소멸된 경우를 포함하되, 사망으로 혼인관계가 소멸된 경우는 제외) 또는 직계존비속으로부터 증여받은 토지·건물·특정시설물이용권, 부동산 취득에 관한 권리의 양도차익을 증여한 배우자 등의 취득가액과 취득시기를 가지고 양도소득세액을 계산한다.

(2) 양도소득세 과세

양도가액에서 공제할 취득가액은 증여한 배우자 또는 직계존비속의 취득 당시 금액으로 하며 장기보유특별공제의 보유기간도 증여한 배우자 등의 취득시기를 기준으로 보유기간을 계산한다. 이 경우 거주자가 증여받은 자산에 대하여 납부하였거나 납부할 증여세 상당액이 있는 경우에는 필요경비에 산입한다.

(3) 납세의무자

양도소득세의 납세의무자는 수증자가 납세의무자가 되며 자산 수증시의 증여세 산출세액은 양도자산의 필요경비로 공제한다.

(4) 적용배제

다음의 경우는 이월과세를 적용하지 아니한다.

① 사업인정고시일부터 소급하여 2년 이전에 증여받은 경우로서 「공익사업을 위한 토지 등의 취득 및 보상에 관한 법률」이나 그 밖의 법률에 따라 협의매수 또는 수용된 경우

② 이월과세규정을 적용할 경우 1세대 1주택 비과세규정을 적용받는 양도(1세대 1주택 비과세요건을 충족한 고가주택을 포함)에 해당하게 되는 경우

③ 이월과세를 적용한 양도소득의 결정세액이 미적용시 계산한 양도소득의 결정세액보다 적은 경우

10. 기타 양도소득세 규정

(1) 고가주택의 양도[1]

1세대 1주택일지라도 고가주택[2]의 경우는 양도소득세를 과세한다. 고가주택의 기준은 실거래가를 기준으로 하며 양도가액 중 12억 원을 초과하는 부분에 대하여만 과세한다.[3]

(2) 부담부 증여

부담부 증여의 경우 증여자의 채무를 수증자가 인수하는 경우에 증여가액 중 그 채무액에 상당하는 부분은 그 자산이 유상으로 사실상 이전되는 것으로 본다. 따라서 증여재산이 양도소득세 과세대상자산인 경우에는 양도로 보는 부분에 대하여 증여자에게 양도소득세가 과세된다.

┌ ➕ 심화 | **감면소득금액** ┐

양도소득금액에 「소득세법」 또는 다른 조세에 관한 법률에 따른 감면대상 양도소득금액이 있을 때에는 다음 계산식에 따라 계산한 양도소득세 감면액을 양도소득 산출세액에서 감면한다.

$$감면세액 = 양도소득\ 산출세액 \times \frac{(감면소득금액 - 양도소득\ 기본공제)}{양도소득\ 과세표준} \times 감면비율$$

8 납세절차

1. 예정신고와 납부

(1) 예정신고기한

자산을 양도한 거주자는 양도소득과세표준을 다음에 따른 기간에 납세지 관할세무서장에게 신고하여야 한다. 또한 양도차익이 없거나 양도차손이 발생한 경우에도 적용한다.

---

❶ 고가주택의 양도

1세대 1조합원입주권에 해당하는 고가 조합원입주권의 경우에는 12억 원을 초과하는 금액에 대해서 양도소득세를 과세한다.

❷

2022.1.1. 이후 양도하는 겸용주택은 주택의 연면적이 주택외의 연면적보다 큰 경우에도 주택외 부분은 주택으로 보지 않는다.

❸

고가주택의 기본공제는 12억 원 초과분을 안분하는 것이 아니라 250만 원 전액을 공제한다.

① 부동산 등 1그룹에 해당하는 자산: 양도일이 속하는 달의 말일부터 2개월 이내에 신고하여야 한다. 다만, 부담부 증여에 따른 양도소득세는 양도일이 속하는 달의 말일부터 3개월 이내에 신고하여야 한다.❶

② 일반주식 2그룹에 해당하는 자산: 자산의 양도일이 속하는 반기의 말일부터 2개월 이내에 신고하여야 한다(국외주식은 예정신고 하지 않음).

③ 파생상품 3그룹에 해당하는 자산: 예정신고를 하지 않는다.

④ 4그룹에 해당하는 신탁수익권: 양도일이 속하는 달의 말일부터 2개월 이내에 신고하여야 한다.

(2) 가산세

양도소득 과세표준 예정신고 또는 납부의무를 이행하지 않은 경우에는 신고 또는 납부와 관련된 가산세를 부과한다.

2. 확정신고와 납부

(1) 확정신고

예정신고를 한 경우에는 확정신고를 하지 않아도 된다. 다만, 다음의 경우는 확정신고를 하여야 한다.

① 해당 과세기간에 기본세율 적용대상 자산에 대한 예정신고를 2회 이상 한 자가 이미 신고한 양도소득금액과 합산하여 신고하지 아니한 경우

② 그룹별 자산을 2회 이상 양도한 경우로서 양도소득 기본공제의 공제순서 규정을 적용할 경우 당초 신고한 양도소득 산출세액이 달라지는 경우

(2) 분납

거주자로서 납부할 세액이 각각 1천만 원을 초과하는 자는 납부할 세액의 일부를 납부기한이 지난 후 2개월 이내에 분할납부할 수 있다.

9 국외자산 양도에 대한 양도소득세

1. 양도소득 범위

거주자(해당 자산의 양도일까지 계속 5년 이상 국내에 주소 또는 거소를 둔 자만 해당)의 국외에 있는 자산의 양도에 대한 양도소득은 해당 과세기간에 국외에 있는 자산을 양도함으로써 발생하는 다음의 소득으로 한다.

(1) 토지 또는 건물의 양도로 발생하는 소득

(2) 부동산에 관한 권리의 양도로 발생하는 소득(부동산임차권 등기 여부와 무관하게 과세)

(3) 기타자산

❶ 「국토의 계획 및 이용에 관한 법률」에 따른 토지거래계약에 관한 허가구역에 있는 토지를 양도할 때 토지거래계약허가를 받기 전에 대금을 청산한 경우에는 그 허가일(토지거래계약허가를 받기 전에 허가구역의 지정이 해제된 경우에는 그 해제일)이 속하는 달의 말일부터 2개월 이내로 한다.

2. 양도가액

국외자산의 양도가액은 그 자산의 양도 당시의 실지거래가액으로 한다. 다만, 양도 당시의 실지거래가액을 확인할 수 없는 경우에는 양도자산이 소재하는 국가의 양도 당시 현황을 반영한 시가에 따르되, 시가를 산정하기 어려울 때에는 「상속세 및 증여세법」상 보충적 평가방법을 준용하여 계산한다.

3. 필요경비

국외자산의 양도에 대한 양도차익을 계산할 때 양도가액에서 공제하는 필요경비는 다음의 금액을 합한 것으로 한다.

(1) 취득가액

해당 자산의 취득에 든 실지거래가액. 다만, 취득 당시의 실지거래가액을 확인할 수 없는 경우에는 양도자산이 소재하는 국가의 취득 당시의 현황을 반영한 시가에 따르되, 시가를 산정하기 어려울 때에는 「상속세 및 증여세법」상 보충적평가방법을 준용하여 계산한다.

(2) 기타필요경비

① 자본적 지출액

② 양도비용

4. 양도차익의 외화환산

양도가액 및 필요경비를 수령하거나 지출한 날 현재 「외국환거래법」에 의한 기준환율 또는 재정환율에 의하여 계산한다. 이 경우 장기할부조건의 경우에는 소유권이전등기접수일·인도일·사용수익일 중 빠른 날을 양도가액 또는 취득가액을 수령하거나 지출한 날로 본다.

5. 기본공제

국외에 있는 자산의 양도에 대한 양도소득이 있는 거주자에 대하여는 해당 과세기간의 양도소득금액에서 연 250만 원을 공제한다.

6. 세율

국외자산의 양도소득에 대한 소득세는 해당 과세기간의 양도소득과세표준에 다음의 세율을 적용하여 계산한 금액을 그 세액으로 한다. 이 경우 하나의 자산이 다음에 따른 세율 중 둘 이상의 세율에 해당할 때에는 그 중 가장 높은 것을 적용한다.

(1) **토지 또는 건물의 양도로 발생하는 소득**: 기본세율

(2) **부동산에 관한 권리의 양도로 발생하는 소득**: 기본세율

(3) **기타자산**: 기본세율

7. 외국납부세액공제

국외자산의 양도소득에 대하여 해당 외국에서 과세를 하는 경우 그 양도소득에 대하여 국외자산 양도소득세액를 납부하였거나 납부할 것이 있을 때에는 세액공제방법과 필요경비 산입 방법 중 하나를 선택하여 적용받을 수 있다.

8. 준용규정

(1) 국내소재 자산의 양도소득세 과세시 적용하는 비과세양도소득, 양도 · 취득의 시기, 양도소득의 부당행위계산, 양도소득과세표준 예정신고에 관한 내용, 확정신고 및 자진납부, 분납, 양도소득에 대한 결정 · 경정 · 가산세와 징수 및 환급에 관한 규정은 국외자산의 양도에 대한 양도소득세의 과세에 관하여 준용한다.

(2) 다만, 장기보유특별공제, 미등기양도자산에 대한 비과세의 적용배제, 배우자 · 직계존비속으로부터 증여받은 자산을 5년 이내에 양도한 경우의 이월과세, 결손금의 통산에 관한 규정은 준용하지 아니한다.

10 거주자의 출국시 국내 주식 등에 대한 과세특례

1. 납세의무자

다음의 요건을 모두 갖추어 출국하는 거주자(이하 '국외전출자'라 함)는 출국 당시 소유한 국내주식❶의 평가이익에 대하여 소득세를 납부할 의무가 있다.

(1) 출국일 10년 전부터 출국일까지의 기간 중 국내에 주소나 거소를 둔 기간의 합계가 5년 이상일 것

(2) 출국일이 속하는 연도의 직전연도종료일 현재 대주주에 해당할 것

2. 과세표준 및 세액계산

(1) 계산구조

```
        양  도  가  액    ⇨  출국일 당시 시가
(-)     필  요  경  비    ⇨  주식 양도시 필요경비 규정 준용
        양 도 소 득 금 액   ⇨  국내주식의 평가이익
(-)     양 도 소 득 기 본 공 제  ⇨  연 250만 원
        양 도 소 득 과 세 표 준
(×)     세           율    ⇨  3억 원 이하 20%, 3억 원 초과 25%
        산  출  세  액
(-)     감 면 공 제 세 액   ⇨  조정공제액, 외국납부세액공제, 비거
                              주자의 국내원천소득 세액공제
(+)     가  산  세
        차 감 납 부 세 액
```

❶
일반주식, 법정주식 A · B를 대상으로 한다.

국외전출세의 과세표준은 종합소득·퇴직소득 및 거주자의 양도소득과세표준과 구분하여 계산한다.

(2) 양도가액

양도가액의 출국일의 시가로 한다. 출국일 당시의 시가란 거래가액을 말하나, 거래가액을 정하기 어려울 때에는 다음 금액에 의한다.

① 상장주식: 상장주식의 기준시가

② 비상장주식: 다음의 방법을 순차로 적용하여 계산한 가액

  ㉠ 출국일 전후 각 3개월 이내에 해당 주식의 매매사례가 있는 경우 그 가액
  ㉡ 비상장주식의 기준시가

(3) 조정공제

국외전출자가 출국한 후 국외전출자 국내주식을 실제 양도한 경우로서 실제 양도가액이 국외전출세의 양도가액보다 낮은 때에는 다음의 계산식에 따라 계산한 세액을 산출세액에서 공제한다.

> (국외전출세의 양도가액 – 실제 양도가액) × 20%

(4) 외국납부세액공제

① 국외전출자가 출국한 후 국외전출자가 국내주식을 실제로 양도하여 해당 자산의 양도소득에 대하여 외국정부(지방자치단체 포함)에 세액을 납부하였거나 납부할 것이 있는 때에는 산출세액에서 조정공제액을 공제한 금액을 한도로 외국납부세액을 산출세액에서 공제한다.

② 다만, 다음 중 어느 하나에 해당하는 경우에는 외국납부세액공제를 하지 아니한다.

  ㉠ 외국정부가 산출세액에 대하여 외국납부세액공제를 허용하는 경우
  ㉡ 외국정부가 국외전출자 국내주식의 취득가액을 양도가액(출국일 당시의 시가)으로 조정하여 주는 경우

(5) 비거주자의 국내원천소득 세액공제

① 국외전출자가 출국한 후 국외전출자 국내주식 등을 실제로 양도하여 비거주자의 국내원천소득으로 국내에서 과세되는 경우에는 산출세액에서 조정공제액을 공제한 금액을 한도로 산출세액에서 공제한다.

> Min(㉠, ㉡)
> ㉠ 국내원천소득에 대한 세액: 양도가액 × 10%[1]
> ㉡ 한도액: 산출세액 – 조정공제액

② 비거주자의 국내원천소득 세액공제를 하는 경우에는 외국납부세액의 공제를 적용하지 아니한다.

[1] 취득가액 및 양도비용이 확인되는 경우에는 양도가액의 10%와 양도차익의 20% 중 적은 금액으로 한다.

(6) 공제신청서 제출

조정공제 · 외국납부세액공제 및 비거주자의 국내원천소득 세액공제를 받으려는 자는 국외전출자 국내주식을 실제 양도한 날부터 3개월 이내에 세액공제신청서를 납세지 관할세무서장에게 제출(국세정보통신망 포함)하여야 한다.

3. 신고납부

(1) 국외전출자는 국외전출자 국내주식의 양도소득에 대한 납세관리인과 국외전출자 국내주식의 보유현황을 출국일 전날까지 납세지 관할세무서장에게 신고하여야 한다. 이 경우 국외전출자 국내주식 등의 보유현황은 신고일의 전날을 기준으로 작성한다.

(2) 국외전출자는 납세관리인을 신고하지 않은 경우 국외전출세의 양도소득 과세표준을 출국일이 속하는 달의 말일부터 3개월 이내에 납세지 관할세무서장에게 신고 · 납부하여야 한다. 다만, 납세관리인을 신고한 경우에는 출국일이 속하는 과세기간의 다음 연도 5월 1일부터 5월 31일까지 신고 · 납부하여야 한다.

(3) 국외전출자가 국외전출세의 양도소득과세표준을 신고할 때에는 산출세액에서 「소득세법」 또는 다른 조세에 관한 법률에 따른 감면세액과 세액공제를 공제한 금액을 납세지 관할세무서 · 한국은행 또는 체신관서에 납부하여야 한다. 국외전출자가 양도소득세를 납부한 경우에는 국외전출자 국내주식을 출국일 당시 시가로 양도하고 다시 취득한 것으로 본다.

4. 납부유예

(1) 요건

다음의 요건을 모두 충족한 경우에는 국외전출세의 납부를 유예받을 수 있다.
① 「국세기본법」의 규정에 따른 납세담보를 제공할 것
② 납세관리인을 납세지 관할세무서장에게 신고할 것

(2) 신청

국외전출자는 국외전출세의 과세표준신고서를 제출할 때 관할세무서장에게 납부유예를 신청하여 출국일부터 국내주식을 실제로 양도할 때까지 국외전출세의 납부를 유예받을 수 있다. 납부유예요건을 모두 충족한 경우에는 납부유예를 신청한 날에 납부유예를 받은 것으로 본다.

(3) 납부

① 납부를 유예받은 국외전출자는 출국일부터 5년(국외전출자의 국외유학 등 일정한 사유에 해당하는 경우에는 10년으로 함. 이하 같음) 이내에 국외전출자 국내주식 등을 양도하지 아니한 경우에는 출국일부터 5년이 되는 날이 속하는 달의 말일부터 3개월 이내에 국외전출자 국내주식 등에 대한 양도소득세를 납부하여야 한다.

② 납부를 유예받은 국외전출자는 국외전출자 국내주식등에 대한 양도소득 세를 납부할 때 납부유예를 받은 기간에 대한 이자상당액을 가산하여 납 부하여야 한다.

> 이자상당액 = 국외전출세 × 일수 × 납부유예 신청일 현재 국세환급가산율

③ 납부유예를 받은 국외전출자는 국외전출자 국내주식 등을 실제 양도한 경 우 양도일이 속하는 달의 말일부터 3개월 이내에 국외전출자 국내주식 등 에 대한 양도소득세를 납부하여야 한다.

5. 재전입 등에 따른 환급 등

(1) 국외전출자(③의 경우에는 상속인을 말함)는 다음의 어느 하나에 해당하는 사유가 발생한 경우 그 사유가 발생한 날부터 1년 이내에 납세지 관할세무서 장에게 납부한 세액의 환급을 신청하거나 납부유예 중인 세액의 취소를 신청 하여야 한다.

① 국외전출자가 출국일부터 5년 이내에 국외전출자 국내주식 등을 양도하 지 아니하고 국내에 다시 입국(국내에 다시 주소를 두거나 출국일 후 국 내에 거소를 둔 기간이 2과세기간에 걸쳐 183일 이상인 것)한 경우

② 국외전출자가 출국일부터 5년 이내에 국외전출자 국내주식 등을 거주자 에게 증여한 경우

③ 국외전출자의 상속인이 국외전출자의 출국일부터 5년 이내에 국외전출자 국내주식 등을 상속받은 경우

(2) 납세지 관할세무서장은 이러한 환급신청을 받은 경우 지체 없이 국외전출자 가 납부한 세액을 환급하거나 납부유예 중인 세액을 취소하여야 한다.

(3) 국외전출자가 납부한 세액을 환급하는 경우에는 「국세기본법」의 환급가산금 규정에도 불구하고 국세환급금에 국세환급가산금을 가산하지 아니한다.

6. 경정청구

조정공제, 외국납부세액공제 및 비거주자의 국내원천소득 세액공제를 적용받으 려는 자는 국외전출자 국내주식 등을 실제 양도한 날로부터 2년 이내에 관할세 무서장에게 경정을 청구할 수 있다.

01 「소득세법」상 거주자의 양도소득의 범위에 대한 설명으로 옳은 것만을 모두 고르면?

2022년 9급

> ㄱ. 토지 또는 건물의 양도로 발생하는 소득은 양도소득에 포함된다.
> ㄴ. 등기되지 않은 부동산임차권의 양도로 발생하는 소득은 양도소득에 포함된다.
> ㄷ. 지상권의 양도로 발생하는 소득은 양도소득에 포함되지 않는다.
> ㄹ. 영업권의 단독 양도로 발생하는 소득은 양도소득에 포함된다.

① ㄱ
② ㄴ, ㄷ
③ ㄷ, ㄹ
④ ㄱ, ㄴ, ㄹ

02 「소득세법」상 거주자의 주식 등 양도로 발생하는 소득에 대한 양도소득세의 세율을 바르게 연결한 것은? (단, 법령에서 정하는 기타자산 및 국외자산에 해당하는 주식, 국외전출자 및 「조세특례제한법」상의 특례는 고려하지 않는다)

2019년 9급

① 주권상장법인인 중소기업의 주식을 대주주가 아닌 자가 법령에 따른 증권시장에서의 거래에 의하지 아니하고 양도하는 경우: 20%
② 주권비상장법인인 중견기업의 주식을 대주주가 아닌 자가 양도하는 경우: 10%
③ 주권상장법인인 중소기업 외의 법인의 주식을 대주주가 1년 미만 보유하다 양도하는 경우: 30%
④ 주권상장법인의 주식을 대주주가 아닌 자가 법령에 따른 증권시장에서의 거래에 의하여 양도하는 경우: 10%

01

옳은 것은 ㄱ이다.

✓ 오답체크

ㄴ. 등기된 부동산임차권의 양도가 양도소득에 해당된다.
ㄷ. 지상권의 양도는 양도소득에 해당된다.
ㄹ. 영업권의 양도는 기타소득에 해당된다.

02

✓ 오답체크

① 상장법인인 중소기업의 주식을 대주주가 아닌 자가 법령에 따른 증권시장에서의 거래에 의하지 아니하고 양도하는 경우: 10%
② 주권비상장법인인 중견기업의 주식을 대주주가 아닌 자가 양도하는 경우: 20%
④ 주권상장법인의 주식을 대주주가 아닌 자가 법령에 따른 증권시장에서의 거래에 의하여 양도하는 경우: 과세하지 않음

03 거주자의 「소득세법」상 퇴직소득, 양도소득을 종합소득과 달리 구분하여 과세하는 것에 대한 설명으로 옳지 않은 것은?

2019년 9급

① 양도소득은 다른 종합소득과 합산하지 않고 별도의 과세표준을 계산하고 별도의 세율을 적용한다.

② 양도소득은 기간별로 합산하지 않고 그 소득이 지급될 때 소득세를 원천징수함으로써 과세가 종결된다.

③ 퇴직소득, 양도소득은 장기간에 걸쳐 발생한 소득이 일시에 실현되는 특징을 갖고 있다.

④ 퇴직소득, 양도소득을 다른 종합소득과 합산하여 과세한다면 그 실현시점에 지나치게 높은 세율이 적용되는 현상이 발생한다.

03
양도소득세는 원천징수를 하지 않고 예정신고를 한다. 이러한 예정신고를 한 경우에는 확정신고를 하지 않을 수 있다. 따라서 원천징수로 과세가 종결되지 않는다.

04 소득세법령상 거주자 甲이 등기된 국내 소재의 상가건물을 아버지 乙에게서 증여받고 그 건물을 특수관계가 없는 거주자 丙(부동산임대업 영위)에게 양도한 경우에 대해 양도소득세 이월과세(「소득세법」 제97조의2 제1항)를 적용한다고 할 때, 이에 대한 설명으로 옳은 것만을 모두 고른 것은?

2018년 7급

> ㄱ. 甲이 양도일부터 소급하여 5년 이내에 乙에게서 증여를 받아야 한다.
> ㄴ. 그 건물의 취득가액은 甲이 증여받은 당시 취득가액에 해당하는 금액으로 한다.
> ㄷ. 甲이 그 건물에 대하여 납부한 증여세 상당액이 있는 경우 그 금액은 양도차익을 한도로 필요경비에 산입한다.
> ㄹ. 장기보유특별공제에 관한 보유기간의 산정은 甲이 그 건물을 취득한 날부터 기산한다.

① ㄱ, ㄴ   ② ㄱ, ㄷ

③ ㄴ, ㄷ   ④ ㄷ, ㄹ

04
옳은 것은 ㄱ, ㄷ이다.

✓ 오답체크
ㄴ. 건물의 취득가액은 乙의 취득 당시 취득가액에 해당하는 금액으로 한다.
ㄹ. 장기보유특별공제에 관한 보유기간의 산정은 乙이 그 건물을 취득한 날부터 기산한다.

정답 03 ② 04 ②

05 「소득세법」상 거주자가 국내에 소재하는 주택을 취득에 관한 등기를 하지 아니하고 양도하는 경우 적용될 수 있는 것은? (단, 주택은 「소득세법」상 미등기양도 제외자산 및 고가주택에 해당하지 아니함)   2016년 9급

① 1세대 1주택(양도일 현재 5년 보유)을 양도하는 경우 양도소득세 비과세
② 양도소득기본공제
③ 주택을 3년 이상 보유한 경우의 장기보유특별공제
④ 취득가액을 실지거래가액에 의하지 않는 경우 주택 취득당시 법령이 정하는 가격에 일정비율을 곱한 금액을 필요경비로 공제

05

미등기 토지·건물에 대한 필요경비개산공제율은 3%가 아닌 0.3%가 적용된다.

06 「소득세법」상 국외자산 양도에 대한 양도소득세에 대한 설명으로 옳은 것은?   2016년 7급

① 국외자산의 양도소득에 대하여 해당 외국에서 과세를 하는 경우에 그 양도소득에 대하여 대통령령으로 정하는 국외자산 양도소득에 대한 세액을 납부하였거나 납부할 것이 있을 때에는 그 세액을 해당 과세기간의 양도소득금액 계산상 필요경비에 산입하는 방법만 적용받을 수 있다.
② 국외자산의 양도에 대한 양도소득세는 해당 자산의 양도일까지 계속 3년 이상 국내에 주소 또는 거소를 둔 거주자에 한하여 납세의무를 진다.
③ 국외자산의 양도가액은 양도 당시의 실지거래가액을 확인할 수 없는 경우에 양도자산이 소재하는 국가의 양도 당시 현황을 반영한 시가에 따르되, 시가를 산정하기 어려울 때에는 그 자산의 종류, 규모, 거래상황 등을 고려하여 대통령령으로 정하는 방법에 따른다.
④ 국외자산 양도에 따른 양도소득과세표준 계산시 양도소득기본공제 및 장기보유특별공제를 적용한다.

06

✔ 오답체크

① 국외자산의 양도소득에 대하여 해당 외국에서 과세를 하는 경우에 그 양도소득에 대하여 대통령령으로 정하는 국외자산 양도소득에 대한 세액을 납부하였거나 납부할 것이 있을 때에는 그 세액을 해당 과세기간의 양도소득금액 계산상 필요경비에 산입하는 방법과 양도소득 산출세액에서 세액공제하는 방법 중 선택하여 적용받을 수 있다.
② 국외자산의 양도에 대한 양도소득세는 해당 자산의 양도일까지 계속 5년 이상 국내에 주소 또는 거소를 둔 거주자에 한하여 납세의무를 진다.
④ 국외자산 양도에 따른 양도소득 과세표준 계산시 양도소득기본공제는 적용하나 장기보유특별공제는 적용하지 아니한다.

07 「소득세법」상 양도소득금액 계산시 자산의 취득시기 및 양도시기에 대한 설명으로 옳지 않은 것은?

2015년 7급

① 대금을 청산하기 전에 소유권이전등기를 한 경우에는 등기부에 기재된 등기접수일로 한다.

② 점유로 인한 부동산소유권의 취득시효(「민법」 제245조 제1항)에 의하여 부동산의 소유권을 취득하는 경우에는 당해 부동산의 등기부에 기재된 등기접수일로 한다.

③ 건축허가를 받지 아니하고 자기가 건축물을 건설한 경우에는 그 건축물의 사실상 사용일로 한다.

④ 완성 또는 확정되지 아니한 자산을 양도 또는 취득한 경우로서 해당 자산의 대금을 청산한 날까지 그 목적물이 완성 또는 확정되지 아니한 경우에는 그 목적물이 완성 또는 확정된 날로 한다.

08 「소득세법」상 양도소득세의 과세대상이 되는 부동산 양도에 해당하는 것으로만 묶인 것은?

2013년 9급

ㄱ. 대물변제에 의한 소유권 이전
ㄴ. 공유물의 소유지분별 분할(공유지분 변동 없음)
ㄷ. 경매에 의한 소유권 이전
ㄹ. 「도시개발법」에 의한 보류지 충당
ㅁ. 이혼시 재산분할에 따른 소유권 이전

① ㄱ, ㄷ   ② ㄱ, ㅁ
③ ㄴ, ㄷ   ④ ㄴ, ㄹ

07
점유로 인한 부동산소유권의 취득시효 (「민법」 제245조 제1항)에 의하여 부동산의 소유권을 취득하는 경우에는 점유개시일로 한다.

08
과세대상에 해당하는 것은 ㄱ, ㄷ이다.

✔ 오답체크

공유물의 소유지분별 분할(공유지분 변동 없음), 「도시개발법」에 의한 보류지 충당, 이혼시 재산분할에 따른 소유권 이전은 과세대상에 해당하지 않는다.

09 「소득세법」상 국외자산 양도에 대한 설명으로 옳지 않은 것은? 2013년 7급

① 해당 자산의 양도일까지 계속하여 3년 동안 국내에 주소를 둔 자는 국외에 있는 토지 또는 건물의 양도로 발생하는 소득에 대하여 과세한다.

② 국외자산의 양도에 대한 양도차익을 계산할 때 양도가액에서 공제하는 필요경비는 해당 자산의 취득에 든 실지거래가액을 확인할 수 있는 경우에는 그 가액과 대통령령으로 정하는 자본적 지출액 및 양도비를 합한 금액으로 한다.

③ 양도차익의 외화환산, 취득에 드는 실지거래가액, 시가의 산정 등 필요경비의 계산은 양도가액 및 필요경비를 수령하거나 지출한 날 현재 「외국환거래법」에 의한 기준환율 또는 재정환율에 의하여 계산한다.

④ 국외자산 양도소득세액을 납부하였을 때에는 해당 과세기간의 양도소득 산출세액에서 국외자산 양도소득세액을 공제하거나 해당 과세기간의 양도소득금액 계산상 필요경비에 국외자산 양도소득세액을 산입하는 방법 중 하나를 선택하여 외국납부세액의 공제를 적용받을 수 있다.

09

해당 자산의 양도일까지 계속하여 5년 이상 국내에 주소를 둔 자는 국외에 있는 자산의 양도로 발생하는 소득에 대하여 과세한다.

10 양도소득세의 부당행위계산 등에 관한 설명으로 옳지 않은 것은? 2010년 7급

① 특수관계인(배우자 및 직계존비속 제외)에게 재산을 증여한 후 수증자가 증여일로부터 10년 내에 다시 이를 타인에게 양도한 경우 증여받은 자의 증여세와 양도소득세를 합한 세액이 증여자가 직접 양도하는 경우로 보아 계산한 양도소득세보다 적은 경우에는 증여자가 그 자산을 직접 타인에게 증여한 것으로 본다.

② 특수관계에 있는 자와의 거래에 있어서 토지 등을 시가보다 4억 원에 미달하게 양도한 때에는 양도소득의 계산은 시가에 의한다.

③ 거주자가 그 배우자로부터 수증한 부동산을 수증일로부터 10년 이내에 양도하는 경우에는 당해 배우자의 취득가액을 해당 거주자의 취득가액으로 한다.

④ 거주자가 특수관계에 있는 법인에게 자산을 양도한 것이 부당행위계산에 해당하여 거주자의 상여, 배당 등으로 소득처분 된 금액이 있는 경우 법인세법령상 소정의 시가를 양도당시의 실지거래가액으로 한다.

10

특수관계인(배우자 및 직계존비속 제외)에게 재산을 증여한 후 수증자가 증여일로부터 10년 내에 다시 이를 타인에게 양도한 경우 증여받은 자의 증여세와 양도소득세를 합한 세액이 증여자가 직접 양도하는 경우로 보아 계산한 양도소득세보다 적은 경우에는 증여자가 그 자산을 직접 타인에게 양도한 것으로 본다.

11 「소득세법」상 1세대 1주택에 관한 설명으로 옳은 것은? 2010년 7급

① 국내에 1주택을 소유한 1세대가 그 주택을 양도하기 전에 조합원입주권을 취득함으로써 일시적으로 1주택과 1조합원입주권을 소유하게 되는 경우 조합원입주권을 취득한 날로부터 3년 이내에 종전의 주택을 양도하는 경우에는 이를 1세대 1주택으로 본다.

② 거주자가 그 배우자와 같은 주소에서 생계를 같이하고 있다면 1세대로 보되, 별거하고 있으면 각각 별도의 세대로 본다.

③ 상속받은 주택과 일반주택을 국내에 각각 1개씩 소유하고 있는 1세대가 상속주택을 양도하는 경우에는 국내에 1개의 주택을 소유하고 있는 것으로 본다.

④ 비과세되는 1세대 1주택에 있어서 부부가 각각 단독세대를 구성하였을 경우에는 동일한 세대로 보지 아니한다.

11

✓ 오답체크

② 거주자가 그 배우자가 별거하고 있는 경우에도 동일한 세대로 본다.

③ 상속받은 주택과 일반주택을 국내에 각각 1개씩 소유하고 있는 1세대가 일반주택을 양도하는 경우에는 국내에 1개의 주택을 소유하고 있는 것으로 본다.

④ 비과세되는 1세대 1주택에 있어서 부부가 각각 단독세대를 구성하였을 경우에도 동일한 세대로 본다.

12 「소득세법」상 양도소득에 대한 설명으로 옳지 않은 것은? 2012년 9급

① 주권상장법인이 아닌 법인의 신주인수권의 양도로 발생하는 소득은 양도소득세의 과세대상이다.

② 전세권의 양도로 발생하는 소득은 양도소득세의 과세대상이다.

③ 파산선고에 의한 처분으로 발생하는 소득은 양도소득세 과세대상이다.

④ 납세지 관할세무서장 또는 지방국세청장은 양도소득이 있는 거주자의 행위 또는 계산이 그 거주자의 특수관계인과의 거래로 인하여 그 소득에 대한 조세부담을 부당하게 감소시킨 것으로 인정되는 경우에는 그 거주자의 행위 또는 계산에 관계없이 해당 과세기간의 소득금액을 계산할 수 있다.

12

파산선고에 의한 처분으로 발생하는 소득은 양도소득세 비과세대상이다.

정답 11 ① 12 ③

13 현행 「소득세법」상 양도소득세에 대한 다음 설명 중 옳지 않은 것은?

2008년 9급

① 환지처분, 보류지에 충당 및 양도담보는 양도로 보지 않는다.
② 미등기 양도자산에 대해서는 장기보유특별공제와 양도소득기본공제가 배제된다.
③ 양도가액 및 취득가액 추계시 감정가액, 매매사례가액, 환산가액, 기준시가 순으로 적용한다.
④ 취득가액을 추계방법으로 계산한 경우에는 기타 필요경비도 개산공제액을 적용한다.

13
추계시에는 매매사례가액, 감정가액, 환산가액(취득가액만 적용), 기준시가를 순차적으로 적용한다.

14 「소득세법」상 양도소득세에 관한 설명으로 옳은 것은?

2008년 9급

① 법원의 확정판결에 의하여 신탁해지를 원인으로 소유권이전등기를 하는 경우에는 양도소득세 과세대상인 양도에 해당한다.
② 동일한 과세기간에 발생한 토지의 양도소득금액과 주권상장법인 주식의 양도차손은 서로 통산할 수 있다.
③ 사업용 기계장치와 영업권을 함께 양도함으로써 발생한 소득은 양도소득세의 과세대상이다.
④ 법원의 결정에 의하여 양도 당시 그 자산의 취득에 관한 등기가 불가능한 자산을 양도한 경우에는 양도소득 기본공제가 적용된다.

14
☑️ 오답체크

① 법원의 확정판결에 의하여 신탁해지를 원인으로 소유권이전등기를 하는 경우에는 양도소득세 과세대상인 양도에 해당하지 아니한다.
② 동일한 과세기간에 발생한 토지의 양도소득금액과 주권상장법인 주식의 양도차손은 서로 통산할 수 없다.
③ 사업용 기계장치와 영업권을 함께 양도함으로써 발생한 소득은 양도소득세의 과세대상에 해당하지 아니한다.

15 소득세법령상 1세대와 주택에 대한 설명으로 옳지 않은 것은?

2023년 9급

① 1세대를 구성하는 배우자에는 법률상 이혼을 하였으나 생계를 같이 하는 등 사실상 이혼한 것으로 보기 어려운 관계에 있는 사람을 포함한다.
② 1세대에서 생계를 같이 하는 자란 거주자 및 그 배우자의 직계존비속(그 배우자를 포함한다) 및 형제자매를 말하며, 취학, 질병의 요양, 근무상 또는 사업상의 형편으로 본래의 주소 또는 거소에서 일시 퇴거한 사람은 포함하지 않는다.
③ 1세대와 관련하여 해당 거주자의 나이가 30세 이상인 경우에는 배우자가 없어도 1세대로 본다.
④ 주택이란 허가 여부나 공부상의 용도구분과 관계없이 사실상 주거용으로 사용하는 건물을 말하며, 이 경우 그 용도가 분명하지 아니하면 공부상의 용도에 따른다.

15
1세대에서 생계를 같이 하는 자란 거주자 및 그 배우자의 직계존비속(그 배우자를 포함한다) 및 형제자매를 말하며, 취학, 질병의 요양, 근무상 또는 사업상의 형편으로 본래의 주소 또는 거소에서 일시 퇴거한 사람은 포함한다.

10 소득세 신고·납부 및 비거주자의 신고·납부

1 소득세 신고 및 납부

1 신고 및 납부

1. 사업장현황신고

(1) 신고대상자

사업자[1](해당 과세기간 중 사업을 폐업 또는 휴업한 사업자를 포함)는 사업장의 현황을 해당 과세기간의 다음연도 2월 10일까지 사업장 소재지 관할세무서장에게 신고하여야 한다. 다만, 다음의 경우에는 그러하지 아니하다.

① 사업자가 사망하거나 출국함에 따라 특례규정이 적용되는 경우

②「부가가치세법」상 과세사업자가 예정신고 또는 확정신고를 한 경우

(2) 제출서류

① 사업자 인적사항

② 업종별 수입금액 명세

③ 시설현황

④ 수입금액의 결제수단별 내역

⑤ 계산서·세금계산서·신용카드매출전표 및 현금영수증 수취내역

⑥ 임차료·매입액 및 인건비 등 비용 내역

2. 지급명세서 제출기한

소득세 납세의무가 있는 개인에게 소득을 국내에서 지급하는 자는 그 지급일이 속하는 과세기간의 다음연도 2월 말일(사업소득과 근로소득 또는 퇴직소득·기타소득 중 종교인소득 및 봉사료의 경우에는 다음연도 3월 10일, 휴업·폐업 또는 해산한 경우에는 휴업일·폐업일 또는 해산일이 속하는 달의 다음다음달 말일)까지 원천징수 관할세무서장, 지방국세청장 또는 국세청장에게 제출하여야 한다. 다만, 근로소득 중 일용근로자의 근로소득의 경우에는 그 지급일이 속하는 달의 다음달 말일(휴업, 폐업 또는 해산한 경우에는 휴업일, 폐업일 또는 해산일이 속하는 달의 다음달 말일까지)까지 지급명세서를 제출하여야 한다.

---

❶
둘 이상의 사업장이 있는 사업자는 사업장별로 사업장현황신고를 하여야 한다.

3. 과세표준 확정신고

(1) 확정신고기한

해당 과세기간의 종합소득금액이 있는 거주자(종합소득과세표준이 없거나 결손금이 있는 거주자를 포함함)는 그 종합소득 과세표준을 그 과세기간의 다음 연도 5월 1일부터 5월 31일까지 납세지 관할세무서장에게 신고하여야 한다.

(2) 신고시 제출서류

① 종합소득 과세표준확정신고를 할 때에는 그 신고서에 다음의 서류를 첨부하여 납세지 관할세무서장에게 제출하여야 한다.

    ㉠ 인적공제 · 연금보험료공제 · 주택담보노후연금 이자비용공제 및 특별공제대상임을 증명하는 서류

    ㉡ 종합소득금액 계산의 기초가 된 총수입금액과 필요경비의 계산에 필요한 서류

    ㉢ 사업소득금액을 비치 · 기록된 장부와 증명서류에 의하여 계산한 경우에는 기업회계기준을 준용하여 작성한 재무상태표 · 손익계산서와 그 부속서류, 합계잔액시산표 및 조정계산서. 다만, 간편장부 기장을 한 사업자의 경우에는 간편장부소득금액 계산서

    ㉣ 필요경비를 산입한 경우에는 그 명세서

    ㉤ 사업자(소규모사업자는 제외)가 사업과 관련하여 다른 사업자(법인을 포함)로부터 재화 또는 용역을 공급받고 법정증명서류 외의 것으로 증명을 받은 경우에는 영수증 수취명세서

    ㉥ 사업소득금액을 비치 · 기록한 장부와 증명서류에 의하여 계산하지 아니한 경우에는 추계소득금액 계산서

② 납세지 관할세무서장은 제출된 신고서나 그 밖의 서류에 미비한 사항 또는 오류가 있을 때에는 그 보정을 요구할 수 있다.

③ 이 경우 복식부기의무자가 재무상태표 · 손익계산서와 그 부속서류, 합계잔액시산표 및 조정계산서를 제출하지 아니한 경우에는 종합소득 과세표준확정신고를 하지 아니한 것으로 본다.

(3) 확정신고의 면제

다음에 해당하는 거주자는 해당 소득에 대한 과세표준확정신고를 하지 아니할 수 있다.

① 근로소득만 있는 자

② 퇴직소득만 있는 자

③ 공적연금소득만 있는 자

④ 원천징수되는 사업소득으로서 연말정산대상이 되는 사업소득만 있는 자

⑤ 원천징수되는 기타소득으로서 종교인소득만 있는 자

⑥ 근로소득과 퇴직소득이 있는 자

⑦ 퇴직소득과 공적연금소득이 있는 자

⑧ 퇴직소득과 원천징수되는 사업소득으로서 연말정산대상이 되는 사업소득이 있는 자

⑨ 퇴직소득과 원천징수되는 기타소득으로서 종교인소득만 있는 경우

⑩ 분리과세이자소득 · 분리과세배당소득 · 분리과세연금소득 및 분리과세기타소득만 있는 자❶

⑪ ①～⑨에 해당하는 자로서 분리과세이자소득 · 분리과세배당소득 · 분리과세연금소득 및 분리과세기타소득이 있는 자

⑫ 소득세 수시부과 후 추가로 발생한 소득이 없는 경우

⑬ 양도소득에 대하여 예정신고를 한 자

❶
원천징수대상이 아닌 다음의 소득은 소득세 신고를 해야 한다.
1. 분리과세하는 주택임대소득
2. 분리과세하는 기타소득으로 계약금이 위약금으로 대체된 금액
3. 가상자산소득

⊞ **심화** | **확정신고 면제**

1. 2명 이상으로부터 받는 근로소득 · 공적연금소득 · 퇴직소득 · 종교인소득 · 연말정산이 되는 사업소득이 있는 자(일용근로자는 제외)는 확정신고를 하여야 하나, 주된 근무지 등의 원천징수의무자가 다른 근무지 등의 소득까지 합산하여 연말정산으로 소득세를 납부하거나 퇴직소득세를 납부함으로써 확정신고납부할 세액이 없는 경우에는 확정신고를 하지 않아도 된다.
2. 원천징수제외대상 근로소득 · 퇴직소득이 있는 자는 확정신고를 하여야 하나, 납세조합이 연말정산에 의하여 소득세를 원천징수하여 납부한 자는 확정신고를 하지 않아도 된다.

---

(4) 특례

① **거주자가 사망한 경우**

㉠ 상속인은 그 상속개시일이 속하는 달의 말일부터 6개월이 되는 날(이 기간 중 상속인이 주소 또는 거소의 국외이전을 위하여 출국하는 경우에는 출국일 전날)까지 피상속인의 사망일이 속하는 과세기간에 대한 과세표준을 신고하여야 한다.

㉡ 이러한 규정은 1월 1일과 5월 31일 사이에 사망한 거주자가 사망일이 속하는 과세기간의 직전 과세기간에 대한 과세표준확정신고를 하지 아니한 경우에도 준용된다.

② **거주자가 출국한 경우**

㉠ 과세표준확정신고를 하여야 할 거주자가 주소 또는 거소의 국외이전을 위하여 출국하는 경우에는 출국일이 속하는 과세기간의 과세표준을 출국일 전날까지 신고하여야 한다.

㉡ 이러한 규정은 1월 1일과 5월 31일 사이에 주소 또는 거소의 국외이전을 위하여 출국하는 경우 출국일이 속하는 과세기간의 직전과세기간에 대한 과세표준확정신고에 관하여도 준용한다.

(5) 확정신고납부

① 납부기한: 거주자는 해당 과세기간의 과세표준에 대한 종합소득 산출세액 또는 퇴직소득 산출세액에서 감면세액과 세액공제액을 공제한 금액을 과세표준확정신고기한(5월 31일)까지 납세지 관할세무서 · 한국은행 또는 체신관서에 납부하여야 한다.

② 분할납부

㉠ 거주자로서 납부할 세액이 각각 1천만 원을 초과하는 자는 납부할 세액의 일부를 납부기한이 지난 후 2개월 이내에 분할납부할 수 있다.

㉡ 이러한 분납규정은 종합소득뿐만 아니라 퇴직소득 · 양도소득에도 적용되며 중간예납세액이나 예정신고세액도 적용된다.

구분	분납 가능금액
납부할 세액이 2천만 원 이하인 때	1천만 원을 초과하는 금액
납부할 세액이 2천만 원을 초과하는 때	그 세액의 50% 이하의 금액

2 결정 및 경정

1. 결정

납세지 관할세무서장 또는 지방국세청장은 과세표준확정신고를 하여야 할 자가 그 신고를 하지 아니한 경우에는 해당 거주자의 해당 과세기간 과세표준과 세액을 결정한다.

2. 경정

(1) 경정사유

납세지 관할세무서장 또는 지방국세청장은 과세표준확정신고를 한 자가 다음의 어느 하나에 해당하는 경우 해당 과세기간의 과세표준과 세액을 경정한다.

① 신고 내용에 탈루 또는 오류가 있는 경우

② 소득세를 원천징수한 내용에 탈루 또는 오류가 있는 경우로서 원천징수의무자의 폐업 · 행방불명 등으로 원천징수의무자로부터 징수하기 어렵거나 근로소득자의 퇴사로 원천징수의무자의 원천징수 이행이 어렵다고 인정되는 경우

③ 근로소득자 소득공제 · 세액공제신고서를 제출한 자가 사실과 다르게 기재된 영수증을 받는 등 부당한 방법으로 종합소득공제를 받은 경우로서 원천징수의무자가 부당공제 여부를 확인하기 어렵다고 인정되는 경우

④ 매출 · 매입처별 계산서합계표 또는 지급명세서의 전부 또는 일부를 제출하지 아니한 경우

⑤ 다음에 해당하는 경우로서 시설 규모나 영업 상황으로 보아 신고내용이 불성실하다고 판단되는 경우

ⓐ 사업용계좌를 이용하여야 할 사업자가 이를 이행하지 아니한 경우

ⓑ 사업용계좌를 신고하여야 할 사업자가 이를 이행하지 아니한 경우

ⓒ 신용카드가맹점 가입 요건에 해당하는 사업자가 정당한 사유 없이 신용카드가맹점으로 가입하지 아니한 경우

ⓓ 신용카드가맹점 가입 요건에 해당하여 가맹한 신용카드가맹점이 정당한 사유 없이 신용카드에 의한 거래를 거부하거나 신용카드매출전표를 사실과 다르게 발급한 경우

ⓔ 사업자가 정당한 사유 없이 현금영수증가맹점으로 가입하지 아니한 경우

ⓕ 현금영수증가맹점으로 가입한 사업자가 정당한 사유 없이 같은 현금영수증을 발급하지 아니하거나 사실과 다르게 발급한 경우

(2) 결정 및 경정방법

① 원칙: 해당 과세기간의 과세표준과 세액을 결정 또는 경정하는 경우에는 장부나 그 밖의 증명서류를 근거로 하여야 한다(실지조사).

② 예외: 다음의 사유로 장부나 그 밖의 증명서류에 의하여 소득금액을 계산할 수 없는 경우에는 소득금액을 추계조사결정할 수 있다.

ⓐ 과세표준을 계산함에 있어서 필요한 장부와 증빙서류가 없거나 중요한 부분이 미비 또는 허위인 경우

ⓑ 기장의 내용이 시설규모·종업원수·원자재·상품 또는 제품의 시가·각종 요금 등에 비추어 허위임이 명백한 경우

ⓒ 기장의 내용이 원자재사용량·전력사용량 기타 조업상황에 비추어 허위임이 명백한 경우

③ 추계시 결정 및 경정

ⓐ 단순경비율과 기준경비율

구분	추계 소득금액 계산
단순경비율 대상자	수입금액 – 수입금액 × 단순경비율
기준경비율 대상자 (위 외의 사업자)	Min(ⓐ, ⓑ) ⓐ 기준소득금액 　= 수입금액 – 증빙으로 확인되는 경비 – 　　수입금액 × 기준경비율(간편장부대상자) 　　또는 기준경비율 × 1/2(복식부기의무자) ⓑ 비교소득금액 　= (수입금액 – 수입금액 × 단순경비율) × 　　기획재정부령으로 정하는 배율

    ⓛ **증빙확인경비:** 증빙으로 확인되는 경비는 다음의 금액으로 한다.

        ⓐ 매입비용(사업용 유형 · 무형자산의 매입비용은 제외)

        ⓑ 사업용유형 · 무형자산에 대한 임차료

        ⓒ 인건비(대표자의 급여, 퇴직금은 제외)

    ⓒ **수입금액:** 수입금액에는 국가 등으로부터 받은 사업과 관련된 보조금 · 장려금, 「부가가치세법」에 따른 신용카드매출전표 등 발행세액공제를 받은 부가가치세액, 복식부기의무자의 사업용 유형자산 양도가액이 있는 경우는 해당 금액을 더한 금액으로 한다.

    ⓔ **단순경비율 적용 대상자:** 단순경비율 적용대상자란 다음 중 어느 하나에 해당하는 사업자로서 해당 과세기간의 수입금액이 간편장부대상자 기준금액에 미달하는 사업자를 말한다. 다만, 의료업 · 수의업 · 약사, 변호사 · 회계사 · 세무사 등 간이과가 배제되는 전문자격사는 단순경비율 적용대상자로 보지 않는다.

        ⓐ 해당 과세기간에 신규로 사업을 개시한 사업자로서 해당 과세기간의 수입금액이 간편장부대상자 수입금액에 미달하는 사업자

        ⓑ 직전과세기간의 수입금액(결정 또는 경정으로 증가된 수입금액을 포함)의 합계액이 다음의 금액에 미달하는 사업자

          ㉮ 농업 · 임업 및 어업, 광업, 도매 및 소매업, 부동산매매업: 3억 원

          ㉯ 제조업, 숙박 및 음식점업, 전기 · 가스 · 증기 및 수도사업, 하수 · 폐기물처리 · 원료재생 및 환경복원업, 건설업(비주거용 건물 건설업은 제외하고, 주거용 건물 개발 및 공급업을 포함), 운수업, 출판 · 영상 · 방송통신 및 정보서비스업, 금융 및 보험업: 1억 5천만 원

          ㉰ 부동산임대업, 전문 · 과학 및 기술서비스업, 사업시설관리 및 사업지원서비스업, 교육서비스업, 보건업 및 사회복지서비스업, 예술 · 스포츠 및 여가 관련 서비스업, 협회 및 단체, 수리 및 기타 개인서비스업, 가구 내 고용활동: 7천 500만 원

    ⓜ **동업자권형:** 기준경비율 또는 단순경비율이 결정되지 아니 하였거나 천재지변이나 그 밖의 불가항력으로 장부나 그 밖의 증명서류가 멸실된 때에는 기장이 가장 정확하다고 인정되는 동일업종의 다른 사업자의 소득금액을 참작하여 소득금액을 결정 · 경정한다.

(3) 재경정

    납세지 관할세무서장 또는 지방국세청장은 과세표준과 세액을 결정 또는 경정한 후 그 결정 또는 경정에 탈루 또는 오류가 있는 것이 발견된 경우에는 즉시 그 과세표준과 세액을 다시 경정한다.

3 징수 및 환급

1. 징수

(1) 미납세액 징수

납세지 관할세무서장은 거주자가 다음의 어느 하나에 해당하면 그 미납된 부분의 소득세액을 「국세징수법」에 따라 징수한다.

① 중간예납세액을 신고·납부하여야 할 자가 그 세액의 전부 또는 일부를 납부하지 아니한 경우

② 해당 과세기간의 소득세로 납부하여야 할 세액의 전부 또는 일부를 납부하지 아니한 경우

(2) 결정 또는 경정 징수

납세지 관할세무서장은 징수하거나 납부된 거주자의 해당 과세기간 소득세액이 납세지 관할세무서장 또는 지방국세청장이 결정 또는 경정한 소득세액에 미달할 때에는 그 미달하는 세액을 징수한다. 중간예납세액의 경우에도 또한 같다.

(3) 원천징수세액 징수

납세지 관할세무서장은 원천징수의무자가 징수하였거나 징수하여야 할 세액을 그 기한까지 납부하지 아니하였거나 미달하게 납부한 경우에는 그 징수하여야 할 세액에 「국세기본법」에 상당하는 금액을 더한 금액을 그 세액으로 하여 그 원천징수의무자로부터 징수하여야 한다. 다만, 원천징수의무자가 원천징수를 하지 아니한 경우로서 다음의 어느 하나에 해당하는 경우에는 「국세기본법」에 따른 가산세액만을 징수한다.

① 납세의무자가 신고·납부한 과세표준금액에 원천징수하지 아니한 원천징수대상 소득금액이 이미 산입된 경우

② 원천징수하지 아니한 원천징수대상 소득금액에 대하여 납세의무자의 관할세무서장이 그 납세의무자에게 직접 소득세를 부과·징수하는 경우

(4) 납세조합 징수

납세조합 관할세무서장은 납세조합이 그 조합원에 대한 해당 소득세를 매월 징수하여 기한까지 납부하지 아니하였거나 미달하게 납부하였을 때에는 그 징수하여야 할 세액에 「국세기본법」에 따른 가산세액을 더한 금액을 세액으로 하여 해당 납세조합으로부터 징수하여야 한다.

2. 환급

납세지 관할세무서장은 중간예납, 토지 등 매매차익예정신고납부, 수시부과 및 원천징수한 세액이 종합소득 총결정세액과 퇴직소득 총결정세액의 합계액을 각각 초과하는 경우에는 그 초과하는 세액은 환급하거나 다른 국세 및 강제징수비에 충당하여야 한다.

4 가산세

1. 지급명세서 제출 불성실 가산세

(1) 요건

① 지급명세서를 제출기한까지 제출하지 않은 경우

② 제출된 지급명세서가 불분명하거나 적힌 지급금액이 사실과 다른 경우

(2) 가산세

① 미제출 또는 불분명분 지급금액 × 1%(3개월 이내 제출시 0.5%)

② 불분명하거나 사실과 다른 분의 지급금액 × 1%

2. 계산서 등 불성실 가산세

(1) 요건

복식부기의무자가 다음 중 하나에 해당하는 경우

① 계산서 부실기재

② 매출처별 세금계산서합계표 또는 매출처별 계산서합계표의 미제출 또는 부실기재

③ 매입처별 세금계산서의 미제출 또는 부실기재

④ 미발급 등 법에 정한 경우

(2) 가산세

① 요건 ①~③의 경우 미제출 또는 부실기재한 공급가액 × 0.5%(②와 ③의 경우 제출기한 후 1개월 이내 제출시 0.3%)

② 요건 ④의 경우 미발급분 등의 공급가액 × 2%

3. 증명서류 수취 불성실 가산세

(1) 요건

사업자(소규모사업자 및 추계되는 자 제외)가 사업과 관련하여 다른 사업자로부터 재화 또는 용역을 공급받고 계산서·세금계산서·신용카드매출전표를 수취하지 않은 경우. 다만, 거래건당 3만 원 이하인 경우 등은 제외

(2) 가산세

증명서류 미수령금액 또는 사실과 다른 금액 × 2%

4. 영수증수취명세서 제출 불성실 가산세

(1) 요건

사업자(소규모사업자 및 추계되는 자는 제외)가 영수증수취명세서를 과세표준확정신고기한까지 제출하지 않거나 제출한 영수증수취명세서가 불분명하다고 인정되는 경우

(2) 가산세

미제출·불분명한 금액 × 1%

5. 사업장현황신고불성실 가산세

(1) 요건

사업자(의료업·수의업·약사만 해당)가 사업장현황신고를 하지 아니하거나 수입금액을 미달하게 신고하는 경우

(2) 가산세

무신고·미달신고한 수입금액 × 0.5%

6. 공동사업장등록 불성실 가산세

(1) 요건

① 공동사업자가 사업자등록을 하지 않거나 공동사업자가 아닌 자가 공동사업자로 거짓으로 등록을 한 경우

② 공동사업자가 신고하여야 할 내용을 신고하지 않거나 거짓으로 신고한 경우

(2) 가산세

① (1) 요건 ①의 경우 미등록·거짓등록한 과세기간의 총입금액 × 0.5%

② (1) 요건 ②의 경우 무신고·거짓신고한 과세기간의 총수입금액 × 0.1%

7. 장부의 기록·보관 불성실 가산세

(1) 요건

사업자(소규모사업자 제외)가 장부를 비치·기록하지 아니하였거나 비치·기록한 장부에 의한 소득금액이 기록하여야 할 금액에 미달한 경우

(2) 가산세

산출세액 × 무기록 또는 미달기록한 금액/종합소득금액 × 20%

8. 사업용계좌 미사용 가산세

(1) 요건

① 복식부기의무자가 다음의 거래에 대하여 사업용계좌 미사용

㉠ 거래대금을 금융기관을 통하여 결제하거나 결제받는 경우

㉡ 인건비 및 임차료지급 또는 지급받는 경우

② 복식부기의무자에 해당되는 과세기간 개시일로부터 6개월 이내에 사업용 계좌 미신고시

(2) 가산세

① 요건 ①의 경우 미사용액 × 0.2%

② 요건 ②의 경우 Max(㉠, ㉡)

　　㉠ 사업용계좌 미개설기간의 수입금액 × 0.2%

　　㉡ 요건 ①의 거래금액 합계액 × 0.2%

9. 신용카드거부 가산세

(1) 요건

신용카드가맹점이 신용카드 거래를 거부하거나 신용카드매출전표를 사실과 다르게 발급한 경우

(2) 가산세

건별 거부금액 또는 사실과 다르게 발급한 금액 × 5%(건별 금액은 5,000원 미만인 경우 5,000원으로 한다)

10. 현금영수증미발급 가산세

(1) 요건

① 현금영수증가맹점으로 가입하지 않은 경우(의무 가입대상만 해당)

② 5,000원 이상인 거래에 대하여 발급거부하거나 사실과 다르게 발급한 경우

(2) 가산세

① 요건 ①의 경우 미가입기간의 수입금액 × 1%

② 요건 ②의 경우 건별 발급거부금액 또는 사실과 다르게 발급한 금액 × 5%(건별 금액은 5,000원 미만인 경우 5,000원으로 함)

11. 기부금 영수증 불성실 가산세

(1) 요건

기부금 영수증을 사실과 다르게 기재하거나 기부자별 발급명세서를 작성 또는 보관하지 않은 경우

(2) 가산세

① 기부금 영수증

　　㉠ 허위발급액 × 5%

　　㉡ 사실과 다르게 발급한 금액 × 5%

② 발급명세서를 작성 또는 보관하지 않은 금액 × 0.2%

12. 성실신고확인 불성실 가산세

(1) 요건

성실신고확인대상자가 성실신고확인서를 과세기간의 다음연도 6월 30일까지 성실신고확인서를 제출하지 않은 경우

(2) 가산세

성실신고확인대상사업자가 그 과세기간의 다음 연도 6월 30일까지 성실신고확인서를 납세지 관할 세무서장에게 제출하지 아니한 경우에는 다음의 구분에 따른 금액 중 큰 금액을 가산세로 해당 과세기간의 종합소득 결정세액에 더하여 납부하여야 한다.

① 다음 계산식에 따라 계산한 금액(사업소득금액이 종합소득금액에서 차지하는 비율이 1보다 큰 경우에는 1로, 0보다 작은 경우에는 0으로 한다)

$$\text{가산세} = \text{종합소득산출세액} \times \frac{\text{사업소득금액}}{\text{종합소득금액}} \times 5\%$$

② 해당 과세기간의 총수입금액에 10만분의 20을 곱한 금액

⊞ 심화 | 성실신고확인제도❶

1. **개념**: 성실한 납세를 위하여 필요하다고 인정되어 수입금액이 업종별로 일정 규모 이상의 사업자는 따른 종합소득과세표준 확정신고를 할 때에 추가 필요 서류를 더하여 비치 · 기록된 장부와 증명서류에 의하여 계산한 사업소득금액의 적정성을 세무사 등에 따라 확인하고 작성한 확인서를 납세지 관할세무서장에게 제출하여야 한다.

2. **신고**
   ① 성실신고확인대상사업자가 성실신고확인서를 제출하는 경우에는 종합소득과세표준 확정신고를 그 과세기간의 다음연도 5월 1일부터 6월 30일까지 하여야 한다.
   납세지 관할세무서장은 제출된 성실신고확인서에 미비한 사항 또는 오류가 있을 때에는 그 보정을 요구할 수 있다.
   ② 의료비세액공제와 교육비세액공제 및 월세세액공제를 적용받을 수 있다.

3. **세액공제**
   세액공제액 = Min(①, ②)
   ① 성실신고확인에 직접 사용한 비용 × 60%
   ② 한도 120만 원

---

13. 업무용 승용차 관련 비용명세서 제출 불성실 가산세

(1) 업무용 승용차 관련 비용을 필요경비에 산입한 복식부기의무자가 업무용 승용차 관련 비용 등에 관한 명세서를 제출하지 아니하거나 사실과 다르게 명세서를 제출한 경우에는 다음의 구분에 따른 금액을 해당 과세기간의 종합소득 결정세액에 더하여 납부하여야 한다.

① 명세서를 제출하지 아니한 경우: 해당 복식부기의무자가 종합소득과세표준확정신고 및 성실실고확인서 제출을 할 때 업무용 승용차 관련 비용으로 필요경비에 산입한 금액의 100분의 1

❶
세무사 등이 성실신고확인 대상자에 해당하는 경우 본인 신고서의 적정성을 직접 확인할 수 없다.

② 명세서를 사실과 다르게 적어 제출한 경우: 해당 복식부기의무자가 종합소득과세표준확정신고 및 성실신고확인서 제출할 때 업무용 승용차 관련 비용으로 필요경비에 산입한 금액 중 해당 명세서에서 사실과 다르게 적어 제출한 금액의 100분의 1

(2) 위 (1)의 가산세는 종합소득산출세액이 없는 경우에도 적용한다.

2 비거주자에 대한 과세방법

1 과세소득의 범위

비거주자의 경우 거주자와 달리 국내원천소득에 대하여 납세의무를 진다.

2 과세방법

1. 국내사업장이 있는 경우

국내사업장이 있는 비거주자와 부동산소득이 있는 비거주자에 대하여는 국내원천소득(퇴직·양도소득은 제외)을 종합하여 과세하되, 국내사업장과 실질적으로 관련되지 않거나 그 국내사업장에 귀속되지 않는 소득(부동산·근로·퇴직·양도소득은 제외)에 대하여는 소득별로 분리하여 과세한다.

2. 국내사업장이 없는 경우

국내사업장이 없는 비거주자에 대하여는 국내원천소득(퇴직·양도소득은 제외)을 소득별로 분리하여 과세한다.

3. 퇴직소득·양도소득

퇴직소득과 양도소득에 대하여는 거주자와 같은 방법으로 과세한다. 다만, 양도소득이 있는 비거주자에 대하여는 1세대 1주택에 대한 비과세 및 1세대 1주택에 대한 장기보유특별공제는 적용하지 않는다.

4. 종합과세

비거주자에 대하여 종합과세하는 경우에 과세표준과 세액의 계산과 신고·납부 및 결정·징수는 거주자에 대한 소득세의 경우를 준용한다. 다만, 종합소득공제의 경우 인적공제 중 비거주자 본인 외의 자에 대한 공제와 특별공제는 하지 않는다.

5. 분리과세

(1) 비거주자의 국내원천소득(퇴직·양도소득은 제외)으로서 국내사업장과 실질적으로 관련되지 않거나 그 국내사업장에 귀속되지 않는 소득금액(국내사업장이 없는 비거주자에게 지급하는 금액을 포함하며, 사업소득 중 조세조약에 따라 국내원천사업소득으로 과세할 수 있는 소득은 제외)에 대해서는 원천징수로써 과세를 종결한다.

(2) 양도소득은 예납적 원천징수 후 예정신고 또는 확정신고납부한다.

6. 인적용역소득

원천징수되는 인적용역소득이 있는 비거주자가 분리과세규정에 불구하고 종합소득과세표준 확정신고를 하는 경우에는 국내원천소득(퇴직·양도소득은 제외)에 대하여 종합하여 과세할 수 있다.

01 소득세법령상 원천징수에 대한 설명으로 옳은 것은?

2021년 9급

① 매월분의 근로소득에 대한 원천징수세율을 적용할 때에는 기본세율(일용근로자의 근로소득은 100분의 6)을 적용한다.

② 매월분의 공적연금소득에 대한 원천징수세율을 적용할 때에는 100분의 3을 적용한다.

③ 비거주자가 원천징수하는 소득세의 납세지는 국내사업장과 관계없이 그 비거주자의 거류지 또는 체류지로 한다.

④ 서화·골동품의 양도로 발생하는 소득에 대하여 양수자인 원천징수의무자가 국내사업장이 없는 비거주자 또는 외국법인인 경우로서 원천징수를 하기 곤란하여 원천징수를 하지 못하는 경우에는 서화·골동품의 양도로 발생하는 소득을 지급받는 자를 원천징수의무자로 본다.

01

✓ 오답체크

① 근로소득을 원천징수할 때에는 근로소득 간이세액표에 따라 원천징수한다.

② 공적연금을 원천징수할 때 연금소득 간이세액표에 따라 원천징수한다.

③ 비거주자가 원천징수하는 경우 국내사업장이 있으면 사업장소재지를 납세지로 한다.

02 「소득세법」상 거주자 중 반드시 과세표준확정신고를 하여야 하는 자는?

2018년 7급

① 원천징수대상이 아닌 사업소득만 있는 자

② 분리과세이자소득만 있는 자

③ 공적연금소득만 있는 자

④ 수시부과 후 추가로 발생한 소득이 없는 자

02

사업소득만 있는 자는 신고를 해야 한다. 다만, 연말정산되는 사업소득만 있는 자는 신고를 하지 않을 수 있다. 다음의 경우는 신고를 하지 않을 수 있다.

1. 분리과세 소득만 있는 자
2. 연말정산되는 소득만 있는 자
3. 퇴직소득만 있는 자
4. 분리과세 소득과 연말정산 또는 퇴직소득이 있는 자
5. 연말정산소득과 퇴직소득이 있는 자
6. 수시부과 후 추가로 발생한 소득이 없는 자
7. 양도소득에 대한 예정신고를 한 자

정답 01 ④ 02 ①

03 소득세법령상 성실신고확인서 제출에 대한 설명으로 옳지 않은 것은?

2018년 7급

① 성실신고확인대상사업자는 종합소득과세표준 확정신고를 할 때에 사업소득금액의 적정성을 세무사 등이 확인하고 작성한 성실신고확인서를 납세지 관할세무서장에게 제출하여야 한다.

② 성실신고확인대상사업자가 성실신고확인서를 제출하는 경우에는 종합소득과세표준 확정신고를 그 과세기간의 다음 연도 5월 1일부터 6월 30일까지 하여야 한다.

③ 세무사가 성실신고확인대상사업자에 해당하는 경우에는 자신의 사업소득금액의 적정성에 대하여 해당 세무사가 성실신고확인서를 작성 · 제출해서는 아니 된다.

④ 성실신고확인대상사업자가 성실신고확인서를 납세지 관할세무서장에게 제출하지 아니한 경우에는 사업소득금액이 종합소득금액에서 차지하는 비율을 종합소득산출세액에 곱하여 계산한 금액의 100분의 20에 해당하는 금액을 결정세액에 더한다.

03

성실신고확인대상사업자가 그 과세기간의 다음 연도 6월 30일까지 성실신고확인서를 납세지 관할 세무서장에게 제출하지 아니한 경우에는 다음의 구분에 따른 금액 중 큰 금액을 가산세로 해당 과세기간의 종합소득 결정세액에 더하여 납부하여야 한다.

1. 다음 계산식에 따라 계산한 금액(사업소득금액이 종합소득금액에서 차지하는 비율이 1보다 큰 경우에는 1로, 0보다 작은 경우에는 0으로 한다)

   가산세=종합소득산출세액 $\times \dfrac{\text{사업소득금액}}{\text{종합소득금액}} \times 5\%$

2. 해당 과세기간의 총수입금액에 10만분의 20을 곱한 금액

---

04 「소득세법」상 신고에 대한 설명으로 옳지 않은 것은?

2017년 9급

① 근로소득과 퇴직소득만 있는 자는 과세표준확정신고를 하지 아니할 수 있다.

② 부동산매매업자는 토지 등의 매매차익(매매차익이 없거나 매매차손이 발생한 경우 포함)과 그 세액을 매매일이 속하는 달의 말일부터 2개월이 되는 날까지 납세지관할세무서장에게 신고하여야 한다.

③ 종합소득금액과 분리과세 주택임대소득이 있는 거주자(종합소득과세표준이 없거나 결손금이 있는 거주자를 포함함)는 종합소득 과세표준을 그 과세기간의 다음 연도 5월 1일부터 5월 31일까지(성실신고확인대상 사업자가 성실신고확인서를 제출하는 경우에는 6월 30일까지) 납세지 관할세무서장에게 신고하여야 한다.

④ 거주자가 사망한 경우 그 상속인은 그 상속개시일이 속하는 달의 말일부터 3개월이 되는 날(이 기간 중 상속인이 출국하는 경우에는 출국일 전날)까지 사망일이 속하는 과세기간에 대한 그 거주자의 과세표준을 납세지 관할세무서장에게 신고하여야 한다.

04

거주자가 사망한 경우 그 상속인은 그 상속개시일이 속하는 달의 말일부터 6개월이 되는 날(이 기간 중 상속인이 출국하는 경우에는 출국일 전날)까지 사망일이 속하는 과세기간에 대한 그 거주자의 과세표준을 납세지 관할세무서장에게 신고하여야 한다.

정답 03 ④ 04 ④

05 「소득세법」에서 사용하는 용어의 뜻으로 옳지 않은 것은?　　　2016년 9급

① 거주자란 국내에 주소를 두거나 183일 이상의 거소를 둔 개인을 말한다.
② 비거주자란 거주자가 아닌 개인을 말한다.
③ 내국법인이란 국내에 본점이나 주사무소 또는 사업의 실질적 관리장소를 둔 법인을 말한다.
④ 외국법인이란 외국에 본점이나 주사무소를 둔 단체(국내에 사업의 실질적 관리장소가 소재하는 경우 포함)로서 구성원이 유한책임사원으로만 구성된 단체를 말한다.

06 「소득세법」상 비거주자의 국내사업장에 해당하는 것으로 옳지 않은 것은?

2012년 7급

① 비거주자가 6월을 초과하여 존속하는 건축 장소, 건설·조립·설치공사의 현장 또는 이와 관련되는 감독활동을 수행하는 장소
② 비거주자가 고용인을 통하여 용역을 제공하는 장소로서 용역의 제공이 계속되는 12개월 기간 중 합계 6월을 초과하지 아니하는 경우로서 유사한 종류의 용역이 2년 이상 계속적·반복적으로 수행되는 장소
③ 비거주자가 자기의 자산을 타인으로 하여금 가공만 하게 하기 위하여만 사용하는 일정한 장소
④ 비거주자가 고용인을 통하여 용역을 제공하는 장소로서 용역의 제공이 계속되는 12개월 기간 중 합계 6월을 초과하는 기간 동안 용역이 수행되는 장소

05
외국법인이란 외국에 본점이나 주사무소를 둔 단체(국내에 사업의 실질적 관리장소가 소재하는 경우 제외)로서 다음 중 어느 하나에 해당하는 단체를 말한다.

> 1. 설립지국의 법률에 따라 법인격이 부여된 단체
> 2. 구성원이 유한책임사원으로만 구성된 단체
> 3. 구성원과 독립하여 자산을 소유하거나 소송의 당사자가 되는 등 직접 권리·의무의 주체가 되는 단체
> 4. 그 밖에 동종 또는 가장 유사한 국내의 단체가 「상법」 등 국내의 법률에 따른 법인에 해당되는 단체

06
비거주자가 자기의 자산을 타인으로 하여금 가공만 하게 하기 위하여만 사용하는 일정한 장소는 국내사업장에 해당하지 않는다.

11 금융투자소득

1 용어 정의

11장(금융투자소득)에서 사용하는 용어의 뜻은 다음과 같다.

1. 주식등

「자본시장과 금융투자업에 관한 법률」에 따른 지분증권, 증권예탁증권 중 지분증권❶과 관련된 권리가 표시된 것 및 출자지분을 말한다.

2. 채권등

「자본시장과 금융투자업에 관한 법률」에 따른 채무증권, 증권예탁증권 중 채무증권과 관련된 권리가 표시된 것 및 이자 또는 할인액이 발생하는 증권으로서 다음의 것을 말한다.

(1) 법령으로 정한 조건부자본증권

(2) 양도성예금증서

(3) 어음(상업어음은 제외)

3. 양도

자산의 매도, 교환, 법인에 대한 현물출자, 계좌 간 이체, 계좌의 명의변경, 실물양도 등을 통하여 그 자산을 유상(有償)으로 사실상 이전하는 것을 말한다. 이 경우 부담부증여(負擔附贈與) 시 수증자가 부담하는 채무액에 해당하는 부분은 양도로 본다.

2 비과세 금융투자소득

다음의 어느 하나에 해당하는 금융투자소득에 대해서는 소득세를 과세하지 아니한다.

1. 「공익신탁법」에 따른 공익신탁의 이익

2. 파산선고에 의한 처분으로 발생하는 소득

3. 조세특례제한법에 따른 비과세 금융투자소득

❶
지분증권의 범위에서 다음의 것은 제외한다.
1. 집합투자증권(국외에서 설정된 집합투자기구에 대한 출자지분 또는 수익권이 표시된 것을 포함한다)
2. 양도소득세 과세대상인 특정시설물이용권, 법정주식A · B

3 금융투자소득과세표준의 계산구조

```
        금 융 투 자 소 득 금 액
 (-)   금 융 투 자 이 월 결 손 금
 (-)   금융투자소득  기본공제
        금 융 투 자 소 득 과 세 표 준
 (×)   세                      율
        금 융 투 자 소 득 산 출 세 액
 (-)   금융투자소득  감면세액
 (-)   세    액    공    제
        금융투자소득  결정세액
 (+)   가          산          세
        금융투자소득  총결정세액
```

4 금융투자소득

1. 소득구분

거주자의 금융투자소득에 대한 과세표준(이하 '금융투자소득과세표준'이라 함)은 종합소득, 퇴직소득 및 양도소득에 대한 과세표준과 구분하여 계산한다.

2. 금융투자소득의 범위

금융투자소득은 해당 과세기간에 발생한 다음의 소득으로 한다. 다만, 이자소득, 배당소득 및 양도소득에 해당하는 것은 제외한다.

(1) 주식 등의 양도로 발생하는 소득

(2) 채권 등의 양도로 발생하는 소득

(3) 투자계약증권의 양도로 발생하는 소득

(4) 집합투자증권의 환매 · 양도 및 집합투자기구의 해지 · 해산(이하 '환매 등'이라 함)으로 발생한 이익과 적격집합투자기구❶로부터의 이익 중 집합투자기구의 이익 중 금융투자소득에 해당하는 부분으로부터 분배받은 금액

(5) 파생결합증권으로부터의 이익

(6) 파생상품의 거래 또는 행위로 발생하는 소득

❶ 적격집합투자기구 등

집합투자기구 중 다음의 요건을 모두 갖춘 집합투자기구(이하 '적격집합투자기구'라 함)를 말한다. 다만, 국외에서 설정된 집합투자기구는 다음의 요건을 모두 충족하는 경우에도 적격집합투자기구로 보지 않는다.

1. 해당 집합투자기구의 설정일부터 매년 1회 이상 결산 · 분배할 것. 다만, 「자본시장과 금융투자업에 관한 법률」에 따른 집합투자규약에서 정하는 바에 따라 집합투자기구이익금 중 금융투자소득에 해당하는 금액과 「자본시장과 금융투자업에 관한 법률」에 따라 평가한 집합투자재산의 평가이익은 분배를 유보할 수 있으며, 집합투자기구이익금이 0보다 작은 경우에도 분배를 유보할 수 있다.

2. 금전으로 위탁받아 금전으로 환급할 것(금전 외의 자산으로 위탁받아 환급하는 경우로서 해당 위탁가액과 환급가액이 모두 금전으로 표시된 것을 포함)

3. 집합투자기구이익금과 분배금 및 유보금 내역 등을 기획재정부령으로 정하는 바에 따라 납세지 관할 세무서장에게 신고할 것

3. 금융투자소득금액

(1) 금융투자소득금액은 주식등소득금액, 채권등소득금액, 투자계약증권소득금액, 집합투자기구소득금액, 파생결합증권소득금액 및 파생상품소득금액을 합한 금액으로 한다.

(2) 금융투자소득금액이 0보다 작은 경우에는 그 금액을 "금융투자결손금"이라 한다.

5 공제금액

1. 과세표준

금융투자소득과세표준은 금융투자소득금액에서 다음의 금액을 차례대로 공제한 금액으로 한다.

(1) 금융투자결손금 중 다음의 요건을 모두 갖춘 금액(이하 '금융투자이월결손금'이라 함)

　① 해당 과세기간의 개시일 전 5년 이내에 발생한 금융투자결손금으로서 그 후 각 과세기간의 과세표준을 계산할 때 공제되지 아니한 것

　② 금융투자소득 확정신고하거나 결정·경정되거나 「국세기본법」에 따라 수정신고한 과세표준에 포함된 금융투자결손금일 것

(2) 금융투자소득 기본공제

2. 금융투자소득 기본공제

금융투자소득이 있는 거주자에 대해서는 금융투자소득금액에서 금융투자이월결손금을 공제한 후 다음의 구분에 따라 해당 금액을 공제한다.

(1) 다음의 소득금액의 합계액에서 공제할 금액(1그룹): 5천만 원

　① 주식등소득금액 중 주권상장법인의 주식 등을 증권시장에서 양도하여 발생한 소득금액

　② 주권비상장법인인 중소기업 및 중견기업의 주식 등을 한국금융투자협회가 행하는 장외매매거래로 양도하여 발생한 소득금액

　③ 집합투자기구소득금액 중 공모 국내주식형 적격집합투자기구에서 발생한 소득금액

(2) 위 (1) 외의 소득금액의 합계액에서 공제할 금액(2그룹): 250만 원

3. 기타공제

(1) 금융투자소득 기본공제는 「법인세법」 또는 「조세특례제한법」이나 그 밖의 법률에 따른 감면소득금액이 있는 경우에는 그 감면소득금액 외의 소득금액에서 먼저 공제한다.

(2) 금융투자소득과세표준을 계산할 때 소득금액의 합계액이 0보다 작거나 금융 투자이월결손금으로 모두 공제된 경우에는 금융투자소득 기본공제를 적용하 지 않는다.

(3) 다음에 따른 소득금액은 금융투자소득과세표준을 계산할 때 합산하지 아니 한다.

① 「조세특례제한법」 또는 「법인세법」에 따른 비과세 금융투자소득

② 「조세특례제한법」에 따라 분리과세되는 금융투자소득(이하 '분리과세금융 투자소득'이라 함)

6 금융투자소득금액 계산순서

금융투자소득금액은 다음의 순서에 따라 계산한다.

1. 주식등소득금액, 채권등소득금액, 투자계약증권소득금액, 집합투자기구소득 금액, 파생결합증권소득금액 및 파생상품소득금액을 금융투자소득 기본공제 의 공제 그룹별로 합산할 것

2. 위 1.의 소득금액을 계산할 때 손실금액은 각 그룹별 소득금액에서 먼저 공제 할 것

3. 각 그룹의 구분별 소득금액 합계액이 모두 0보다 작은 경우에는 이를 합산하 여 금융투자결손금을 계산할 것

4. 위 3. 외의 경우로서 각 그룹의 구분별 소득금액 합계액 중 하나 이상의 소득 금액 합계액이 0보다 작은 경우에는 이를 합산하여 금융투자소득금액 또는 금 융투자결손금을 계산하되 구분하여 관리할 것

5. 각 그룹의 구분별 소득금액 합계액이 모두 0보다 큰 경우에는 이를 합산하여 금융투자소득금액을 계산하되 구분하여 관리할 것

7 금융투자소득의 수입시기

금융투자소득의 수입시기는 다음에 따른 날로 한다.

1. 주식등, 채권등 또는 투자계약증권의 양도로 발생하는 소득

양도소득의 양도시기 적용

2. 집합투자증권의 환매등으로 발생한 이익

양도소득의 양도시기 또는 환매 · 해지 · 해산에 따른 이익을 지급받은 날

3. 적격집합투자기구로부터의 이익 중 금융투자소득에 해당하는 부분으로부터 분배받은 금액

집합투자기구로부터의 이익을 지급받은 날. 다만, 원본에 전입하는 뜻의 특약이 있는 분배금은 그 특약에 따라 원본에 전입되는 날로 한다.

4. 파생결합증권으로부터의 이익

그 이익을 지급받은 날. 다만, 원본에 전입하는 뜻의 특약이 있는 분배금은 그 특약에 따라 원본에 전입되는 날로 한다.

5. 파생상품의 거래 또는 행위로 발생하는 소득

계좌별로 동일한 종목의 매도 미결제약정과 매수 미결제약정이 상계(이하 '반대거래상계'라 함)되거나 권리행사, 최종거래일의 종료 등으로 파생상품의 거래 또는 행위로 발생하는 손익이 확정된 날. 다만, 장외파생상품의 경우에는 파생상품 계약에 따라 수익을 지급받거나 지급받기로 한 날을 말한다.

8 소득금액계산

1. 주식등소득금액

주식등소득금액은 주식등의 양도로 발생하는 소득의 총수입금액(이하 '주식등양도가액'이라 함)에서 필요경비를 공제한 금액으로 한다.

2. 채권등소득금액

채권등소득금액은 채권등의 양도로 발생하는 소득의 총수입금액(이하 '채권등양도가액'이라 함)에서 필요경비 및 보유기간별로 귀속되는 이자등 상당액을 공제한 금액으로 한다.

3. 투자계약증권소득금액

투자계약증권소득금액은 투자계약증권의 양도로 발생하는 소득의 총수입금액(이하 '투자계약증권양도가액'이라 함)에서 필요경비를 공제한 금액으로 한다.

4. 주식등 · 채권등 · 투자계약증권양도가액

주식등양도가액, 채권등양도가액 및 투자계약증권양도가액은 양도자와 양수자의 실지거래가액(양도 또는 취득 당시에 양도자와 양수자가 실제로 거래한 가액으로서 양도 또는 취득과 대가관계에 있는 금전과 그 밖의 재산가액을 말한다. 이하 같음)에 따르며 양도소득세의 이중과세 조정 규정을 준용한다.

5. 주식등 · 채권등 · 투자계약증권소득금액 필요경비 계산

거주자의 주식등소득금액, 채권등소득금액, 투자계약증권소득금액을 계산할 때 주식등양도가액, 채권등양도가액 및 투자계약증권양도가액에서 공제할 필요경비는 다음에 따른 비용으로 한다.

(1) 취득가액(자산의 취득에 든 실지거래가액으로 함). 다만, 실지거래가액을 확인할 수 없는 경우의 취득가액 및 필요경비 계산 등에 관하여는 양도소득세를 준용한다.

(2) 자본적지출액, 양도비 등

6. 집합투자기구소득금액

(1) 집합투자기구소득금액은 집합투자증권 양도소득금액과 적격집합투자기구 분배소득금액을 합한 금액으로 한다.

(2) 집합투자증권 양도소득금액(집합투자증권의 환매등으로 발생한 이익의 금액을 말함)은 환매등에 따라 지급받은 금액, 집합투자증권 취득 시의 기준가격(「자본시장과 금융투자업에 관한 법률」에 따른 기준가격을 말함. 이하 같음)과 직전 결산분배 직후 기준가격 등을 고려하여 다음 산식에 따라 계산한 금액으로 한다.

> 집합투자증권 양도소득금액
> = 집합투자증권의 좌당양도소득금액 × 환매등이 발생하는 좌수 · 주수
> – 각종 보수 · 수수료 등

(3) 적격집합투자기구 분배소득금액(적격집합투자기구로부터의 이익 중 금융투자소득에 해당하는 부분으로부터 분배받은 금액을 말함)은 적격집합투자기구의 결산 시 기준가격, 집합투자증권의 매수 시 기준가격, 집합투자기구로부터의 분배금 등을 고려하여 다음 산식에 따라 계산한 금액으로 한다.

> 적격집합투자기구 분배소득금액
> = 적격집합투자기구 집합투자증권의 좌당분배소득금액
> × 결산 · 분배시 보유하고 있는 좌수 · 주소 – 각종 보수 · 수수료 등

7. 파생결합증권소득금액

파생결합증권소득금액(파생결합증권으로부터의 이익의 금액을 말함)은「자본시장과 금융투자업에 관한 법률」에 따른 기초자산의 가격 · 이자율 · 지표 · 단위 또는 이를 기초로 하는 지수 등의 변동과 연계하여 미리 정해진 방법에 따라 파생결합증권으로부터 회수하였거나 회수할 수 있는 금전, 그 밖의 재산적 가치가 있는 것(이하 '금전등'이라 함)의 총액, 파생결합증권을 취득하기 위하여 지급하였거나 지급할 금전등의 총액 등을 고려하여 다음의 금액을 합산한 금액으로 한다.

(1) 파생결합증권 양도등소득금액

파생결합증권 양도등소득금액은 파생결합증권의 양도 · 상환, 권리행사, 최종거래일의 종료 등(이하 '양도등'이라 함)으로 발생한 이익의 금액으로 하고, 다음 산식에 따라 계산한다.

> 파생결합증권 양도등소득금액
> =파생결합결증의 1증권당 양도등소득금액 × 양도등이 발생한 파생결합증권의 수 – 각종 보수 · 수수료 등

(2) 파생결합증권 분배소득금액

파생결합증권 분배소득금액은 파생결합증권을 발행하는 자가 투자자에게 분배하는 금액으로 하고, 다음 산식에 따라 계산한다. 다음 산식에서 파생결합증권의 1증권당 분배소득금액은 파생결합증권을 발행하는 자가 투자자에게 증권당 분배하는 금액으로 한다.

> 파생결합증권분배소득금액
> =파생결합증권 1증권당 분배소득금액 × 분배가 발생한 파생결합증권의 수 – 각종 보수 · 수수료 등

8. 파생상품소득금액

파생상품소득금액(파생상품의 거래 또는 행위로 발생하는 소득의 금액을 말한다)은「자본시장과 금융투자업에 관한 법률」의 계약상의 권리에 대하여 계약체결 당시의 약정가격, 계약종료일의 최종결제가격, 권리행사결제기준가격, 거래승수 등을 고려하여 정한 금액으로 한다. 파생상품소득금액을 계산할 때 위탁매매수수료 등의 비용은 차감한다.

9 금융투자소득세의 세율

금융투자소득 과세표준	세율
3억 원 이하	20%
3억 원 초과	6천만 원 + 3억 원 초과액 × 25%

10 금융투자소득세액의 감면

금융투자소득금액에 소득세법 또는 다른 조세에 관한 법률에 따른 감면대상 금융투자소득금액이 있을 때에는 다음 계산식에 따라 계산한 금융투자소득세 감면액을 금융투자소득 산출세액에서 감면한다.

감면세액
$$= 금융투자소득산출세액 × \frac{감면대상금융투자소득금액 - 금융투자소득기본공제}{금융투자소득과세표준} × 감면율$$

위 식에도 불구하고 「조세특례제한법」에서 금융투자소득세의 감면을 금융투자소득금액에서 감면대상 금융투자소득금액을 차감하는 방식으로 규정하는 경우에는 그에 따라 차감한 후 금융투자소득과세표준을 계산하는 방식으로 금융투자소득세를 감면한다.

11 원천징수세액

1. 원천징수 기간

금융회사등은 다음의 기간(이하 '금융투자소득 원천징수기간'이라 함) 중 관리하는 모든 계좌에 대하여 금융투자소득금액을 계좌보유자별로 합산하여 계좌보유자별 금융투자소득금액 또는 금융투자결손금을 계산하여야 한다.

(1) 해당 과세기간의 반기

(2) 반기 중 계좌를 해지한 경우 반기 시작일부터 계좌해지일까지

2. 원천징수

(1) 금융회사등은 위 1.에 따라 계산한 금융투자소득금액에서 기본공제액을 공제한 후 원천징수세율을 적용하여 계산한 금융투자소득세를 원천징수한다.

(2) 금융회사등은 금융투자소득 원천징수기간에 각 계좌보유자별로 금융투자소득금액을 누적 관리하여야 하며, 계좌보유자별 원천징수세액 상당액에 대해서는 원천징수기간 중 인출을 제한할 수 있다.

(3) 상반기의 계좌보유자별 금융투자결손금은 하반기의 원천징수대상 금융투자소득금액에서 공제한다.

(4) 소득세법 또는 다른 법률에 따라 비과세되는 금융투자소득이 있는 자는 금융투자소득 원천징수기간까지 기획재정부령으로 정하는 비과세 대상임을 확인하는 증빙서류를 첨부하여 금융회사등에 원천징수배제신청서를 제출할 수 있다.

(5) 위 (4)에 따라 금융회사등은 원천징수배제신청서를 받은 경우 해당 금융투자소득을 원천징수에서 제외하고 지급명세서 제출 시 납세지 관할 세무서장에게 제출하여야 한다.

3. 원천징수세율

원천징수 세율은 20%로 한다.

12 금융투자소득 예정신고

1. 예정신고기한

다음의 어느 하나에 해당하는 소득(이하 '예정신고 대상소득'이라 함)을 지급받은 자는 계산한 금융투자소득금액 또는 금융투자결손금을 납세지 관할 세무서장에게 신고하여야 한다.

(1) 금융회사등을 통하여 지급받지 아니한 금융투자소득
지급일이 속하는 반기(半期)의 말일부터 2개월

(2) 금융회사등을 통하여 지급받은 금융투자소득 중 원천징수되지 아니한 소득
지급일이 속하는 달의 말일부터 2개월

(3) 부담부증여 시 수증자가 부담하는 채무액에 해당하는 부분으로서 양도로 보는 부분에 대한 소득
양도일이 속하는 달의 말일부터 2개월

2. 예정신고납부

(1) 거주자가 금융투자소득 예정신고를 할 때에는 예정신고 산출세액에서 「조세특례제한법」이나 그 밖의 법률에 따른 감면세액(예정신고 대상소득금액에 감면이 적용되는 경우로 한정함)을 뺀 세액을 납세지 관할 세무서, 한국은행 또는 체신관서에 납부하여야 한다.

(2) 예정신고납부를 하는 경우 수시부과세액이 있을 때에는 이를 공제하여 납부한다.

13 금융투자소득과세표준 확정신고

1. 확정신고기한

(1) 해당 과세기간의 금융투자소득금액이 있는 거주자(금융투자소득과세표준이 없거나 금융투자결손금이 있는 거주자를 포함함)는 그 금융투자소득과세표준을 그 과세기간의 다음 연도 5월 1일부터 5월 31일까지 납세지 관할 세무서장에게 신고하여야 한다.

(2) 다음에 모두 해당하지 아니하는 자는 금융투자소득과세표준 확정신고를 하지 아니할 수 있다.

① 금융투자소득 총결정세액이 예정신고납부세액, 수시부과세액 및 원천징수세액의 합계액을 초과하는 자

② 금융투자소득세액의 환급을 받으려는 자

③ 해당 과세기간의 금융투자결손금액을 확정하려는 자. 다만, 예정신고 대상소득을 지급받지 아니한 과세기간의 금융투자결손금액을 확정하려는 자의 경우는 제외한다.

④ 소득세법 또는 다른 법률에서 규정하는 금융투자소득에 대한 비과세, 감면 등 조세특례를 적용받으려는 자. 다만, 분리과세금융투자소득(원천징수되지 아니하는 소득은 제외)만 있는 자가 해당 소득에 대한 조세특례를 적용받으려는 경우는 제외한다.

(3) 거주자는 금융투자소득과세표준 확정신고를 하는 경우 그 신고서에 금융투자소득금액 계산에 필요한 서류를 납세지 관할 세무서장에게 제출하여야 한다.

(4) 납세지 관할 세무서장은 금융투자소득과세표준 확정신고에 미비한 사항 또는 오류가 있을 때에는 그 보정을 요구할 수 있다.

2. 확정신고납부

(1) 거주자는 금융투자소득과세표준에 대한 금융투자소득 산출세액에서 감면세액과 세액공제액을 공제한 금액을 납세지 관할 세무서장, 한국은행 또는 체신관서에 납부하여야 한다.

(2) 확정신고납부를 하는 경우 예정신고납부하였거나 납부하여야 할 세액, 수시부과세액과 원천징수세액을 공제하여 납부한다.

VI

상속세 및 증여세법

01 상속세

02 증여세

03 재산의 평가

04 상속세 및 증여세 납세절차

01 상속세

1 총설

1. 부의 무상이전에 대한 과세체계

(1) 과세체계

과세		정의
상속(상속세 과세) 「민법」 제5편에 따른 상속을 말하며, 다음의 것을 포함	유증	유언에 의하여 자기의 재산을 무상으로 수유자에게 주는 단독행위
	사인증여	증여자의 사망으로 인하여 효력이 생길 증여(상속개시일 전 10년 이내에 피상속인이 상속인에게 진 증여채무 및 상속개시일 전 5년 이내에 피상속인이 상속인이 아닌 자에게 진 증여채무의 이행 중에 증여자가 사망한 경우의 그 증여를 포함)
	특별연고자에 대한 상속재산의 분여	피상속인과 생계를 같이 하고 있던 자, 피상속인의 요양간호를 한 자 및 그 밖에 피상속인과 특별한 연고가 있던 자(이하 '특별연고자'라 함)에 대한 상속재산의 분여
	신탁법에 따른 유언대용신탁	다음의 어느 하나에 해당하는 신탁의 경우에는 위탁자가 수익자를 변경할 권리를 갖는다. 다만, 신탁행위로 달리 정한 경우에는 그에 따른다. ① 수익자가 될 자로 지정된 자가 위탁자의 사망 시에 수익권을 취득하는 신탁 ② 수익자가 위탁자의 사망 이후에 신탁재산에 기한 급부를 받는 신탁
	신탁법에 따른 수익자연속신탁	신탁행위로 수익자가 사망한 경우 그 수익자가 갖는 수익권이 소멸하고 타인이 새로 수익권을 취득하도록 하는 뜻을 정할 수 있다. 이 경우 수익자의 사망에 의하여 차례로 타인이 수익권을 취득하는 경우를 포함한다.
증여(증여세 과세)		그 행위 또는 거래의 명칭·형식·목적 등과 관계없이 직접 또는 간접적인 방법으로 타인에게 무상으로 유형·무형의 재산 또는 이익을 이전(현저히 낮은 대가를 받고 이전하는 경우를 포함)하거나 타인의 재산가치를 증가시키는 것을 말한다. 다만, 유증, 사인증여, 유언대용신탁 및 수익자연속신탁은 제외한다(증여는 완전포괄주의를 적용하고 있음).

🏛 **기출 OX**

증여세는 경제적 가치가 있는 유형 및 무형의 재산을 타인에게 무상으로 이전하는 경우에 적용된다. (○)　　12. 9급

(2) 무상취득자에 대한 과세구분

수증자 또는 상속인	내용
영리법인	자산수증이익으로 법인세가 과세되므로 상속세 및 증여세는 과세되지 않는다.
비영리법인	비영리법인은 자산수증이익이 열거되어 있지 않으므로 상속세 및 증여세를 과세한다.
개인사업자	사업과 관련된 자산수증이익은 사업소득으로 과세되며 사업과 무관한 자산수증이익은 상속세 및 증여세가 과세된다.
일반개인	일반개인은 무상으로 이전된 재산에 대하여 상속세 및 증여세가 과세된다.

(3) 상속세 및 증여세 과세방식

구분	유산과세형	취득과세형
개념	피상속인의 유산총액을 과세하는 방법	상속인이 취득하는 상속재산을 과세하는 방법
대상	상속세	증여세

(4) 용어정의

구분	정의
상속개시일	피상속인이 사망한 날을 말한다. 다만, 피상속인의 실종선고로 인하여 상속이 개시되는 경우에는 실종선고일을 말한다.
상속재산	피상속인에게 귀속되는 모든 재산을 말하며, 다음의 물건과 권리를 포함한다. 다만, 피상속인의 일신(一身)에 전속(專屬)하는 것으로서 피상속인의 사망으로 인하여 소멸되는 것은 제외한다. ① 금전으로 환산할 수 있는 경제적 가치가 있는 모든 물건 ② 재산적 가치가 있는 법률상 또는 사실상의 모든 권리
상속인	「민법」에 따른 상속인을 말하며, 상속을 포기한 사람 및 특별연고자를 포함한다.
수유자	유증을 받은 자, 사인증여에 의하여 재산을 취득한 자, 유언대용신탁 및 수익자연속신탁에 의하여 신탁의 수익권을 취득한 자를 말한다.
증여재산	증여로 인하여 수증자에게 귀속되는 모든 재산 또는 이익을 말하며, 다음의 물건·권리 및 이익을 포함한다. ① 금전으로 환산할 수 있는 경제적 가치가 있는 모든 물건 ② 재산적 가치가 있는 법률상 또는 사실상의 모든 권리 ③ 금전으로 환산할 수 있는 모든 경제적 이익
거주자	국내에 주소를 두거나 183일 이상 거소(居所)를 둔 사람을 말한다.
비거주자	거주자가 아닌 사람을 말한다.
수증자	증여재산을 받은 거주자(본점이나 주된 사무소의 소재지가 국내에 있는 비영리법인을 포함) 또는 비거주자(본점이나 주된 사무소의 소재지가 외국에 있는 비영리법인을 포함)를 말한다.
특수관계인	본인과 친족관계·경제적 연관관계 또는 경영지배관계 등 일정 관계에 있는 자를 말한다. 이 경우 본인도 특수관계인의 특수관계인으로 본다.

📖 **기출 OX**

상속재산에는 피상속인의 일신에 전속하는 것으로서 피상속인의 사망으로 인하여 소멸되는 것은 제외된다. (○)

10. 9급

2. 「민법」 규정에 따른 상속인

(1) 원칙 – 유언

유언에 따른 상속에 따라 상속인이 결정된다.

(2) 예외

유언이 없는 경우 다음의 법정상속분으로 결정된다.

순위	상속인	비고
1	직계비속	태아를 포함하며, 배우자[1]는 동일순위
2	직계존속	배우자[1]는 동일순위
3	형제 · 자매	–
4	4촌 이내 방계혈족	–

(3) 법정상속의 상속지분

상속인이 여러 명인 경우에는 균등하게 상속분이 결정된다. 다만, 직계비속이 상속을 받으면서 배우자가 있는 경우에는 직계비속 상속분의 5할을 가산하여 배우자가 상속받는다. 직계존속과 상속을 받는 경우에도 동일하게 적용한다.

● **배우자**

직계비속과 직계존속이 모두 없는 경우 배우자가 단속상속한다.

2 총칙

1. 상속세 과세대상

상속개시일(또는 실종선고일) 현재 상속재산이 있는 경우에 다음과 같이 상속세를 과세한다.

구분	납세의무
피상속인이 거주자인 경우	국내외에 소재한 상속재산(무제한 납세의무)
피상속인이 비거주자인 경우	국내 소재 상속재산(제한 납세의무)

2. 상속세 납세의무

🏛 **기출 OX**

상속인 또는 수유자는 각자가 받았거나 받을 재산을 한도로 연대하여 상속세를 납부할 의무를 진다. (○) 13. 9급

구분	내용
상속인 · 수유자	상속인(특별연고자 중 영리법인은 제외) 또는 수유자(영리법인은 제외)는 상속재산(상속재산에 가산하는 증여재산 중 상속인이나 수유자가 받은 증여재산을 포함) 중 각자가 받았거나 받을 재산을 기준으로 「상속세 및 증여세법 시행령」으로 정하는 비율에 따라 계산한 금액을 상속세로 납부할 의무가 있다.
특별연고자 또는 수유자가 영리법인인 경우	특별연고자 또는 수유자가 영리법인인 경우로서 그 영리법인의 주주 또는 출자자 중 상속인과 그 직계비속이 있는 경우에는 다음에 따라 계산한 지분상당액을 그 상속인 및 직계비속이 납부할 의무가 있다. $\left(\begin{array}{c}\text{영리법인이}\\\text{받았거나 받을}\\\text{상속재산에 대한}\\\text{상속세 상당액}\end{array} - \begin{array}{c}\text{영리법인이}\\\text{받았거나}\\\text{받을 상속재산}\end{array}\right) \times 10\% \times \begin{array}{c}\text{상속인과}\\\text{그 직계비속의}\\\text{주식 등의 비율}\end{array}$
연대납세의무	상속세는 상속인 또는 수유자 각자가 받았거나 받을 재산을 한도로 연대하여 납부할 의무를 진다.

한도 = 자산(10년 또는 5년 전 증여재산 포함) − 부채 − 상속세 및 증여재산에 대한 증여세

3. 과세관청

(1) 상속개시지가 국내인 경우

상속세는 피상속인의 주소지(주소지가 없거나 불분명한 경우에는 거소지)를 관할하는 세무서장이 과세한다. 국세청장이 특히 중요하다고 인정하는 것에 대해서는 관할지방국세청장이 과세한다.

(2) 상속개시지가 국외인 경우

상속개시지가 국외인 경우에는 국내에 있는 재산 소재지를 관할하는 세무서장 등이 과세하고, 상속재산이 둘 이상의 세무서장 등의 관할 구역에 있을 경우에는 주된 재산의 소재지를 관할하는 세무서장이 과세한다.

3 계산구조

	상 속 재 산 가 액	⇨	상속재산 + 유증 + 사인증여
(+)	의 제 상 속 재 산	⇨	보험금 · 신탁재산 · 퇴직금 등
(+)	추 정 상 속 재 산 가 액	⇨	1년(2년) 전 재산처분액 · 예금인출액 · 채무부담액
	총 상 속 재 산 가 액		
(−)	비 과 세 상 속 재 산 가 액	⇨	국가에 유증 등
(−)	과 세 가 액 불 산 입	⇨	공익목적 출연재산가액 등
(−)	과 세 가 액 공 제 액 ❶	⇨	채무 + 공과금 + 장례비용
(+)	증 여 재 산 가 액	⇨	상속개시 10년(5년) 이내 증여한 재산가액
	상 속 세 과 세 가 액		
(−)	상 속 공 제 액	⇨	인적공제, 물적공제
(−)	감 정 평 가 수 수 료		
	상 속 세 과 세 표 준		
(×)	세 율	⇨	10% ~ 50%의 5단계 초과누진세율
	상 속 세 산 출 세 액		

❶ 과세가액공제액

상속으로 인하여 얻은 자산총액에서 부채총액과 그 상속으로 인하여 부과되거나 납부할 상속세를 공제한 가액을 말한다.

4 총상속재산가액

```
        상 속 재 산 가 액   ⇨  민법상 상속재산 + 유증재산 + 사인증여재산
(+)   의 제 상 속 재 산   ⇨  보험금 · 신탁재산 · 퇴직금 등
(+)   추 정 상 속 재 산   ⇨  1년(2년) 전 재산처분액 · 예금인출액 · 채무부담액
        총상속재산가액
```

1. 의제상속재산

(1) 보험금

① 피상속인의 사망으로 인하여 받는 생명보험 또는 손해보험의 보험금으로서 피상속인이 보험계약자인 보험계약에 의하여 받는 것은 상속재산으로 본다.

$$
상속재산 = 지급받은\ 보험금의\ 총합계액 \times \frac{피상속인이\ 부담한\ 보험료의\ 금액}{피상속인의\ 사망시까지\ 납입된\ 보험료의\ 총합계액}
$$

② 보험계약자가 피상속인이 아닌 경우에도 피상속인이 실질적으로 보험료를 납부하였을 때에는 피상속인을 보험계약자로 보아 ①의 규정을 적용한다.

(2) 신탁재산

① 피상속인이 신탁한 재산은 상속재산으로 본다. 다만, 신탁이익의 증여 규정에 따라 수익자의 증여재산가액으로 하는 해당 신탁의 이익을 받을 권리의 가액(價額)은 상속재산으로 보지 아니한다.

② 피상속인이 신탁으로 인하여 타인으로부터 신탁의 이익을 받을 권리를 소유하고 있는 경우에는 그 이익에 상당하는 가액을 상속재산에 포함한다.

③ 수익자연속신탁의 수익자가 사망함으로써 타인이 새로 신탁의 수익권을 취득하는 경우 그 타인이 취득한 신탁의 이익을 받을 권리의 가액은 사망한 수익자의 상속재산에 포함한다.

(3) 퇴직금

피상속인에게 지급될 퇴직금 · 퇴직수당 · 공로금 · 연금 또는 이와 유사한 것이 피상속인의 사망으로 인하여 지급되는 경우 그 금액은 상속재산으로 본다. 다만, 다음의 어느 하나에 해당하는 것은 상속재산으로 보지 아니한다.

① 「국민연금법」에 따라 지급되는 유족연금 또는 사망으로 지급되는 반환일시금

📖 **기출 OX**

피상속인이 신탁한 재산은 상속재산으로 보지만, 타인이 신탁의 이익을 받을 권리를 소유하고 있는 경우 그 이익에 상당하는 가액은 상속재산으로 보지 아니한다. (○)   13. 9급

---

② 「공무원연금법」, 「공무원 재해보상법」 또는 「사립학교교직원 연금법」에 따라 지급되는 퇴직유족연금, 장해유족연금, 순직유족연금, 직무상유족연금, 위험직무순직유족연금, 퇴직유족연금부가금, 퇴직유족연금일시금, 퇴직유족일시금, 순직유족보상금, 직무상유족보상금 또는 위험직무순직유족보상금

③ 「군인연금법」 또는 「군인 재해보상법」에 따라 지급되는 퇴역유족연금, 상이유족연금, 순직유족연금, 퇴역유족연금부가금, 퇴역유족연금일시금, 순직유족연금일시금, 퇴직유족일시금, 장애보상금 또는 사망보상금

④ 「산업재해보상보험법」에 따라 지급되는 유족보상연금 · 유족보상일시금 또는 유족특별급여

⑤ 근로자의 업무상 사망으로 「근로기준법」 등을 준용하여 사업자가 근로자의 유족에게 지급하는 유족보상금 또는 재해보상금과 기타 이와 유사한 것

⑥ 「전직대통령 예우에 관한 법률」 또는 「별정우체국법」에 따라 지급되는 유족연금 · 유족연금일시금 및 유족일시금

2. 추정상속재산

(1) 개념

피상속인이 재산을 처분하였거나 채무를 부담한 경우로서 (2)의 어느 하나에 해당하는 경우에는 이를 상속받은 것으로 추정하여 상속세 과세가액에 산입한다.

(2) 추정상속재산의 요건

대상	요건
피상속인이 재산을 처분하여 받은 금액이나 피상속인의 재산에서 인출한 금액	다음의 경우로 용도가 객관적으로 명백하지 아니한 경우 ① 상속개시일 전 1년 이내에 재산종류별❶로 계산하여 2억 원 이상인 경우 ② 상속개시일 전 2년 이내에 재산종류별❶로 계산하여 5억 원 이상인 경우
피상속인이 부담한 채무를 합친 금액❷	다음의 경우로 용도가 객관적으로 명백하지 아니한 경우 ① 상속개시일 전 1년 이내에 2억 원 이상인 경우 ② 상속개시일 전 2년 이내에 5억 원 이상인 경우

(3) 추정상속재산가액

추정상속재산가액
= 용도 불분명 금액❸ − Min(재산처분액 · 인출액 · 채무부담액 × 20%, 2억 원)

❶ 재산 종류

재산의 종류는 ㉠ 현금 · 예금 및 유가증권 ㉡ 부동산 및 부동산에 관한 권리 ㉢ 기타재산이 있다.

❷

피상속인이 국가, 지방자치단체 및 금융회사 등이 아닌 자에 대하여 부담한 채무로서 상속인이 변제할 의무가 없는 것으로 추정되는 경우에는 상속세 과세가액에 산입한다.

❸

재산처분액 · 인출액 · 채무부담액 − 용도입증액

5 과세가액

```
          총 상 속 재 산 가 액
   (−)   비과세상속재산가액     ⇨   국가에 유증 등
   (−)   과 세 가 액 불 산 입   ⇨   공익목적 출연재산가액 등
   (−)   과 세 가 액 공 제 액   ⇨   채무 + 공과금 + 장례비용
   (+)   증 여 재 산 가 액     ⇨   상속개시 10년(5년) 이내 증여한 재산가액
          상 속 세 과 세 가 액
```

1. 비과세

(1) 전사자 등에 대한 상속세 비과세

전쟁 또는 그 밖에 이에 준하는 공무의 수행 중 사망하거나 해당 전쟁 또는 공무의 수행 중 입은 부상 또는 그로 인한 질병으로 사망하여 상속이 개시되는 경우에는 상속세를 부과하지 아니한다.

(2) 비과세되는 상속재산

다음에 규정된 재산에 대하여는 상속세를 부과하지 아니한다.

① 국가 · 지방자치단체 또는 공공단체에 유증 또는 사인증여한 재산

② 「민법」의 규정에 따라 제사를 주재하는 상속인(다수의 상속인이 공동으로 제사를 주재하는 경우에는 그 공동으로 주재하는 상속인 전체)을 기준으로 다음에 해당하는 재산

구분	면적기준	비과세 한도금액
피상속인이 제사를 주재하고 있던 선조의 분묘에 속한 기준면적 이내의 금양임야	9,900㎡ 이내	금양임야와 분묘의 재산가액 합계액이 2억 원을 초과하는 경우에는 2억 원을 한도로 한다.
분묘에 속한 기준면적 이내의 농지	1,980㎡ 이내	
족보와 제구	−	합계액이 1,000만 원을 초과하는 경우에는 1,000만 원을 한도로 한다.

③ 「정당법」에 따른 정당에 유증 등을 한 재산

④ 「근로복지기본법」에 따른 사내근로복지기금 · 우리사주조합 · 공동근로복지기금 · 근로복지진흥기금에 유증 · 사인증여한 재산

⑤ 사회통념상 인정되는 이재구호금품, 치료비 및 그 밖에 이와 유사한 것으로서 불우한 자를 돕기 위하여 유증 등을 한 재산

⑥ 상속재산 중 상속인이 상속세 과세표준 신고기한 이내에 국가 · 지방자치단체 또는 공공단체에 증여한 재산

2. 과세가액불산입액

구분	내용
공익법인 등의 출연재산에 대한 과세가액불산입	상속재산 중 피상속인이나 상속인이 공익법인❶ 등에게 출연한 재산의 가액으로서 상속세 과세표준 신고기한❷ 이내에 출연한 재산의 가액은 상속세 과세가액에 산입하지 아니한다.
공익신탁재산에 대한 상속세 과세가액 불산입	상속재산 중 피상속인이나 상속인이 공익신탁❸을 통하여 공익법인 등에 출연하는 재산의 가액은 상속세 과세가액에 산입하지 아니한다.

3. 과세가액공제액

(1) 거주자가 사망한 경우

거주자의 사망으로 인하여 상속이 개시되는 경우에는 상속개시일 현재 피상속인이나 상속재산에 관련된 다음의 가액 또는 비용은 상속재산의 가액에서 **뺀다**.

구분	내용
공과금	공과금이라 함은 상속개시일 현재 피상속인이 납부할 의무가 있는 것으로서 상속인에게 승계된 조세·공공요금 기타 이와 유사한 것으로 「국세기본법」에 따른 공과금을 말한다(다만, 상속개시일 이후 상속인의 귀책사유로 납부한 강제징수비·벌금·과료·과태료 등은 공제하지 않음).
장례비용	장례비용 = ① + ② ① 피상속인의 사망일부터 장례일까지 장례에 직접 소요된 금액(최소 500만 원, 최대 1,000만 원) ② 봉안시설 또는 자연장지의 사용에 소요된 금액(최대 500만 원)
채무	상속개시 당시 피상속인이 부담하여야 할 확정된 채무로서 공과금 이외의 모든 부채로서 입증된 것을 말한다. 다만, 다음의 증여채무는 제외한다. ① 상속개시일 전 10년 이내에 피상속인이 상속인에게 진 증여채무 ② 상속개시일 전 5년 이내에 피상속인이 상속인이 아닌 자에게 진 증여채무

(2) 비거주자가 사망한 경우

비거주자의 사망으로 인하여 상속이 개시되는 경우에는 다음의 가액 또는 비용은 상속재산의 가액에서 **뺀다**.

구분	내용
공과금	① 해당 상속재산에 관한 공과금 ② 피상속인의 사망 당시 국내에 사업장이 있는 경우로서 그 사업장에 갖춰 두고 기록한 장부에 의하여 확인되는 사업상의 공과금 및 채무
장례비용	–
채무	해당 상속재산을 목적으로 하는 유치권, 질권, 전세권, 임차권(사실상 임대차계약이 체결된 경우를 포함), 양도담보권·저당권 또는 「동산·채권 등의 담보에 관한 법률」에 따른 담보권으로 담보된 채무

❶ 종교·자선·학술 관련 사업 등 공익성을 고려하여 사업을 하는 자

❷ 법령상 또는 행정상의 사유로 공익법인 등의 설립이 지연되는 등 부득이한 사유가 있는 경우에는 그 사유가 없어진 날이 속하는 달의 말일부터 6개월까지를 말한다.

❸ 「공익신탁법」에 따른 공익신탁으로서 종교·자선·학술 또는 그 밖의 공익을 목적으로 하는 신탁

📖 **기출 OX**

상속개시일 전 5년 이내에 피상속인이 상속인이 아닌 자에게 진 증여채무는 상속재산가액에서 빼지 아니한다. (○)

13. 9급

상속개시일 전에 피상속인이 다음 기간 내에 증여한 재산은 상속세 과세가액에 산입한다.❶

구분	합산기간
상속인에게 증여한 재산❷	10년 이내 증여분
상속인 이외의 자에게 증여한 재산❷	5년 이내 증여분

6 상속세 과세표준

```
        상속세과세가액
(−)     상 속 공 제 액   ⇨   인적공제 · 물적공제
(−)     감정평가수수료
        상속세과세표준 ❸
```

1. 인적공제

(1) 기초공제

거주자나 비거주자의 사망으로 상속이 개시되는 경우 기초공제로 2억 원을 공제한다.❹

(2) 그 밖의 인적공제

① 공제액

㉠ 거주자의 사망으로 상속이 개시된 경우에 상속인과 피상속인의 동거가족에 대하여 다음의 금액을 공제한다.

㉡ 공제요건에 해당하는 자가 상속의 포기 등으로 상속을 받지 않은 경우에도 인적공제를 적용한다.

구분	공제액
자녀공제	자녀(태아를 포함)❺ 1명당 5천만 원
연로자공제	상속인(배우자 제외) 및 동거가족❻ 중 65세 이상인 사람에 대하여 1명당 5천만 원
미성년자공제	상속인(배우자 제외) 및 동거가족❻ 중 미성년자(태아를 포함)❻가 19세가 될 때까지의 연수❼에 1명당 1천만 원을 곱한 금액
장애인공제	상속인(배우자 포함) 및 동거가족❻ 중 장애인의 기대여명의 연수❽에 1명당 1천만 원을 곱한 금액

② 중복적용: 동일인이 둘 이상의 인적공제에 해당하는 경우 다음과 같이 적용한다.

㉠ 자녀공제와 미성년자공제는 중복적용된다.

㉡ 장애인공제는 다른 인적공제(자녀공제 · 미성년자공제 · 연로자공제 · 배우자상속공제)와 중복적용된다.

㉢ 위 외의 다른 공제는 중복적용할 수 없다.

---

❶
이중과세가 되므로 증여세 산출세액을 상속세 산출세액에서 공제한다. 비거주자의 사망으로 인하여 상속이 개시되는 경우에는 국내에 있는 재산을 증여한 경우에만 이를 가산한다.

❷
증여재산은 증여 당시의 시가를 상속세 과세가액에 더한다.

❸
상속세 과세표준이 50만 원 미만인 경우 상속세를 부과하지 않는다.

❹
비거주자의 경우 기초공제만 공제하고, 다른 상속공제는 공제하지 않는다.

❺ 태아의 공제 제출서류
태아의 공제를 받고자 하는 경우에는 임신 사실을 확인할 수 있는 서류를 상속세과세표준신고와 함께 납세지관할세무서장에게 제출하여야 하며 임신 사실을 확인할 수 있는 서류에 의하여 태아의 존재 여부가 확인되는 경우에 한하여 이를 적용한다.

❻ 동거가족
상속개시일 현재 피상속인이 사실상 부양하고 있는 직계존비속(배우자의 직계존비속을 포함), 형제자매 및 태아(미성년자공제의 경우)를 말한다. 이 경우 공제대상자가 상속포기 등으로 상속을 받지 않는 경우에도 적용한다.

❼
1년 미만의 기간은 1년으로 한다.

❽
통계청장이 승인하고 고시하는 기대여명의 연수를 말한다.

(3) 일괄공제

① **원칙**: 거주자의 사망으로 상속이 개시되는 경우에 납세의무자는 기초공제와 그 밖의 인적공제의 합계액과 일괄공제 5억 원 중 큰 금액으로 공제할 수 있다.

② **예외**

    ㉠ 상속세 과세표준신고 또는 기한후신고가 없는 경우에는 일괄공제 5억 원을 공제한다.

    ㉡ 배우자가 단독으로 상속받는 경우❶에는 기초공제와 그 밖의 인적공제만을 적용하며 일괄공제는 선택할 수 없다.

⊞ 심화 | 상속공제

상속세는 유산과세형을 채택하고 있기 때문에 부와 모가 동시에 사망하였을 경우 상속세의 과세는 부와 모의 상속재산에 대하여 각각 개별로 계산하여 과세하며, 이 경우 배우자상속공제는 적용되지 아니한다.

---

(4) 배우자상속공제

① **배우자상속공제액**: 거주자의 사망으로 상속이 개시되는 경우 배우자가 공제받는 금액은 다음과 같다. 다만, 배우자가 실제 상속받은 금액이 없거나 상속받은 금액이 5억 원 미만인 경우에는 상속세 신고 여부에 관계없이 5억 원을 공제한다(배우자공제로 최소 5억 원 공제).

> 배우자상속공제액=Min(㉠, ㉡)
>
> ㉠ 배우자가 실제 상속받은 금액
>
> ㉡ 한도 Min(ⓐ, ⓑ)
>
>   ⓐ 상속재산가액 × 배우자의 법정상속분❷ − 상속재산에 가산한 증여재산가액 중 배우자에게 증여한 재산에 대한 증여세 과세표준❸
>
>   ⓑ 30억 원

② **공제요건**

    ㉠ **원칙**: 배우자 상속공제는 상속세과세표준신고기한의 다음날부터 9개월이 되는 날(이하 '배우자상속재산분할기한'이라 함)까지 배우자의 상속재산을 분할(등기 · 등록 · 명의개서 등이 필요한 경우에는 그 등기 · 등록 · 명의개서 등이 된 것에 한정)한 경우에 적용한다. 이 경우 상속인은 상속재산의 분할사실을 배우자상속재산분할기한까지 납세지 관할세무서장에게 신고하여야 한다.

❶

상속인이 배우자 단독인 경우를 말한다.

🏛 기출 OX

피상속인의 배우자가 단독으로 상속받는 경우에는 기초공제와 그 밖의 인적공제액을 합친 금액으로만 공제하며, 일괄공제는 선택할 수 없다. (○)　　14. 7급

❷ 배우자의 법정상속분

배우자의 「민법」상 법정상속분을 말한다.

❸ 증여세 과세표준

증여재산가액에서 증여공제와 감정평가수수료공제를 차감한 금액을 말한다.

ⓛ 예외: 다음의 부득이한 사유로 배우자상속재산분할기한까지 배우자의 상속재산을 분할할 수 없는 경우로서 배우자상속재산분할기한[부득이한 사유가 소(訴)의 제기나 심판청구로 인한 경우에는 소송 또는 심판청구가 종료된 날]의 다음날부터 6개월이 되는 날(배우자상속재산분할기한의 다음날부터 6개월을 경과하여 과세표준과 세액의 결정이 있는 경우에는 그 결정일)까지 상속재산을 분할하여 신고하는 경우에는 배우자상속재산분할기한 이내에 분할한 것으로 본다. 다만, 상속인이 그 부득이한 사유를 대통령령으로 정하는 바에 따라 배우자상속재산분할기한까지 납세지 관할세무서장에게 신고하는 경우에 한정한다.

ⓐ 상속인 등이 상속재산에 대하여 상속회복청구의 소를 제기하거나 상속재산 분할의 심판을 청구한 경우

ⓑ 상속인이 확정되지 아니하는 부득이한 사유 등으로 배우자상속분을 분할하지 못하는 사실을 관할세무서장이 인정하는 경우

2. 물적공제

구분	공제액
가업상속공제❶	Min(①, ②) ① 가업상속재산가액 ② 한도 　ⓛ 피상속인이 10년 이상 계속하여 경영한 경우: 300억 원 　ⓛ 피상속인이 20년 이상 계속하여 경영한 경우: 400억 원 　ⓛ 피상속인이 30년 이상 계속하여 경영한 경우: 600억 원
영농상속공제❶	Min(①, ②) ① 영농 등 상속재산가액 ② 한도: 30억 원
금융재산상속공제❷	상속개시일 현재 상속재산가액 중에서 순금융재산가액이 있으면 다음의 금액을 공제한다. 금융재산가액에는 최대주주❸가 보유하고 있는 주식, 상속세 과세표준 신고기한까지 신고하지 않은 타인 명의의 금융재산은 포함하지 않는다. 표 아래 참조
재해손실공제	거주자의 사망으로 상속이 개시되는 경우로서 상속세 과세표준 신고기한 이내에 재난으로 인하여 상속재산이 멸실되거나 훼손된 경우에는 그 손실가액을 상속세 과세가액에서 공제한다. 다만, 그 손실가액에 대한 보험금 등의 수령 또는 구상권 등의 행사에 의하여 그 손실가액에 상당하는 금액을 보전받을 수 있는 경우에는 그러하지 아니하다.

순금융재산가액	공제액
2,000만 원 이하	순금융재산가액 전액공제
2,000만 원 초과	순금융재산가액 × 20%❹

❶ 가업상속공제와 영농상속공제
가업이란 법령으로 정하는 중소기업 또는 법령으로 정하는 중견기업(상속이 개시되는 소득세 과세기간 또는 법인세 사업연도의 직전 3개 소득세 과세기간 또는 법인세 사업연도의 매출액의 평균금액이 5천억 원 이상인 기업 제외)으로서 피상속인이 10년 이상 계속하여 경영한 기업을 말한다. 해당 기업이 법인인 경우에는 최대주주로서 피상속인과 그와 특수관계인의 지분율이 50%(상장법인 30%) 이상을 10년 이상 계속하여 보유한 경우에 한정한다. 그리고 동일한 상속재산에 대해서 가업상속공제와 영농상속공제를 동시에 적용하지 않는다.

❷ 금융재산 상속공제
금융재산가액에서 금융채무가액을 차감한 금액을 말한다.
1. 금융재산가액
① 예금·적금·부금·계금·출자금·금전신탁재산·보험금·공제금·주식·채권·수익증권·출자지분·어음 등의 금전 및 유가증권
② 비상장 주식 및 출자지분으로서 금융기관이 취급하지 않는 것
③ 발행회사가 금융기관을 통하지 않고 직접 모집하거나 매출하는 방법으로 발행한 회사채
2. 금융채무가액: 금융회사 등의 채무임을 확인할 수 있는 서류에 의하여 입증된 금융회사 등의 채무

❸ 최대주주
최대주주란 주주 1인과 그의 특수관계인이 보유주식 등을 합하여 그 보유주식 등의 합계가 가장 많은 경우의 해당 주주 1인과 그의 특수관계인 모두를 말한다.

❹
공제액이 2,000만 원에 미달하면 2,000만 원을 공제하고, 2억 원을 초과하면 2억 원까지 공제한다.

동거주택상속공제	① 공제금액: Min(㉠, ㉡) 　㉠ 주택가액❶(주택에 딸린 토지가액 포함) × 100% 　㉡ 한도: 6억 원 ② 공제요건 　동거주택상속공제는 다음의 요건을 모두 갖춘 경우 공제한다. 　㉠ 피상속인과 상속인(직계비속 및 「민법」에 따라 상속인이 된 그 직계비속의 배우자인 경우로 한정하며, 이하 같다)이 상속개시일부터 소급하여 10년 이상(상속인이 미성년자인 기간은 제외) 계속하여 하나의 주택에서 동거할 것 　㉡ 피상속인과 상속인이 상속개시일부터 소급하여 10년이상 계속하여 1세대를 구성하면서 1세대 1주택(고가주택 포함)에 해당할 것. 이 경우 무주택인 기간이 있는 경우에는 해당 기간은 1세대 1주택에 해당하는 기간에 포함한다. 　㉢ 상속개시일 현재 무주택자이거나 피상속인과 공동으로 1세대 1주택을 보유한 자로서 피상속인과 동거한 상속인이 상속받은 주택일 것

3. 상속공제종합한도

인적공제와 물적공제의 합계액은 다음의 금액을 초과하지 못한다. 다만, 상속세 과세가액에 가산한 증여재산가액은 상속세과세가액이 5억 원을 초과하는 경우에만 적용한다.

	상속세 과세가액
(−)	선순위인 상속인이 아닌 자에게 유증·사인증여한 재산가액
(−)	선순위인 상속인의 상속포기로 그 다음 순위의 상속인이 상속받은 재산의 가액
(−)	가산한 증여재산가액❷
	상속공제 한도액

4. 감정평가수수료

구분	공제한도액
감정평가업자의 평가에 따른 수수료❸	500만 원 한도
신용평가전문기관의 비상장주식의 평가 등에 따른 평가수수료	평가대상 법인의 수 및 평가를 의뢰한 신용평가전문기관의 수별로 각각 1천만 원 한도
판매용이 아닌 서화·골동품 등 예술적 가치가 있는 유형재산에 대한 전문가 감정수수료	500만 원 한도

❶ 주택가액
양도소득세 1세대 1주택 비과세 규정에 따른 주택부수토지의 가액을 포함하며 상속개시일 현재 해당 주택 및 주택부수토지에 담보된 피상속인의 채무액을 뺀 가액을 말한다.

❷
증여재산공제 또는 재해손실세액공제를 받은 금액이 있으면 그 증여재산가액에서 그 공제받은 금액을 뺀 가액을 말한다.

❸
감정평가액으로 신고·납부하는 경우에만 적용한다.

7 세액계산

$$
\begin{array}{l}
\text{상속세과세표준} \\
(\times)\ \text{세}\qquad\quad\text{율} \quad\Rightarrow\quad 10\sim50\%\text{의 5단계 초과누진세율} \\
\hline
\text{상속세산출세액}
\end{array}
$$

1. 세율

과세표준	세율
1억 원 이하	과세표준의 10%
1억 원 초과 5억 원 이하	1천만 원 + 1억 원 초과액의 20%
5억 원 초과 10억 원 이하	9천만 원 + 5억 원 초과액의 30%
10억 원 초과 30억 원 이하	2억 4천만 원 + 10억 원 초과액의 40%
30억 원 초과	10억 4천만 원 + 30억 원 초과액의 50%

2. 세대를 건너뛴 상속에 대한 할증과세

상속인이나 수유자가 피상속인의 자녀를 제외한 직계비속인 경우에는 상속세 산출세액에 다음의 금액을 가산한다. 다만, 「민법」에 따른 대습상속[1]의 경우는 제외한다.

$$
\text{할증세액} = \text{산출세액} \times \frac{\text{피상속인의 자녀를 제외한 직계비속이 상속받은 재산가액}}{\text{총상속재산가액}} \times 30\%(40\%)\text{[2]}
$$

3. 세액공제

(1) 증여세액공제

이중과세 조정을 위하여 사전에 증여한 재산가액을 상속재산에 가산하여 계산하는 경우 증여 당시의 증여세산출세액을 상속세 산출세액에서 공제한다. 다만, 상속세과세가액에 가산하는 증여재산에 대하여 제척기간의 만료로 인하여 증여세가 부과되지 않는 경우와 상속세 과세가액이 5억 원 이하인 경우에는 증여세액공제를 적용하지 않는다.

① 증여재산의 수증자가 상속인이거나 수유자인 경우 증여세 산출세액을 다음의 한도 내에서 공제한다(각자가 납부할 상속세액에서 공제).

$$
\text{상속재산} = \frac{\text{지급받은 보험금의 총합계액}}{} \times \frac{\text{가산한 증여재산의 과세표준}}{\text{각자의 상속세 과세표준}}
$$

---

❶ 대습상속

대습상속은 직계비속이 사망하여 그 순위에 갈음하여 상속인이 되는 경우를 말한다.

❷

미성년자이면서 상속재산(상속재산에 가산한 증여재산 중 상속인이나 수유자가 받은 증여재산을 포함) 가액이 20억 원을 초과하는 경우에는 40%를 적용한다.

② 증여재산의 수증자가 상속인 또는 수유자가 아닌 경우 증여세 산출세액을 다음의 한도 내에서 공제한다(상속세 산출세액에서 공제).

$$\text{공제한도액} = \text{상속세 산출세액} \times \frac{\text{가산한 증여재산의 과세표준}}{\text{상속세 과세표준}}$$

(2) 외국납부세액공제

거주자의 사망으로 상속세를 부과하는 경우에 외국에 있는 상속재산에 대하여 외국의 법령에 따라 상속세를 부과받은 경우에는 다음의 금액을 상속세산출세액에서 공제한다.

Min(①, ②)

① 외국에서 부과된 상속세액

② 한도: $\text{상속세 산출세액} \times \dfrac{\text{외국법령에 따른 상속세 과세표준}}{\text{상속세 과세표준}}$

(3) 단기 재상속에 대한 세액공제

상속개시 후 10년 이내에 상속인이나 수유자의 사망으로 다시 상속이 개시되는 경우에는 전(前)의 상속세가 부과된 상속재산 중 재상속분에 대한 전의 상속세 상당액을 상속세 산출세액에서 공제한다.

$$\text{공제액} = \text{전의 상속세 산출세액} \times \frac{\text{재상속분의 재산가액}^{❶} \times \dfrac{\text{전의 상속재산가액}}{\text{전의 상속세과세가액}}}{\text{전의 상속세 과세표준}} \times \text{공제율}^{❷}$$

(4) 신고세액공제

상속세 신고기한 이내에 상속세 과세표준을 신고한 경우에는 다음의 금액을 상속세 산출세액에서 공제한다. 해당 공제는 신고에 대한 공제이므로 납부를 하지 않아도 공제한다.

$$\text{신고세액공제} = (\text{산출세액}^{❸} - \text{징수유예세액} - \text{공제·감면세액}) \times 3\%$$

❶ 전의 상속재산가액 - 전의 상속세상당액

❷ 공제율은 다음과 같다.

재상속기간	공제율
1년 이내	100%
2년 이내	90%
3년 이내	80%
4년 이내	70%
5년 이내	60%
6년 이내	50%
7년 이내	40%
8년 이내	30%
9년 이내	20%
10년 이내	10%

❸ 세대를 건너뛴 상속에 대한 할증과세를 포함한다(신고세액공제 계산시에만 포함).

상속세 및 증여세법 해커스공무원 김영서 세법 기본서

01 「상속세 및 증여세법」상 거주자의 사망으로 상속이 개시되는 경우 상속공제에 대한 설명으로 옳은 것만을 모두 고르면? 2023년 9급

> ㄱ. 배우자가 실제 상속받은 금액이 없거나 상속받은 금액이 5억 원 미만이면 5억 원을 공제한다.
>
> ㄴ. 상속개시일 현재 상속재산가액 중 순금융재산의 가액이 2천만 원인 경우에는 2천만 원을 상속세 과세가액에서 공제한다.
>
> ㄷ. 상속인(배우자는 제외한다) 및 동거가족 중 미성년자에 대해서는 2천만 원에 19세가 될 때까지의 연수를 곱하여 계산한 금액을 상속세 과세가액에서 공제한다.
>
> ㄹ. 법령의 요건을 모두 갖춘 경우에는 상속주택가액의 100분의 100에 상당하는 금액을 상속세 과세가액에서 공제하되, 그 공제할 금액은 5억 원을 한도로 한다.

① ㄱ

② ㄱ, ㄴ

③ ㄷ, ㄹ

④ ㄴ, ㄷ, ㄹ

01

✓ 오답체크

ㄷ. 상속인(배우자는 제외한다) 및 동거가족 중 미성년자에 대해서는 1천만 원에 19세가 될 때까지의 연수를 곱하여 계산한 금액을 상속세 과세가액에서 공제한다.

ㄹ. 법령의 요건을 모두 갖춘 경우에는 상속주택가액의 100분의 100에 상당하는 금액을 상속세 과세가액에서 공제하되, 그 공제할 금액은 6억 원을 한도로 한다.

02 증여세

1 총칙

1. 납세의무자[1]

구분	과세대상
수증자가 거주자 또는 비영리내국법인	증여세 과세대상이 되는 국내외 소재한 모든 증여재산
수증자가 비거주자 또는 비영리외국법인	증여세 과세대상이 되는 국내에 있는 모든 증여재산

> **참고**
>
> **소득세 또는 법인세와 증여세 이중과세 조정**
>
> 증여재산에 대하여 수증자에게 「소득세법」에 따른 소득세 또는 「법인세법」에 따른 법인세가 부과되는 경우에는 증여세를 부과하지 아니한다. 소득세 또는 법인세가 「소득세법」, 「법인세법」 또는 다른 법률에 따라 비과세되거나 감면되는 경우에도 또한 같다.

(1) 영리법인이 증여받는 경우 해당 영리법인의 주주에 대한 증여세

영리법인이 증여받은 재산 또는 이익에 대하여 법인세가 부과되는 경우(법인세가 「법인세법」 또는 다른 법률에 따라 비과세되거나 감면되는 경우를 포함) 해당 영리법인의 주주에게는 증여세를 부과하지 않는다. 다만, 다음의 경우는 해당 영리법인의 주주에게 증여세를 부과한다.

① 특수관계법인과의 거래를 통한 이익의 증여의제

② 특수관계법인으로부터 제공받은 사업기회로 발생한 이익의 증여의제

③ 특정법인과의 거래를 통한 이익의 증여의제

(2) 수증자가 자력을 상실하는 경우 증여세 면제

다음의 증여규정에 해당하는 경우로서 수증자가 증여세를 납부할 능력이 없다고 인정되면서 강제징수를 하여도 증여세에 대한 조세채권을 확보하기 곤란한 때에는 그에 상당하는 증여세의 일부 또는 전부를 면제한다.

① 저가양수·고가양도에 따른 이익의 증여

② 채무면제 등에 따른 이익의 증여

③ 부동산 무상사용에 따른 이익의 증여

④ 금전무상대출 등에 따른 이익의 증여

❶ 명의신탁재산의 증여의제

명의신탁재산의 증여의제 규정 따라 재산을 증여한 것으로 보는 경우(명의자가 영리법인인 경우를 포함)에는 실제소유자가 해당 재산에 대하여 증여세를 납부할 의무가 있다.

기출 OX

수증자가 비거주자인 경우에는 그가 증여받은 재산 중 국내에 있는 모든 재산이 증여세 과세대상이 된다. (○) 12. 9급

(3) 연대납세의무

다음의 경우에는 증여자에게 연대납세의무가 있다.

① 수증자의 주소·거소가 분명하지 아니한 경우로서 조세채권을 확보하기 곤란한 경우

② 수증자가 증여세를 납부할 능력이 없다고 인정되고 체납으로 강제징수를 하여도 조세채권의 확보가 곤란한 경우

③ 수증자가 비거주자인 경우

(4) 연대납세의무 배제

다음의 경우는 증여자에게 연대납세의무가 없다.

① 재산 또는 이익을 현저히 낮은 대가를 주고 이전받거나 현저히 높은 대가를 받고 이전한 경우

② 재산 취득 후 해당 재산의 가치가 증가하는 경우

③ 저가양수·고가양도에 따른 이익의 증여

④ 채무면제 등에 따른 증여

⑤ 부동산 무상사용에 따른 이익의 증여

⑥ 합병에 따른 이익의 증여 등

⑦ 증자에 따른 이익의 증여

⑧ 감자에 따른 이익의 증여

⑨ 현물출자에 따른 이익의 증여

⑩ 전환사채 등의 주식전환 등에 따른 이익의 증여

⑪ 주식 등의 상장 등에 따른 이익의 증여

⑫ 초과배당에 따른 이익의 증여

⑬ 금전 무상대출 등에 따른 이익의 증여

⑭ 합병에 따른 상장 등 이익의 증여

⑮ 재산사용 및 용역제공 등에 따른 이익의 증여

⑯ 법인이 조직변경 등에 따른 이익의 증여

⑰ 재산 취득 후 재산가치 증가에 따른 이익의 증여

⑱ 특수관계법인과의 거래를 통한 이익의 증여의제

⑲ 특수관계법인으로부터 제공받은 사업기회로 발생한 이익의 증여의제

⑳ 특정법인과의 거래를 통한 이익의 증여

㉑ 공익법인 등이 출연한 재산 공익법인에 증여세를 부고하는 경우(출연자가 해당 공익법인의 운영에 책임이 없는 일정한 경우만 해당)

2. 관할관청

구분		관할관청
원칙		수증자의 주소지 관할세무서장이 과세 (주소지가 없거나 분명하지 않은 경우에는 거소지)❶
예외	① 수증자가 비거주자	증여자의 주소지 관할세무서장
	② 수증자의 주소 및 거소가 분명하지 않은 경우	
	③ 명의신탁재산의 증여의제에 따라 재산을 증여한 것으로 보는 경우	
	④ 수증자와 증여자가 모두 비거주자인 경우	증여재산의 소재지 관할세무서장
	⑤ 수증자와 증여자 모두의 주소 또는 거소가 분명하지 않은 경우	
	⑥ 수증자가 비거주자 이거나 주소 또는 거소가 분명하지 않고 법령에 따라 의제된 경우❷	

3. 증여재산의 취득시기

구분	취득시기
① 권리의 이전이나 그 행사에 등기·등록을 요하는 재산	등기·등록일❸
② 건물을 신축하여 증여할 목적으로 수증자의 명의로 건축허가를 받거나 신고를 하여 해당 건물을 완성한 경우	그 건물의 사용승인서 교부일❹
③ 건물을 증여할 목적으로 수증자의 명의로 분양권을 건설사업자로부터 취득하거나 분양권을 타인으로부터 전득하는 경우	
④ 그 외 재산	인도한 날 또는 사실상의 사용일

❶
주소지가 없거나 분명하지 않은 경우에는 거소지로 하면 국세청장이 특히 중요하다고 인정하는 것에 대하여는 세무서장이 아닌 관할지방국세청장이 과세한다.

❷
법령에 따라 의제된 경우는 다음과 같다.
1. 합병에 따른 이익의 증여
2. 증자에 따른 이익의 증여
3. 현물출자에 따른 이익의 증여
4. 특수관계법인과의 거래를 통한 이익의 증여의제
5. 특수관계법인으로부터 제공받은 사업기회로 발생한 이익의 증여의제

❸
「민법」 규정에 의한 등기를 요하지 아니하는 부동산은 실제로 부동산의 소유권을 취득한 날이 된다.

❹
사용승인 전에 사실상 사용하거나 임시사용승인을 얻은 경우에는 그 사실상 사용일 또는 임시사용승인일로 한다. 그리고 건축허가를 받지 아니하거나 신고하지 아니하고 건축하는 건축물은 그 사실상의 사용일을 취득시기로 한다.

2 증여세 계산구조

```
        증 여 재 산 가 액
(+)   합산대상증여재산가액    ⇨   해당 증여 전 10년 이내의 동일인의 증여재산
(−)   비 과 세 증 여 재 산    ⇨   국가로부터 증여받은 재산 등
(−)   과세가액불산입재산     ⇨   공익법인출연재산 · 공익신탁재산 · 장애인증
                              여재산
(−)   부담부증여채무인수액    ⇨   부담부 증여 시 수증자의 채무인수액
        증 여 세 과 세 가 액
(−)   증 여 공 제 액        ⇨   증여재산공제 · 재해손실공제
(−)   감 정 평 가 수 수 료
        증 여 세 과 세 표 준
(×)   세            율      ⇨   10%~50%의 5단계 초과누진세율(상속세와
                              동일)
        상 속 세 산 출 세 액
```

1. 증여세과세가액 계산구조

```
        증 여 재 산 가 액
(+)   합산대상증여재산가액    ⇨   해당 증여 전 10년 이내의 동일인의 증여재산
(−)   비 과 세 증 여 재 산    ⇨   국가로부터 증여받은 재산 등
(−)   과세가액불산입재산     ⇨   공익법인출연재산 · 공익신탁재산 · 장애인증
                              여재산
(−)   부담부증여채무인수액    ⇨   부담부 증여시 수증자의 채무인수액
        증 여 세 과 세 가 액
```

❶ 유형별 증여의제 규정

1. 신탁이익의 증여
2. 보험금의 증여
3. 저가양수 또는 고가양도에 따른 이익의 증여
4. 채무면제 등에 따른 이익의 증여
5. 부동산 무상사용에 따른 이익의 증여
6. 합병에 따른 이익의 증여
7. 증자에 따른 이익의 증여
8. 감자에 따른 이익의 증여
9. 현물출자에 따른 이익의 증여
10. 전환사채 등의 주식전환 등에 따른 이익의 증여
11. 초과배당에 따른 이익의 증여
12. 주식 등의 상장 등에 따른 이익의 증여
13. 금전 무상대출 등에 따른 이익의 증여
14. 합병에 따른 상장 등 이익의 증여
15. 재산사용 및 용역제공 등에 따른 이익의 증여
16. 법인의 조직변경 등에 따른 이익의 증여
17. 재산 취득 후 재산가치 증가에 따른 이익의 증여

❷ 증여추정

1. 배우자 등에게 양도한 재산의 증여추정
2. 재산취득자금 등의 증여추정

❸ 증여의제

1. 명의신탁재산의 증여의제
2. 특수관계법인과의 거래를 통한 이익의 증여의제
3. 특수관계법인으로부터 제공받은 사업기회로 발생한 이익의 증여의제
4. 특정법인과의 거래를 통한 이익의 증여의제

2. 증여재산

(1) 무상으로 이전받은 재산 또는 이익

(2) 현저히 낮은 대가를 주고 재산 또는 이익을 이전받음으로써 발생하는 이익이나 현저히 높은 대가를 받고 재산 또는 이익을 이전함으로써 발생하는 이익. 다만, 특수관계인이 아닌 자 간의 거래인 경우에는 거래의 관행상 정당한 사유가 없는 경우로 한정한다.

(3) 재산 취득 후 해당 재산의 가치가 증가한 경우의 그 이익. 다만, 특수관계인이 아닌 자 간의 거래인 경우에는 거래의 관행상 정당한 사유가 없는 경우로 한정한다.

(4) 유형별 증여의제 규정❶에 해당하는 경우의 그 재산 또는 이익

(5) 증여추정❷에 해당하는 경우의 그 재산 또는 이익

(6) 증여의제❸에 해당하는 경우 그 재산 또는 이익

(7) 위 (4)의 거래와 경제적 실질이 유사한 경우 등 (4)의 각 규정을 준용하여 증여재산의 가액을 계산할 수 있는 경우의 그 재산 또는 이익

3. 증여세과세가액

(1) 상속재산의 협의분할

협의분할 시점		과세처분
상속재산에 대한 등기·등록·명의개서	전	협의분할에 따른 초과 취득분은 증여로 보지 않는다.
	후	특정상속인이 당초 상속분을 초과하여 취득하는 재산 가액은 그 분할에 의하여 상속분이 감소한 상속인으로부터 증여받은 것으로 보아 증여세를 과세한다.❶

(2) 증여재산의 반환❷

① **신고기한 내 반환**: 증여받은 재산을 증여세 신고기한 내에 반환하는 경우에는 처음부터 증여는 없는 것으로 본다. 다만, 반환 전에 과세표준과 세액의 결정을 받은 경우는 증여세를 과세한다.

② **신고기한 지난 후 3개월 이내에 반환**: 증여받은 재산을 증여세 신고기한 지난 후 3개월 이내에 반환하거나 증여자에게 다시 증여하는 경우에는 그 반환하거나 증여하는 것에 대하여는 증여세를 부과하지 않는다.

구분	당초증여	증여재산의 반환
신고기한까지 반환하는 경우	증여 ×	증여 ×
신고기한이 지난 후 3개월 이내 반환하는 경우	증여 ○	증여 ×
신고기한으로부터 3개월이 지난 후 반환하는 경우	증여 ○	증여 ○

4. 합산대상 증여재산가액

(1) 해당 증여일 전 10년 이내에 동일인(직계존속은 그 배우자를 포함)으로부터 받은 증여재산가액의 합친 금액이 1천만 원 이상인 경우에는 그 가액을 증여세 과세가액에 가산한다.

(2) 다만, 합산배제증여재산의 경우에는 적용하지 않으며 이중과세 방지를 위하여 가산하는 증여재산에 대한 산출세액은 납부세액공제로 차감한다.

> ⊞ **심화** | 합산배제증여재산
>
> 1. 재산 취득 후 해당 자산의 가치가 증가하는 경우
> 2. 전환사채 등의 주식전환에 따른 이익의 증여
> 3. 주식의 상장에 따른 이익의 증여
> 4. 합병에 따른 상장주식의 증여
> 5. 재산 취득 후 재산가치 증가에 따른 이익의 증여
> 6. 특수관계법인과의 거래를 통한 이익의 증여의제
> 7. 특수관계법인으로부터 제공받은 사업기회로 발생한 이익의 증여의제

5. 비과세

(1) 국가나 지방자치단체로부터 증여받은 재산의 가액

❶
다만, 다음의 경우에는 증여로 보지 않는다.
1. 상속세 과세표준 신고기한 이내에 분할에 의하여 당초 상속분을 초과하여 취득한 경우
2. 당초 상속재산의 분할에 대하여 무효 또는 취소 등 정당한 사유가 있는 경우. 여기서 정당한 사유는 다음과 같다.
   ① 상속회복청구의 소에 의한 법원의 확정판결에 따라 상속인 및 상속재산에 변동이 있는 경우
   ② 「민법」에 따른 채권자 대위권의 행사에 의하여 공동상속인들이 법정상속분대로 등기 등이 된 상속재산을 상속인 사이의 협의분할에 의하여 재분할하는 경우
   ③ 상속세 과세표준 신고기한 내에 상속세를 물납하기 위하여 「민법」에 따른 법정상속분으로 등기·등록 및 명의개서를 등을 하여 물납을 신청하였다가 물납허가를 받지 못하거나 물납재산의 변경명령을 받아 당초의 물납재산을 상속인간의 협의분할에 의하여 재분할하는 경우

❷
금전은 반환시기에 상관없이 증여 또는 반환 모두를 증여로 보아 과세한다.

(2) 내국법인의 종업원으로서 우리사주조합에 가입한 자가 해당 법인의 주식을 우리사주조합을 통하여 취득한 경우로서 그 조합원이 소액주주의 기준에 해당하는 경우 그 주식의 취득가액과 시가의 차액으로 인하여 받은 이익에 상당하는 가액

(3) 「정당법」에 따른 정당이 증여받은 재산의 가액

(4) 「근로복지기본법」에 따른 사내근로복지기금 · 우리사주조합 · 공동근로복지기금 · 근로복지진흥기금이 증여받은 재산의 가액

(5) 사회통념상 인정되는 이재구호금품 · 치료비 · 피부양자의 생활비 · 교육비 · 그 밖에 이와 유사한 것(학자금 또는 장학금 · 기념품 · 축하금 · 부의금 · 혼수용품 등)

(6) 신용보증기금 · 기술신용보증기금 · 신용보증재단 등의 단체가 증여받은 재산의 가액

(7) 국가 · 지방자치단체 또는 공공단체가 증여받은 재산의 가액

(8) 장애인을 보험금 수령인으로 하는 보험으로서 「소득세법」상 장애인공제 대상에 해당하는 자를 수익자로 한 보험의 보험금(연간 4,000만 원을 한도로 함)

(9) 「국가유공자 등 예우 및 지원에 관한 법률」에 따른 국가유공자의 유족이나 「의사상자 등 예우 및 지원에 관한 법률」에 따른 의사자(義死者)의 유족이 증여받은 성금 및 물품 등 재산의 가액

(10) 비영리법인의 설립근거가 되는 법령의 변경으로 비영리법인이 해산되거나 업무가 변경됨에 따라 해당 비영리법인의 재산과 권리 · 의무를 다른 비영리법인이 승계받은 경우 승계받은 해당 재산의 가액

6. 과세가액불산입

(1) 공익법인 등이 출연받은 재산

공익법인이 출연 받은 재산의 가액은 증여세 과세가액에 산입하지 아니한다.

(2) 공익신탁재산

증여재산 중 증여자가 공익신탁으로서 공익법인 등에 출연하는 재산의 가액은 증여세 과세가액에 산입하지 아니한다.

(3) 장애인이 증여받은 재산

장애인이 재산을 증여받은 경우로서 증여세 신고기한까지 다음의 요건을 갖춘 때에는 증여받은 재산가액(장애인이 살아 있는 동안 증여받은 재산가액의 합친금액을 말하며 5억 원을 한도로 함)은 증여세 과세가액에 산입하지 아니한다.
① 증여받은 재산 전부를 신탁업자에게 신탁하였을 것
② 그 장애인이 신탁의 이익 전부를 받는 수익자일 것

③ 신탁기간이 그 장애인 사망할 때까지로 되어 있을 것(다만, 장애인이 사망하기전에 신탁기간이 끝나는 경우에는 신탁기간을 장애인이 사망할 때까지 계속 연장하여야 함)

> **⊞ 심화 | 장애인이 증여받은 재산의 추징**
>
> 세무서장 등은 재산을 증여받은 장애인이 다음의 어느 하나에 해당하면 그 신탁해지일 또는 신탁기간의 만료일에 해당 재산가액을 증여받은 것으로 보아 즉시 증여세를 부과한다. 다만, 장애인 본인의 의료비, 간병인 등 용도로 인출하거나 신탁회사의 영업정지 등 부득이한 사유가 있을 때에는 그러하지 아니하다.
> 1. 신탁을 해지하거나, 신탁기간이 끝난 경우에 그 기간을 연장하지 아니한 경우
> 2. 신탁기간 중 수익자를 변경하거나, 신탁업자에게 신탁한 증여재산가액이 감소한 경우
> 3. 신탁의 이익 전부 또는 일부가 해당 장애인이 아닌 자에게 귀속되는 것으로 확인된 경우

7. 부담부증여의 경우 채무인수액

(1) 일반적인 부담부증여

부담부증여의 경우 수증자가 채무를 인수한 때에는 증여재산의 가액에서 인수한 채무를 뺀 금액을 증여재산가액으로 한다.

> 증여세 과세가액 = 증여재산가액 − 부담부증여시 채무인수액

(2) 배우자 또는 직계존비속 간의 부담부증여

① 원칙: 배우자 또는 직계존비속 간의 부담부증여의 경우는 수증자가 채무를 인수하더라도 채무는 수증자에게 인수되지 아니한 것으로 추정한다.

② 예외: 해당 채무가 국가 등에 대한 채무로 객관적으로 인정되는 경우에는 그러하지 아니하다.

8. 증여로 보지 않는 경우

(1) 위자료

이혼 등에 의하여 정신적 또는 재산상 손해배상의 대가로 받는 위자료는 조세포탈의 목적이 있다고 인정되는 경우를 제외하고는 증여로 보지 않는다.

(2) 재산분할청구권

이혼으로 재산분할청구권을 행사하여 취득하는 재산은 증여로 보지 않는다.

3 증여세 과세표준

1. 증여세 과세표준 계산

(1) 일반적인 경우

```
        증 여 세 과 세 가 액
(-)   증  여  공  제  액    ⇨   증여재산공제 · 재해손실공제
(-)   감  정  평  가  수  수  료
─────────────────────────────
        증 여 세 과 세 표 준●
```

(2) 명의신탁의 증여의제

명의신탁재산가액에서 감정평가수수료를 공제한다. 증여공제액은 차감하지 않는다.

(3) 합산배제 증여재산 중에서 특정 증여의제●

증여세 과세가액에서 감정평가수수료를 공제한다. 증여공제액은 차감하지 않는다.

(4) 합산배제 증여재산 중에서 (3)을 제외한 증여재산

증여세 과세가액에서 3천만 원과 감정평가수수료를 공제한다.

2. 증여재산공제

(1) 공제금액

구분	공제액
배우자로부터 증여받는 경우	6억 원
직계존속●으로부터 증여받는 경우	5천만 원(미성년자가 직계존속으로부터 증여받은 경우에는 2천만 원)
직계비속●으로부터 증여를 받은 경우	5천만 원
위 외의 6촌 이내 혈족, 4촌 이내 인척으로부터 증여받은 경우	1천만 원

(2) 공제방법

① 공제액 계산: 증여재산공제는 증여자가 아닌 수증자를 기준으로 판단하는 것이며 각 공제액은 10년간 동일인에게 증여받은 재산가액 합산하여 해당 공제액을 초과하는 금액은 공제하지 않는다.

② 공제순서

㉠ 둘 이상 증여의 증여시기가 다른 경우에는 둘 이상의 증여 중 최초의 증여세과세가액에서부터 순차적으로 공제한다.

㉡ 둘 이상의 증여가 동시에 있는 경우에는 각각이 증여재산가액에 대하여 안분하여 공제한다.

● 증여세과세표준이 50만 원 미만이면 증여세를 부과하지 않는다.

● 특수관계법인과의 거래를 통한 이익의 증여의제, 특수관계법인으로부터 제공받은 사업기회로 발생한 이익의 증여의제를 말한다.

● 수증자의 직계존속과 혼인(사실혼은 제외)중인 배우자를 포함한다.

● 수증자와 혼인 중인 배우자의 직계비속을 포함한다.

3. 재해손실공제

타인으로부터 재산을 증여받은 경우로서 증여세 신고기한 이내에 재난으로 인하여 증여재산이 멸실·훼손된 경우에는 그 손실가액을 증여세 과세가액에서 공제한다. 다만, 그 손실가액에 대한 보험금 등의 수령 또는 구상권 등 행사에 의하여 당해 손실가액에 상당하는 금액을 보전받을 수 있는 경우에는 그러하지 아니한다.

4. 감정평가수수료

구분	공제한도액
감정평가업자의 평가에 따른 수수료❶	500만 원 한도
신용평가전문기관의 비상장주식의 평가 등에 따른 평가수수료	평가대상 법인의 수 및 평가를 의뢰한 신용평가전문기관의 수별로 각각 1천만 원 한도
평가대상 법인의 수 및 평가를 의뢰한 신용평가 전문기관의 수별로 각각 1천만 원 한도	500만 원 한도

❶

감정평가액으로 신고·납부하는 경우에만 적용한다.

4 증여세액

1. 계산구조

```
  증 여 세 과 세 표 준
(×) 세            율   ⇨  10~50%의 5단계 초과누진세율(상속세와 동일)
  증 여 세 산 출 세 액
```

2. 세율

과세표준	세율
1억 원 이하	과세표준의 10%
1억 원 초과 5억 원 이하	1천만 원＋1억 원 초과액의 20%
5억 원 초과 10억 원 이하	9천만 원＋5억 원 초과액의 30%
10억 원 초과 30억 원 이하	2억 4천만 원＋10억 원 초과액의 40%
30억 원 초과	10억 4천만 원＋30억 원 초과액의 50%

3. 세대를 건너뛴 증여에 대한 할증과세

수증자가 증여자의 자녀가 아닌 직계비속인 경우에는 증여세 산출세액에 30%(40%)❷를 가산한다. 다만, 증여자의 최근친인 직계비속이 사망하여 그 사망자의 최근친인 직계비속이 증여받은 경우에는 제외한다.

❷

수증자가 증여자의 자녀가 아닌 직계비속이면서 미성년자인 경우로서 증여재산가액이 20억 원을 초과하는 경우에는 40%를 적용한다.

4. 세액공제

(1) 납부세액공제

증여세 과세가액에 가산한 증여재산의 가액(둘 이상의 증여가 있을 때에는 그 가액을 합친 금액)에 대하여 납부하였거나 납부할 증여세액(증여 당시의 증여세 산출세액)을 공제한다.

> Min(①, ②)
>
> ① 가산한 증여재산가액의 증여세 산출세액
>
> ② 증여세 산출세액 × $\dfrac{\text{가산한 증여 재산가액의 과세표준}}{\substack{\text{해당 증여재산과 가산한 증여재산가액의} \\ \text{합계액 과세표준}}}$

(2) 외국납부세액공제

타인으로부터 재산을 증여받은 경우에 외국에 있는 증여재산에 대하여 외국의 법령에 따라 증여세를 부과받은 경우에는 다음의 금액을 공제한다.

> Min(①, ②)
>
> ① 외국에서 부과된 증여세액
>
> ② 한도: 증여세 산출세액 × $\dfrac{\text{외국법령에 따른 증여세 과세표준}}{\text{증여세 과세표준}}$

(3) 신고세액공제

증여세 신고기한 이내에 증여세 과세표준을 신고한 경우에는 다음의 금액을 증여세 산출세액에서 공제한다. 해당 공제는 신고에 대한 공제이므로 납부를 하지 않아도 공제한다.

> 신고세액공제 = (산출세액❶ − 징수유예세액 − 공제 · 감면세액) × 3%

❶ 세대를 건너뛴 상속에 대한 할증과세를 포함한다(신고세액공제 계산시에만 포함).

5 유형별 증여재산가액의 계산

1. 신탁이익의 증여

신탁계약에 의하여 위탁자가 타인을 신탁의 이익의 전부 또는 일부를 받을 수익자로 지정한 경우로서 다음의 어느 하나에 해당하는 경우에는 원본 또는 수익이 수익자에게 실제 지급되는 날 등을 증여일로 하여 해당 신탁의 이익을 받을 권리의 가액을 수익자의 증여재산가액으로 한다.

(1) 원본의 이익을 받을 권리를 소유하게 한 때에는 수익자가 그 원본을 받은 경우

(2) 수익의 이익을 받을 권리를 소유하게 한 때에는 수익자가 그 수익을 받은 경우

2. 보험금의 증여

생명보험이나 손해보험에서 보험사고(만기보험금 지급의 경우를 포함)가 발생한 경우 해당 보험사고가 발생한 날을 증여일로 하여 다음의 구분에 따른 금액을 보험금 수령인의 증여재산가액으로 한다. 다만, 보험금을 상속재산으로 보는 경우에는 상속세가 과세되므로 적용하지 아니한다.

(1) 보험금 수령인과 보험료 납부자가 다른 경우(보험금 수령인이 아닌 자가 보험료의 일부를 납부한 경우를 포함)

보험금 수령인이 아닌 자가 납부한 보험료 납부액에 대한 보험금 상당액

$$\text{증여재산가액} = \text{보험금} \times \frac{\text{보험금 수령인이 아닌 자가 납부한 보험료}}{\text{납부한 보험료 총액}}$$

(2) 보험계약 기간에 보험금 수령인이 재산을 증여받아 보험료를 납부한 경우

증여받은 재산으로 납부한 보험료 납부액에 대한 보험금 상당액에서 증여받은 재산으로 납부한 보험료 납부액을 뺀 가액

$$\text{증여재산가액} = \text{보험금} \times \frac{\text{증여받은 재산으로 납부한 보험료}}{\text{납부한 보험료 총액}} - \text{증여받은 재산으로 납부한 보험료}$$

3. 저가양수 · 고가양도에 따른 이익의 증여

(1) 특수관계인인 경우

특수관계인 간에 재산을 시가보다 낮은 가액으로 양수하거나 시가보다 높은 가액으로 양도한 경우로서 그 대가와 시가의 차액이 기준금액(3억 원과 시가의 30% 중 작은 금액) 이상인 경우에는 해당 재산의 양수일 또는 양도일을 증여일로 하여 그 대가와 시가의 차액에서 기준금액을 뺀 금액을 그 이익을 얻은 자의 증여재산가액으로 한다.

① 적용요건(기준금액 이상)

$$(\text{대가} - \text{시가}) \geqq \text{Min}(\text{시가} \times 30\%, \ 3\text{억 원})$$

② 증여재산가액

$$(\text{대가} - \text{시가}) - \text{Min}(\text{시가} \times 30\%, \ 3\text{억 원})$$

(2) 특수관계인이 아닌 경우

특수관계인이 아닌 자 간에 거래의 관행상 정당한 사유 없이 재산을 시가보다 현저히 낮은 가액으로 양수하거나 시가보다 현저히 높은 가액으로 양도한 경우로서 그 대가와 시가의 차액이 기준금액(시가의 30%) 이상인 경우에는 해당 재산의 양수일 또는 양도일을 증여일로 하여 그 대가와 시가의 차액에서 3억 원을 뺀 금액을 그 이익을 얻은 자의 증여재산가액으로 한다.

① 적용요건

$$(대가 - 시가) \geqq 시가 \times 30\%$$

② 증여재산가액

$$(대가 - 시가) - 3억 원$$

(3) 증여규정배제

다음은 위의 증여규정을 적용하지 않는다.

① 전환사채 등

② 거래소에 상장되어 있는 법인의 주식 및 출자지분으로서 증권시장 또는 코스닥 시장에서 거래된 것(시간외시장에서 매매된 것을 제외)

③ 재산을 양수하거나 양도하는 경우로서 그 대가가 「법인세법」의 부당행위계산의 부인에 따른 시가에 해당하여 그 거래에 대하여 「법인세법」상 부당행위계산의 부인 규정 및 소득세법상 양도소득의 부당행위 계산이 적용되지 않는 경우. 다만, 거짓이나 그 밖의 부정한 방법으로 상속세 또는 증여세를 감소시킨 것으로 인정되는 경우에는 그러하지 아니하다.

4. 채무면제 등에 따른 이익의 증여

채권자로부터 채무를 면제받거나 제3자로부터 채무의 인수 또는 변제를 받은 경우에는 그 면제·인수 또는 변제를 받은 날[1]을 증여일로 하여 그 면제 등으로 인한 이익에 상당하는 금액(보상액을 지급한 경우에는 그 보상액을 뺀 금액으로 함)을 그 이익을 얻은 자의 증여재산가액으로 한다.

5. 부동산 무상사용에 따른 이익의 증여

(1) 타인의 부동산을 무상으로 사용하는 경우

① 개념: 타인의 부동산(그 부동산 소유자와 함께 거주하는 주택과 그에 딸린 토지는 제외)을 무상으로 사용함에 따라 이익을 얻은 경우에는 그 무상사용을 개시한 날을 증여일로 하여 그 이익에 상당하는 금액을 부동산 무상 사용자의 증여재산가액으로 한다. 다만, 그 이익에 상당하는 금액이 1억 원 미만인 경우는 제외한다.

---

[1]
면제, 인수 또는 변제를 받은 날은 다음과 같다.

1. **채권자로부터 채무를 면제받은 경우:** 채권자가 면제에 대한 의사표시를 한 날

2. **제3자로부터 채무의 인수받은 경우:** 제3자와 채권자 간에 채무의 인수계약이 체결된 날

② **증여재산가액**: 부동산 무상사용에 따른 이익은 다음의 계산식에 따라 계산한 가액으로 한다. 이 경우 해당 부동산에 대한 무상사용 기간은 5년으로 하고, 무상사용 기간이 5년을 초과하는 경우에는 그 무상사용을 개시한 날부터 5년이 되는 날의 다음 날에 새로 해당 부동산의 무상사용을 개시한 것으로 본다.

> 부동산 무상사용이익＝각 연도 부동산 무상사용이익[1]의 5년분 현재가치금액

❶
각 연도부동산무상사용이익
＝부동산가액 × 연간 사용요율(2%)

(2) 타인의 부동산을 무상으로 담보로 이용하여 금전 등을 차입하는 경우

① **개념**: 타인의 부동산을 무상으로 담보로 이용하여 금전 등을 차입함에 따라 이익을 얻은 경우에는 그 부동산 담보 이용을 개시한 날을 증여일로 하여 그 이익에 상당하는 금액을 부동산을 담보로 이용한 자의 증여재산가액으로 한다. 다만, 그 이익에 상당하는 금액이 1천만 원 미만인 경우는 제외한다.

② **증여재산가액**: 부동산을 무상으로 담보로 이용하여 금전 등을 차입함에 따라 얻은 이익은 차입기간이 정하여지지 아니한 경우에는 그 차입기간은 1년으로 하고, 차입기간이 1년을 초과하는 경우에는 그 부동산 담보 이용을 개시한 날부터 1년이 되는 날의 다음날에 새로 해당 부동산의 담보 이용을 개시한 것으로 본다.

> 증여재산가액＝차입금 × 적정이자율 － 금전 등을 차입했을 때 실제로 지급하였거나 지급할 이자

(3) 특수관계인 외의 거래

특수관계인이 아닌 자 간의 거래인 경우에는 거래의 관행상 정당한 사유가 없는 경우에 한정하여 (1)과 (2)를 적용한다.

6. 합병에 따른 이익의 증여

특수관계에 있는 법인간의 합병(분할합병을 포함)으로 소멸하거나 흡수되는 법인 또는 신설되거나 존속하는 법인의 대주주 등이 합병으로 인하여 이익을 얻은 경우에는 그 합병등기일을 증여일로 하여 그 이익에 상당하는 금액을 그 대주주 등의 증여재산가액으로 한다. 다만, 그 이익에 상당하는 금액이 합병 후 신설 또는 존속하는 법인의 주식의 평가가액의 30%에 상당하는 가액과 3억 원 중 적은 금액(합병대가를 주식 외의 재산으로 지급받는 경우에는 3억 원) 미만인 경우는 제외한다.

7. 증자에 따른 이익의 증여

법인이 자본금(출자액을 포함)을 증가시키기 위하여 신주를 발행함으로써 저가 또는 고가발행에 따른 이익을 얻은 경우에는 주식대금 납입일 등 일정한 날을 증여일로 하여 그 이익에 상당하는 금액을 그 이익을 얻은 자의 증여재산가액으로 한다(실권주를 재배정하지 않는 경우에는 평가 후 1주당 평가가액의 30% 이상이거나 증여재산가액이 3억 원 이상인 경우에만 적용).

8. 감자에 따른 이익의 증여

법인이 자본금을 감소시키기 위하여 주식 등을 소각하는 경우로서 일부 주주 등의 주식 등을 소각함으로써 이익을 얻은 경우에는 감자를 위한 주주총회결의일을 증여일로 하여 그 이익에 상당하는 금액을 그 이익을 얻은 자의 증여재산가액으로 한다. 다만, 그 이익에 상당하는 금액이 감자한 주식 평가액의 30%와 3억 원 중 적은 금액 미만인 경우는 제외한다.

9. 현물출자에 따른 이익의 증여

(1) 현물출자에 의하여 이익을 얻은 경우에는 현물출자 납입일을 증여일로 하여 그 이익에 상당하는 금액을 그 이익을 얻은 자의 증여재산가액으로 한다.

(2) 고가로 인수하는 경우는 1주당 평가차액이 현물출자 후 1주당 평가가액의 30% 이상이거나 증여재산가액이 3억 원 이상인 경우에 한하여 적용한다.

10. 전환사채 등의 주식전환 등에 따른 이익의 증여

(1) 전환사채, 신주인수권부사채(신주인수권증권이 분리된 경우에는 신주인수권증권을 말함) 또는 전환사채 등을 인수 · 취득 · 양도하거나, 전환사채 등에 의하여 주식으로 전환 · 교환 또는 주식의 인수를 함으로써 이익을 얻은 경우에는 그 이익에 상당하는 금액을 그 이익을 얻은 자의 증여재산가액으로 한다.

(2) 그 이익에 상당하는 금액이 전환사채 등의 시가의 30%에 상당하는 가액과 1억 원 중 적은 금액 미만인 경우는 제외한다.

11. 초과배당에 따른 이익의 증여

❶ 최대주주
최대주주란 주주 1인과 그의 특수관계인의 보유주식을 합하여 그 보유주식의 합계가 가장 많은 경우의 해당 주주 1인과 그의 특수관계인 모두를 말한다.

법인이 이익이나 잉여금을 배당 또는 분배하는 경우로서 그 법인의 최대주주❶ 또는 최대출자자가 본인이 지급받을 배당 등의 금액의 전부 또는 일부를 포기하거나 본인이 보유한 주식 등에 비례하여 균등하지 아니한 조건으로 배당 등을 받음에 따라 그 최대주주 등의 특수관계인이 본인이 보유한 주식 등에 비하여 높은 금액의 배당 등을 받은 경우에는 법인이 배당 등을 한 날을 증여일로 하여 그 최대주주 등의 특수관계인이 본인이 보유한 주식 등에 비례하여 균등하지 아니한 조건으로 배당 등을 받은 금액(이하 '초과배당금액'이라 함)을 그 최대주주 등의 특수관계인의 증여재산가액으로 한다.

12. 주식 등의 상장 등에 따른 이익의 증여

기업의 경영 등에 관하여 공개되지 아니한 정보를 이용할 수 있는 지위에 있다고 인정되는 최대주주 등^❶의 특수관계인이 해당 법인의 주식 등을 증여받거나 취득한 경우 그 주식 등을 증여받거나 취득한 날부터 5년 이내에 그 주식 등이 「자본시장과 금융투자업에 관한 법률」에 따른 유가증권시장 및 코스닥시장에 상장됨에 따라 그 가액이 증가한 경우로서 그 주식 등을 증여받거나 취득한 자가 당초 증여세 과세가액(증여받은 재산으로 주식 등을 취득한 경우는 제외) 또는 취득가액을 초과하여 이익을 얻은 경우에는 그 이익에 상당하는 금액을 그 이익을 얻은 자의 증여재산가액으로 한다. 다만, 그 이익에 상당하는 금액이 주식을 증여받은 날 현재의 증여세 과세가액과 기업가치의 실질적인 증가로 인한 이익의 합계액의 30%와 3억 원 중 적은 금액 미만인 경우는 제외한다.

13. 금전무상대출 등에 따른 이익의 증여

(1) 증여재산가액

타인으로부터 금전을 무상으로 또는 적정 이자율보다 낮은 이자율로 대출받은 경우에는 그 금전을 대출받은 날에 다음의 구분에 따른 금액을 그 금전을 대출받은 자의 증여재산가액으로 한다. 다만, 다음의 구분에 따른 금액이 1천만 원 미만인 경우는 제외한다.

구분	증여재산가액
무상으로 대출받은 경우	대출금액 × 적정 이자율^❷
적정이자율보다 낮은 이자율로 대출받은 경우	대출금액 × 적정 이자율^❷ − 실제 지급한 이자상당가산액

(2) 대출기간이 정해지지 않은 경우

대출기간이 정해지지 아니한 경우에는 그 대출기간을 1년으로 보고, 대출기간이 1년 이상인 경우에는 1년이 되는 날의 다음날부터 매년 새로이 증여받은 것으로 보아 해당 금액을 계산한다.

14. 합병에 따른 상장 등 이익의 증여

최대주주 등의 특수관계인이 그 주식 등을 증여받거나 취득한 날부터 5년 이내에 그 주식 등을 발행한 법인이 특수관계에 있는 주권상장법인과 합병되어 그 주식 등의 가액이 증가함으로써 그 주식 등을 증여받거나 취득한 자가 당초 증여세 과세가액(증여받은 재산으로 주식 등을 취득한 경우는 제외) 또는 취득가액을 초과하여 이익을 얻은 경우에는 그 이익에 상당하는 금액을 그 이익을 얻은 자의 증여재산가액으로 한다. 다만, 그 이익에 상당하는 금액이 주식을 받은 날 현재의 증여세 과세가액과 기업가치의 실질적인 증가로 인한 이익의 합계액의 30%와 3억 원 중 적은 금액 미만인 경우는 제외한다.

❶ 최대주주 등

최대주주 등이란 주주 1인과 그의 특수관계인의 보유주식을 합하여 그 보유주식의 합계가 가장 많은 경우의 해당 주주 1인과 그의 특수관계인 모두를 말한다. 또는 주주 1인과 그의 특수관계인의 소유주식을 합하여 내국법인의 발행주식총수 또는 출자총액의 25% 이상을 소유한 경우의 해당 주주를 말한다.

❷ 적정이자율

당좌대출이자율을 고려하여 기획재정부령으로 정하는 이자율을 말한다. 다만, 법인으로부터 대출받은 경우에는 인정이자 계산시 적용하는 이자율을 적정이자율로 본다.

15. 재산사용 및 용역제공 등에 따른 이익의 증여

(1) 재산의 사용 또는 용역의 제공에 의하여 다음의 어느 하나에 해당하는 이익을 얻은 경우에는 그 이익에 상당하는 금액(시가와 대가의 차액)을 그 이익을 얻은 자의 증여재산가액으로 한다.

구분	기준금액
타인에게 시가보다 낮은 대가를 지급하거나 무상으로 타인의 재산(부동산과 금전은 제외한다)을 사용함으로써 얻은 이익	① 무상으로 재산을 사용하거나 용역을 제공받은 경우 증여재산가액이 1천만 원 미만은 적용하지 않는다. ❶
타인으로부터 시가보다 높은 대가를 받고 재산을 사용하게 함으로써 얻은 이익	② 그 외의 경우는 시가와 대가의 차액이 시가의 30% 미만인 경우에는 적용하지 않는다.
타인에게 시가보다 낮은 대가를 지급하거나 무상으로 용역을 제공받음으로써 얻은 이익	
타인으로부터 시가보다 높은 대가를 받고 용역을 제공함으로써 얻은 이익	

(2) 특수관계인이 아닌 자 간의 거래에는 거래의 관행상 정당한 사유가 없는 경우에 한정하여 위 규정을 적용한다.

16. 법인의 조직 변경 등에 따른 이익의 증여

(1) 주식의 포괄적 교환 및 이전, 사업의 양수·양도, 사업 교환 및 법인의 조직 변경 등에 의하여 소유지분이나 그 가액이 변동됨에 따라 이익을 얻은 경우에는 그 이익에 상당하는 금액(소유지분이나 그 가액의 변동 전·후 재산의 평가차액)을 그 이익을 얻은 자의 증여재산가액으로 한다. 다만, 그 이익에 상당하는 금액이 변동 전 해당 재산가액의 30%에 해당하는 가액과 3억 원 중 적은 금액 미만인 경우는 제외한다.

(2) 특수관계인이 아닌 자 간의 거래인 경우에는 거래의 관행상 정당한 사유가 없는 경우에 한정하여 이 규정을 적용한다.

17. 재산 취득 후 재산가치 증가에 따른 이익의 증여

(1) 개념

직업·연령·소득 및 재산상태로 보아 자력으로 해당 행위를 할 수 없다고 인정되는 자가 일정한 사유로 재산을 취득하고 그 재산을 취득한 날부터 5년 이내에 개발사업의 시행, 형질변경, 공유물 분할, 사업의 인가·허가 등 재산가치증가사유로 인하여 이익을 얻은 경우에는 그 이익에 상당하는 금액을 그 이익을 얻은 자의 증여재산가액으로 한다. 다만, 그 이익에 상당하는 금액이 재산의 취득가액과 통상적인 가치상승분 및 가치상승기여분의 합계액의 30%와 3억 원 중 적은 금액 미만인 경우는 제외한다.

❶
타인의 재산을 무상으로 담보로 제공하고 금전 등을 차입한 경우의 증여재산가액은 다음과 같다.

증여재산가액
= 차입금 × 적정이자율 − 금전 등을 차입할 때 실제 지급하였거나 지급할 이자

(2) 일정한 사유로 재산취득

① 특수관계인으로부터 재산을 증여받은 경우

② 특수관계인으로부터 기업의 경영 등에 관하여 공표되지 아니한 내부 정보를 제공받아 그 정보와 관련된 재산을 유상으로 취득한 경우

③ 특수관계인으로부터 차입한 자금 또는 특수관계인의 재산을 담보로 차입한 자금으로 재산을 취득한 경우

(3) 재산가치증가사유

① 개발사업의 시행, 형질변경, 공유물 분할, 지하수개발·이용권 등의 인가·허가 및 그 밖에 사업의 인가·허가

② 비상장주식의 「자본시장과 금융투자업에 관한 법률」에 따라 설립된 한국금융투자협회에의 등록

③ 그 밖에 위의 사유와 유사한 것으로서 재산가치를 증가시키는 사유

(4) 증여재산가액

	해 당 재 산 가 액	⇨	재산가치증가사유가 발생한 날 현재의 가치❶
(−)	해 당 재 산 의 취 득 가 액	⇨	실제 취득하기 위하여 지불한 금액(증여받은 재산의 경우에는 증여세 과세가액)
(−)	통상적인가치상승분	⇨	기업가치의 실질적인 증가로 인한 이익과 연평균지가상승률·연평균주택가격상승률 및 전국소비자물가상승률 등을 감안하여 해당 재산의 보유기간 중 정상적인 가치상승분에 상당하다고 인정되는 금액
(−)	가 치 상 승 기 여 분	⇨	개발사업의 시행, 형질변경, 사업의 인가·허가 등에 따른 자본적 지출액 등 해당 재산가치를 증가시키기 위하여 지출한 금액
	증 여 재 산 가 액		

❶
1. 재산가치증가사유 발생일 전에 그 재산을 양도한 경우에는 그 양도한 날을 재산가치증가사유 발생일로 본다.
2. 거짓이나 그 밖의 부정한 방법으로 증여세를 감소시킨 것으로 인정되는 경우에는 특수관계인이 아닌 자 간의 증여에 대하여도 위 규정을 적용한다. 이 경우 규정 중 기간에 관한 규정은 없는 것으로 본다.

18. 증여세 과세특례

(1) 하나의 증여가 둘 이상에 동시에 해당하는 경우

하나의 증여에 대하여 위의 증여재산가액과 증여추정, 증여의제규정이 둘 이상 동시에 적용되는 경우에는 각 해당 규정의 이익이 가장 많이 계산되는 것 하나만을 적용한다.

(2) 동일한 종류의 증여가 발생하는 경우 금액기준의 적용

다음의 이익을 계산함에 있어서 그 이익과 관련한 거래 등을 한 날부터 소급하여 1년 이내에 동일한 거래 등이 있는 경우에는 각각의 거래 등에 따른 이익(시가와 대가의 차액)을 해당 이익별로 합산하여 계산한다.

① 재산을 현저히 낮은 대가를 주고 이전받거나 현저히 높은 대가를 받고 이전한 경우의 시가와 대가의 차이 상당액

② 저가양수 또는 고가양도에 따른 이익의 증여

③ 부동산 무상사용에 따른 이익의 증여

④ 합병에 따른 이익의 증여

⑤ 증자에 따른 이익의 증여

⑥ 감자에 따른 이익의 증여

⑦ 현물출자에 따른 이익의 증여

⑧ 전환사채 등의 주식전환 등에 따른 이익의 증여

⑨ 금전 무상대출 등에 따른 이익의 증여

⑩ 재산사용 및 용역제공 등에 따른 이익의 증여

⑪ 특정법인과의 거래를 통한 이익의 증여의제

6 증여추정

1. 배우자 등에게 양도한 재산의 증여추정

(1) 직접양도

배우자 또는 직계존비속(이하 '배우자 등'이라 함)에게 양도한 재산은 양도자가 그 재산을 양도한 때에 그 재산의 가액을 배우자 등이 증여받은 것으로 추정하여 이를 배우자 등의 증여재산가액으로 한다.

(2) 우회양도

특수관계인에게 양도한 재산을 그 특수관계인(이하 '양수자'라 함)이 양수일부터 3년 이내에 당초 양도자의 배우자 등에게 다시 양도한 경우에는 양수자가 그 재산을 양도한 당시의 재산가액을 그 배우자 등이 증여받은 것으로 추정하여 이를 배우자 등의 증여재산가액으로 한다. 다만, 당초 양도자 및 양수자가 부담한 「소득세법」에 따른 결정세액을 합친 금액이 양수자가 그 재산을 양도한 당시의 재산가액을 당초 그 배우자 등이 증여받은 것으로 추정할 경우의 증여세액보다 큰 경우에는 그러하지 아니하다.

(3) 이중과세 조정

해당 배우자 등에게 증여세가 부과된 경우에는 「소득세법」의 규정에도 불구하고 당초 양도자 및 양수자에게 그 재산 양도에 따른 소득세를 부과하지 아니한다.

(4) 증여추정 배제

해당 재산이 다음의 어느 하나에 해당하는 경우에는 위의 증여추정을 적용하지 아니한다.

① 법원의 결정으로 경매절차에 따라 처분된 경우

② 파산선고로 인하여 처분된 경우

③ 「국세징수법」에 따라 공매된 경우

④ 「자본시장과 금융투자업에 관한 법률」에 따른 증권시장을 통하여 유가증권이 처분된 경우. 다만, 불특정 다수인 간의 거래에 의하여 처분된 것으로 볼 수 없는 경우로서 시간외대량매매방법으로 매매된 것(당일 종가로 매매된 것은 제외)은 제외한다.

⑤ 배우자 등에게 대가를 받고 양도한 사실이 명백히 인정되는 경우로 다음의 경우

   ㉠ 권리의 이전이나 행사에 등기 또는 등록을 요하는 재산을 서로 교환한 경우

   ㉡ 당해 재산의 취득을 위하여 이미 과세(비과세 또는 감면받은 경우를 포함)받았거나 신고한 소득금액 또는 상속 및 수증재산의 가액으로 그 대가를 지급한 사실이 입증되는 경우

   ㉢ 당해 재산의 취득을 위하여 소유재산을 처분한 금액으로 그 대가를 지급한 사실이 입증되는 경우

2. 재산 취득자금 등의 증여추정

(1) 재산 취득자금

재산 취득자의 직업 · 연령 · 소득 및 재산 상태 등으로 볼 때 재산을 자력으로 취득하였다고 인정하기 어려운 경우로서 그 재산을 취득한 때에 그 재산의 취득자금을 그 재산 취득자가 증여받은 것으로 추정하여 이를 그 재산 취득자의 증여재산가액으로 한다.❶

(2) 채무상환

채무자의 직업 · 연령 · 소득 · 재산 상태 등으로 볼 때 채무를 자력으로 상환(일부 상환을 포함)하였다고 인정하기 어려운 경우로서 그 채무를 상환한 때에 그 상환자금을 그 채무자가 증여받은 것으로 추정하여 이를 그 채무자의 증여재산가액으로 한다.

(3) 증여재산가액

입증되지 않은 금액이 다음의 금액에 미달하는 경우에는 증여추정을 적용하지 않는다. 다만, 증여추정에 해당되는 경우 다음의 기준금액을 차감 후의 금액이 증여추정이 되는 것이 아니라 전액을 증여로 추정하여 계산한다.

Min(①, ②)

① 취득재산가액 또는 채무상환금액 × 20%

② 2억 원

❶ 「금융실명거래 및 비밀보장에 관한 법률」에 따라 실명이 확인된 계좌 또는 외국의 관계 법령에 따라 이와 유사한 방법으로 실명이 확인된 계좌에 보유하고 있는 재산은 명의자가 그 재산을 취득한 것으로 추정하여 증여추정을 적용한다.

❶
일정한 금액 이하란 재산취득일 전 또는 채무상환일 전 10년 이내에 해당 재산 취득자금 또는 해당 채무 상환자금의 합계액이 5천만 원 이상으로서 연령·세대주·직업·재산상태·사회경제적 지위 등을 고려하여 국세청장이 정하는 금액을 말한다.

❷ 명의신탁증여의제 증여시기

1. 실제소유자가 타인을 명의자로 등기·명의개서를 한 경우: 그 명의자로 등기·명의개서 등을 한 날
2. 실제소유자가 명의개서를 해야하는 주식 등의 소유권을 취득하였으나 명의개서를 하지 않은 경우: 소유권 취득일이 속하는 해의 다음 해 말일의 다음 날

(4) 적용배제

취득자금 또는 상환자금이 직업·연령·소득·재산 상태 등을 고려하여 일정한 금액 이하**❶**인 경우와 취득자금 또는 상환자금의 출처에 관한 충분한 소명이 있는 경우에는 위 규정을 적용하지 아니한다.

7 증여의제

1. 명의신탁재산의 증여의제**❷**

(1) 개념

권리의 이전이나 그 행사에 등기 등이 필요한 재산(토지와 건물은 제외)의 실제소유자와 명의자가 다른 경우에는 「국세기본법」의 실질과세원칙에도 불구하고 그 명의자로 등기 등을 한 날(그 재산이 명의개서를 하여야 하는 재산인 경우에는 소유권취득일이 속하는 해의 다음 해 말일의 다음 날)에 그 재산의 가액(그 재산이 명의개서를 하여야 하는 재산인 경우에는 소유권취득일을 기준으로 평가한 가액)을 실제소유자가 명의자에게 증여한 것으로 본다.

(2) 증여의제배제

다음의 어느 하나에 해당하는 경우에는 증여의제를 적용하지 않는다.

① 조세 회피의 목적 없이 타인의 명의로 재산의 등기 등을 하거나 소유권을 취득한 실제소유자 명의로 명의개서를 하지 아니한 경우

②「자본시장과 금융투자업에 관한 법률」에 따른 신탁재산인 사실의 등기 등을 한 경우

③ 비거주자가 법정대리인 또는 재산관리인의 명의로 등기 등을 한 경우

(3) 조세회피 목적의 추정

타인의 명의로 재산의 등기 등을 한 경우 및 실제소유자 명의로 명의개서를 하지 아니한 경우에는 조세회피 목적이 있는 것으로 추정한다. 다만, 실제소유자 명의로 명의개서를 하지 아니한 경우로서 다음의 어느 하나에 해당하는 경우에는 조세회피 목적이 있는 것으로 추정하지 아니한다.

① 매매로 소유권을 취득한 경우로서 종전 소유자가 「소득세법」에 따른 양도소득 과세표준신고 또는 「증권거래세법」에 따른 신고와 함께 소유권 변경 내용을 신고하는 경우

② 상속으로 소유권을 취득한 경우로서 상속인이 다음의 어느 하나에 해당하는 신고와 함께 해당 재산을 상속세 과세가액에 포함하여 신고한 경우. 다만, 상속세 과세표준과 세액을 결정 또는 경정할 것을 미리 알고 수정신고 하거나 기한후신고를 하는 경우는 제외한다.

㉠ 상속세 과세표준신고

ⓛ 「국세기본법」에 따른 수정신고

ⓒ 「국세기본법」에 따른 기한후신고

(4) 명의자의 물적납세의무

실제소유자가 명의신탁증여의제에 따른 증여세 또는 강제징수비를 체납한 경우에 그 실제소유자의 다른 재산에 대하여 강제징수를 집행하여도 징수할 금액에 미치지 못하는 경우에는 「국세징수법」에서 정하는 바에 따라 명의신탁재산의 명의자에게 증여한 것으로 보는 재산으로써 납세의무자인 실제소유자의 증여세·가산금 또는 강제징수비를 징수할 수 있다.

2. 특수관계법인과의 거래를 통한 이익의 증여의제

법인이 다음 (1)에 해당하는 경우에는 그 법인(이하 '수혜법인'이라 함)의 지배주주와 그 지배주주의 친족[수혜법인의 발행주식총수 또는 출자총액에 대하여 직접 또는 간접으로 보유하는 주식보유비율(이하 '주식보유비율'이라 함)이 대통령령으로 정하는 보유비율(이하 '한계보유비율'이라 함)을 초과하는 주주에 한정한다]이 (2)의 이익(이하 '증여의제이익'이라 함)을 각각 증여받은 것으로 본다.

(1) 수혜법인

다음의 어느 하나에 해당하는 법인이 수혜법인에 해당한다.

① 법인이 중소기업 또는 중견기업에 해당하는 경우: 법인의 사업연도 매출액(기업회계기준에 따라 계산한 매출액) 중에서 그 법인의 지배주주와 대통령령으로 정하는 특수관계에 있는 법인(이하 '특수관계법인'이라 함)에 대한 매출액(「독점규제 및 공정거래에 관한 법률」에 따른 공시대상기업집단 간의 교차거래 등으로서 대통령령으로 정하는 거래에서 발생한 매출액을 포함)이 차지하는 비율(이하 '특수관계법인거래비율'이라 함)이 그 법인의 규모 등을 고려한 정상거래비율을 초과하는 경우

② 법인이 중소기업 및 중견기업에 해당하지 아니하는 경우로 다음의 어느 하나에 해당하는 법인이 수혜법인에 해당된다.

ⓐ ①에 따른 사유에 해당하는 경우

ⓑ 특수관계법인거래비율이 정상거래비율의 3분의 2를 초과하는 경우로서 특수관계법인에 대한 매출액이 법인의 규모 등을 고려하여 대통령령으로 정하는 금액을 초과하는 경우

(2) 증여의제이익

다음의 구분에 따른 계산식에 따라 계산한 금액을 말한다.

① 수혜법인이 중소기업에 해당하는 경우

> 수혜법인의 세후영업이익 × 정상거래비율을 초과하는 특수관계법인거래
> 비율 × 한계보유비율을 초과하는 주식보유비율

② 수혜법인이 중견기업에 해당하는 경우

> 수혜법인의 세후영업이익 × 정상거래비율의 50%를 초과하는 특수관계
> 법인거래비율 × 한계보유비율의 50%를 초과하는 주식보유비율

③ 수혜법인이 중소기업 및 중견기업에 해당하지 아니하는 경우

> 수혜법인의 세후영업이익 × 5%를 초과하는 특수관계법인거래비율 × 주
> 식보유비율

증여의제이익의 계산시 지배주주와 지배주주의 친족이 수혜법인에 직접적으로 출자하는 동시에 대통령령으로 정하는 법인을 통하여 수혜법인에 간접적으로 출자하는 경우에는 증여의제이익의 계산식에 따라 각각 계산한 금액을 합산하여 계산한다.

(3) 정상거래비율과 한계보유비율

구분	정상거래비율	한계보유비율
일반법인	30%	3%
중소기업 또는 중견기업	50%(중견기업 40%)	10%

(4) 증여세 신고

증여의제이익의 증여시기는 수혜법인의 해당 사업연도 종료일로 하며, 증여의제이익에 대한 증여세 과세표준신고기한은 수혜법인의 법인세 과세표준의 신고기한이 속하는 달의 말일부터 3개월이 되는 날로 한다.

(5) 이중과세조정

① 배당소득: 지배주주 등이 수혜법인의 사업연도 말부터 증여세 과세표준신고기한까지 수혜법인 또는 간접출자법인으로부터 배당받은 소득이 있는 경우에는 일정금액을 해당 출자관계의 증여의제이익에서 공제한다.

② 주식의 양도소득: 증여의제규정에 따라 증여세가 과세된 경우에는 양도소득세 과세대상 주식의 취득가액에 가산한다.

3. 특수관계법인으로부터 제공받은 사업기회로 발생한 이익의 증여의제

(1) 개념

지배주주와 그 친족(이하 '지배주주 등'이라 함)의 주식보유비율이 30% 이상인 법인(이하 '수혜법인'이라 함)이 지배주주와 일정한 특수관계에 있는 법인(중소기업과 수혜법인이 본인의 주식보유비율이 50% 이상인 법인은 제외)으로부터 일정한 방법❶으로 사업기회를 제공받는 경우에는 그 사업기회를 제공받은 날(이하 '사업기회제공일'이라 함)이 속하는 사업연도(이하 '개시사업연도'라 함)의 종료일에 그 수혜법인의 지배주주 등이 증여의제이익을 증여받은 것으로 본다.

(2) 과세표준 신고기한

증여의제규정에 따른 증여세 과세표준의 신고기한은 개시사업연도의 법인세 과세표준의 신고기한이 속하는 달의 말일부터 3개월이 되는 날로 한다.

(3) 정산

증여의제이익이 발생한 수혜법인의 지배주주 등은 개시사업연도부터 사업기회제공일 이후 2년이 경과한 날이 속하는 사업연도(이하 '정산사업연도'라 함)까지 수혜법인이 제공받은 사업기회로 인하여 발생한 실제 이익을 반영하여 계산한 정산증여의제이익에 대한 증여세액과 납부한 증여의제이익에 대한 증여세액과의 차액을 관할세무서장에게 납부하여야 한다.

(4) 이중과세

지배주주 등이 수혜법인의 사업연도 말부터 증여세 과세표준신고기한까지 수혜법인으로부터 배당받은 소득이 있는 경우에는 일정금액을 증여의제이익에서 공제한다.

4. 특정법인과의 거래를 통한 이익의 증여의제

(1) 개념

다음의 어느 하나에 해당하는 법인(이하 '특정법인'이라 함)의 일정한 주주 등과 특수관계에 있는 자가 그 특정법인과 거래를 하는 경우에는 거래를 한 날을 증여일로 하여 그 특정법인의 이익에 특정법인의 주주 등의 주식보유비율을 곱하여 계산한 금액을 그 특정법인의 주주 등이 증여받은 것으로 본다.

① 증여일이 속하는 사업연도의 직전사업연도까지 결손금이 있는 법인

② 증여일 현재 휴업 또는 폐업 상태인 법인

③ 증여일 현재 ① 및 ②에 해당하지 아니하는 법인으로서 지배주주와 그 친족의 주식보유비율이 50% 이상인 법인

❶
일정한 방법이란 특수관계법인이 직접 수행하거나 다른 사업자가 수행하고 있던 사업기회를 임대차계약·입점계약 등 기획재정부령으로 정하는 방법으로 제공하는 경우를 말한다.

(2) **특정법인과 거래**

① 재산이나 용역을 무상으로 제공하는 것

② 재산이나 용역을 통상적인 거래 관행에 비추어 볼 때 현저히 낮은 대가로 양도·제공하는 것

③ 재산이나 용역을 통상적인 거래 관행에 비추어 볼 때 현저히 높은 대가로 양도·제공받는 것

④ 해당 법인의 채무를 면제·인수 또는 변제하는 것. 다만, 해당 법인이 해산(합병 또는 분할에 의한 해산은 제외) 중인 경우로서 주주 등에게 분배할 잔여재산이 없는 경우는 제외한다.

⑤ 시가보다 낮은 가액으로 해당 법인에 현물출자하는 경우

(3) **신고기한**

증여세 과세표준 신고기한은 특정법인의 법인세 과세표준의 신고기한이 속하는 달의 말일부터 3개월이 되는 날로 한다.

01 부담부증여에 대한 설명으로 옳지 않은 것은?　　　　2021년 7급

　① 부담부증여 시 수증자가 부담하는 채무액에 해당하는 부분은 양도로 본다.

　② 직계존비속 간의 부담부증여의 경우 인수되는 채무가 국가 및 지방자치단체에 대한 채무라 하더라도 그 채무액은 수증자에게 인수되지 않는 것으로 추정한다.

　③ 부담부증여 시 수증자의 증여세 과세가액은 증여일 현재 「상속세 및 증여세법」에 따른 증여재산가액(합산배제증여재산의 가액은 제외)을 합친 금액에서 그 증여재산에 담보된 채무로서 수증자가 인수한 금액을 뺀 금액으로 한다.

　④ 부담부증여의 채무액에 해당하는 부분으로서 양도로 보는 경우 그 양도일이 속하는 달의 말일부터 3개월 내에 양도소득과세표준을 납세지 관할 세무서장에게 신고하여야 한다.

01
부담부증여의 경우 채무에 해당하는 금액이 국가 등에 대한 채무로 객관적으로 인정되는 경우에는 증여추정을 적용하지 않는다.

03 재산의 평가

◐ 평가기간

평가기준일 전후 6개월(증여재산의 경우에는 평가기준일 전 6개월부터 평가기준일 후 3개월)을 말한다.

❷

다음의 경우는 제외한다.
1. 특수관계인과의 거래 등으로 그 거래가액이 객관적으로 부당하다고 인정되는 경우
2. 거래된 비상장주식의 액면가액 합계액이 액면가액 기준 발행주식총액(자본금)의 1%와 3억 원 중에 적은 금액에 미달하는 경우(평가심의위원회의 자문을 거쳐 그 거래가액이 거래의 관행상 정당한 사유가 있다고 인정되는 경우는 제외)

❸

감정가액을 결정할 때에는 둘 이상의 감정기관(기준시가 10억 원 이하의 부동산의 경우에는 하나 이상의 감정기관) 감정을 의뢰하여야 한다. 이 경우 납세자가 제시한 감정기관의 감정가액이 세무서장 등이 다른 감정기관에 의뢰하여 평가한 재감정가액의 80%에 미달하는 경우에 세무서장 등은 평가심의위원회의 심의를 거쳐 1년의 범위에서 기간을 정하여 해당 감정기관을 시가불인정 감정기관으로 지정할 수 있으며, 시가불인정 감정기관으로 지정된 기간 동안 해당 시가불인정 감정기관이 평가하는 감정가액은 시가로 보지 않는다.

❹

다음의 경우는 제외한다.
1. 물납한 재산을 상속인 또는 그의 특수관계인이 경매·공매로 취득한 경우
2. 경매 또는 공매받은 비상장주식의 가액(액면가액의 합계액)이 액면가액의 합계액으로 계산한 해당 법인의 발행주식총수 또는 출자총액의 1%에 해당하는 금액과 3억 원 중 적은 금액 미만인 경우
3. 경매·공매절차의 개시후 관련 법령이 정하는 바에 따라 수의계약에 의하여 취득하는 경우

1 평가 원칙

1. 시가평가

(1) 상속세나 증여세가 부과되는 재산의 가액은 상속개시일 또는 증여일(이하 '평가기준일'이라 함) 현재의 시가에 따른다. 이 경우 상장법인의 주식 등에 대한 보충적 평가방법에 의하여 평가한 가액(공개목적주식 등에 대한 평가액은 제외)을 시가로 본다.

(2) 다만, 상속재산에 가산하는 증여재산가액은 증여일 현재의 시가에 따른다.

2. 시가의 범위

(1) **시가**

시가는 불특정 다수인 사이에 자유롭게 거래가 이루어지는 경우에 통상적으로 성립된다고 인정되는 가액으로 하고 수용가격·공매가격 및 감정가격 등 시가로 인정되는 것을 포함한다.

(2) **시가로 인정되는 것**

수용가격·공매가격 및 감정가격 등 시가로 인정되는 것이란 평가기간❶ 이내의 기간 중 매매·감정·수용·경매(「민사집행법」에 따른 경매를 포함) 또는 공매가 있는 경우에 다음의 어느 하나에 따라 확인되는 가액을 말한다.

① 해당 재산에 대한 매매사실이 있는 경우에는 그 거래가액❷

② 해당 재산(주식을 제외)에 대하여 2 이상의 공신력 있는 감정기관이 평가한 감정가액이 있는 경우에는 그 감정가액의 평균액❸

③ 해당 재산에 대하여 수용·경매 또는 공매사실이 있는 경우에는 그 보상가액·경매가액 또는 공매가액❹

(3) **평가기준일**

(2)의 규정을 적용할 때 해당 가액이 평가기준일 전후 6개월(증여재산의 경우 평가기준일 전 6개월부터 평가기준일 후 3개월로 함) 이내에 해당하는지는 매매계약일·가격산정기준일과 감정가액평가서 작성일·보상가액 등이 결정된 날을 기준으로 하여 판단한다.

(4) 둘 이상 가액이 있는 경우

(2)의 규정에 따라 시가로 보는 가액이 둘 이상인 경우에는 평가기준일을 전후하여 가장 가까운 날에 해당하는 가액을 적용한다.

(5) 유사매매사례가액

유사매매사례가액은 당해 재산과 면적·위치·용도·종목 및 기준시가가 동일하거나 유사한 다른 재산에 대한 매매 등의 가액[상속세 또는 증여세 과세표준을 신고한 경우에는 평가기준일 전 6개월(증여의 경우에는 평가기준일 전 6개월부터 평가기준일 후 3개월로 함)부터 평가기간 이내의 신고일까지의 가액을 말한다]이 있는 경우에는 당해 가액을 시가로 본다.

2 시가의 산정이 어려운 경우 보충적 평가방법

1. 유형자산의 평가

(1) 토지와 건물

구분	평가액
토지	개별공시지가[1]
건물	국세청장이 산정·고시하는 가액
오피스텔 및 상업용건물	국세청장이 토지와 건물가액을 일괄하여 산정·고시한 가액
주택	「부동산 가격공시에 관한 법률」에 따른 개별주택가격 및 공동주택가격(국세청장이 결정·고시한 공동주택가격이 있는 때에는 그 가격을 말하며, 고시주택가격이라 함)

(2) 지상권 등의 평가

구분	평가액
지상권	$\sum \dfrac{\text{지상권이 설정되어 있는 토지의 가액} \times 2\%}{(1+10\%)^n}$ n: 지상권의 잔존연수(「민법」에 규정된 지상권의 존속기간)
부동산을 취득할 수 있는 권리 및 특정시설물을 이용할 수 있는 권리의 가액	평가기준일까지 납입한 금액과 평가기준일 현재의 프리미엄에 상당하는 금액을 합한 금액(다만, 해당 권리에 대하여 「소득세법」에 따른 기준시가가 있는 경우 해당 가액으로 함)

(3) 기타 유형자산

구분	평가액
선박·항공기·차량·기계장비 및 입목	처분할 경우 다시 취득할 수 있다고 예상되는 가액[2]
상품·제품·반제품·재공품·원재료 기타 이에 준하는 동산 및 소유권의 대상이 되는 동산	그것을 처분할 때에 취득할 수 있다고 예상되는 가액(다만, 그 가액이 확인되지 아니하는 경우에는 장부가액으로 함)

2. 유가증권의 평가

(1) 주권상장주식과 코스닥시장상장주식

① 유가증권시장과 코스닥시장에서 거래되는 주권상장법인의 주식 등은❷ 평가기준일❸ 이전 · 이후 각 2개월간에 공표된 매일의 거래소 최종시세가액(거래실적 유무를 따지지 않음)의 평균액으로 평가한다.

② 다만, 합병으로 인한 이익을 계산할 때 합병(분할합병을 포함)으로 소멸하거나 흡수되는 법인 또는 신설되거나 존속하는 법인이 보유한 상장주식의 시가는 평가기준일 현재의 거래소 최종시세가액으로 한다.

(2) 비상장법인의 주식

① 일반법인의 평가방법

> Max(㉠, ㉡)
> ㉠ 1주당 평가액 = (1주당 순손익가치 × 3 + 1주당 순자산가치 × 2) ÷ 5
> ㉡ 1주당 순자산가치 × 80%

② 부동산과다법인❹의 평가방법

> Max(㉠, ㉡)
> ㉠ 1주당 평가액 = (1주당 순손익가치 × 2 + 1주당 순자산가치 × 3) ÷ 5
> ㉡ 1주당 순자산가치 × 80%

③ 순자산가치에 따라 평가하는 특례

  ㉠ 상속세 및 증여세 과세표준 신고기한 이내에 평가대상 법인의 청산절차가 진행 중이거나 사업자의 사망 등으로 인하여 사업의 계속이 곤란하다고 인정되는 법인의 주식 등

  ㉡ 사업개시 전의 법인, 사업개시 후 3년 미만의 법인 또는 휴업 · 폐업 중인 법인의 주식 등

  ㉢ 법인의 자산총액 중 토지 · 건물 · 부동산에 관한 권리가 차지하는 비율이 80% 이상인 법인의 주식

---

❶
다만, 그 가액이 국세청장이 위촉한 3인 이상의 전문가로 구성된 감정평가심의회에서 감정한 감정가액에 미달하는 경우에는 그 감정가액에 의한다.

❷
평가기준일 전후 2개월 이내에 거래소가 정하는 기준에 따라 매매거래가 정지되거나 관리 종목으로 지정된 기간의 일부 또는 전부가 포함되는 경우(기획재정부령으로 정하는 경우는 제외)는 제외한다.

❸ 평가기준일
평가기준일이 공휴일, 대체공휴일, 매매거래가 없는 토요일인 경우에는 그 전일을 기준으로 한다.

❹ 부동산과다법인
부동산과다법인은 토지 · 건물 · 부동산에 관한 권리가 자산총액 중 50% 이상인 법인을 말한다.

    ⓔ 해당 법인의 자산총액 중 주식 등의 가액의 합계액이 차지하는 비율이
      80% 이상인 법인의 주식

    ⓜ 법인의 설립시부터 존속기한이 확정된 법인으로서 평가기준일 현재 잔
      여 존속기한이 3년 이내인 법인의 주식

④ **최대주주가 보유한 주식 등에 대한 할증평가:** 최대주주❶ 및 그의 특수관계
에 해당하는 주주 등(중소기업, 중견기업❷ 및 평가기준일이 속하는 사업
연도 전 3년 이내의 사업연도부터 계속하여 「법인세법」에 따른 결손금이
있는 법인의 주식 등 등 대통령령으로 정하는 주식 등은 제외)에 대해서는
위 (1)과 (2)의 평가액에 20%를 가산한다.

⑤ **기타 유가증권**❸

구분	평가액
국채 · 공채 · 사채 (전환사채 제외)	㉠ 거래소에서 거래되는 경우 Max(ⓐ, ⓑ) ⓐ 평가기준일 이전 2개월간의 최종시세가액의 평균액 ⓑ 평가기준일 이전 최근일의 최종시세가액 ㉡ ㉠ 외의 경우 ⓐ 타인으로부터 매입한 국채 등(국채 등의 발행기관 및 발행회사로부터 액면가액으로 직접 매입한 것은 제외): 매입가액에 평가기준일까지의 미수이자상당액을 더한 금액 ⓑ 위 외의 국채 등: 평가기준일 현재 그것을 처분하여 받을 수 있다고 예상되는 금액
대부금 · 외상매출금 · 받을어음 등	원본의 회수기간 · 약정이자율 및 금융시장에서 형성되는 평균이자율 등을 감안하여 다음에 정하는 바에 따라 평가한 가액으로 한다. 다만, 채권의 전부 또는 일부가 평가기준일 현재 회수불가능한 것으로 인정되는 경우에는 그 가액을 산입하지 아니한다. ㉠ 원본의 회수기간이 5년을 초과하거나 회사정리절차 · 회의 절차 개시 등으로 당초 채권의 내용이 변경된 경우에는 각 연도에 회수할 금액(원본＋이자상당액)을 현재가치로 할인한 금액의 합계액으로 한다. ㉡ 위 외의 경우는 원본의 가액에 평가기준일까지의 미수이자 상당액을 가산한 금액
집합투자증권	집합투자증권의 평가는 평가기준일 현재의 거래소의 기준가격으로 하거나 집합투자업자 또는 투자회사가 산정 · 공고한 기준가격으로 한다. 다만, 평가기준일 현재의 기준가격이 없는 경우에는 평가기준일 현재의 환매가격 또는 평가기준일 전 가장 가까운 날의 기준가격으로 한다.
예금 · 저금 · 적금	평가기준일 현재의 예입총액 ＋ 이미 지난 미수이자상당액 － 원천징수세액

❶ **최대주주**

최대주주란 주주 1인과 그의 특수관계인의 보유주식을 합하여 그 보유주식의 합계가 가장 많은 경우의 해당 주주를 말한다. 이 경우 보유주식수를 계산함에 있어서는 해당 주식의 상속개시일 또는 증여일부터 소급하여 1년 이내에 양도하거나 증여한 주식을 합산하여 계산한다.

❷ **할증평가 제외 중견기업**

상속개시일 또는 증여일이 속하는 소득세 과세기간 또는 법인세 사업연도의 직전 3개 소득세 과세기간 또는 법인세 사업연도의 매출액의 평균금액이 5천억 원 미만인 중견기업을 말한다.

❸ **가상자산**

1. 특정 금융거래정보의 보고 및 이용에 관한 법률에 따라 신고가 수리된 가상자산사업자 중 국세청장이 고시하는 가상자산사업자의 사업장에서 거래되는 가상자산: 평가기준일 이전 · 이후 각 1개월 동안에 해당 가상자산 사업자가 공시하는 일평균가액의 평균액

2. 그 밖의 가상자산: 위 1.에 해당하는 가상자산사업자 외의 가상자산사업자 및 이에 준하는 사업자의 사업장에서 공시하는 거래일의 일평균가액 또는 종료시각에 공시된 시세가액 등 합리적으로 인정되는 가격

저당권 등이 설정된 재산은 다음과 같다.
1. 저당권, 「동산·채권 등의 담보에 관한 법률」에 따른 담보권 또는 질권이 설정된 재산
2. 양도담보재산
3. 전세권이 등기된 재산(임대보증금을 받고 임대한 재산을 포함)
4. 위탁자의 채무이행을 담보할 목적으로 대통령령으로 정하는 신탁계약을 체결한 재산[개정]

❷
해당 재산에 담보하는 채권액 등은 다음과 같다.
1. **저당권이 설정된 재산**: 그 재산이 담보하는 채권액
2. **공동저당권이 설정된 재산**: 그 재산이 담보하는 채권액을 공동저당된 재산의 평가기준일 현재의 가액으로 안분하여 계산한 금액
3. **근저당권이 설정된 재산**: 평가기준일 현재의 그 재산이 담보하는 채권액
4. **질권이 설정된 재산 및 양도담보재산**: 해당 재산이 담보하는 채권액
5. **전세권이 등기된 재산(임대보증금을 받고 임대한 재산 포함)**: 등기된 전세금(임대보증금을 받고 임대한 경우에는 임대보증금)

3. 저당권이 설정된 재산❶의 평가

Max(①, ②)
① 평가기준일 현재의 시가 또는 보충적 평가방법에 의한 평가액
② 해당 재산이 담보하는 채권액 등을 기준❷으로 한 평가액

4. 외화자산 및 부채의 평가

외화자산 및 부채는 평가기준일 현재 「외국환거래법」에 따른 기준환율 또는 재정환율에 따라 환산한 가액을 기준으로 평가한다.

5. 가상자산 평가

「특정 금융거래정보의 보고 및 이용 등에 관한 법률」에 따른 가상자산은 해당 자산의 거래규모 및 거래방식 등을 고려하여 다음의 구분에 따른 방법으로 평가한다.

(1) **「특정 금융거래정보의 보고 및 이용 등에 관한 법률」에 따라 가상자산사업자의 상호, 성명 등의 신고가 수리된 가상자산사업자 중 국세청장이 고시하는 가상자산사업자의 사업장에서 거래되는 가상자산**

평가기준일 전·이후 각 1개월 동안에 해당 가상자산사업자가 공시하는 일평균가액의 평균액

(2) **그 밖의 가상자산**

위 (1)에 해당하는 가상자산사업자 외의 가상자산사업자 및 이에 준하는 사업자의 사업장에서 공시하는 거래일의 일평균가액 또는 종료시각에 공시된 시세가액 등 합리적으로 인정되는 가액

6. 국외재산에 대한 평가

(1) 외국에 있는 상속 또는 증여재산으로서 시가 또는 보충적평가액을 적용하는 것이 부적당한 경우에는 당해 재산이 소재하는 국가에서 양도소득세·상속세 또는 증여세 등의 부과목적으로 평가한 가액을 평가액으로 한다.

(2) (1) 규정에 의한 평가액이 없는 경우에는 세무서장 등이 2 이상의 국내 또는 외국의 감정기관(상속 또는 증여재산이 주식 등인 경우 기획재정부령으로 정하는 신용평가전문기관, 「공인회계사법」에 따른 회계법인 또는 「세무사법」에 따른 세무법인을 포함한다)에 의뢰하여 감정한 가액을 참작하여 평가한 가액에 의한다.

04 상속세 및 증여세 납세절차

1 신고

1. 상속세 신고

상속세 납부의무가 있는 상속인 또는 수유자는 상속개시일이 속하는 달의 말일부터 6개월(피상속인 또는 상속인이 국외에 주소를 둔 경우에는 9개월) 이내에 상속세의 과세가액 및 과세표준을 납세지 관할세무서장에게 신고하여야 한다.

2. 증여세 신고

(1) 증여세 납부의무가 있는 자는 증여받은 날이 속하는 달의 말일부터 3개월 이내에 증여세의 과세가액 및 과세표준을 납세지 관할세무서장에게 신고하여야 한다.

(2) 다만, 비상장주식의 상장 또는 법인의 합병 등에 따른 증여세 과세표준 정산 신고기한은 정산기준일이 속하는 달의 말일부터 3개월이 되는 날로 하며, 특정법인과의 거래를 통한 이익의 증여의제 및 특정법인과의 거래를 통한 이익의 증여의제에 따른 증여세 과세표준 신고기한은 수혜법인 또는 특정법인의 법인세 과세표준의 신고기한이 속하는 달의 말일부터 3개월이 되는 날로 한다.

2 납부

1. 자진납부

상속세 또는 증여세를 신고하는 자는 각 신고기한까지 각 산출세액에서 다음의 규정된 금액을 뺀 금액을 납세지 관할세무서, 한국은행 또는 우체국에 납부하여야 한다.

```
        신 고 납 부 세 액
  (-)   분     납     세     액
  (-)   연 부 연 납 세 액
  (-)   물     납     세     액
        차 감 납 부 세 액
```

2. 분납

상속세 또는 증여세의 납부할 금액이 1천만 원을 초과하는 경우에는 다음의 금액을 납부기한이 지난 후 2개월 이내에 분할납부할 수 있다. 다만, 연부연납을 허가받은 경우에는 그러하지 아니한다.

납부할 세액	분납세액
2,000만 원 이하인 경우	1,000만 원을 초과하는 금액
2,000만 원 초과하는 경우	납부할 세액의 50% 이하의 금액

3. 연부연납

(1) 연부연납의 요건

납세지 관할세무서장은 상속세 납부세액이나 증여세 납부세액이 2천만 원을 초과하는 경우에는 납세의무자의 신청을 받아 연부연납을 허가할 수 있다. 이 경우 납세의무자는 담보를 제공하여야 하며, 「국세기본법」의 규정에 따른 납세담보를 제공하여 연부연납 허가를 신청하는 경우에는 그 신청일에 연부연납을 허가받은 것으로 본다.

(2) 연부연납기간

연부연납기간은 다음의 구분에 따른 기간의 범위에서 납세의무자가 신청한 기간으로 한다. 다만, 각 회분의 분할납부세액이 1천만 원을 초과하도록 연부연납기간을 정하여야 한다.

구분	연부연납기간
상속세	상속세의 연부연납은 다음에 따른 기간으로 한다. ① 가업상속 공제를 받았거나 법으로 정한 요건에 따라 중소기업 또는 중견기업을 상속받은 경우 상속재산(사립유치원에 직접 사용하는 교지(校地), 실습지(實習地), 교사(校舍) 등의 상속재산 포함): 연부연납 허가일부터 20년 또는 연부연납 허가 후 10년이 되는 날부터 10년 ② 그 밖의 상속재산의 경우: 연부연납 허가일부터 10년
증여세	연부연납 허가일부터 5년

(3) 연부연납금액

연부연납금액 = 연부연납대상금액 ÷ (연부연납기간 + 1)

(4) 연부연납 가산금

연부연납의 허가를 받은 자는 다음 금액의 각 회분의 분할납부세액에 가산하여 납부하여야 한다.

① 처음의 분할납부세액에 대해서는 연부연납을 허가한 총세액에 대하여 신고기한 또는 납부고지서에 의한 납부기한의 다음날부터 해당 분할납부 세액의 납부기한까지의 일수에 국세청장이 고시하는 율을 곱하여 계산한 금액

② ① 이외의 경우에는 연부연납을 허가한 총세액에서 직전 회까지 납부한 분할납부세액의 합계액을 뺀 잔액에 대하여 직전회의 분할납부세액 납부기한의 다음날부터 해당 분할납부기한까지의 일수에 「국세기본법」의 국세환급가산율을 곱하여 계산한 금액

(5) 연부연납취소

납세지 관할세무서장은 연부연납을 허가받은 납세의무자가 다음의 어느 하나에 해당하게 된 경우에는 연부연납 허가를 취소하거나 변경하고, 그에 따라 연부연납에 관계되는 세액의 전액 또는 일부를 징수할 수 있다.

① 연부연납 세액을 지정된 납부기한(제1항 후단에 따라 허가받은 것으로 보는 경우에는 연부연납 세액의 납부 예정일)까지 납부하지 아니한 경우

② 담보의 변경 또는 그 밖에 담보 보전(保全)에 필요한 관할세무서장의 명령에 따르지 아니한 경우

③ 「국세징수법」에 따른 납부기한 전 징수사유에 해당되어 그 연부연납기한까지 그 연부연납에 관계되는 세액의 전액을 징수할 수 없다고 인정되는 경우

④ 상속받은 사업을 폐업하거나 해당 상속인이 그 사업에 종사하지 아니하게 된 경우 등

⑤ 「유아교육법」에 따른 사립유치원에 직접 사용하는 재산 등을 해당 사업에 직접 사용하지 아니하는 경우 등

4. 물납

(1) 물납요건

납세지 관할세무서장은 다음의 요건을 모두 갖춘 경우에는 납세의무자의 신청을 받아 물납을 허가할 수 있다. 다만, 물납을 신청한 재산의 관리 · 처분이 적당하지 아니하다고 인정되는 경우에는 물납허가를 하지 아니할 수 있다.

① 상속재산(상속재산에 가산하는 증여재산 중 상속인 및 수유자가 받은 증여재산을 포함) 중 부동산과 유가증권(국내에 소재하는 부동산 등 대통령령으로 정하는 물납에 충당할 수 있는 재산으로 한정)의 가액이 해당 상속재산가액의 2분의 1을 초과할 것

② 상속세 납부세액이 2천만 원을 초과할 것

③ 상속세 납부세액이 상속재산가액 중 일정한 금융재산❶의 가액(상속 전에 증여한 재산으로 상속재산에 가산하는 증여재산가액은 포함하지 않음)을 초과할 것

(2) 물납에 충당할 수 있는 재산

물납에 충당할 수 있는 부동산 및 유가증권은 다음의 것으로 한다.

① 국내에 소재하는 부동산

② 국채 · 공채 · 주권 및 내국법인이 발행한 채권 또는 증권과 그 밖에 기획재정부령이 정하는 유가증권❷

❶
금전과 금융회사 등이 취급하는 예금 · 적금 · 부금 · 계금 · 출자금 · 특정금전신탁 · 보험금 · 공제금 및 어음을 말한다.

❷
다만, 다음 중 어느 하나에 해당하는 유가증권은 제외한다.
1. 거래소에 상장된 것. 다만, 최초로 거래소에 상장되어 물납허가통지서 발송일 전일 현재 「자본시장과 금융투자업에 관한 법률」에 따라 처분이 제한된 경우에는 그러하지 아니하다.
2. 비상장주식. 다만, 상속의 경우로서 그 밖의 다른 상속재산이 없거나 비상장주식보다 물납충당순서가 우선하는 상속재산으로 상속세 물납에 충당하더라도 부족하면 그러하지 아니하다.

(3) 충당순서

물납에 충당하는 재산은 세무서장이 인정하는 정당한 사유가 없는 한 다음의 순서에 의하여 신청 및 허가하여야 한다.

① 국채 및 공채

② 유가증권(국·공채 제외)으로서 거래소에 상장된 것

③ 국내에 소재하는 부동산(⑥ 제외)

④ 유가증권(①·②·⑤ 제외)

⑤ 물납대상인 비상장주식

⑥ 상속개시일 현재 상속인이 거주하는 주택 및 그 부수토지

(4) 물납신청의 범위

물납을 신청할 수 있는 납부세액은 다음 중 작은 금액을 초과할 수 없다.

① 상속재산 중 물납에 충당할 수 있는 부동산 및 유가증권의 가액에 대한 상속세 납부세액

② 상속세 납부세액에서 금융재산(입증된 금융회사 등에 대한 채무의 금액은 차감한 금액)과 거래소에 상장된 유가증권(법령에 따라 처분이 제한된 것은 제외)의 가액을 차감한 금액

(5) 비상장주식의 물납한도

거래소에 상장되어 있지 아니한 법인의 주식 등(비상장주식 등)으로 물납할 수 있는 납부세액은 상속세 납부세액에서 상속세 과세가액(비상장주식 등과 상속개시일 현재 상속인이 거주하는 주택 및 그 부수 토지의 가액을 차감한 금액)을 차감한 금액을 초과할 수 없다.

(6) 관리처분이 부적당한 재산의 물납

세무서장은 물납신청을 받은 재산이 다음 중 어느 하나에 해당하는 사유로 관리·처분상 부적당하다고 인정하는 경우에는 그 재산에 대한 물납허가를 하지 아니하거나 관리·처분이 가능한 다른 물납대상 재산으로의 변경을 명할 수 있다.

① 국내 소재하는 부동산

　㉠ 지상권·지역권·전세권·저당권 등 재산권이 설정된 경우

　㉡ 물납신청한 토지와 그 지상건물의 소유자가 다른 경우

　㉢ 토지의 일부에 묘지가 있는 경우

　㉣ ㉠부터 ㉢까지에 따른 사유와 유사한 사유로서 관리·처분이 부적당하다고 기획재정부령이 정하는 경우

② 국채 · 공채 · 주권 및 내국법인이 발행한 채권 또는 증권 등

      ⊙ 유가증권을 발행한 회사의 폐업 등으로 「부가가치세법」에 따라 관할세무서장이 사업자등록을 말소한 경우

      ⓛ 유가증권을 발행한 회사가 「상법」에 따른 해산사유가 발생하거나, 「채무자 회생 및 파산에 관한 법률」에 따른 회생절차 중에 있는 경우

      ⓒ 유가증권을 발행한 회사의 물납신청일 전 2년 이내 또는 물납신청시부터 허가시까지의 기간이 속하는 사업연도에 「법인세법」에 따른 결손금이 발생한 경우. 다만 납세지 관할세무서장이 「한국자산관리공사 설립 등에 관한 법률」에 따라 설립된 한국자산관리공사와 공동으로 물납 재산의 적정성을 조사하여 물납을 허용하는 경우는 제외

      ⓔ 유가증권을 발행한 회사가 물납신청일 전 2년 이내 또는 물납신청시부터 허가시까지의 기간이 속하는 사업연도에 「주식회사 등의 외부감사에 관한 법률」에 따른 회계감사 대상임에도 불구하고 감사인의 감사의견이 표명되지 않는 경우

      ⓜ ⊙부터 ⓔ까지에 따른 사유와 유사한 사유로서 관리 · 처분이 부적당하다고 기획재정부령이 정하는 경우

5. 문화재 등의 물납

(1) 물납요건

다음의 요건을 모두 갖춘 납세의무자는 상속재산에 문화재 및 미술품(이하 문화재 등이라 함)이 포함된 경우 납세지 관할 세무서장에게 해당 문화재 등에 대한 물납을 신청할 수 있다.

① 상속세 납부세액이 2천만 원을 초과할 것

② 상속세 납부세액이 상속재산가액 중 금융재산의 가액(상속재산에 가산하는 증여재산의 가액은 포함하지 아니함)을 초과할 것

(2) 물납절차

① 납세지 관할 세무서장은 문화재 등에 대한 물납 신청이 있는 경우 해당 물납 신청 내역 등을 문화체육관광부장관에게 통보하여야 한다.

② 문화체육관광부장관은 물납을 신청한 문화재 등이 역사적 · 학술적 · 예술적 가치가 있는 등 물납이 필요하다고 인정되는 경우 납세지 관할 세무서장에게 해당 문화재 등에 대한 물납을 요청하여야 한다.

③ 납세지 관할 세무서장은 문화체육관광부장관의 요청을 받은 경우 해당 문화재 등이 국고 손실의위험이 크지 아니하다고 인정되는 경우 물납을 허가한다.

④ 문화재 등의 물납을 신청할 수 있는 납부세액은 상속재산 중 물납에 충당할 수 있는 문화재 등의가액에 대한 상속세 납부세액을 초과할 수 없다.

6. 가업상속에 대한 상속세의 납부유예

(1) 납부유예 요건

납세지 관할세무서장은 납세의무자가 다음의 요건을 모두 갖추어 상속세의 납부유예를 신청하는 경우에는 납부유예를 허가할 수 있다.

① 상속인이 가업상속공제 대상에 해당하는 가업(중소기업으로 한정함)을 상속받았을 것

② 가업상속공제를 받지 아니하였을 것. 이 경우 가업상속공제 대신 영농상속공제를 받은 경우에는 가업상속공제를 받은 것으로 본다.

(2) 담보제공

상속세의 납부유예 허가를 받으려는 납세의무자는 담보를 제공하여야 한다.

(3) 사후관리

납세지 관할세무서장은 상속인이 정당한 사유 없이 다음의 어느 하나에 해당하는 경우 상속세의 납부유예에 따른 허가를 취소하거나 변경하고, 다음에 따른 세액과 이자상당액을 징수한다.

① 「소득세법」을 적용받는 가업을 상속받은 경우로서 가업용 자산의 40% 이상을 처분한 경우: 납부유예된 세액 중 처분 비율을 고려하여 계산한 세액

② 해당 상속인이 가업에 종사하지 아니하게 된 경우: 납부유예된 세액의 전부

③ 주식 등을 상속받은 상속인의 지분이 감소한 경우: 다음의 구분에 따른 세액

ㄱ 상속개시일부터 5년 이내에 감소한 경우: 납부유예된 세액의 전부

ㄴ 상속개시일부터 5년 후에 감소한 경우: 납부유예된 세액 중 지분 감소 비율을 고려하여 계산한 세액

④ 다음에 모두 해당하는 경우: 납부유예된 세액의 전부

ㄱ 상속개시일부터 5년간 정규직 근로자 수의 전체 평균이 상속개시일이 속하는 소득세 과세기간 또는 법인세 사업연도의 직전 2개 소득세 과세기간 또는 법인세 사업연도의 정규직근로자 수의 평균의 70%에 미달하는 경우

ㄴ 상속개시일부터 5년간 총급여액의 전체 평균이 상속개시일이 속하는 소득세 과세기간 또는 법인세 사업연도의 직전 2개 소득세 과세기간 또는 법인세 사업연도의 총급여액의 평균의 70%에 미달하는 경우

⑤ 해당 상속인이 사망하여 상속이 개시되는 경우: 납부유예된 세액의 전부

(4) 상속세 신고납부

상속세 납부유예 허가를 받은 자는 상속인이 위 (3) 사후관리의 어느 하나에 해당하는 경우 그 날이 속하는 달의 말일부터 6개월 이내에 납세지 관할세무서장에게 신고하고 해당 상속세와 이자상당액을 납세지 관할세무서, 한국은행 또는 체신관서에 납부하여야 한다. 다만, 위 (3)의 사후관리 규정에 따라 이미 상속세와 이자상당액이 징수된 경우에는 그러하지 아니하다.

(5) 상속세 징수

납세지 관할세무서장은 상속세 납부유예 허가를 받은 자가 다음의 어느 하나에 해당하는 경우 그 허가를 취소하거나 변경하고, 납부유예된 세액의 전부 또는 일부와 이자상당액을 징수할 수 있다.

① 담보의 변경 또는 그 밖의 담보 보전에 필요한 관할 세무서장의 명령에 따르지 아니한 경우

② 「국세징수법」에 따른 납부기한전징수 사유의 어느 하나에 해당되어 납부유예된 세액의 전액을 징수할 수 없다고 인정되는 경우

(6) 재상속

위 (3) 사후관리 사유 중 주식 등을 상속받은 상속인의 지분이 감소한 경우 또는 해당 상속인이 사망하여 상속이 개시되는 경우로 납부유예된 세액과 이자상당액을 납부하여야 하는 자는 다음의 어느 하나에 해당하는 경우 사후관리 규정에도 불구하고 납세지 관할세무서장에게 해당 세액과 이자상당액의 납부유예 허가를 신청할 수 있다.

① 주식 등을 상속받은 상속인의 지분이 감소한 경우로서 수증자가 「조세특례제한법」에 따른 가업의 승계에 대한 증여세 과세특례를 적용받거나 가업승계 시 증여세의 납부유예 허가를 받은 경우

② 상속인이 사망하여 상속이 개시되는 경우로서 다시 상속을 받은 상속인이 상속받은 가업에 대하여 가업상속공제를 받거나 상속세 납부유예 허가를 받은 경우

7. 지정문화재 등에 대한 상속세의 징수유예

(1) 징수유예 대상

납세지 관할세무서장은 상속재산 중 다음의 어느 하나에 해당하는 재산이 포함되어 있는 경우에는 상속세산출세액에 상속재산(상속재산에 가산하는 증여재산을 포함) 중 다음 ①, ② 및 ③에 해당하는 재산이 차지하는 비율을 곱하여 계산한 금액에 상당하는 상속세액의 징수를 유예한다.

① 「문화재보호법」에 따른 문화재자료 및 국가등록문화재와 보호구역에 있는 토지(이하 문화재자료 등이라 함)

② 「박물관 및 미술관 진흥법」에 따라 등록한 박물관자료 또는 미술관자료로서 박물관 또는 미술관(사립박물관이나 사립미술관의 경우에는 공익법인 등에 해당하는 것만을 말함)에 전시 중이거나 보존 중인 재산(이하 "박물관자료 등"이라 함)

③ 「문화재보호법」에 따른 국가지정문화재 및 시ㆍ도지정문화재와 보호구역에 있는 토지로서 대통령령으로 정하는 토지(이하 "국가지정문화재 등"이라 함)

(2) 상속세 징수

납세지 관할세무서장은 문화재자료 등, 박물관자료 등 또는 국가지정문화재 등을 상속받은 상속인 또는 수유자가 이를 유상으로 양도하는 등의 사유로 박물관자료 등을 인출(引出)하는 경우에는 즉시 그 징수유예한 상속세를 징수하여야 한다.

(3) 담보제공

징수유예를 받으려는 자는 그 유예할 상속세액에 상당하는 담보를 제공하여야 한다.

(4) 담보제공의 예외

① 위 (3)에 따른 담보제공 규정에도 불구하고 국가지정문화재 등에 대한 상속세를 징수유예 받으려는 자는 그 유예할 상속세액에 상당하는 담보를 제공하지 아니할 수 있다.

② 납세담보를 제공하지 아니한 자는 매년 말 관할 세무서장에게 국가지정문화재 등의 보유현황을 제출하여야 하며, 관할 세무서장은 보유현황의 적정성을 점검하여야 한다.

③ 납세담보를 제공하지 아니한 자가 국가지정문화재 등을 유상으로 양도할 때에는 국가지정문화재 등을 양도하기 7일 전까지 관할 세무서장에게 신고하여야 한다.

④ 세무서장등은 납세담보를 제공하지 아니한 자가 다음의 어느 하나에 해당하면 다음에 따른 금액을 징수하여야 한다.

㉠ 국가지정문화재 등의 보유현황 자료를 제출하지 아니한 경우 징수유예 받은 상속세액의 100분의 1에 상당하는 금액

㉡ 국가지정문화재 등의 양도 사실을 신고하지 아니한 경우 징수유예 받은 상속세액의 100분의 20에 상당하는 금액

8. 결정 및 경정

(1) 결정

세무서장 등은 신고에 의하여 과세표준과 세액을 결정한다. 다만, 신고를 하지 아니하였거나 그 신고한 과세표준이나 세액에 탈루 또는 오류가 있는 경우에는 그 과세표준과 세액을 조사하여 결정한다.

(2) 결정기한

상속세는 과세표준 신고기한으로부터 9개월 이내, 증여세는 과세표준 신고기한으로부터 6개월 이내에 하여야 한다.

(3) 경정청구의 특례

① 상속세: 상속세 과세표준 및 세액을 신고한 자 또는 상속세 과세표준 및 세액을 결정 또는 경정을 받은 자에게 다음 사유가 발생한 경우에는 그 사유발생일로부터 6개월 이내에 결정 또는 경정을 청구할 수 있다.

  ㉠ 상속회복청구소송 또는 유류분반환청구소송의 확정판결로 인하여 상속재산가액의 변동이 있는 경우

  ㉡ 상속개시 후 1년이 되는 날까지 일정사유로 인하여 상속재산가액이 현저히 하락하는 경우

② 증여세: 다음 중 어느 하나에 해당하는 경우에는 그 사유가 발생한 날부터 3개월 이내에 결정 또는 경정을 청구할 수 있다.

  ㉠ 부동산 무상사용에 따른 이익의 증여에 대하여 증여세를 결정 또는 경정 받은 자가 부동산 무상사용기간 중 부동산 소유자로부터 해당 부동산을 상속 또는 증여받거나 법 소정 사유로 해당 부동산을 무상으로 사용하지 아니하게 된 경우

  ㉡ 금전 무상대출 등에 따른 이익의 증여에 대하여 증여세를 결정 또는 경정 받은 자가 대부기간에 대부자로부터 해당 금전을 상속 또는 증여받거나 법 소정 사유로 해당 금전을 무상으로 또는 적정이자율보다 낮은 이자율로 대부받지 아니하게 되는 경우

  ㉢ 타인의 재산을 무상으로 담보를 제공하고 금전 등을 차입함에 따라 재산사용 및 용역제공 등에 따른 이익의 증여에 따른 증여세를 결정 또는 경정받은 자가 재산의 사용기간 중에 재산 제공자로부터 해당 재산을 상속 또는 증여받거나 법 소정의 사유로 무상으로 또는 적정이자율보다 낮은 이자율로 차입하지 아니하게 되는 경우

9. 사후관리

세무서장 등은 결정된 상속재산의 가액이 30억 원 이상인 경우로서 상속개시 후 5년 이내에 상속인이 보유한 부동산·금융자산, 서화·골동품 기타 유형재산 및 무체재산권의 가액이 상속개시 당시에 비하여 현저히 증가한 경우에는 그 결정한 과세표준과 세액에 탈루 또는 오류가 있는지 여부를 조사하여야 한다. 다만, 상속인이 그 증가한 재산에 관한 자금출처를 증명한 경우에는 그러하지 아니한다.

01 「상속세 및 증여세법」상 상속재산에 대한 설명으로 옳지 않은 것은?

2021년 9급

① 「국민연금법」에 따라 지급되는 유족연금은 상속재산으로 본다.

② 피상속인이 신탁으로 인하여 타인으로부터 신탁의 이익을 받을 권리를 소유하고 있는 경우에는 그 이익에 상당하는 가액을 상속재산에 포함한다.

③ 피상속인의 사망으로 인하여 받는 생명보험의 보험금으로서 피상속인이 보험계약자인 보험계약에 의하여 받는 것은 상속재산으로 본다.

④ 수익자연속신탁의 수익자가 사망함으로써 타인이 새로 신탁의 수익권을 취득하는 경우 그 타인이 취득한 신탁의 이익을 받을 권리의 가액은 사망한 수익자의 상속재산에 포함한다.

01

「국민연금법」에 따라 지급되는 유족연금은 비과세 대상에 해당된다.

---

02 상속세 및 증여세법령상 물납에 대한 설명으로 옳은 것은?

2019년 9급

① 법령에 따라 물납에 충당하는 재산은 세무서장이 인정하는 정당한 사유가 없는 한 국내에 소재하는 부동산을 국채 및 공채보다 먼저 신청 및 허가하여야 한다.

② 세무서장은 법령에 의하여 물납신청을 받은 재산이 지상권·지역권·전세권·저당권 등 재산권이 설정되어 관리·처분상 부적당하다고 인정하는 경우에는 물납허가를 하지 아니할 수 있다.

③ 국외에 소재하는 부동산도 물납에 충당할 수 있다.

④ 재산을 분할하거나 재산의 분할을 전제로 하여 물납신청을 하는 경우에는 물납을 신청한 재산의 가액이 분할 전보다 감소되더라도 물납을 허가할 수 있다.

02

✓ 오답체크

① 물납에 충당하는 재산은 세무서장이 인정하는 정당한 사유가 없는 한 국채 및 공채를 1순위로 신청 및 허가하여야 한다.

③ 국내에 소재하는 부동산 등 물납에 충당할 수 있는 재산으로 한정한다.

④ 재산을 분할하거나 재산의 분할을 전제로 하여 물납신청을 하는 경우에는 물납을 신청한 재산의 가액이 분할 전보다 감소되지 아니하는 경우에만 물납을 허가할 수 있다.

정답 01 ① 02 ②

03 상속세 및 증여세법령상 상속세에 대한 설명으로 옳지 않은 것은? 2018년 7급

① 거주자의 사망으로 상속이 개시되어 배우자가 실제 상속받은 금액이 있는 경우 배우자 상속공제는 최고 30억 원 한도로 상속세 과세가액에서 공제한다.

② 상속인(대습상속인이 아님)이 피상속인의 자녀를 제외한 직계비속이며 성년인 경우는 상속세산출세액에 상속재산(상속재산에 가산한 증여재산 중 상속인이 받은 증여재산을 포함) 중 그 상속인이 받았거나 받을 재산이 차지하는 비율을 곱하여 계산한 금액의 100분의 30에 상당하는 금액을 가산한다.

③ 상속세 신고납부를 위하여 상속재산을 「감정평가 및 감정평가사에 관한 법률」 제2조 제4호에 따른 감정평가업자에게 평가를 받아 그 평가수수료를 상속세 과세가액에서 공제받을 수 있는 경우에는 500만 원을 한도로 한다.

④ 거주자의 사망으로 상속이 개시되는 경우로서 자녀 1명에 대해서는 3천만 원을 상속세 과세가액에서 공제한다.

03
거주자의 사망으로 상속이 개시되는 경우로서 자녀 1명에 대해서는 5천만 원을 상속세 과세가액에서 공제한다.

04 「상속세 및 증여세법」상 상속세 과세가액을 계산할 때 가산(또는 산입)하지 않는 것은? (단, 피상속인과 상속인 모두 거주자이며, 증여재산은 「상속세 및 증여세법」상 비과세, 과세가액불산입 및 합산배제 증여재산에 해당하지 아니함) 2016년 9급

① 피상속인이 상속개시일 8년 전에 상속인에게 증여한 재산가액

② 피상속인이 상속개시일 4년 전에 상속인이 아닌 자에게 증여한 재산가액

③ 피상속인이 상속개시일 6개월 전에 토지를 처분하고 받은 금액 3억 원의 용도가 객관적으로 명백하지 아니한 경우 그 금액

④ 피상속인이 상속개시일 1년 6개월 전에 부담한 금융회사에 대한 채무 4억 원의 용도가 객관적으로 명백하지 아니한 경우 그 금액

04
상속개시일로부터 2년 이내 채무금액이 5억 원 이상이 아니므로 추정상속재산에 해당하지 않는다.

05 「상속세 및 증여세법」에 대한 설명으로 옳은 것은?　　　2015년 9급

① 상속세의 연부연납은 관할세무서장의 허가 없이 신청 요건을 갖추기만 하면 허용한다.

② 증여세의 납세의무자는 수증자이므로 수증자가 납부할 증여세에 대하여 증여자가 연대납부의무를 지는 경우는 없다.

③ 상속세의 경우 부과과세방식의 조세이므로 법령에서 상속인에게 상속세 과세표준 등을 신고납부할 협력의무를 요구하지 않는다.

④ 상속세의 물납에 충당하는 재산은 부동산뿐만 아니라 주식(상장주식 및 비상장주식)으로도 가능하다.

---

① 상속세 및 증여세의 연부연납은 납세자의 신청을 받아 납세지 관할세무서장으로부터 허가를 받은 자가 가능하다.

② 증여자는 수증자가 다음 중 어느 하나에 해당하는 경우에는 수증자가 납부할 증여세를 연대하여 납부할 의무를 진다.

> 1. 주소나 거소가 분명하지 아니한 경우로서 조세채권을 확보하기 곤란한 경우
> 2. 증여세를 납부할 능력이 없다고 인정되는 경우로서 강제징수를 하여도 조세채권을 확보하기 곤란한 경우
> 3. 수증자가 증여일 현재 비거주자인 경우
> 4. 권리의 이전이나 그 행사에 등기 등을 요하는 재산에 있어서 실제 소유자와 명의자가 다른 경우

③ 상속세 및 증여세는 정부부과세목에 해당하지만 신고 및 납부의무를 가지고 있다.

---

06 국세를 물납하는 것에 대한 설명으로 옳지 않은 것은?　　　2015년 7급

① 물납에 의하여 납세의무가 소멸하기 위해서는 물납을 허용하는 법률 규정이 있어야 가능하다.

② 법인세는 물납이 허용되는 경우가 없다.

③ 국세를 물납한 후 그 부과의 전부 또는 일부를 취소하거나 감액하는 경정결정에 따라 환급을 하면서 해당 물납재산으로 환급하는 경우에는 국세환급가산금에 관한 「국세기본법」 규정을 적용하지 않는다.

④ 상속세도 물납할 수 있는 경우가 있는데, 이때 물납할 수 있는 재산의 종류는 부동산에 한한다.

06

상속세를 물납할 수 있는 재산의 종류는 부동산 및 유가증권에 한한다.

정답　05 ④　06 ④

07 「상속세 및 증여세법」상 상속재산의 평가에 대한 설명으로 옳지 않은 것은?

2014년 9급

① 신탁의 이익을 받을 권리에 대해서는 해당 권리의 성질, 내용, 남은 기간 등을 기준으로 법령으로 정하는 방법으로 그 가액을 평가한다.

② 서화에 대해서는 해당 재산의 종류, 규모, 거래상황 등을 고려하여 법령으로 정하는 방법으로 그 가액을 평가한다.

③ 지가가 급등하지 않은 지역으로서 개별공시지가가 없는 토지의 가액은 납세지 관할세무서장이 인근 유사 토지의 개별공시지가를 고려하여 법령으로 정하는 방법으로 평가한 금액으로 한다.

④ 양도담보재산은 그 재산이 담보하는 채권액을 그 재산의 가액으로 한다.

07
양도담보재산의 평가는 「상속세 및 증여세법」상 평가액과 그 재산이 담보하는 채권액 중 큰 금액으로 한다.

08 세법상 납세의무에 대한 설명으로 옳지 않은 것은?

2014년 7급

① 「국세기본법」상 납세의무자란 세법에 따라 국세를 납부할 의무(국세를 징수하여 납부할 의무는 제외한다)가 있는 자를 말한다.

② 법인이 설립무효 또는 설립취소의 판결을 받은 경우에도 당해 판결의 확정시까지 발생한 소득에 대하여는 법인세를 납부하여야 한다.

③ 우리나라의 경우 상속세에 있어서는 유산과세형을 채택하고 있기 때문에 상속재산관리인이 존재하는 경우 그가 상속세의 납세의무자가 된다.

④ 사업 목적이 영리이든 비영리이든 관계없이 사업상 독립적으로 재화 또는 용역을 공급하는 자는 부가가치세를 납부할 의무가 있다.

08
상속재산관리인은 납부의무자에 해당하지 않는다.

09 「상속세 및 증여세법」상 상속공제에 관한 설명으로 옳지 않은 것은?

2014년 7급

① 부와 모가 동시에 사망하였을 경우 상속세의 과세는 부와 모의 상속재산에 대하여 각각 개별로 계산하여 과세하며, 이 경우 배우자상속공제는 적용되지 아니한다.

② 상속인 및 동거가족 중 장애인에 대해서는 장애인 1명당 1,000만 원에 기대여명(통계법에 따라 통계청장이 승인하여 고시하는 통계표상의 기대여명)의 연수를 곱하여 계산한 금액을 공제한다.

③ 피상속인의 배우자가 단독으로 상속받는 경우에는 기초공제와 그 밖의 인적공제액을 합친 금액으로만 공제하며, 일괄공제는 선택할 수 없다.

④ 인적공제 대상자가 상속인으로서 상속을 포기한 경우라면 그 상속포기인에 대하여는 인적공제를 적용하지 않는다.

09
상속인이 상속을 포기한 경우에도 인적공제를 적용받을 수 있다.

10 「상속세 및 증여세법」상 상속세에 관한 설명으로 옳지 않은 것은? 2013년 9급

① 상속인 또는 수유자는 각자가 받았거나 받을 재산을 한도로 연대하여 상속세를 납부할 의무를 진다.

② 피상속인이 신탁한 재산은 상속재산으로 보지만, 타인이 신탁의 이익을 받을 권리를 소유하고 있는 경우 그 이익에 상당하는 가액은 상속재산으로 보지 아니한다.

③ 상속개시일 전 10년 이내에 피상속인이 상속인이 아닌 자에게 진 증여채무는 상속재산가액에서 빼지 아니한다.

④ 피상속인의 사망으로 인하여 받는 생명보험의 보험금으로서 피상속인의 보험계약자인 보험계약에 의하여 받는 것은 상속재산으로 본다.

10
상속개시일 전 5년 이내에 상속인이 아닌 자에게 진 증여채무는 상속재산의 가액에서 빼지 아니한다.

정답 09 ④ 10 ③

11 증여세와 소득세의 상관관계에 대한 설명으로 옳지 않은 것은? 2012년 7급

① 소득세의 과세대상인 소득의 개념을 순자산증가설로 이해하면 수증자산도 소득세의 과세대상이 될 수 있다.

② 「상속세 및 증여세법」은 기본적으로 수증자에게 증여세가 과세되는 경우에는 소득세를 부과하지 않도록 규정하고 있다.

③ 특수관계인에게 양도한 재산을 그 특수관계인(이하 양수자라 한다)이 양수일부터 3년 이내에 당초 양도자의 배우자 등에게 다시 양도한 경우에는 양수자가 그 재산을 양도한 당시의 재산가액을 그 배우자 등이 증여받은 것으로 추정하여 이를 배우자 등의 증여재산가액으로 한다. 다만, 당초 양도자 및 양수자가 부담한 「소득세법」에 따른 결정세액을 합친 금액이 그 배우자 등이 증여받은 것으로 추정할 경우의 증여세액보다 큰 경우에는 그러하지 아니한다.

④ 거주자가 양도일부터 소급하여 5년 이내에 그 배우자로부터 증여받은 토지를 양도한 경우 거주자가 증여받은 자산에 대하여 납부한 증여세는 그 거주자의 양도차익 계산에서 필요경비로 산입한다.

11
「상속세 및 증여세법」은 소득세가 과세되는 부분에 대해서 증여세를 부과하지 않도록 규정하고 있다.

12 「상속세 및 증여세법」상 물납에 충당할 수 있는 재산에 대한 설명으로 옳지 않은 것은? 2011년 9급

① 물납하는 재산의 충당순위는 세무서장이 인정하는 정당한 사유가 없는 한 국채 및 공채를 우선하여 신청 및 허가하여야 한다.

② 세무서장은 물납신청을 받은 재산이 관리처분상 부적당하다고 인정하는 경우에는 관리처분이 가능한 다른 물납재산으로의 변경을 명할 수 있다.

③ 한국거래소에 상장된 주식은 제한 없이 물납재산으로 제공할 수 있다.

④ 상속의 경우로서 비상장주식을 제외하고 조세 채무를 이행할 수 있는 재산이 없는 경우에는 비상장주식으로 물납이 가능하다.

12
한국거래소에 상장된 주식은 다른 상속 또는 증여재산이 없거나 최초로 한국거래소에 상장되어 관련 법률에 따라 처분이 제한된 경우에 물납할 수 있다.

13 「상속세 및 증여세법」상 상속세의 과세대상 및 납세의무에 관한 설명으로 옳은 것은? 2010년 9급

① 상속재산에는 피상속인의 일신에 전속하는 것으로서 피상속인의 사망으로 인하여 소멸되는 것도 포함된다.

② 피상속인의 사망으로 인하여 지급받는 생명보험의 보험금으로서 피상속인이 보험계약자인 보험계약에 의하여 지급받는 것은 상속재산에서 제외된다.

③ 수유자가 영리법인인 경우에는 상속세를 납부할 의무가 있다.

④ 비거주자가 사망한 경우에는 상속개시일 현재 국내에 있는 비거주자의 모든 상속재산에 대하여 상속세를 부과한다.

13
✓ 오답체크

① 상속재산에는 피상속인의 일신에 전속하는 것으로서 피상속인의 사망으로 인하여 소멸되는 것은 제외된다.

② 피상속인의 사망으로 인하여 지급받는 생명보험의 보험금으로서 피상속인의 보험계약자인 보험계약에 의하여 지급받는 것은 상속재산에 포함된다.

③ 수유자가 영리법인인 경우에는 상속세를 납부할 의무가 없다.

정답 **11** ② **12** ③ **13** ④

MEMO

2024 대비 최신개정판

해커스공무원

김영서
세법 기본서 | 2권

개정 6판 1쇄 발행 2023년 7월 3일

지은이	김영서, 해커스 공무원시험연구소 공편저
펴낸곳	해커스패스
펴낸이	해커스공무원 출판팀

주소	서울특별시 강남구 강남대로 428 해커스공무원
고객센터	1588-4055
교재 관련 문의	gosi@hackerspass.com
	해커스공무원 사이트(gosi.Hackers.com) 교재 Q&A 게시판
	카카오톡 플러스 친구 [해커스공무원 노량진캠퍼스]
학원 강의 및 동영상강의	gosi.Hackers.com

ISBN	2권: 979-11-6999-319-7 (14360)
	세트: 979-11-6999-317-3 (14360)
Serial Number	06-01-01

공무원 교육 1위,
해커스공무원 gosi.Hackers.com

해커스공무원

· **해커스공무원 학원 및 인강**(교재 내 인강 할인쿠폰 수록)
· 정확한 성적 분석으로 약점 극복이 가능한 **합격예측 모의고사**(교재 내 응시권 및 해설강의 수강권 수록)
· 해커스 스타강사의 **공무원 세법 무료 동영상강의**
· '회독'의 방법과 공부 습관을 제시하는 **해커스 회독증강 콘텐츠**(교재 내 할인쿠폰 수록)